Tout faire soi-même dans la maison

Tout faire soi-même dans la maison

DES CENTAINES DE FAÇONS DE CRÉER DES CHOSES UTILES

Sélection
Reader's Digest

Sélection du Reader's Digest (Canada) Ltée, Montréal

ÉQUIPE DE SÉLECTION

Réalisation de l'ouvrage

Vice-présidence Magazine et Livres
Robert Goyette

Rédaction
Agnès Saint-Laurent

Lecture-correction
Gilles Humbert

Direction artistique
Andrée Payette

Fabrication
Gordon Howlett

Coordination de production
Gillian Sylvain

Collaboration externe

Traduction
Geneviève Beullac
Louise Nadeau
René Raymond
Suzette Thiboutot-Belleau

Lecture-correction
Joseph Marchetti

Index
Suzanne Govaert-Gauthier

Conception de la couverture : David Trooper

Données de catalogage avant publication (Canada)

Vedette principale au titre:
Tout faire soi-même dans la maison: des centaines de façons de créer des
choses utiles

Comprend des réf. bibliogr. et un index.

Traduction de: Home made, best made.

ISBN 0-88850-735-6

1. Économie domestique. 2. Artisanat. 3. Cuisine. I. Sélection du Reader's
Digest (Canada) (Firme).

TX147.H6614 2001   640   C00-941748-6

La recette à la page 210 est tirée de DR. PITCAIRN'S COMPLETE GUIDE TO NATURAL
HEALTH FOR DOGS & CATS, copyright 1982 par Richard H. Pitcairn. Permission de
Rodale Press, Inc., Emmaus, PA 18098.

Note au lecteur: Certains projets de bricolage comportent des risques. L'habileté du lecteur, les matériaux, les outils et les conditions de travail peuvent varier. Les rédacteurs ont déployé beaucoup d'efforts pour offrir le plus de précision possible, mais le lecteur est responsable de la sélection et de l'utilisation des outils, du matériel et des méthodes utilisées. Il faut toujours suivre les instructions du manufacturier et prendre toutes les précautions de sécurité.

Pour obtenir notre catalogue ou des renseignements sur d'autres produits de
Sélection du Reader's Digest (24 heures sur 24), composez le 1 800 465-0780.

Vous pouvez également nous rendre visite sur notre site Web:
www.selection.ca

Imprimé en Chine
06 07 08 09 / 5 4 3 2

Tout faire soi-même dans la maison

ÉQUIPE DU READER'S DIGEST

Chefs de projet
Nancy Shuker
Enza Micheletti (Canada)

Directrice artistique
Virginia Wells Blaker

Rédacteurs
Judith Cressy
Phil Rodwell
Michael Wall

Assistant à la rédaction
Alexis Lipsitz

Graphistes
Barbara Beckett, assistée de
Cathy Campbell
Manon Gauthier (Canada)

Assistants au graphisme
Barbara Lapic
Ed Jacobus
Wendy Wong

Assistant à la rédaction
Andrew Boorstyn

Remerciements
Eleanor Kostyk
Robert Steimle

COLLABORATEURS

Consultante
Zuelia Ann Hurt

Rédactrice
Linda Hetzer

Assistant à la rédaction
Howard G. Senior

Photographes
John Hollingshead
Steven Mays
Rodney Weidland

Illustrateurs
David Carroll
Sue Ninham
Keith Scanlon
Ray Skibinski
Thomas Sperling
Ian Worpole

Stylistes
Jan Berry
Kay Francis
Louise Owens
Susan E. Piatt
Kathy Tripp
Anne Marie Unwin
Paul Urquhart

Consultants
Tom Christopher
Ara DerMarderosian, PhD.
Kim Erickson
Helen Taylor Jones
Louise Owens
Leslie Glover Pendleton
Susan B. Schoen, VMD

Table des matières

Beauté et santé

Chiens, chats et compagnie

Jardin et potager

Doigts de fée

À propos de ce livre

$\mathcal{L}$A TECHNOLOGIE MODERNE a certainement facilité notre vie; et l'on peut se procurer à peu près tout ce que l'on désire, du moment que l'on est prêt à payer.

Il n'y a pas si longtemps, la plupart des choses que les gens mangeaient ou portaient, le mobilier et même le luxe, comme les petits cadeaux ou les produits de beauté, tout, presque tout était fabriqué à la maison. Nous avons adopté les produits de consommation pour leur côté pratique, mais nous avons sacrifié bien des plaisirs. Le premier étant sans doute la satisfaction personnelle. Le second est certainement l'arôme et le goût particuliers des produits maison, que l'on pense aux pains, aux soupes ou aux conserves. Un autre plaisir non négligeable en ces temps de préoccupations écologiques, est de pouvoir décliner tous les ingrédients que contiennent les plats sur notre table. Le quatrième plaisir est sûrement celui de marquer sa maison de touches personnelles pour qu'elle nous ressemble et nous rassemble.

Ce livre vous propose d'exprimer votre créativité pour améliorer votre environnement. Démontrez votre habileté en fabriquant des objets qui deviendront des petits bonheurs pour votre famille et vos amis. Vous aimerez essayer divers projets et vous serez fier des résultats, en plus de faire des économies!

En six chapitres, TOUT FAIRE SOI-MÊME DANS LA MAISON vous offre la possibilité de créer en cuisinant, en décorant votre maison ou votre jardin, en prenant soin de vous-même ou de vos animaux familiers et en fabriquant de jolis présents. Nos conseils ne sont pas seulement des conseils de base. Par exemple, dans le chapitre «De votre cuisine», vous trouverez des centaines de recettes allant des confitures à la charcuterie, mais aussi des suggestions pour utiliser, conserver ou emballer joliment vos réalisations afin de les offrir. Dans ce même chapitre, la section sur la congélation vous sera bien utile quand vous aurez eu le plaisir de récolter les légumes et les fines herbes que vous aurez cultivés selon les méthodes du chapitre «Jardin et potager».

Le croisement des techniques est un autre élément intéressant de ce livre. Plusieurs projets sont interreliés, donc les habiletés que vous développerez pourront servir de nombreuses fois. Le tricot que vous avez appris au début de «Doigts de fée» servira à fabriquer des paniers de Pâques ainsi que des chandails. Les pochoirs du chapitre de décoration serviront à plusieurs projets de bricolage. Les fines herbes qui grandissent dans votre potager pourront servir aussi bien dans une sauce que pour un masque de beauté.

Au début de chaque chapitre, «Avant de commencer...» vous explique en détail des techniques générales utiles aux créations qui suivent. Vous trouverez à chaque page, une mine d'idées: mille trucs et astuces qui simplifient l'art de fabriquer, servir, conserver ou présenter vos produits maison.

La plupart des projets suggérés ne requièrent qu'un peu d'habileté et d'expérience. Mais nous avons inclus quelques projets qui nécessitent de se faire d'abord les dents sur des idées plus simples si l'on veut bien réussir. Sans aucun doute, vous trouverez ici tout ce qu'il faut pour stimuler votre intérêt et votre créativité.

Quantité de photos pleine page et des illustrations étape par étape vous indiqueront la marche à suivre. Nous espérons que TOUT FAIRE SOI-MÊME DANS LA MAISON comblera avec bonheur des heures de loisir tout au long de l'année.

De votre cuisine

*D*ans le domaine de l'alimentation, le terme «fait maison» évoque de puissants parfums comme celui du pain qui cuit au four ou d'une sauce qui mijote, ou encore des plats précis reliés à une occasion spéciale... et ces associations sont toujours agréables et réconfortantes.

La notion de plaisir explique pourquoi un cadeau de la cuisine satisfait autant celui qui le donne que celui qui le reçoit; le premier se réjouit de créer quelque chose avec des éléments naturels, le second apprécie tout l'amour qui entre dans la fabrication de ce quelque chose.

Le chapitre qui suit explore une foule de techniques et de procédés culinaires pour préparer des cadeaux cuisinés, organiser des réceptions ou souligner des occasions spéciales, sans grandes complications et à peu de frais. Il renferme aussi des conseils pour réussir vos conserves sucrées et salées, et pour congeler vos fruits et vos légumes en saison afin d'en profiter pendant l'hiver.

Toute une variété de recettes vous attend: trempettes, tartinades, bouchées feuilletées, pâtés et saucissons; fonds de sauce et pains à la levure; biscuits, muffins, gâteaux et bonbons; boissons de fantaisie, alcoolisées ou non; crèmes glacées d'antan et sorbets nouvelle vague. Il y a aussi des explications étape par étape pour illustrer des techniques, et des encadrés pour les trucs et les astuces.

AVANT DE COMMENCER...

Rien des préparations commerciales «fait maison» ne vaut ce que vous préparez dans votre cuisine.
Les recettes présentées ici sont une ode à la diversité des styles de cuisson et du patrimoine culinaire
auxquels le cuisinier moderne a accès. Voici quelques recommandations d'ordre général.

POUR RÉUSSIR en cuisine, pas besoin d'une grande cuisine ni d'une grosse panoplie d'instruments. Certes, robot culinaire, mélangeur et four à micro-ondes permettent d'économiser du temps, mais ils ne sont nullement indispensables. Voici ce qu'il vous faut comme ustensiles de base :

1 Deux ou trois couteaux bien aiguisés de tailles différentes, rangés de préférence dans un bloc en bois ou sur une barre aimantée ;

2 Pinces, louche et cuillers à mélanger, en bois et en acier inoxydable, dont une cuiller à trous pour extraire des éléments solides d'un liquide. Les poignées des ustensiles devraient être à l'épreuve de la chaleur et assez longues pour éviter de vous brûler ;

3 Jeu de tasses en métal graduées pour mesurer les aliments solides ;

4 Récipient gradué transparent à l'épreuve de la chaleur pour mesurer les liquides – le format de 4 tasses est le plus pratique ;

5 Jeu de cuillers à mesurer ;

6 Bols à mélanger de tailles diverses. Le bol en cuivre est idéal pour battre les blancs d'œufs sans avoir recours au fouet rotatif ou au batteur ;

7 Casseroles avec couvercles, dont certaines en acier inoxydable ou émaillé, ou à revêtement antiadhésif, pour la cuisson des aliments acides ;

8 Bassine pour stériliser les conserves et bain-marie pour les sauces et les desserts à base d'œufs. Notez qu'un bol posé sur une casserole fait tout aussi bien l'affaire, du moment que le fond n'est pas immergé ;

9 Ciseaux de cuisine, couteau économe, zesteur, passoire, tamis et râpe ;

10 Pour la pâtisserie, rouleau, des spatules, un fouet ; des moules à gâteaux et à tartes, et des plaques à biscuits de tailles variées ; fouet ou batteur. Le thermomètre à sucre est passablement utile.

Des conserves en toute sécurité

Le secret consiste à faire cuire l'aliment à une température élevée pendant le temps suffisant. L'acide empêche la prolifération des microorganismes et c'est pourquoi, dans le cas des confitures et des chutneys à base de fruits acides et des marinades à base de vinaigre, il suffit de faire bouillir les pots une fois remplis. Servez-vous d'une bassine spéciale ou d'une grande marmite munie d'un bon couvercle et d'une grille pour surélever les pots. Ceux-ci doivent être recouverts d'au moins 2,5 cm (1 po) d'eau. Pour les conserves de viande et de légumes, il faut employer un stérilisateur à pression. Les pots de verre s'achètent à l'épicerie ou à la quincaillerie. Ils sont réutilisables, tout comme le cercle métallique qui visse le couvercle, mais ce dernier doit être renouvelé à chaque usage.

Suivez les directives illustrées ci-dessous pour la mise en conserve des confitures, chutneys et marinades. Lavez d'abord les pots à l'eau chaude savonneuse, rincez bien et trempez dans l'eau bouillante en attendant le remplissage. Préparez les couvercles selon les directives du fabricant. Une fois les pots refroidis après la stérilisation, alignez-les sur un linge ou une grille, sans qu'ils se touchent, pendant 12 à 24 heures. Pressez ensuite chaque couvercle au centre. S'il reste enfoncé, c'est qu'il est bien scellé : vous pouvez retirer le cercle vissé et entreposer votre conserve. Dans le cas contraire, réfrigérez-la pour l'employer vite ou refaites la stérilisation.

Confitures et gelées se conservent six mois dans un endroit sombre et frais (4-15 °C/40-60 °F). Les conserves de légumes ou de viande se gardent au réfrigérateur et doivent être rebouillies pendant 15 minutes avant consommation. Quand un pot coule, ou dès que son contenu a une apparence ou une odeur douteuses, n'hésitez pas une seconde : jetez-le.

MISE EN CONSERVE

1 *Quand la confiture est cuite, retirez-la du feu et mélangez pour répartir les fruits. Remplissez les pots propres qui ont attendu dans l'eau bouillante.*

2 *Remplissez jusqu'à 3 à 6 mm (⅛ - ¼ po) du bord, selon la recette. Avec une spatule, remuez le contenu pour éliminer les bulles d'air.*

3 *Nettoyez le bord au sommet et à l'extérieur avec un linge humide. Posez les couvercles et vissez les cercles en suivant les directives du fabricant.*

4 *Couvrez les pots d'eau, portez à ébullition et faites bouillir le temps prescrit. En haute altitude, comptez une minute de plus pour tous les 300 m (1 000 pi).*

Les condiments maison (confitures, chutneys et marinades) font des cadeaux délicieux et fort appréciés.

Fines herbes

Un grand nombre de recettes dans ce chapitre font appel à des fines herbes fraîches. Si vous devez les remplacer par des herbes séchées, plus concentrées, divisez la quantité par trois (remplacez 1 cuillerée à soupe par 1 cuillerée à thé). Si vous êtes amateur de fines herbes, goûtez en fin de cuisson et ajoutez-en au besoin.

Levure

La levure est l'agent de fermentation qui sert à faire lever le pain et certains gâteaux. Ses cellules vivantes réagissent aux glucides que renferme la farine. La levure fraîche est excellente, mais on emploie plus fréquemment la forme séchée qui se présente en sachets pratiques de 7 g (¼ oz). Pour activer la levure, il faut d'abord la dissoudre dans un peu d'eau ou de lait chauds (40-46 °C/105-115 °F) ; une température plus élevée la tuerait, plus basse n'aurait aucun effet. Au bout de 5 minutes, si la levure est vivante, il se sera formé une mousse. On accélère souvent le processus en ajoutant une pincée de sucre dans le liquide chaud.

Crème glacée

Une sorbetière – électrique ou à manivelle – produit une meilleure crème glacée parce qu'elle permet d'incorporer de l'air dans le mélange, ce qui le rend lisse et lui donne du volume. À défaut de sorbetière, il existe une très bonne méthode au congélateur. Versez le mélange dans des bacs à glaçons ou dans un bol en métal et laissez raffermir pendant plusieurs heures. Sortez la crème du congélateur et fouettez-la avec un batteur pour briser les cristaux de glace. Remettez-la une heure ou deux au congélateur et refaites la même opération deux autres fois. Laissez-la enfin reposer plusieurs heures pour qu'elle devienne très ferme et allouez deux heures de plus pour qu'elle mûrisse. Si vous incorporez des morceaux de fruits ou des noix, attendez que le mélange soit partiellement pris : fruits et noix se congelant plus vite que les mélanges à base de crème ou d'œufs, ils risquent de tourner en glace.

Température du four

La température d'un four n'est pas forcément rigoureuse. Servez-vous d'un thermomètre pour évaluer le vôtre. Si les écarts sont marqués, faites-le réparer. Autrement, contentez-vous de vous ajuster. Si votre four a tendance à trop chauffer, réglez-le, par exemple, à 170 °C (325 °F) quand la recette exige 180 °C (350 °F).

Certains cuisiniers ont l'habitude de qualifier la température plutôt que de la chiffrer. Ils diront, par exemple : « faites cuire à four modéré ». Ces expressions ont leur équivalence précise :

Très doux : 120 °C (250 °F)   Modéré : 150 °C (300 °F)   Chaud : 175 °C (350 °F)
Vif : 200 °C (400 °F)   Très vif : 235-260 °C (475-500 °F)

❖ Marinades en conserve ❖

*Recouvrir un fruit ou un légume de saumure ou
de vinaigre est une méthode traditionnelle pour le conserver.
Les marinades donnent du mordant et de la couleur à un plat.*

Marinade de légumes variés

*On peut faire entrer à peu près tous les légumes
dans cette marinade qui regaillardit aussi bien
une volaille froide qu'un rôti de jambon chaud,
voire même une salade de thon.*

- ❖ **4 concombres fendus en deux
  et coupés en languettes**
- ❖ **1 petit chou-fleur en bouquetons (environ 4 tasses)**
- ❖ **8 échalotes pelées**
- ❖ **2 poivrons verts épépinés et
  détaillés en languettes**
- ❖ **2 poivrons rouges épépinés et
  détaillés en languettes**
- ❖ **500 g (1 lb) de haricots verts
  parés et effilés**
- ❖ **1 botte de carottes miniatures
  ou 3 grosses carottes pelées et
  détaillées en languettes**
- ❖ **2 c. à soupe de sel**
- ❖ **6 tasses de vinaigre blanc**
- ❖ **¼ tasse de sucre**
- ❖ **5 cm (2 po) de gingembre frais
  pelé et fendu en deux**
- ❖ **1 c. à thé de curcuma**
- ❖ **1 c. à soupe chacune de graines
  de moutarde, grains de poivre,
  baies de poivre de la Jamaïque
  et moutarde sèche**

1 Mettez tous les légumes parés dans un bol
en céramique ou en verre. Saupoudrez de sel et
laissez reposer 24 heures.

2 Rincez à l'eau froide. Égouttez à fond.

3 Dans une casserole émaillée ou inoxydable,
portez le vinaigre à ébullition avec le sucre, le
gingembre et les épices. Ajoutez les légumes et
faites cuire 3 minutes.

4 Retirez les légumes du liquide et disposez-
les joliment (en rangs de couleur, par exemple)
dans des pots à large ouverture.

5 Jetez le gingembre et versez le vinaigre
chaud à travers une passoire pour remplir les
pots jusqu'à 6 mm (¼ po) du bord. Bouchez
les pots et plongez-les dans l'eau bouillante
20 minutes (p. 14). Laissez mûrir cette marinade
4 semaines. Réfrigérez une fois le pot ouvert.
DONNE ENVIRON 3 POTS DE 4 TASSES
PRÉPARATION 1 HEURE PLUS 24 HEURES DE MACÉRATION

Marinade de chou-fleur

*Cette marinade peut faire partie d'un plat
d'antipastos ou s'emporter en pique-nique pour
accompagner des viandes froides assaisonnées.*

- ❖ **1 gros chou-fleur détaillé en
  bouquetons (7 à 8 tasses)**
- ❖ **vinaigre blanc pour recouvrir
  les bouquetons de chou-fleur**
- ❖ **1 c. à soupe de sel**
- ❖ **1 c. à soupe de grains de poivre
  blanc**
- ❖ **1 c. à soupe de cassonade
  blonde**
- ❖ **1 poivron rouge tranché mince**
- ❖ **6 petits piments rouges séchés**

1 Mettez le chou-fleur dans une casserole
inoxydable ou antiadhésive. Ajoutez le vinaigre,
le sel, les grains de poivre et la cassonade.

2 Portez à ébullition, ajoutez le poivron rouge
et faites bouillir 1 minute. Retirez les légumes
du liquide et entassez-les dans deux pots à
large ouverture en répartissant bien le poivron
rouge et les piments séchés.

3 Versez le vinaigre chaud à travers une passoire pour remplir les pots jusqu'à 6 mm (¼ po)
du haut. Plongez les pots fermés dans l'eau
bouillante 20 minutes (p. 14). Laissez mûrir
2 semaines. Réfrigérez une fois le pot ouvert.
DONNE 2 POTS DE 4 TASSES • PRÉPARATION 30 MINUTES

Petits oignons marinés

Une tranche ou deux de pain croûté, un bon morceau de cheddar et quelques petits oignons marinés : voilà un excellent repas sur le pouce.

- ◆ **2 kg (4 lb) de petits oignons à mariner**
- ◆ **½ tasse de sel**
- ◆ **10 grains de poivre**
- ◆ **4 petits piments rouges**
- ◆ **4 feuilles de laurier**
- ◆ **4 tasses de vinaigre de cidre**

1 Pour peler les oignons, couvrez-les d'eau bouillante, attendez 5 minutes et égouttez-les.
2 Coupez-les à la racine et au sommet et faites glisser les peaux. Efforcez-vous d'enlever le moins de couches de chair possible sans quoi les petits oignons s'amolliront en marinant. Couvrez-les d'eau froide, ajoutez le sel et mélangez. Laissez reposer jusqu'au lendemain.
3 Égouttez les oignons. Entassez-les dans des pots stérilisés (p. 168) avec les grains de poivre, les piments et les feuilles de laurier.
4 Portez le vinaigre à ébullition dans une casserole inoxydable ou antiadhésive et versez-le aussitôt dans les pots pour couvrir les oignons jusqu'à 3 mm (⅛ po) du bord. Bouchez les pots et plongez-les dans l'eau bouillante 10 minutes (p. 14). Laissez mûrir les petits oignons 4 semaines. Réfrigérez une fois le pot ouvert.
DONNE ENVIRON 4 POTS DE 4 TASSES
PRÉPARATION 1 HEURE PLUS TEMPS DE MARINAGE

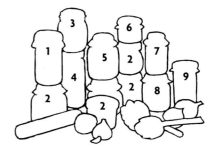

De bons petits pots pour dépanner en toutes sortes d'occasions : **1** *Artichauts à l'huile* **2** *Olives marinées* **3** *Marinade de chou rouge* **4** *Marinade de légumes variés* **5** *Petits oignons marinés* **6** *Œufs de caille marinés* **7** *Conserves de prunes épicées* **8** *Œufs marinés* **9** *Marinade de chou-fleur.*

Le Condiment indien à la lime, riche et épicé, accompagne les caris et toutes les viandes cuites. Goûtez-le avec des crevettes et une bonne miche de pain.

Condiment indien à la lime
Pour l'adoucir, mettez-y moins de piments.

- ◆ **1 kg (2 lb) de limes bien lavées**
- ◆ **8 piments rouges frais hachés**
- ◆ **4 gousses d'ail hachées**
- ◆ **2 c. à soupe de gingembre haché**
- ◆ **1 c. à soupe de graines de coriandre moulues**
- ◆ **1 c. à soupe de cumin moulu**
- ◆ **2 c. à thé de cardamome moulue**
- ◆ **2 c. à thé de graines de moutarde noires**
- ◆ **1 c. à thé de poivre noir moulu**
- ◆ **1 c. à thé de sel**
- ◆ **1 c. à thé de curcuma**
- ◆ **1½ tasse de vinaigre blanc**
- ◆ **½ tasse d'huile végétale**

1 Coupez les limes en six quartiers, puis chacun en deux et mettez-les dans une casserole inoxydable avec le reste des ingrédients.
2 Portez à ébullition, réduisez la chaleur et laissez mijoter environ 50 minutes pour attendrir les fruits et bien épaissir la préparation.
3 Remplissez les pots tièdes jusqu'à 6 mm (¼ po) du bord. Bouchez les pots et plongez-les dans l'eau bouillante 15 minutes (p. 14). Laissez mûrir ce condiment 2 semaines. Réfrigérez une fois le pot ouvert.
DONNE 4 POTS DE 2 TASSES • PRÉPARATION 1 H 30

Œufs marinés
Vous ferez un beau pique-nique avec du poulet froid, une salade verte et ces œufs marinés.

- ◆ **12 œufs moyens**
- ◆ **4 tasses de vinaigre de cidre**
- ◆ **10 grains de poivre noir**
- ◆ **2 petits piments rouges séchés**

1 Préparez des œufs durs et faites-les refroidir pendant 10 minutes à l'eau froide.

Marinade de chou rouge
L'accompagnement parfait pour le rôti de porc.

- ◆ **1 chou rouge**
- ◆ **3 c. à soupe de gros sel**
- ◆ **4 tasses de vinaigre blanc**
- ◆ **1 c. à thé de graines de moutarde**
- ◆ **1 c. à thé de grains de poivre**
- ◆ **1 c. à thé de gingembre frais haché**
- ◆ **2 feuilles de laurier**

1 Parez le chou rouge et rincez-le bien. Tranchez-le en quartiers et râpez-le. (Vous devriez en avoir 10 tasses.) Mettez-le dans un grand bol et saupoudrez avec le sel. Couvrez le bol ; laissez-le reposer jusqu'au lendemain.
2 Rincez le chou rouge. Égouttez bien.
3 Dans une casserole inoxydable ou antiadhésive, portez à ébullition le vinaigre, les épices et le gingembre. Laissez refroidir.
4 Tassez le chou rouge dans deux pots tièdes et versez-y du vinaigre jusqu'à 6 mm (¼ po) du bord. Insérez une feuille de laurier. Bouchez les pots et plongez-les dans l'eau bouillante 20 minutes (p. 14). Laissez mûrir la marinade 2 semaines. Réfrigérez une fois le pot ouvert.
DONNE ENVIRON 2 POTS DE 4 TASSES
PRÉPARATION 1 HEURE PLUS TEMPS DE MARINAGE

2 Entre-temps, faites bouillir le vinaigre et les grains de poivre dans une casserole inoxydable.
3 Faites craqueler les coquilles et enlevez-les avec leur pellicule. Mettez les œufs durs dans deux pots et un piment dans chacun. Versez le vinaigre chaud jusqu'à 6 mm (¼ po) du bord. Bouchez les pots et plongez-les dans l'eau bouillante 20 minutes. Laissez mûrir les œufs 4 semaines. Réfrigérez une fois le pot ouvert.

DONNE 2 POTS DE 4 TASSSES • PRÉPARATION 1 HEURE

VARIANTE Préparez la même recette avec 2 douzaines d'œufs de cailles, et du vinaigre blanc au lieu du vinaigre de cidre. Les œufs de cailles sont plus longs à peler mais font une belle présentation sur un plateau d'antipastos.

Conserves de prunes épicées

Un rôti de porc ou un gigot d'agneau prendront des allures orientales avec ce condiment parfumé.

- ◆ 1 ⅔ tasse de sucre
- ◆ 2 ⅔ tasses d'eau
- ◆ 1 tasse de vinaigre de cidre
- ◆ 4 bâtons de cannelle en fragments
- ◆ 1 c. à soupe de clous de girofle
- ◆ 1 c. à soupe de grains de poivre noir
- ◆ 2 ou 3 zestes d'orange
- ◆ 1 kg (2 lb) de prunes rouges ou bleues, fermes mais mûres

1 Mettez le sucre et l'eau dans une casserole et portez à ébullition ; remuez pour dissoudre le sucre. Baissez le feu et faites mijoter pendant 10 minutes.
2 Ajoutez le vinaigre, les bâtons de cannelle, les grains de poivre et les zestes d'orange. Couvrez et laissez mijoter 15 minutes de plus.
3 Entre-temps, lavez les prunes et piquez-les plusieurs fois avec une aiguille stérilisée.
4 Emplissez deux larges pots avec les prunes et le sirop jusqu'à 6 mm (¼ po) du bord. Bouchez les pots et plongez-les dans l'eau bouillante 25 minutes. Laissez mûrir les prunes 4 semaines. Réfrigérez une fois le pot ouvert.

DONNE 2 POTS DE 4 TASSES • PRÉPARATION 1 HEURE

Olives marinées

Il faut choisir des olives fraîches, fermes et lisses ; vertes ou noires, leur couleur importe peu. On les fait d'abord séjourner dans l'eau pour les rendre digestes. Puis elles macèrent en saumure pendant 6 à 8 semaines. Elles achèvent enfin de se parfumer dans l'huile pendant 1 semaine.

- ◆ **1,5 kg (3 lb) d'olives**

SAUMURE
- ◆ **¼ tasse de gros sel**
- ◆ **4 tasses d'eau**

MARINADE
- ◆ **2 tasses d'huile d'olive**
- ◆ **1 tasse d'eau**
- ◆ **½ tasse de vin ou de vermouth blanc sec**
- ◆ **4 grosses gousses d'ail**
- ◆ **4 feuilles de laurier**
- ◆ **4 piments rouges séchés d'environ 5 cm (2 po)**
- ◆ **1 c. à thé d'origan**
- ◆ **1 c. à thé de poivre noir concassé**
- ◆ **6 tranches épaisses de citron**
- ◆ **3 brins de thym frais**

1 Lavez les olives et retirez les queues. Avec un bon couteau, incisez chacune deux ou trois fois jusqu'au noyau. Répartissez-les dans trois pots à large ouverture que vous emplirez aux trois quarts : complétez avec de l'eau froide. Posez une soucoupe à l'envers par-dessus chaque pot pour garder les olives immergées et enveloppez le tout de pellicule plastique. Rangez dans un endroit frais et sombre pendant 5 jours si les olives sont vertes, 3 jours si elles sont noires. Changez l'eau chaque jour.
2 Pour la saumure, chauffez l'eau et le sel jusqu'à dissolution du sel. Laissez refroidir.
3 Égouttez les olives, retournez-les dans les pots préalablement rincés et couvrez-les de saumure. Bouchez les pots et rangez-les pendant 8 à 12 semaines au frais et à l'obscurité ; il faut que les olives perdent toute leur amertume. (Le processus est plus rapide pour les olives noires.) Vérifiez périodiquement après 8 semaines.

4 Pour la marinade, mettez dans une casserole émaillée ou inoxydable l'huile, l'eau et le vin. Portez à ébullition et retirez du feu. Ajoutez l'ail, le laurier, les piments, l'origan et le poivre. Laissez reposer 30 minutes. Ôtez l'ail, les feuilles de laurier et les piments, et réservez.
5 Déposez une tranche de citron au fond de trois pots stérilisés de 4 tasses (p. 168). Mettez-y les olives et répartissez l'ail, les feuilles de laurier, les piments et les trois autres tranches de citron de façon que les pots aient belle apparence. Couvrez avec la marinade. Fermez les pots et réfrigérez-les. Les olives sont prêtes à manger au bout de 1 semaine et se conservent 1 mois au total.

DONNE 3 POTS DE 4 TASSES • PRÉPARATION 2 HEURES
ATTENTE 3-5 JOURS, 8-12 SEMAINES ET ENCORE 1 SEMAINE

Épis de maïs miniatures

Quoi de plus joli que ces petits épis dorés dans un pot de verre empli de vinaigre cristallin et d'épices. Offrez-les en cadeau, mais gardez-en aussi pour donner à vos viandes froides une touche fraîche et croquante.

- ◆ **½ tasse de sucre**
- ◆ **2 tasses de vinaigre de cidre**
- ◆ **1 ½ tasse d'eau**
- ◆ **1 c. à thé de gros sel**
- ◆ **1 c. à thé d'épices à marinade**
- ◆ **3 boîtes format moyen d'épis de maïs miniatures en conserve**

1 Dans une marmite antiadhésive ou inoxydable, mettez le sucre, le vinaigre, l'eau et le sel. Enfermez les épices dans un morceau d'étamine lié en sachet ; ajoutez-les dans la marmite. À feu modéré, portez à ébullition en remuant pour dissoudre le sucre. Laissez bouillir 4 à 5 minutes.
2 Égouttez les épis et placez-les à la verticale dans des pots tièdes. Après avoir retiré le sachet d'épices, versez le vinaigre bouillant sur le maïs jusqu'à 6 mm (¼ po) du bord. Bouchez les pots et plongez-les dans l'eau bouillante 15 minutes (p. 14). Les épis seront prêts dans 1 semaine. Réfrigérez-les une fois le pot ouvert.

DONNE 3 POTS DE 4 TASSES • PRÉPARATION 20-30 MINUTES

◆ Chutneys pour tous les goûts ◆

Le mot chutney *a été emprunté par l'anglais à l'hindi; achard est le terme exact en français, mais il est moins courant. Les chutneys se préparent avec à peu près n'importe quel légume et une vaste gamme de fruits, frais ou séchés.*

Chutney de mangues

Sa puissante saveur de gingembre se marie bien avec les plats au cari.

- ◆ **2,3 kg (5 lb) de mangues vertes, pelées**
- ◆ **1 c. à thé de gros sel**
- ◆ **1¼ tasse de vinaigre de cidre**
- ◆ **1¼ tasse de cidre de pommes**
- ◆ **1 c. à thé de gingembre frais haché**
- ◆ **2 c. à thé de cayenne**
- ◆ **1 gros oignon haché**
- ◆ **1½ tasse de cassonade brune**

1 Taillez les mangues en dés et faites macérer dans le sel. Après 24 heures, rincez et égouttez.
2 Mettez les dés de mangue dans une casserole inoxydable avec le reste des ingrédients. Laissez mijoter de 30 à 40 minutes.
3 Remplissez des pots stérilisés et tièdes (p. 168) jusqu'à 6 mm (¼ po) du bord. Bouchez-les et plongez-les dans l'eau bouillante 10 minutes (p. 14). Laissez mûrir le chutney 4 semaines. Réfrigérez une fois le pot ouvert.
DONNE 6 POTS DE 2 TASSES • PRÉPARATION 1 HEURE PLUS
24 HEURES DE MACÉRATION

Chutney de rhubarbe

Le mordant du citron domine dans ce chutney doux, vite fait.

- ◆ **1 kg (2 lb) de rhubarbe**
- ◆ **1½ tasse de raisins secs dorés**
- ◆ **4 tasses de sucre**
- ◆ **2 citrons hachés fin**
- ◆ **1 c. à thé de sel**
- ◆ **2 c. à thé de gingembre frais haché**
- ◆ **2 tasses de vinaigre de cidre**

1 Rincez la rhubarbe; coupez-la en morceaux de 2-3 cm (1 po). Mettez-la dans une casserole inoxydable avec les autres ingrédients et portez à ébullition. Baissez la chaleur et laissez mijoter doucement pendant 1 heure pour épaissir. Remuez de temps en temps.
2 Remplissez des pots stérilisés tièdes (p. 168) jusqu'à 6 mm (¼ po) du bord. Bouchez-les et plongez-les dans l'eau bouillante 10 minutes (p. 14). Laissez mûrir le chutney 4 semaines. Réfrigérez une fois le pot ouvert.
DONNE 5 POTS DE 2 TASSES • PRÉPARATION 1 H 30

Chutney de tomates vertes

Une bonne façon d'utiliser les dernières tomates du jardin à l'arrivée de l'automne.

- ◆ **2 kg (4 lb) de tomates vertes**
- ◆ **2 oignons moyens pelés**
- ◆ **1 grosse pomme verte pelée**
- ◆ **¾ tasse de raisins secs dorés**
- ◆ **1 c. à thé de sel**
- ◆ **½ c. à thé de cayenne**
- ◆ **1 c. à thé de poivre de la Jamaïque**
- ◆ **1 c. à thé de poudre de cari**
- ◆ **1 tasse de cassonade brune**
- ◆ **2 tasses de vinaigre de cidre**

1 Hachez grossièrement les tomates, les oignons et la pomme parée. Mettez-les dans une casserole antiadhésive ou inoxydable.
2 Ajoutez les autres ingrédients. Faites mijoter doucement pendant 45 minutes pour former une pâte épaisse. Remuez de temps en temps.
3 Remplissez des pots stérilisés tièdes (p. 168) jusqu'à 6 mm (¼ po) du bord. Bouchez-les et plongez-les dans l'eau bouillante 10 minutes (p. 14). Laissez mûrir 4 semaines. Réfrigérez une fois le pot ouvert.
DONNE 6 POTS DE 2 TASSES • PRÉPARATION 1 H 30

Chutney d'abricots secs

Parce qu'on trouve des abricots séchés tout au long de l'année, on peut faire ce chutney en tout temps. Il agrémente une foule de plats dont le jambon froid et le cari de poulet. N'oubliez pas que, séché, l'abricot a un goût nettement plus prononcé que s'il était frais.

- ◆ **250 g (½ lb) d'abricots séchés**
- ◆ **3 pommes vertes pelées, parées et hachées**
- ◆ **¾ tasse de grains de raisin hachés**
- ◆ **3 oignons moyens hachés**
- ◆ **2 gousses d'ail hachées fin**
- ◆ **1 citron (zeste et jus)**
- ◆ **1 c. à thé chacune de sel, de graines de moutarde et de poivre de la Jamaïque**
- ◆ **½ c. à thé chacune de cayenne et de clou moulu**
- ◆ **2½ tasses de vinaigre de cidre**
- ◆ **2 tasses de cassonade brune**

1 Hachez grossièrement les abricots, mettez-les dans un bol et recouvrez-les d'eau froide. Couvrez le bol et faites tremper pendant au moins 12 heures.
2 Égouttez les abricots. Dans une casserole inoxydable, mettez les abricots et tous les autres ingrédients sauf la cassonade. Faites mijoter à feu doux pendant 30 à 40 minutes.
3 Ajoutez la cassonade et ramenez l'ébullition. Faites cuire 10 minutes à feu modéré pour épaissir la préparation.
4 Remplissez des pots stérilisés tièdes (p. 168) jusqu'à 6 mm (¼ po) du bord. Bouchez-les et plongez-les dans l'eau bouillante 10 minutes (p. 14). Laissez mûrir ce chutney 4 semaines. Réfrigérez une fois le pot ouvert.
DONNE 5 POTS DE 2 TASSES • PRÉPARATION 1 H 30 PLUS
ENVIRON 12 HEURES DE TREMPAGE

Chutney d'hiver

Délicieux et vite fait, ce chutney renferme à la fois des ingrédients frais et séchés.

- ◆ **1 tasse de dates sèches, dénoyautées et hachées**
- ◆ **1 tasse de figues sèches hachées**
- ◆ **1 gros poivron vert, épépiné et haché fin**
- ◆ **1 gros oignon haché fin**
- ◆ **4 pommes vertes moyennes pelées, parées et hachées**
- ◆ **1 ½ tasse de vinaigre de cidre**
- ◆ **1 tasse de cassonade brune**
- ◆ **2 c. à thé de sel**
- ◆ **½ c. à thé de cayenne**
- ◆ **½ c. à thé de moutarde sèche**

1 Mettez tous les ingrédients dans une casserole antiadhésive ou inoxydable et portez à ébullition. Réduisez la chaleur et laissez mijoter doucement pendant 1 heure.

2 Remplissez des pots stérilisés tièdes (p. 168) jusqu'à 6 mm (¼ po) du bord. Bouchez-les et plongez-les dans l'eau bouillante 10 minutes (p. 14). Laissez mûrir le chutney 4 semaines. Réfrigérez une fois le pot ouvert.

DONNE 6 POTS DE 2 TASSES • PRÉPARATION 1 H 30

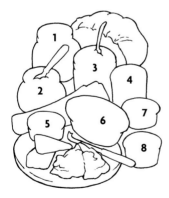

Presque tous les fruits et légumes peuvent se transformer en délicieux chutneys comme ceux-ci :
1 *Chutney épicé à la tomate* **2** *Mangues*
3 *Citron-lime* **4** *Tomates vertes* **5** *Chutney d'hiver*
6 *Courgettes* **7** *Rhubarbe* **8** *Abricots secs*

Chutney de courgettes

Ce condiment doux convient aux viandes froides et à celles qu'on fait griller au barbecue.

- ◆ **1 kg (2 lb) de courgettes**
- ◆ **1 c. à soupe de sel**
- ◆ **1 sachet d'épices composé de 1 c. à thé de graines de moutarde, 6 grains de poivre, 6 grains de poivre de la Jamaïque et 6 clous de girofle**
- ◆ **1 poivron rouge haché**
- ◆ **5 oignons jaunes hachés**
- ◆ **2 gousses d'ail hachées fin**
- ◆ **1 c. à thé de curcuma**
- ◆ **½ c. à thé de clou moulu**
- ◆ **1½ tasse de cassonade brune**
- ◆ **4 tasses de vinaigre de cidre**

1 Détaillez les courgettes en tranches de 1,5 cm (½ po). Mettez-les dans une passoire, salez-les et laissez macérer jusqu'au lendemain.
2 Mettez tous les ingrédients dans une casserole antiadhésive ou inoxydable et portez à ébullition. Faites mijoter pendant 1 heure.
3 Retirez le sachet d'épices. Brassez le chutney et remplissez des pots stérilisés tièdes (p. 168) jusqu'à 6 mm (¼ po) du bord. Fermez les pots et plongez-les dans l'eau bouillante 10 minutes. Laissez mûrir le chutney 4 semaines. Réfrigérez une fois le pot ouvert.
DONNE 4 POTS DE 2 TASSES • PRÉPARATION 1 H 30 PLUS ENVIRON 12 HEURES DE MACÉRATION

Chutney citron-lime

Relève le couscous et les plats du Moyen-Orient.

- ◆ **4 gros citrons**
- ◆ **2 limes**
- ◆ **2 oignons jaunes moyens hachés**
- ◆ **1 c. à thé de sel**
- ◆ **2½ tasses de vinaigre de cidre**
- ◆ **¾ tasse de raisins secs dorés**
- ◆ **1 c. à soupe de graines de moutarde**
- ◆ **1 c. à thé de gingembre moulu**
- ◆ **½ c. à thé de cayenne**
- ◆ **2 tasses de sucre**

1 Lavez les citrons et les limes. Hachez-les sans les peler, mais en retirant les pépins. Mettez-les dans un bol avec les oignons et le sel, et laissez macérer pendant 12 heures.
2 Videz le bol dans une casserole antiadhésive ou inoxydable et cuisez doucement jusqu'à ce que les agrumes soient tendres. Ajoutez le vinaigre, les raisins, les épices et le sucre. Amenez à ébullition et laissez mijoter 45 minutes pour épaissir.
3 Remplissez des pots stérilisés tièdes (p. 168) jusqu'à 6 mm (¼ po) du bord. Bouchez-les et plongez-les dans l'eau bouillante 10 minutes (p. 14). Laissez mûrir le chutney 4 semaines. Réfrigérez une fois le pot ouvert.
DONNE 5 POTS DE 2 TASSES • PRÉPARATION 1 H 30 PLUS ENVIRON 12 HEURES DE MACÉRATION

Chutney épicé à la tomate

Une cuillerée de ce chutney parfumé ajouté en cours de cuisson relève bien une sauce au cari.

- ◆ **2,3 kg (5 lb) de tomates mûres**
- ◆ **5 oignons jaunes moyens**
- ◆ **1 c. à soupe de sel**
- ◆ **1 c. à soupe de gingembre frais haché**
- ◆ **2 c. à thé de curcuma**
- ◆ **1 c. à soupe de graines de cumin**
- ◆ **3 gousses d'ail hachées fin**
- ◆ **2 c. à soupe de moutarde sèche**
- ◆ **1 c. à thé de graines de moutarde**
- ◆ **1 c. à thé de cayenne**
- ◆ **1 tasse de vinaigre de cidre**

1 Détaillez les tomates en quartiers et hachez grossièrement les oignons.
2 Mettez-les dans une casserole antiadhésive ou inoxydable avec tous les autres ingrédients. Portez à ébullition. Baissez le feu et laissez mijoter doucement de 50 à 60 minutes pour épaissir en remuant de temps en temps.
3 Remplissez des pots stérilisés (p. 168) jusqu'à 6 mm (¼ po) du bord. Fermez et plongez-les dans l'eau bouillante 10 minutes (p. 14). Laissez mûrir 4 semaines. Réfrigérez le pot ouvert.
DONNE 8 POTS DE 2 TASSES • PRÉPARATION 1 H 30

Cerises épicées

L'association des saveurs aigres et épicées fait de ces cerises un accompagnement merveilleux et original pour les viandes sauvages. Elles se marient aussi très bien avec le jambon rôti. Employez de jolis pots, entourez-les d'un beau ruban et vous en ferez des cadeaux qui plairont.

- ◆ **3 tasses de sucre**
- ◆ **1½ tasse de vinaigre de cidre**
- ◆ **1½ tasse d'eau**
- ◆ **2 bâtons de cannelle**
- ◆ **2 c. à thé de grains de poivre de la Jamaïque**
- ◆ **1 c. à thé de clous de girofle**
- ◆ **8 tasses de cerises aigres dénoyautées**

1 Dans une marmite antiadhésive ou inoxydable, mettez le sucre, le vinaigre et l'eau. Faites un sachet avec un morceau d'étamine et enfermez-y les épices ; ajoutez ce sachet. Portez à ébullition à feu modéré en remuant pour dissoudre le sucre. Laissez cuire 4 à 5 minutes.
2 Ajoutez les cerises et ramenez l'ébullition. Cuisez 2 à 3 minutes pour les attendrir. Retirez la casserole du feu.
3 Répartissez les cerises dans quatre pots bien chauds et versez le sirop jusqu'à 6 mm (¼ po) du bord. Bouchez les pots et plongez-les dans l'eau bouillante 15 minutes (p. 14). Laissez mûrir 2 semaines. Réfrigérez une fois le pot ouvert.
DONNE 4 POTS DE 4 TASSES • PRÉPARATION 45 MINUTES

TRUCS ET ASTUCES

LAISSEZ-VOUS INSPIRER

Les recettes de chutney se prêtent à toutes les variantes : n'hésitez pas à faire des substitutions. Employez de la cassonade blonde si vous n'en avez pas de brune, par exemple. Le vinaigre de cidre en est un parmi plusieurs qui feront aussi bien l'affaire. Si les mangues ne sont pas en saison, prenez des pommes ou des poires. Votre fantaisie vous vaudra peut-être des découvertes : notez-les pour une prochaine fois. On se trompe rarement quand on invente un nouveau chutney !

◆ Bocaux de légumes à l'huile ◆

*L'huile d'olive a la propriété d'accentuer le goût naturel de certains légumes. Bien qu'elle
ne soit plus considérée comme un agent de conservation (l'huile qui n'est pas réfrigérée peut
entretenir des bactéries), ce n'est pas une raison pour s'en passer dans les condiments.*

Artichauts à l'huile

*La fin de l'automne est le moment propice pour
faire cette recette car les artichauts sont alors
jeunes et tendres. Laurier, romarin, aneth et marjolaine sont de fines herbes qui leur conviennent.
Les artichauts conservés dans l'huile sont délicieux en salade ou avec un fromage au goût
prononcé comme la féta.*

- ◆ **1 kg (2 lb) de petits artichauts
  (environ 6)**
- ◆ **1 gros citron coupé en deux**
- ◆ **4 tasses de vinaigre de vin
  blanc**
- ◆ **1 c. à soupe de gros sel**
- ◆ **1 c. à soupe de graines d'aneth**
- ◆ **1 c. à soupe de grains de poivre**
- ◆ **2 feuilles de laurier**
- ◆ **2 brins d'une fine herbe**
- ◆ **2 gousses d'ail tranchées**
- ◆ **2 petits piments rouges frais**
- ◆ **3 à 4 tasses d'huile d'olive vierge**

1 Découpez au ciseau les feuilles à la base des
artichauts et les pointes de toutes les autres.
Tranchez les artichauts en deux à la verticale et
frottez la chair avec du citron pour l'empêcher
de noircir. Faites tremper 1 heure dans de l'eau
froide avec ce qui reste de jus dans le citron.
2 Dans une casserole antiadhésive ou inoxydable, amenez le vinaigre à ébullition avec le
sel, les graines d'aneth, le poivre et le laurier.
3 Égouttez les artichauts et plongez-les dans
le vinaigre bouillant. Faites mijoter 10 minutes.
4 Égouttez et asséchez les artichauts. Répartissez-les dans des pots stérilisés à large ouverture (p. 168) avec les brins de la fine herbe, l'ail
et le piment. Remplissez les pots d'huile, couvrez et réfrigérez : les artichauts seront prêts en
quelques jours et se gardent 1 mois.
DONNE 2 POTS DE 4 TASSES • PRÉPARATION 1 H 30

Poivrons rouges à l'huile

*Servez-les en hors-d'œuvre ou en collation.
L'huile qui reste parfumera une vinaigrette.*

- ◆ **2 kg (4 lb) de poivrons rouges
  fermes (environ 8)**
- ◆ **2 c. à thé de graines
  de coriandre**
- ◆ **1 c. à soupe de grains de poivre**
- ◆ **5 gousses d'ail**
- ◆ **5 feuilles de laurier**
- ◆ **1 à 2 tasses d'huile d'olive vierge**

1 Faites noircir les poivrons sur une plaque
en fonte, au barbecue, sous le gril ou sur la

*Les poivrons rôtis, en grillant, acquièrent un goût tout
à fait distinctif. Pour faire de la couleur, mélangez des
poivrons rouges, verts et jaunes.*

flamme du gaz, puis enfermez-les dans un sac
de papier : la peau se détachera mieux.
2 Enlevez la peau, le pédoncule et les graines,
puis détaillez les poivrons en tranches épaisses.
3 Répartissez dans des pots stérilisés (p. 168)
avec les épices, l'ail et le laurier.
4 Couvrez d'huile d'olive. Chassez les bulles
d'air avec une brochette stérilisée.
5 Bouchez et réfrigérez : les poivrons seront
prêts en quelques jours et se gardent 1 mois.
DONNE 3 POTS DE 2 TASSES • PRÉPARATION 30 MINUTES

❖ Petits pots de confiture ❖

*Quelle meilleure façon de profiter des fruits de votre jardin que d'en faire des confitures ?
C'est ainsi que vous garderez l'été à votre table à longueur d'année. Des fruits bien mûrs garantissent
de meilleurs résultats au point de vue goût, même s'il faut recourir à la pectine pour donner du corps.*

Confiture de fraises
Écartez les fraises dures car elles sont fades.

- ❖ **2 casseaux de fraises mûres**
- ❖ **¼ tasse de jus de citron**
- ❖ **7 tasses de sucre**
- ❖ **⅓ tasse de pectine liquide**

1 Lavez et parez les fraises. Écrasez-les avec un pilon à pommes de terre. Vous obtiendrez environ 4 tasses de purée.

2 Dans une bassine ou une grande casserole inoxydables à fond épais, mettez la purée de fraises, le jus de citron et le sucre. Portez à ébullition à feu vif en remuant constamment. Laissez bouillir 1 minute, toujours en remuant.

3 Ajoutez la pectine liquide ; faites bouillir encore 1 minute en remuant. Écumez.

4 Remplissez des pots stérilisés tièdes (p. 168) jusqu'à 6 mm (¼ po) du bord. Bouchez-les et plongez-les dans l'eau bouillante 10 minutes (p. 14). La confiture sera prête 2 semaines plus tard. Réfrigérez une fois le pot ouvert.

DONNE 8 POTS DE 2 TASSES • PRÉPARATION 1 HEURE

Confiture de rhubarbe au gingembre
Les amateurs de gingembre l'apprécieront.

- ❖ **2,3 kg (5 lb) de tiges de rhubarbe lavées et parées**
- ❖ **8 tasses de sucre**
- ❖ **zeste et jus de 3 citrons**
- ❖ **4 c. à soupe de gingembre frais ou confit, haché fin**

1 Détaillez la rhubarbe en morceaux de 2-3 cm (1 po). Dans un bol, faites alterner des rangs de rhubarbe et de sucre. Ajoutez le zeste et le jus de citron, couvrez et laissez macérer.

2 Le lendemain, videz le bol dans un faitout et ajoutez le gingembre. Portez à ébullition et laissez mijoter jusqu'au point de gélification (p. 27), environ 45 à 55 minutes. Écumez.

3 Retirez du feu et remuez. Remplissez des pots stérilisés tièdes (p. 168) jusqu'à 6 mm (¼ po) du bord. Bouchez-les et plongez-les dans l'eau bouillante 10 minutes (p. 14). La confiture sera prête dans 2 semaines. Réfrigérez une fois le pot ouvert.

DONNE 8-9 POTS DE 2 TASSES • PRÉPARATION 1 H 30 PLUS ENVIRON 12 HEURES DE MACÉRATION

Confiture de figues au citron
Il s'agit, bien sûr, de figues sèches. Des pignons remplacent les amandes traditionnelles.

- ❖ **500 g (1 lb) de figues séchées**
- ❖ **4 tasses d'eau**
- ❖ **3 tasses de sucre**
- ❖ **zeste et jus de 2 citrons**
- ❖ **½ tasse de pignons grillés**

1 Rincez les figues et hachez-les. Mettez-les dans un bol, couvrez avec l'eau et laissez tremper 12 heures environ.

2 Versez les figues et l'eau dans une casserole à fond épais. Portez à ébullition, baissez le feu et laissez mijoter pendant 35 minutes.

3 Ajoutez le sucre, le zeste et le jus de citron. Remuez pour dissoudre le sucre. Ramenez l'ébullition, baissez un peu le feu et laissez cuire jusqu'au point de gélification (p. 27). Écumez au besoin avec une cuiller à trous.

4 Ajoutez les pignons et remuez. Retirez la casserole du feu et remuez de nouveau.

5 Remplissez des pots stérilisés tièdes (p. 168) jusqu'à 6 mm (¼ po) du bord. Bouchez-les et plongez-les dans l'eau bouillante 10 minutes (p. 14). La confiture sera prête dans 2 semaines. Réfrigérez une fois le pot ouvert.

DONNE 3 POTS DE 2 TASSES • PRÉPARATION 1 H 15 PLUS 12 HEURES DE TREMPAGE

Confiture de coings
Vagues parents des poires, issus des climats chauds, les coings paraissent sur le marché en hiver. Ils font une confiture inégalable.

- ❖ **2,3 kg (5 lb) de coings fermes (5 à 7 coings)**
- ❖ **8 tasses d'eau**
- ❖ **jus de 3 citrons**
- ❖ **8 tasses de sucre**

1 Lavez et peler les coings, retirez les cœurs et hachez-les grossièrement.

2 Mettez-les dans une casserole épaisse avec l'eau. Portez à ébullition et laissez mijoter doucement pendant 35 à 45 minutes, jusqu'à ce que les fruits soient tendres et rose pâle.

3 Ajoutez le jus de citron et le sucre, et remuez pour dissoudre le sucre. Faites bouillir environ 10 minutes à feu vif pour atteindre le point de gélification (p. 27). Écumez au besoin.

4 Remplissez des pots stérilisés tièdes (p. 168) jusqu'à 6 mm (¼ po) du bord. Bouchez-les et plongez-les dans l'eau bouillante 10 minutes (p. 14). La confiture sera prête 2 semaines plus tard. Réfrigérez une fois le pot ouvert.

DONNE 8 POTS DE 2 TASSES • PRÉPARATION 1 H 30

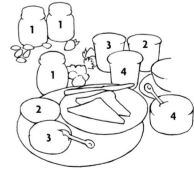

Des confitures qui peuvent être réalisées en toutes saisons : **1** *Abricots séchés* **2** *Rhubarbe au gingembre* **3** *Poires et pommes* **4** *Fraises*

Confiture de prunes aux pacanes

Les prunes rouges donnent une belle couleur foncée mais elles ne sont pas meilleures que les jaunes ou les vertes.

- ◆ **2,3 kg (4 lb) de prunes**
- ◆ **4 tasses de sucre**
- ◆ **zeste et jus de 1 citron**
- ◆ **1 tasse d'eau**
- ◆ **½ tasse de pacanes hachées grossièrement**

1 Lavez les prunes et coupez-les en deux pour retirer le noyau. Mettez-les dans un grand bol avec la moitié du sucre. Couvrez le bol avec un linge et laissez macérer 12 heures environ.

2 Videz le bol dans une casserole émaillée ou inoxydable. Ajoutez le zeste et le jus de citron, et l'eau. Faites mijoter environ 20 minutes à feu modéré de façon à bien attendrir les prunes.

3 Ajoutez le reste du sucre et faites bouillir à feu plutôt vif pendant 30 à 35 minutes pour atteindre le point de gélification (encadré à droite et page ci-contre). Écumez au besoin.

4 Ajoutez les pacanes et répartissez-les. Remplissez des pots stérilisés tièdes (p. 168) jusqu'à 6 mm (¼ po) du bord. Bouchez-les et plongez-les dans l'eau bouillante 10 minutes (p. 14). La confiture sera prête dans 2 semaines. Réfrigérez une fois le pot ouvert.

DONNE 7 POTS DE 2 TASSES • PRÉPARATION 1 H 30 PLUS ENVIRON 12 HEURES DE MACÉRATION

Confiture de carottes au brandy

Du temps que les oranges étaient rares, c'était la « marmelade du pauvre ». Le brandy la conserve.

- ◆ **1 kg (2 lb) de carottes (9 à 10 grosses carottes)**
- ◆ **sucre, à raison de 1 tasse par tasse de purée de carottes**
- ◆ **jus et zeste de 1 citron**
- ◆ **3 c. à soupe d'éclats d'amandes blanchies**
- ◆ **2 c. à soupe de brandy**

1 Lavez, pelez et hachez grossièrement les carottes. Faites-les cuire 8 à 10 minutes pour les attendrir avec juste ce qu'il faut d'eau.

CONFITURES ET MARMELADES

TROIS ÉLÉMENTS entrent dans toute recette de confiture ou de marmelade : pectine, acide et sucre. Le secret de la réussite réside dans leurs proportions. **La pectine** se retrouve naturellement dans les fruits qui la relâchent sous l'effet de la chaleur. Certains fruits en contiennent plus que d'autres. Pour cette raison on choisit parfois d'associer, par exemple, des pommes, des groseilles rouges ou des prunes aigres à des fruits moins riches en pectine comme framboises, bleuets, pêches et abricots. Pour les agrumes, la pectine est dans les pépins. Il y a des fruits pour lesquels c'est la pelure ou les graines qui en renferment : on les inclut donc dans la recette. La pectine commerciale – en poudre ou en liquide – est pratique pour dépanner. Suivez les directives sur le paquet car son emploi diffère selon la forme. En général la pectine en poudre s'ajoute avant le sucre, la pectine liquide après tout le reste. Il se peut aussi que la confiture cuise plus vite avec cette pectine-là.

L'acide décompose la pectine et produit de la gelée, en même temps qu'il rehausse la saveur et la couleur. On trouve de l'acide dans le jus de citron et la poudre de tartre.

Le sucre – de betterave ou de canne – aide à la gélification, rehausse la saveur du fruit et agit comme agent conservateur.

Pour déterminer si le **point de gélification** a été atteint, il y a deux méthodes. Celle de la soucoupe (page ci-contre) ou le thermomètre à sucre. Mais tout d'abord, il faut que vous sachiez quel est le point de gélification dans votre localité car il varie selon l'altitude. Plongez un thermètre à sucre dans une casserole d'eau qui bout et faites-en la lecture à la hauteur des yeux. Ajoutez 4 °C (8 °F) pour connaître le point de gélification. Au niveau de la mer – et généralement jusqu'à 300 m (1 000 pi) au-dessus –, le degré d'ébullition est à 100 °C (212 °F) et le point de gélification à 104 °C (220 °F).

Quand vous faites de la confiture ou de la marmelade, tenez-vous-en à des petites quantités, sans quoi les temps de cuisson et de gélification seront faussés.

---

2 Égouttez-les et réduisez-les en purée au mélangeur. Mesurez la quantité de purée et ajoutez l'équivalent de sucre ; mélangez bien. Ajoutez le jus de citron.

3 Versez dans une casserole épaisse résistant aux acides. Portez à ébullition, baissez le feu et faites cuire 40 à 45 minutes pour atteindre le point de gélification (encadré à gauche et page ci-contre). Remuez et écumez au besoin.

4 Ajoutez zeste, amandes et brandy ; remuez pour répartir. Remplissez des pots stérilisés tièdes (p. 168) jusqu'à 6 mm (¼ po) du bord. Bouchez-les et plongez-les dans l'eau bouillante 10 minutes (p. 14). La confiture sera prête dans 2 semaines. Réfrigérez le pot ouvert.

DONNE 4 POTS DE 2 TASSES • PRÉPARATION 1 H 30

Confiture de poires et de pommes

Prenez du cédrat ou d'autres agrumes confits.

- ◆ **6 poires moyennes**
- ◆ **6 pommes moyennes**
- ◆ **jus et zeste de 2 citrons**
- ◆ **4 tasses de sucre**
- ◆ **2 c. à soupe de gingembre haché fin**
- ◆ **¼ tasse de pelures de cédrat confites, hachées fin**

1 Lavez, pelez et parez poires et pommes, hachez-les fin et mettez-les dans un bol. Pressez le jus de citron au-dessus pour les empêcher de noircir. Saupoudrez le zeste et le sucre. Couvrez et laissez macérer au moins 12 heures.

2 Versez les fruits dans une casserole inoxydable à fond épais. Ajoutez le gingembre. Portez à ébullition puis laissez mijoter environ 30 minutes pour atteindre le point de gélification (encadré à gauche et page ci-contre). Remuez de temps à autre et écumez au besoin.

3 Répartissez le cédrat dans la confiture. Remplissez des pots stérilisés tièdes (p. 168) jusqu'à 6 mm (¼ po) du bord. Bouchez-les et plongez-les dans l'eau bouillante 10 minutes (p. 14). La confiture sera prête dans 2 semaines. Réfrigérez une fois le pot ouvert.

DONNE ENVIRON 6 POTS DE 2 TASSES • PRÉPARATION 1 H 30 PLUS ENVIRON 12 HEURES DE MACÉRATION

Confiture d'abricots séchés

Choisissez des abricots de première qualité. Les amandes leur donneront de la consistance.

- ◆ **500 g (1 lb) d'abricots séchés**
- ◆ **6 tasses d'eau**
- ◆ **zeste et jus de 2 citrons**
- ◆ **6 tasses de sucre**
- ◆ **½ tasse d'éclats d'amandes blanchies**

1 Lavez les abricots et hachez-les gros. Faites tremper dans l'eau pendant 8 heures.

2 Dans une casserole inoxydable à fond épais, mettez les abricots, l'eau qui n'a pas été absorbée, le zeste et le jus de citron. Portez à ébullition, baissez le feu, couvrez la casserole et cuisez de 20 à 30 minutes pour attendrir.

3 Ajoutez le sucre; relancez l'ébullition en remuant pour dissoudre le sucre. Baissez le feu et laissez mijoter encore 30 minutes pour atteindre le point de gélification (voir ci-dessous). Remuez de temps à autre et écumez.

4 Retirez du feu et répartissez les amandes. Remplissez des pots stérilisés tièdes (p. 168) jusqu'à 6 mm (¼ po) du bord. Bouchez-les et plongez-les dans l'eau bouillante 10 minutes (p. 14). La confiture sera prête dans 2 semaines. Réfrigérez une fois le pot ouvert.

DONNE 6 POTS DE 2 TASSES • PRÉPARATION 1 H 30 PLUS 8 HEURES DE MACÉRATION

Tartinade anglaise à la lime

Étendez cette tartinade anglaise – le curd – sur des tranches de pain avec du fromage à la crème ou bien employez-la pour fourrer un gâteau.

- ◆ **zeste et jus de 4 limes**
- ◆ **1 ½ tasse de sucre**
- ◆ **½ tasse de beurre doux**
- ◆ **4 gros œufs battus**

1 Mettez le zeste de lime, le sucre, le beurre et les œufs dans un bain-marie au-dessus d'une casserole d'eau bouillante. Cuisez à feu doux en remuant constamment jusqu'à ce que le beurre ait fondu et que le sucre soit dissous.

2 Ajouter le jus de lime. Augmentez un peu la chaleur et faites épaissir le mélange pendant 8 à 10 minutes sans cesser de remuer. Il doit napper le dos d'une cuiller de métal.

3 Si vous désirez conserver cette tartinade pour plus tard, versez-la dans des pots stérilisés tièdes (p. 168) et couvrez hermétiquement. Rangez les pots au réfrigérateur. La tartinade se conserve 1 mois avant d'avoir été ouverte, 2 semaines après.

DONNE 2 POTS DE 2 TASSES • PRÉPARATION 30 MINUTES

VARIANTE Pour faire une tartinade anglaise au citron ou à l'orange, remplacez tout simplement le jus et le zeste de lime par une quantité égale de jus et de zeste de citron ou d'orange.

Beurre de pomme

Une conserve qui ravira vos amis. Servez-vous de pommes granny smith ou northern spies.

- ◆ **2,7 kg (6 lb) de pommes**
- ◆ **6 tasses de jus de pomme**
- ◆ **3 tasses de sucre**
- ◆ **2 c. à thé de cannelle moulue**
- ◆ **1 ½ c. à thé de clou moulu**
- ◆ **½ c. à thé de poivre de la Jamaïque moulu**

1 Lavez et parez les pommes et coupez-les en quartiers. Mettez-les dans une bassine à fond épais avec le jus de pomme. Portez à ébullition, baissez le feu et laissez mijoter pendant 30 minutes en tournant de temps en temps.

2 Passez les pommes au presse-purée ou à travers un tamis et retournez-les à la bassine. Ajoutez le sucre et les épices; faites mijoter jusqu'à dissolution du sucre. Baissez le feu et poursuivez la cuisson doucement, sans couvrir, pendant 1 h 30 à 2 heures pour bien épaissir la préparation. Tournez de temps en temps.

3 Le beurre de pomme est prêt à consommer. Au réfrigérateur, il se garde 1 mois. Pour une plus longue conservation, remplissez des pots stérilisés tièdes (p. 168) jusqu'à 6 mm (¼ po) du bord. Bouchez-les et plongez-les dans l'eau bouillante 10 minutes (p. 14).

DONNE 4 POTS DE 2 TASSES • PRÉPARATION 3 HEURES

CUISSON DES CONFITURES

1 *Dans un faitout inoxydable (minimum 6 litres) à fond plat et muni d'un bon couvercle, mettez les fruits lavés et parés, de même que le liquide, s'il y a lieu. Portez la préparation à ébullition, puis faites cuire le temps demandé.*

2 *Ajoutez le sucre et relancez l'ébullition. La préparation doit mijoter tant que le sucre n'est pas complètement dissous. Servez-vous d'une cuiller à long manche, en acier inoxydable ou en bois, pour remuer sans vous brûler.*

3 *Pour déterminer le point de gélification, retirez la bassine du feu et déposez une petite cuillerée de confiture sur une soucoupe froide. La surface doit se rider quand vous la poussez du doigt. À défaut, poursuivez la cuisson.*

4 *Une fois atteint le point de gélification, retirez la bassine du feu et écumez la surface. Avec une louche, remuez pour répartir les fruits, puis remplissez des pots stérilisés bien chauds (p. 168). Bouchez-les et faites bouillir (p. 14).*

◆ Marmelades en tout genre ◆

Les agrumes tiennent la vedette dans cette collection de recettes traditionnelles ou novatrices qui vont transformer vos petits déjeuners et ceux des amis à qui vous en ferez cadeau. Pourquoi s'en tenir aux marmelades d'oranges quand il y a une si belle sélection d'agrumes sur le marché ?

Marmelade aux kumquats

Un régal sur des toasts, bien sûr : mais essayez-la aussi avec le jambon.

- ◆ **1 kg (2 lb) de kumquats**
- ◆ **2 tasses d'eau**
- ◆ **4 tasses de sucre**
- ◆ **jus de 2 citrons**

1 Lavez les kumquats et détaillez-les en tranches en conservant les pépins. Mettez-les dans un faitout inoxydable avec 1 ½ tasse d'eau. Portez à ébullition, baissez le feu et couvrez. Faites cuire 10 minutes, éteignez le feu et laissez reposer jusqu'au lendemain. Faites tremper les pépins à part dans ½ tasse d'eau froide.
2 Égouttez les pépins en conservant l'eau de trempage que vous verserez sur les kumquats, puis jetez les pépins. Portez les fruits à ébullition, baissez le feu et mijotez 30 minutes.
3 Ajoutez le sucre et le jus de citron, et remuez pour dissoudre le sucre. Laissez mijoter 1 heure ou jusqu'à ce que le point de gélification soit atteint (p. 27). Écumez au besoin.
4 Remplissez des pots stérilisés tièdes (p. 168) jusqu'à 6 mm (¼ po) du bord. Bouchez-les et plongez-les dans l'eau bouillante 10 minutes (p. 14). La marmelade sera prête dans 2 semaines. Réfrigérez une fois le pot ouvert.
DONNE 4 POTS DE 2 TASSES • PRÉPARATION 2 HEURES
PLUS ENVIRON 12 HEURES DE MACÉRATION

Marmelade aux filaments de lime

Combinez les goûts de la lime et du citron.

- ◆ **6 à 8 limes fermes**
- ◆ **3 tasses d'eau**
- ◆ **4 tasses de sucre réchauffé**
- ◆ **jus de 1 citron**

1 Prélevez les zestes sur la moitié des limes et taillez-les en filaments. Tapissez un bol de taille moyenne avec de l'étamine. Déposez-y les limes hachées grossièrement. Recueillez-en le jus dans un autre bol. Ficelez ensemble les quatre coins de l'étamine pour en faire un sac.
2 Dans le bol de jus, ajoutez le zeste et l'eau. Déposez-y le sac et attendez 12 heures.
3 Videz le bol dans une casserole inoxydable à fond épais. Portez à ébullition, baissez le feu et laissez mijoter 1 heure.
4 Jetez le sac d'étamine. Ajoutez le sucre et le jus de citron. Chauffez à feu doux en remuant. Une fois le sucre dissous, portez vivement à ébullition, puis baissez le feu et cuisez environ 45 minutes pour atteindre le point de gélification (p. 27). Écumez au besoin.
5 Remplissez des pots stérilisés tièdes (p. 168) jusqu'à 6 mm (¼ po) du bord. Bouchez-les et plongez-les dans l'eau bouillante 10 minutes (p. 14). La marmelade sera prête dans 2 semaines. Réfrigérez une fois le pot ouvert.
DONNE 3 POTS DE 2 TASSES • PRÉPARATION 1 H 30 PLUS
ENVIRON 12 HEURES DE MACÉRATION

Marmelade aux trois agrumes

Cette marmelade contient les fruits citrins les plus courants ; elle est très parfumée.

- ◆ **1 pamplemousse, 1 citron et 1 orange en fines tranches coupées en deux**
- ◆ **3 tasses d'eau**
- ◆ **12 tasses de sucre**

1 Réunissez tous les pépins des agrumes dans un morceau d'étamine lié en sachet. Mettez-les, avec les tranches de fruits et l'eau, dans une casserole inoxydable. Portez à ébullition et cuisez 10 minutes. Rangez dans un endroit frais et laissez reposer jusqu'au lendemain.

2 Reportez la préparation à ébullition et laissez-la cuire environ 40 minutes à feu modéré jusqu'à ce que les pelures soient tendres. Rangez, comme la veille, jusqu'au lendemain.
3 Le troisième jour, réchauffez la préparation à feu modéré et ajoutez-y le sucre ; remuez pour le dissoudre. Augmentez le feu et faites cuire 20 à 30 minutes, jusqu'à ce que le point de gélification soit atteint (p. 27). Écumez.
4 Répartissez les fruits. Remplissez des pots stérilisés tièdes (p. 168) jusqu'à 6 mm (¼ po) du bord. Bouchez-les et plongez-les dans l'eau bouillante 10 minutes (p. 14). La confiture sera prête dans 2 semaines. Réfrigérez le pot ouvert.
DONNE 8 POTS DE 2 TASSES • PRÉPARATION 1 H 15 PLUS
2 JOURNÉES DE MACÉRATION

Marmelade d'oranges à l'abricot

La présence d'abricot peut sembler surprenante, mais elle confère à cette marmelade une riche saveur inusitée.

- ◆ **1 kg (2 lb) d'oranges (environ 4)**
- ◆ **2 citrons**
- ◆ **500 g (1 lb) d'abricots séchés hachés fin**
- ◆ **6 tasses d'eau**
- ◆ **10 tasses de sucre**

1 Lavez les agrumes. Avec un couteau économe, prélevez les zestes avec un peu de la partie blanche. Taillez-les en fines lanières. Hachez finement la pulpe. Réunissez les pépins dans un sachet fait d'un morceau d'étamine.
2 Mettez les lanières de zeste, la pulpe d'agrumes, les pépins, les abricots et l'eau dans une casserole inoxydable à fond épais. Portez à ébullition et cuisez 10 minutes. Laissez reposer la casserole couverte jusqu'au lendemain.
3 Mesurez la quantité de fruits. Portez la préparation à ébullition à feu vif, baissez le feu et

Les oranges amères, aussi appelées oranges de Séville, sont traditionnellement employées dans cette marmelade : elles ont une saveur caractéristique et peu de jus.

laissez mijoter doucement pendant 1 heure.

4 Jetez le sachet de pépins. Ajoutez du sucre en quantité égale et remuez la préparation pour le dissoudre. Ramenez l'ébullition et laissez cuire environ 20 minutes, jusqu'au point de gélification (p. 27). Écumez au besoin.

5 Remplissez des pots stérilisés tièdes (p. 168) jusqu'à 6 mm (¼ po) du bord. Bouchez-les et plongez-les dans l'eau bouillante 10 minutes (p. 14). La marmelade sera prête dans 2 semaines. Réfrigérez une fois le pot ouvert.

DONNE 10 POTS DE 2 TASSES • PRÉPARATION 2 HEURES
PLUS ENVIRON 12 HEURES DE MACÉRATION

Marmelade à l'orange

Elle se fait également avec des oranges de Valence qui ont, elles aussi, une peau épaisse.

- ◆ **1 kg (2 lb) d'oranges amères (4 à 6 oranges)**
- ◆ **4 tasses d'eau**
- ◆ **jus de 3 citrons**
- ◆ **8 tasses de sucre**
- ◆ **¼ tasse de whisky écossais (facultatif)**

1 Lavez les oranges et détaillez-les en fines tranches en recueillant le jus et les pépins. Mettez les oranges et le jus dans un grand bol avec l'eau. Mettez les pépins dans un sachet fait avec de l'étamine et ajoutez-les au bol. Couvrez et laissez reposer 18 heures.

2 Videz le bol dans une casserole inoxydable à fond épais et ajoutez le jus de citron. Laissez mijoter sans couvrir pendant 20 à 30 minutes pour que les pelures soient bien tendres.

3 Ajoutez le sucre et tournez pour le dissoudre. Portez à ébullition et faites cuire pendant 30 à 40 minutes pour atteindre le point de gélification (p. 27). Écumez au besoin.

4 Remplissez des pots stérilisés tièdes (p. 168) jusqu'à 6 mm (¼ po) du bord. Bouchez-les et plongez-les dans l'eau bouillante 10 minutes (p. 14). Attendez au moins 2 semaines pour déguster cette marmelade qui se bonifie avec le temps. Réfrigérez une fois le pot ouvert.

DONNE 8 POTS DE 2 TASSES • PRÉPARATION 1 H 30 PLUS
ENVIRON 18 HEURES DE MACÉRATION

Marmelade d'oranges à la poire

Le goût sucré de la poire équilibre le goût amer de l'orange et donne une marmelade plus douce. Le mélange des saveurs est harmonieux.

- ◆ **4 oranges moyennes**
- ◆ **1 citron**
- ◆ **3 tasses d'eau**
- ◆ **1,5 kg (3 lb) de poires**
- ◆ **12 tasses de sucre**

1 Lavez les agrumes et détaillez-les en fins quartiers. Mettez-les dans un bol avec l'eau. Couvrez d'un linge et laissez reposer une nuit.

2 Pelez et parez les poires ; détaillez-les en dés. Ajoutez-les avec le sucre aux agrumes. Couvrez et rangez le bol comme la veille, jusqu'au lendemain.

3 Videz le bol dans une casserole inoxydable à fond épais. Portez à ébullition et baissez le feu. Laissez mijoter sans couvrir pendant environ 1 heure pour que les morceaux de poire soient bien tendres et que le point de gélification soit atteint (p. 27). Écumez au besoin.

4 Remplissez des pots stérilisés tièdes (p. 168) jusqu'à 6 mm (¼ po) du bord. Bouchez-les et plongez-les dans l'eau bouillante 10 minutes (p. 14). La marmelade sera prête dans 2 semaines. Réfrigérez une fois le pot ouvert.

DONNE 10 POTS DE 2 TASSES • PRÉPARATION 1 H 30 PLUS
2 JOURNÉES DE MACÉRATION

◆ Gelées en toute limpidité ◆

*Quoi de plus satisfaisant que la transparence d'une gelée, que vous en soyez le créateur ou
le dégustateur : une gelée accompagne aussi bien le petit déjeuner qu'une viande rôtie. Un accessoire
est indispensable toutefois à sa fabrication : le sac à gelée, qui s'achète dans une boutique spécialisée.*

Gelée de groseille

*Étendez-la au pinceau sur un rôti de porc avant
d'enfourner : un délice garanti !*

- ◆ **1,5 kg (3 lb) de groseilles rouges**
- ◆ **2 tasses d'eau**
- ◆ **1 tasse de sucre pour chaque
  tasse de jus de groseille**

1 Rincez les groseilles. Mettez-les avec l'eau
dans un faitout inoxydable à fond épais. Faites
cuire à feu modéré, sans couvrir, pendant 10 à
15 minutes, le temps de les attendrir. Laissez
refroidir ; videz dans un sac à gelée mouillé.
2 Laissez égoutter le sac jusqu'au lendemain.
3 Mesurez le liquide obtenu avant de le verser
dans le faitout. Portez-le à ébullition. Ajoutez-y
une quantité égale de sucre que vous ferez
dissoudre en tournant. Laissez bouillir 10 à
12 minutes pour atteindre le point de gélification (p. 27). Écumez au besoin.
4 Remplissez des pots stérilisés tièdes (p. 168)
jusqu'à 6 mm (¼ po) du bord. Bouchez-les et
plongez-les dans l'eau bouillante 10 minutes
(p. 14). La gelée sera prête dans 2 semaines.
Réfrigérez une fois le pot ouvert.
DONNE 3 POTS DE 2 TASSES • PRÉPARATION 1 HEURE PLUS
ENVIRON 12 HEURES D'ÉGOUTTAGE

Gelée de pomme au gingembre

*Les pépins de pomme renferment beaucoup de
pectine qui garantit la gélification.*

- ◆ **2,3 kg (5 lb) de pommes vertes
  (8 à 10 pommes)**
- ◆ **½ tasse de jus de citron**
- ◆ **2-3 cm (1 po) de gingembre
  frais**
- ◆ **6 tasses d'eau**
- ◆ **¾ tasse de sucre pour chaque
  tasse de jus**

1 Lavez et hachez les pommes sans les peler
ni les parer. Mettez-les dans un faitout inoxydable à fond épais avec le jus de citron, le
gingembre et l'eau. Faites cuire pendant 25 à
30 minutes pour les attendrir. Refroidissez et
videz-les dans un sac à gelée mouillé.
2 Laissez égoutter le sac jusqu'au lendemain.
3 Mesurez le liquide obtenu. Portez à ébullition. Ajoutez une quantité égale de sucre ;
remuez. Laissez bouillir 10 à 12 minutes jusqu'au
point de gélification (p. 27). Écumez.

*La gelée de pommes au gingembre donne une petite
note épicée à des toasts de pain aux raisins.*

4 Remplissez des pots stérilisés tièdes (p. 168)
jusqu'à 6 mm (¼ po) du bord. Bouchez-les et
plongez-les dans l'eau bouillante 10 minutes
(p. 14). La gelée sera prête dans 2 semaines.
Réfrigérez une fois le pot ouvert.
DONNE ENVIRON 5 POTS DE 2 TASSES • PRÉPARATION
1 HEURE PLUS ENVIRON 12 HEURES D'ÉGOUTTAGE

Gelée de raisin

À la fin de l'été, les raisins concorde font une entrée remarquée sur les marchés. Profitez-en pour faire cette gelée. Si vous choisissez d'utiliser plutôt du raisin vert, oh! surprise! vous aurez une gelée rose pâle.

- ◆ **1,5 kg (3 lb) de raisins concorde**
- ◆ **3 ¼ tasses d'eau**
- ◆ **¾ tasse de sucre par tasse de jus**

1 Rincez le raisin et débarrassez-le des pédoncules. Mettez-le avec l'eau dans un faitout anti-adhésif ou inoxydable à fond épais. Écrasez-le au pilon. Portez à ébullition et faites cuire pendant 10 à 15 minutes. Une fois le raisin refroidi, mettez-le dans le sac à gelée mouillé.

2 Laissez égoutter le sac jusqu'au lendemain.

3 Mesurez le liquide, versez-le dans le faitout et portez à ébullition à feu modéré. Ajoutez la quantité de sucre appropriée ; remuez pour le dissoudre. Augmentez le feu et laissez bouillir 12 à 16 minutes pour atteindre le point de gélification (p. 27). Écumez.

4 Remplissez des pots stérilisés tièdes (p. 168) jusqu'à 6 mm (¼ po) du bord. Bouchez-les et plongez-les dans l'eau bouillante 10 minutes (p. 14). La gelée sera prête dans 2 semaines. Réfrigérez une fois le pot ouvert.

DONNE 4 POTS DE 2 TASSES • PRÉPARATION 1 HEURE PLUS ENVIRON 12 HEURES D'ÉGOUTTAGE

Gelée aux fines herbes

Confectionnez tout un assortiment de gelées pour accompagner viandes, volaille et gibier.

- ◆ **5 pommes vertes**
- ◆ **1 botte de basilic, d'estragon ou de menthe, ficelée**
- ◆ **zeste, jus et pépins d'un citron (pas la pulpe)**
- ◆ **1 tasse de sucre pour 1 ¼ tasse de jus**

1 Lavez et hachez grossièrement les pommes sans les peler ni les parer. Mettez-les dans un faitout inoxydable à fond épais avec l'herbe choisie, le zeste, le jus et les pépins de citron. Recouvrez d'eau et portez à ébullition. Faites bouillir 40 à 50 minutes pour attendrir les pommes. Laissez refroidir et videz la préparation dans le sac à gelée mouillé.

2 Laissez égoutter le sac jusqu'au lendemain.

3 Mesurez le liquide obtenu, versez-le dans le faitout et portez à ébullition. Ajoutez la quantité de sucre appropriée ; remuez pour le dissoudre. Laissez bouillir 10 à 12 minutes pour atteindre le point de gélification (p. 27). Écumez la surface au besoin.

4 Remplissez des pots stérilisés tièdes (p. 168) jusqu'à 6 mm (¼ po) du bord. Bouchez-les et plongez-les dans l'eau bouillante 10 minutes (p. 14). La gelée sera prête dans 2 semaines. Réfrigérez une fois le pot ouvert.

DONNE 4 POTS DE 2 TASSES • PRÉPARATION 1 HEURE PLUS ENVIRON 12 HEURES D'ÉGOUTTAGE

Gelée de rhubarbe à la menthe

Dans cette recette, la rhubarbe remplace la pomme, plus traditionnelle. Elle s'associe à la menthe avec bonheur pour accompagner un gigot d'agneau.

- ◆ **1 kg (2 lb) de tiges de rhubarbe**
- ◆ **1 botte de menthe fraîche ficelée**
- ◆ **1 ½ tasse d'eau**
- ◆ **1 ½ tasse de sucre pour 2 ½ tasses de jus**

1 Rincez la rhubarbe et détaillez-la en morceaux de 2-3 cm (1 po). Mettez-la dans un faitout inoxydable à fond épais avec la menthe et l'eau. Faites cuire à feu modéré pendant 35 à 45 minutes pour que la rhubarbe se défasse. Elle paraîtra très liquide. Laissez refroidir avant de la mettre dans le sac à gelée mouillé.

2 Laissez égoutter le sac jusqu'au lendemain.

3 Mesurez le liquide obtenu, versez-le dans le faitout et portez à ébullition. Ajoutez la quantité de sucre appropriée ; remuez pour le dissoudre. Laissez bouillir 15 à 20 minutes pour atteindre le point de gélification (p. 27). Écumez la surface au besoin.

4 Remplissez des pots stérilisés tièdes (p. 168) jusqu'à 6 mm (¼ po) du bord. Bouchez-les et plongez-les dans l'eau bouillante 10 minutes (p. 14). La gelée sera prête dans 2 semaines. Réfrigérez une fois le pot ouvert.

DONNE 4 POTS DE 2 TASSES • PRÉPARATION 1 HEURE PLUS ENVIRON 12 HEURES D'ÉGOUTTAGE

FABRICATION DES GELÉES

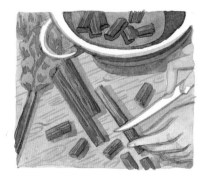

1 *Rincez les fruits, hachez-les et couvrez-les d'eau. Faites-les cuire le temps prescrit dans une casserole inoxydable.*

2 *Mouillez le sac à gelée en l'arrosant d'eau bouillante. Essorez et suspendez-le au-dessus d'un bol inoxydable.*

3 *Déposez la pulpe de fruit dans le sac. Laissez égoutter jusqu'au lendemain. Ne pressez pas le sac : la gelée serait trouble.*

4 *Mesurez le liquide obtenu ; versez-le dans un faitout avec le sucre. Faites cuire jusqu'au point de gélification (p. 27).*

◆ Sauces et condiments ◆

Faits maison, les petits à-côtés sont tellement plus savoureux. Gardez-en toujours un bon assortiment pour vous dépanner. Une sauce moutarde badigeonnée sur le rôti avant de l'enfourner, ou de la confiture d'oignons avec un plat de polenta, c'est la touche personnelle qui fera toute la différence.

Bien présentés dans un pot de fantaisie, voici quelques à-côtés savoureux qui feront les délices de vos amis : **1** *Confiture d'oignons rouges* **2** *Fromage de chèvre parfumé aux épices* **3** *Salsa verde* **4** *Tomates séchées au four* **5** *Sauce ketchup*

Salsa verde

Fines herbes, ail, câpres et anchois font une petite sauce parfaite pour des fruits de mer grillés.

- ⅔ **tasse de persil plat**
- ⅔ **tasse de basilic frais**
- 1 **gousse d'ail tranchée en deux**
- ¼ **tasse de câpres égouttées**
- 2 **c. à soupe de filets d'anchois hachés**
- 3 **c. à soupe de vinaigre de vin rouge**
- ⅓ **tasse d'huile d'olive vierge**
- ½ **c. à thé de moutarde de Dijon**
- **poivre fraîchement moulu**

1 Mettez dans le bol du robot le persil, le basilic, l'ail, les câpres et les filets d'anchois. Réduisez en purée lisse.
2 Ajoutez le vinaigre, l'huile d'olive et la moutarde. Poivrez au goût. Servez aussitôt ou réfrigérez à couvert, au maximum deux jours.
DONNE ENVIRON 1 TASSE • PRÉPARATION 20 MINUTES

Salsa de tomate au basilic

Faites-en une trempette pour accompagner les croustilles de tortilla ou une sauce pour napper des tacos. Ou bien servez-vous-en pour relever et décorer du poisson ou du poulet grillé.

- 500 g (1 lb) **de tomates bien mûres, pelées et hachées fin**
- 1 **petit oignon rouge, haché fin**
- 1 **gousse d'ail écrasée**
- 1 **c. à soupe d'huile d'olive vierge**
- ¼ **tasse de feuilles de basilic frais, hachées fin**
- **sel et poivre au moulin**

1 Mélangez tous les ingrédients dans un bol de verre ou de faïence. Assaisonnez.
2 Couvrez le bol et réfrigérez la sauce pendant 2 à 4 heures pour qu'elle mûrisse. Dégustez-la de préférence le jour même ou dans les deux ou trois jours qui suivent.
DONNE 2-3 TASSES • PRÉPARATION 15 MINUTES PLUS 2 À 4 HEURES DE MACÉRATION

Sauce ketchup

Vous ne retournerez plus à celle du commerce.

- **4 litres de tomates (environ 24) pelées, parées et hachées**
- **1 gros oignon haché**
- **1 gros poivron rouge haché**
- **1½ c. à thé de graines de céleri**
- **1 c. à thé de graines de moutarde**
- **1 c. à thé de poivre de la Jamaïque**
- **1 bâton de cannelle**
- **1 tasse de sucre**
- **1 c. à soupe de sel**
- **1½ tasse de vinaigre**
- **1 c. à soupe de paprika**

1 Dans un faitout inoxydable, faites cuire les tomates, l'oignon et le poivron à feu modéré pour les attendrir. Réduisez-les en purée au tamis ou au presse-purée.
2 Faites cuire la purée environ 1 heure à feu plutôt vif pour qu'elle réduise de moitié.
3 Ajoutez les épices rassemblées en sachet, de même que le sucre et le sel. Faites cuire 25 minutes de plus en tournant à l'occasion.
4 Incorporez le vinaigre et le paprika. Achevez d'épaissir la sauce sans la laisser attacher.
5 Remplissez des pots stérilisés chauds (p. 168) jusqu'à 3 mm (⅛ po) du bord. Bouchez-les et plongez-les dans l'eau bouillante 10 minutes (p. 14). La sauce sera prête dans 2 semaines. Réfrigérez une fois le pot ouvert.
DONNE 3 POTS DE 4 TASSES • PRÉPARATION 2 H 30

Tomates séchées au four

Leur parfum est particulièrement subtil.

- **1 kg (1 lb) de tomates italiennes ou miniatures, tranchées en deux**
- **¼ tasse de gros sel**
- **¼ c. à thé de poivre au moulin**
- **2 c. à soupe de marjolaine séchée**
- **huile d'olive pour couvrir**

1 Réglez la température du four à tiède (95 °C/200 °F).
2 Épépinez les tomates mais ne les pressez pas. Déposez-les côte à côte, côté tranché dessus, sur une tôle tapissée de papier d'alumi-

nium. Assaisonnez-les avec le sel, le poivre et la marjolaine. Enfournez la tôle et laissez les tomates se dessécher (non pas cuire) pendant au moins 12 heures. Les tomates devraient se racornir et devenir foncées ; selon leur taille, cela peut prendre jusqu'à 24 heures. Si elles semblent sécher trop vite, entrouvrez le four.
3 Entassez les tomates séchées dans des pots stérilisés (p. 168) et couvrez d'huile. Elles sont prêtes à être consommées. Conservez-les au réfrigérateur, au maximum 1 mois.
DONNE 2 POTS DE 2 TASSES • PRÉPARATION 45 MINUTES PLUS 12 À 24 HEURES DE SÉCHAGE

VARIANTE Préparez la même recette avec des poivrons verts, rouges ou jaunes que vous aurez épépinés et coupés en quatre.

Confiture d'oignons rouges

Relève certains fromages et les viandes rôties.

- **3 c. à soupe d'huile d'olive**
- **1 kg (2 lb) d'oignons rouges pelés et tranchés**
- **½ tasse de sucre**
- **1 c. à thé de gros sel**
- **½ c. à thé de poivre au moulin**
- **4 c. à soupe de vinaigre balsa- mique ou de vinaigre de xérès**
- **1 tasse de vin rouge**

1 Chauffez l'huile dans un faitout inoxydable. Cuisez les tranches d'oignon à feu modéré environ 20 minutes en agitant à l'occasion.
2 Ajoutez sucre, sel et poivre. Réduisez la chaleur au minimum (au besoin, placez le faitout sur un diffuseur de chaleur), couvrez et poursuivez la cuisson 10 minutes de plus.
3 Ajoutez le vinaigre et le vin et laissez cuire, sans couvrir, encore 20 à 30 minutes ; tournez fréquemment pour empêcher la confiture de coller au fond et écumez-la au besoin. Elle doit devenir aussi épaisse qu'un chutney.
4 Remplissez des pots stérilisés chauds (p. 168) jusqu'à 6 mm (¼ po) du bord. Bouchez-les et plongez-les dans l'eau bouillante 10 minutes (p. 14). La confiture sera prête dans 4 semaines. Réfrigérez une fois le pot ouvert.
DONNE 2 POTS DE 2 TASSES • PRÉPARATION 1 H 30

Vinaigrette à l'orange et à l'amande

Essayez-la sur des feuilles de jeunes épinards garnis de rondelles d'oignons rouges.

- **3 c. à soupe de jus d'orange**
- **4 c. à soupe d'huile d'amandes**
- **2 c. à soupe d'une huile légère : tournesol, olive ou canola**
- **sel et poivre au moulin**

1 Dans un petit bol, fouettez le jus d'orange et les deux huiles jusqu'à émulsion. Incorporez le sel et le poivre.
2 Versez la vinaigrette dans un bocal ou une bouteille que vous pourrez boucher et réfrigérer si vous ne vous en servez pas tout de suite. Le cas échéant, amenez à la température ambiante et agitez le contenant avant de servir.
DONNE ENVIRON ½ TASSE • PRÉPARATION 10 MINUTES

Huile parfumée

L'huile ayant tendance à rancir, n'en préparez que de petites quantités à la fois. Romarin, thym, sarriette, graines de coriandre ou piment séché sont des bons choix.

- **quantité généreuse d'une des fines herbes ou des épices de votre choix**
- **quantité suffisante d'huile d'olive pour remplir la bouteille (ou plusieurs) de votre choix**

1 À l'aide d'un rouleau à pâtisserie, écrasez légèrement l'aromate choisi pour qu'il dégage tout son parfum. Ajoutez-le à l'huile préalablement réchauffée dans une casserole à feu doux. Laissez reposer quelques minutes. Mettez l'aromate dans une bouteille stérilisée (p. 168) et versez ensuite l'huile.
2 Bouchez la bouteille et réfrigérez-la au moins deux jours pour permettre l'infusion.
3 Filtrez l'huile dans une autre bouteille stérilisée. Jetez l'aromate et remplacez-le par un spécimen frais. L'huile est prête à être utilisée. Elle se conserve 1 mois au réfrigérateur.
PRÉPARATION 15 MINUTES PLUS 2 JOURS DE MACÉRATION

Vinaigre parfumé

Il faut choisir un vinaigre de qualité.

- **quantité généreuse d'un aromate de votre choix**
- **quantité suffisante de vinaigre pour remplir la bouteille**

1 Écrasez légèrement l'aromate. Mettez-le dans une bouteille chaude stérilisée (p. 168).

2 Portez le vinaigre à ébullition et versez-le dans la bouteille.

3 Bouchez la bouteille et laissez-la reposer deux semaines au bord d'une fenêtre enso-leillée. Tournez-la tous les jours d'un quart de tour.

4 Filtrez le vinaigre dans une autre bouteille stérilisée. Remplacez l'aromate par un spéci-men frais. Rangez le vinaigre au frais et à l'obscurité. Il sera prêt en 2 semaines et se conservera 1 an. Réfrigérez une fois ouvert.

PRÉPARATION 30 MIN PLUS 2 SEMAINES DE MACÉRATION

VARIANTES Parfumez du vinaigre de vin blanc avec : piments forts, tranches de citron et fenouil, zestes d'orange et grains de poivre blanc, ou fleurs et feuilles de capucine ; du vinaigre de vin rouge avec : feuilles de sauge, échalotes et grains de poivre vert ; du vinaigre de cidre avec : mûres écrasées.

Un assortiment d'huiles et de vinaigres parfumés décorera une table, la vôtre ou celles de vos amis :
1 *Vinaigre au zeste de citron et aux grains de poivre*
2 *Vinaigre au zeste d'orange* **3** *Huile aux fines herbes*
4 *Vinaigre à la capucine* **5** *Vinaigre aux échalotes et aux grains de poivre vert* **6** *Huile aux piments*

Moutarde au miel

*Les graines de moutarde se vendent en vrac
dans les boutiques d'alimentation naturelle.*

- ◆ **2 tasses de graines de moutarde
  (noire, blanche ou les deux)
  dont 1 tasse moulue dans un
  moulin à épices**
- ◆ **¾ à 1 tasse de vinaigre de vin
  blanc**
- ◆ **½ tasse de miel**
- ◆ **1 c. à thé de sel**

1 Mettez les ingrédients dans un bol et
mélangez-les bien. Laissez reposer deux heures.
2 Tournez le mélange vigoureusement en
ajoutant du vinaigre si le mélange est trop sec.
Remplissez des pots chauds stérilisés (p. 168) et
bouchez-les. Rangez la moutarde au frais et à
l'obscurité. Elle sera prête à déguster dans
2 semaines et se conserve 1 an. Réfrigérez une
fois le pot ouvert.
DONNE DEUX POTS DE 2 TASSES • PRÉPARATION 2 H 15
PLUS 2 SEMAINES DE MACÉRATION

VARIANTE Réduisez le miel de moitié et ajoutez
2 c. à soupe d'estragon frais.

Aïoli

*Cette mayonnaise à l'ail est originaire de Pro-
vence. Elle relève bien le poisson cuit au court-
bouillon, particulièrement la morue.*

- ◆ **4 gousses d'ail tranchées en deux**
- ◆ **1 tasse de mayonnaise**
- ◆ **pincée de sucre**
- ◆ **½ c. à thé de poivre au moulin**

Réduisez les gousses d'ail en purée au mélangeur ou au robot. Dans le même récipient,
ajoutez la mayonnaise, le sucre et le poivre,
et travaillez le tout en purée bien lisse. Servez
tout de suite ou conservez 1 semaine. L'aïoli
se déguste à la température de la pièce.
DONNE 1 TASSE • PRÉPARATION 10 MINUTES

*Les amateurs d'ail voudront déguster l'aïoli en
trempette avec des légumes frais bien croquants.*

Chèvre aux fines herbes

*Un petit fromage de chèvre bien ordinaire
acquiert un raffinement surprenant dès qu'il est
soumis à cette méthode de conservation.*

- ◆ **1 chèvre de 90 à 120 g (3-4 oz)**
- ◆ **¼ c. à thé de grains de poivre
  de plusieurs couleurs**
- ◆ **⅛ c. à thé de graines de
  coriandre écrasées**
- ◆ **brins de thym, de romarin,
  de fenouil**
- ◆ **1 feuille de laurier**
- ◆ **1 petit piment rouge**
- ◆ **1 gousse d'ail**
- ◆ **½ tasse d'huile d'olive**

1 Mettez le fromage dans un pot stérilisé à
large ouverture (p. 168). Disposez les épices, les
fines herbes, le piment et l'ail de façon à faire
une jolie présentation.
2 Versez l'huile dans le pot et bouchez-le.
Le fromage sera prêt dans 1 semaine et se
conservera 1 mois, toujours au réfrigérateur.
DONNE 1 FROMAGE • PRÉPARATION 10 MINUTES PLUS
1 SEMAINE DE MACÉRATION

VARIANTES Plusieurs types de fromages peuvent être marinés selon cette méthode.
Essayez la recette avec un bocconcini ou de la
feta détaillée en petits dés. Le fromage mariné
constitue un délicieux amuse-gueule. Présentez-le sur un grand plateau avec du pain pita,
des olives marinées (p. 19), du hoummos (p. 40)
et une purée d'aubergines (p. 40). Vous pouvez
conserver les restes au réfrigérateur jusqu'à
1 mois : vous vous en servirez pour parfumer
une vinaigrette ou un plat en sauce.

◆ Saveurs exotiques ◆

*Tout un univers s'ouvre à vous grâce aux épices propres à l'Asie, à l'Afrique et aux Caraïbes.
En vous aventurant à préparer vous-même des recettes typiques d'ailleurs, vous avez l'avantage de
savoir ce qu'elles renferment et de choisir les aromates qui flattent le mieux votre palais.*

Pâte de cari

Un plat au cari, c'est toujours délicieux, mais quand on prépare soi-même son cari, c'est encore plus savoureux. Cette recette donne une quantité suffisante de pâte de cari pour parfumer 1 kg (2 lb) de viande.

- ◆ **2 c. à soupe de ghee (beurre clarifié) ou d'huile végétale**
- ◆ **2 c. à thé de curcuma**
- ◆ **2 c. à soupe de graines de coriandre séchées**
- ◆ **1 c. à thé de graines de cumin**
- ◆ **1 c. à thé de graines de moutarde**
- ◆ **1 c. à thé de graines de fénugrec**
- ◆ **1 c. à thé de grains de poivre blanc**
- ◆ **2 c. à thé de gingembre frais haché**
- ◆ **1 gros oignon haché**
- ◆ **½ à 1 c. à thé de petit piment rouge haché**
- ◆ **3 gousse d'ail hachées**
- ◆ **1 c. à soupe de pulpe de tamarin (réhydratée ou en conserve)**
- ◆ **2 à 3 c. à soupe de vinaigre de cidre**

1 Dans un petit poêlon, faites fondre le ghee à feu doux ; ajoutez-y le curcuma, toutes les graines et les grains de poivre. Laissez cuire environ 5 minutes en tournant avec une cuiller de bois jusqu'à ce que les aromates aient relâché leurs parfums et commencent à grésiller.
2 Ajoutez gingembre, oignon, piment et ail, et continuez de tourner pour empêcher les ingrédients de roussir. Quand ils sont suffisamment attendris et dorés, retirez le poêlon du feu et laissez un peu refroidir.
3 Au robot culinaire, travaillez brièvement la pulpe de tamarin avec le vinaigre. Ajoutez ensuite le contenu du poêlon et réduisez le

tout en pâte grossière. Au besoin, interrompez le processus pour racler les parois du récipient et bien amalgamer le mélange qui prendra l'aspect d'une pâte épaisse.
4 Conservez ce cari dans des pots stérilisés (p. 168) bien bouchés.
DONNE ENVIRON ½ TASSE • PRÉPARATION 20 MINUTES

Sauce piquante au beurre d'arachide

Chaque pays du Sud-Ouest asiatique a sa propre version de cette sauce. D'origine malaise, celle-ci convient à un satay de bœuf ou de poulet.

- ◆ **1 tasse d'arachides rôties non salées**
- ◆ **1 botte d'oignons verts hachés, partie blanche seulement**
- ◆ **2 c. à soupe d'huile d'arachide**
- ◆ **1 c. à thé de pâte de crevettes orientale ou de pâte d'anchois**
- ◆ **2 gousses d'ail coupées en quatre**
- ◆ **2 c. à thé de gingembre frais**
- ◆ **10 cm (4 po) de jonc odorant (citronnelle thaïe) haché**
- ◆ **2 ou 3 petits piments rouges frais, équeutés mais non épépinés**
- ◆ **2 limes, jus et zeste seulement**
- ◆ **1 c. à thé chacune de cumin, de coriandre, de curcuma et de cannelle, tous en poudre**
- ◆ **1 tasse de crème de coco**
- ◆ **1 c. à soupe de sauce soja**

1 Au robot, travaillez brièvement les arachides avec les oignons verts. Chauffez l'huile dans un poêlon moyen, ajoutez-y le mélange d'arachides et d'oignons verts et faites cuire pendant 2 à 3 minutes en tournant. Incorporez la pâte de crevettes et cuisez 1 minute de plus.

2 Au robot, travaillez ensemble l'ail, le gingembre, le jonc odorant et les petits piments avec le jus de lime ; ajoutez cette pâte au poêlon. Laissez cuire 2 à 3 minutes à feu modéré.
3 Ajoutez le zeste de lime et le reste des épices et continuez de cuire en remuant. Au bout de 5 minutes, les épices auront livré leurs parfums et formé une pâte épaisse.
4 Incorporez la crème de coco et la sauce soja. Baissez le feu et poursuivez la cuisson 5 minutes de plus. Si la sauce épaissit trop, ajoutez un peu d'eau chaude. Servez tout de suite et conservez ce qui reste au réfrigérateur.
DONNE ENVIRON 2 TASSES • PRÉPARATION 35 MINUTES

Sauce thaïe épicée

Ceux qui recherchent les sensations fortes s'en délecteront : pour ragoût, salsa ou gombo.

- ◆ **2 à 3 c. à soupe de cayenne**
- ◆ **3 tasses de sucre**
- ◆ **3 tasses de vinaigre blanc**
- ◆ **3 c. à soupe de sel**
- ◆ **1 ⅛ tasse de raisins secs dorés**
- ◆ **2 c. à soupe d'ail haché**
- ◆ **2 c. à soupe de gingembre frais haché**

1 Mettez tous les ingrédients dans une casserole inoxydable et portez à ébullition sans cesser de tourner. Baissez le feu pour que la sauce mijote pendant 15 minutes.
2 Laissez-la refroidir puis défaites-la au mélangeur. Remplissez des bouteilles chaudes stérilisées (p. 168), bouchez-les et rangez-les au frais et à l'obscurité. La sauce sera prête dans 4 semaines et se conservera 3 mois. Réfrigérez la bouteille une fois ouverte.
DONNE 4 BOUTEILLES DE 2 TASSES • PRÉPARATION 40 MIN

Sauce aux prunes

Servez-la avec du porc ou du poulet. Mieux encore, étendez-en une couche sur une selle d'agneau un peu avant la fin de la cuisson.

- ♦ **2,7 kg (6 lb) de prunes rouges bien mûres**
- ♦ **5 tasses de cassonade dorée**
- ♦ **5 tasses de vinaigre blanc**
- ♦ **2 c. à thé de sel**
- ♦ **2 gousses d'ail hachées fin**
- ♦ **4 c. à soupe de gingembre frais haché fin**
- ♦ **½ c. à thé de poivre au moulin**
- ♦ **½ c. à thé de clou moulu**
- ♦ **½ c. à thé de moutarde sèche**

1 Dénoyautez les prunes et hachez-les grossièrement. Mettez-les dans une casserole inoxydable avec le reste des ingrédients. Laissez cuire à feu très doux pendant 1 h 30.

2 Faites passer les fruits à travers un tamis. Remettez la sauce dans la casserole et jetez les résidus. Portez à ébullition.

3 Versez la sauce dans des bouteilles stérilisées chaudes (p. 168); bouchez et plongez-les dans l'eau bouillante 20 minutes. La sauce est prête en 4 semaines. Réfrigérez la bouteille une fois ouverte.

DONNE 8 BOUTEILLES DE 2 TASSES • PRÉPARATION 2 H 30

A T T E N T I O N   S.V.P.
☺
ÇA PEUT BRÛLER !

Au barbecue, une viande qui a mariné dans une sauce à haute teneur en sucre (comme la Sauce texane ci-dessus, à droite) exige des précautions spéciales au moment de la cuisson pour éviter que le sucre ne caramélise avant même qu'elle ait cuit. Il faut la maintenir éloignée de la source de chaleur et la retourner fréquemment.

Les piments forts vous brûleront moins le palais si vous en retirez les petites graines. Mais attention ! Portez des gants pour cette opération ou bien lavez-vous longuement les mains après coup ; sinon, en vous essuyant les yeux par distraction, vous risqueriez une brûlure majeure.

Sauce texane à barbecue

Procurez-vous 2,5 kg (5 lb) de côtes levées, par blocs de 6 à 8 côtes. Faites-les macérer pendant une demi-journée dans cette sauce, en prenant soin d'en garder 1 tasse pour le service. Faites cuire la viande sur un barbecue couvert (voir l'encadré en bas, à gauche) pendant 1 heure à 1 h 30 en arrosant à plusieurs reprises avec la marinade.

- ♦ **1½ tasse de sauce ketchup (p. 34)**
- ♦ **1 tasse de vinaigre de cidre**
- ♦ **⅔ tasse d'huile (de préférence arachide ou tournesol)**
- ♦ **⅓ tasse de sauce Worcestershire**
- ♦ **½ tasse de cassonade**
- ♦ **3 c. à soupe de moutarde douce**
- ♦ **½ c. à thé de poivre au moulin**
- ♦ **jus de 1 citron, plus ½ citron**
- ♦ **1 à 2 petits piments rouges frais, hachés très fin (facultatif)**

1 Mettez tous les ingrédients, y compris le demi-citron, dans une casserole moyenne à feu modéré et portez à ébullition. Baissez aussitôt la chaleur, couvrez et laissez mijoter pendant 20 minutes pour que le sucre soit tout à fait dissous et que la sauce ait légèrement épaissi.

2 Employez la sauce pour faire cuire des côtes levées en suivant les directives de l'introduction ou comme sauce barbecue pour la viande ou la volaille.

DONNE ENVIRON 3 TASSES • PRÉPARATION 30 MINUTES

Citrons macérés au sel

Choisissez de petits citrons à peau mince. Pour la dégustation, retirez-en la peau et détaillez-la en fines lanières. Servez-vous-en pour parfumer une tajine marocaine, un plat au cari ou une spécialité du Moyen-Orient. Quant au liquide de macération, il relèvera une sauce ou une vinaigrette.

- ♦ **10 petits citrons**
- ♦ **¼ tasse de gros sel**
- ♦ **2 tasses de jus de citron**
- ♦ **2 bâtons de cannelle**
- ♦ **2 feuilles de laurier**
- ♦ **20 grains de poivre noir**

---

1 Frottez les citrons sous l'eau courante. Mettez-les dans un grand bol d'eau, et laissez-les tremper 3 jours en changeant l'eau chaque jour.

2 Égouttez-les et coupez-les en quatre à la verticale sans entamer la base. Entre les quartiers, saupoudrez la chair d'un peu de sel.

3 Entassez les citrons dans des pots stérilisés à grande ouverture (p. 168). Répartissez ce qui reste de sel et de jus de citron. Achevez de remplir les pots avec de l'eau bouillante. Insérez dans chacun un bâton de cannelle, une feuille de laurier et des grains de poivre. Rangez au frais et à l'obscurité. Les citrons seront prêts au bout de 3 semaines et se conserveront 6 mois. Réfrigérez une fois le pot ouvert.

DONNE 2 POTS DE 4 TASSES • PRÉPARATION 15 MINUTES PLUS 3 JOURS DE TREMPAGE

Cari vert thaïlandais

Cette pâte de cari très répandue en Thaïlande relève la volaille, les légumes et les viandes délicates. Faites-la d'abord sauter dans un peu d'huile.

- ♦ **4 échalotes hachées**
- ♦ **1 c. à thé de pâte de crevettes orientale ou de pâte d'anchois**
- ♦ **3 gousses d'ail coupées en quatre**
- ♦ **1 c. à thé de zeste de lime**
- ♦ **10 cm (4 po) de jonc odorant (citronnelle thaïe) haché**
- ♦ **1 c. à soupe de grains de coriandre**
- ♦ **1 c. à soupe de gingembre frais tranché**
- ♦ **1 c. à thé de muscade moulue**
- ♦ **1 c. à thé de poudre de cumin**
- ♦ **1 c. à thé de poivre blanc moulu**
- ♦ **6 petits piments verts épépinés et coupés en quatre**
- ♦ **3 à 4 c. à soupe de crème de coco**

Travaillez tous les ingrédients au robot pour en faire une pâte lisse. Utilisez cette pâte de cari tout de suite ou conservez-la dans un petit récipient étanche, après l'avoir couverte d'une mince couche d'huile : elle se conservera 4 jours au réfrigérateur. Vous pouvez aussi en congeler dans un bac à glaçons.

DONNE ENVIRON ¾ TASSE • PRÉPARATION 15 MINUTES

En Thaïlande, cette pâte de cari rouge serait travaillée longuement au pilon et au mortier. Grâce au robot, la préparation se fait en une fraction de temps.

Cari rouge thaïlandais

Dans un cari thaïlandais, la saveur dépend beaucoup de la pâte de cari – l'ingrédient de base –, tellement plus savoureuse si elle est faite maison plutôt qu'achetée en pot. Les Thaïlandais l'aiment bien corsée : vous pouvez réduire son contenu en piment. Faites-la sauter dans un peu d'huile avant de l'incorporer aux autres ingrédients.

- 3 à 6 petits piments rouges équeutés mais non épépinés
- 4 échalotes coupées en quatre
- 1 oignon rouge coupé en huit
- 4 gousses d'ail coupées en quatre
- 10 cm (4 po) de jonc odorant (citronnelle thaïe) haché
- ¼ tasse de coriandre fraîche
- zeste de 2 limes, plus 2 feuilles de limettier ciselées
- 1 c. à soupe de graines de coriandre grillées
- 1 c. à thé de muscade moulue
- 1 c. à thé de poudre de cumin
- 1 c. à thé de poivre blanc moulu
- 2 c. à thé de pâte de crevettes orientale ou de pâte d'anchois
- 2 c. à soupe d'huile végétale

1 Passez tous les ingrédients au robot, sauf la pâte de crevettes, et travaillez-les pour obtenir une pâte lisse. Si vous voulez être très orthodoxe, servez-vous d'un pilon et d'un mortier.

2 Dans une poêle et à feu plutôt doux, faites griller à sec la pâte de crevettes pendant 2 à 3 minutes en tournant constamment. Ajoutez-la à la pâte de cari et actionnez le robot juste assez pour l'incorporer. Utilisez cette pâte de cari tout de suite ou conservez-la dans un petit récipient étanche après l'avoir recouverte de 2 cuillerées d'huile. Elle se conserve 2 semaines au réfrigérateur.

DONNE ENVIRON 1 TASSE • PRÉPARATION 20 MINUTES

Poudre d'épices des Caraïbes

Frottez la viande avec un peu de cette poudre le jour avant de la faire cuire au barbecue.

- 3 c. à soupe de cassonade
- 2 c. à soupe de paprika
- 2 c. à thé de moutarde sèche
- 2 c. à thé de sel d'ail
- 1½ c. à thé de basilic séché
- 1 c. à thé de chacun des ingrédients suivants, écrasés ou moulus : feuilles de laurier, graines de coriandre, thym, sarriette, poivre noir et cumin

1 Mélangez soigneusement tous les ingrédients dans un bol. En vous aidant d'une cuiller, remplissez des pot stérilisés (p. 168) munis d'un couvercle étanche. Nul besoin de réfrigérer ce condiment qui se conserve dans l'armoire avec les autres épices.

2 Si vous désirez vous en servir pour assaisonner un fond de marinage ou de braisage, il faut d'abord en faire une pâte. Mettez-en 4 cuillerées à soupe dans une poêle en fonte avec 2 cuillerées à soupe d'huile. Faites chauffer à feu modéré en tournant à la cuiller jusqu'à ce que les arômes se dégagent.

DONNE ENVIRON ½ TASSE • PRÉPARATION 10 MINUTES

VARIANTE Utilisez cette poudre pour relever un ragoût ou une marinade car elle aide à attendrir les viandes plutôt coriaces comme la poitrine de bœuf ou les jarrets d'agneau.

◆ Trempettes et tartinades ◆

Voici une sélection de recettes qui vous viendront en aide le jour où vous planifierez une réception pour beaucoup de monde. La plupart d'entre elles se préparent à l'avance. Le jour J, tout ce que vous aurez à faire, c'est d'acheter des croustilles et du pain frais... et de vous joindre à vos invités.

Guacamole

L'onctuosité de l'avocat et la saveur décidément mexicaine des piments et de la coriandre font du guacamole la trempette la plus universellement prisée. Contrairement à ce que l'on croit, la recette traditionnelle ne renferme pas d'ail et elle est plutôt grumeleuse que lisse.

- ◆ **2 gros avocats bien mûrs**
- ◆ **¼ tasse de jus de lime frais**
- ◆ **1 grosse tomate mûre, hahée fin et égouttée**
- ◆ **2 c. à soupe de coriandre fraîche hachée**
- ◆ **3 c. à soupe d'oignon rouge haché fin**
- ◆ **1 c. à soupe d'huile d'olive vierge**

1 Coupez les avocats en deux et retirez le noyau. Grattez la pulpe, mettez-la dans un bol et arrosez-la immédiatement de jus de lime. Écrasez pulpe et jus avec le dos d'une cuiller (jamais une cuiller d'argent) pour obtenir une purée sans insister pour la rendre légère.
2 En procédant délicatement, répartissez la tomate et les autres ingrédients dans la purée d'avocats.
3 Couvrez le bol d'une pellicule plastique de façon qu'elle adhère à la surface du guacamole et rangez-le au réfrigérateur. Sortez-le à la tem-

---

pérature de la pièce une demi-heure avant de servir, mais ne le découvrez pas pour éviter l'oxydation. Au dernier moment, décorez le guacamole de piment haché ou de quelques feuilles de coriandre fraîche.
DONNE ENVIRON 2 TASSES • PRÉPARATION 15 MINUTES

Hoummos

Le hoummos est répandu de l'Afghanistan jusqu'en Algérie. Goûtez-le avec des bâtonnets de carotte et des pointes de pita grillée !

- ◆ **2 tasses de pois chiches cuits ou en conserve**
- ◆ **1 c. à soupe d'huile d'olive vierge**
- ◆ **2 gousses d'ail coupées en quatre**
- ◆ **½ c. à thé de cumin moulu**
- ◆ **¼ tasse de tahini (pâte de sésame)**
- ◆ **¼ à ½ tasse de jus de citron**
- ◆ **sel et poivre noir au moulin**

1 Égouttez les pois chiches et rincez-les sous le robinet d'eau froide.
2 Mettez les pois chiches au robot avec l'huile d'olive, l'ail, le cumin et le tahini. Travaillez les ingrédients pour obtenir une purée sans plus.
3 Tout en actionnant le moteur, versez le jus de citron en un mince filet. Travaillez le tout jusqu'à ce que vous obteniez la consistance désirée. Assaisonnez au goût de sel et de poivre. Couvrez le hoummos et laissez-le reposer au moins 2 heures au réfrigérateur pour permettre aux saveurs de s'amalgamer. Au moment de servir, garnissez de persil haché ou de paprika.
DONNE 1 ½ TASSE • PRÉPARATION 10 MINUTES PLUS 2 HEURES DE MATURATION

Tapenade

À tartiner sur des toasts melba ou des rondelles de baguette grillées, arrosés d'un peu d'huile.

- ◆ **1 tasse d'olives noires marinées à l'huile ou d'olives grecques, dénoyautées**
- ◆ **6 à 8 filets d'anchois**
- ◆ **¼ tasse de câpres égouttées**
- ◆ **2 gousses d'ail coupées en deux**
- ◆ **2 c. à thé de jus de citron**
- ◆ **3 à 4 c. à soupe d'huile d'olive vierge**
- ◆ **poivre noir au moulin**

1 Mettez les olives, les filets d'anchois, les câpres, l'ail et le jus de citron au robot et hachez-les ensemble.
2 Ajoutez 3 cuillerées d'huile d'olive et travaillez les ingrédients pour obtenir la consistance d'une tartinade. Ajoutez de l'huile d'olive au besoin. Assaisonnez au goût de poivre noir.
DONNE ENVIRON 1 TASSE • PRÉPARATION 10 MINUTES

Purée d'aubergines

Le fait de griller la peau confère à l'aubergine son goût caractéristique du Moyen-Orient.

- ◆ **1 aubergine de 600 g (1 ¼ lb)**
- ◆ **¼ tasse de jus de citron**
- ◆ **1 c. à soupe d'huile d'olive vierge**
- ◆ **2 gousses d'ail coupées en quatre**
- ◆ **¼ tasse de tahini (pâte de sésame)**
- ◆ **sel et poivre au moulin**

1 Préchauffez le gril du four. Piquez l'aubergine sur toute sa surface avec une fourchette ou la pointe d'une brochette. Placez-la à 15 cm (6 po) de l'élément du gril et laissez-la attendrir pen-

---

DE BELLES IDÉES

TREMPETTES CRÉATIVES

Cherchez l'inusité pour éveiller les papilles. Prenez de la tapenade pour farcir vos tomates miniatures. Tartinez vos sandwichs de jambon ou de poulet avec du guacamole. Déposez de la purée d'aubergines sur vos pommes de terre au four.

dant 20 minutes en la retournant toutes les 5 minutes ; la peau doit noircir.

2 Dès que vous pouvez la manipuler, débarrassez l'aubergine de sa peau. Travaillez la pulpe au robot par impulsions avec le jus de citron, l'huile d'olive, l'ail et le tahini jusqu'à ce que vous obteniez la consistance homogène d'une tartinade. Assaisonnez au goût de sel et de poivre noir.

3 Couvrez et réfrigérez la purée d'aubergines pendant au moins 2 heures pour permettre aux saveurs de se développer. Pour lui donner un peu de couleur, garnissez-la de persil haché ou de paprika. Servez-la en trempette avec des pointes de pain pita.

DONNE ENVIRON 2 TASSES • PRÉPARATION 30 MINUTES PLUS 2 HEURES DE MATURATION

Tzatziki

Le tzatziki est un rafraîchissant hors-d'œuvre typiquement grec, fait à base de concombres et de yogourt. En été, on peut le servir en guise de trempette, entouré d'une variété de crudités — petites carottes, radis, pois mange-tout —, sans oublier les pointes de pain pita. On peut aussi l'utiliser comme vinaigrette pour napper une salade grecque de tomates, laitue, olives et feta.

- ◆ **1 concombre moyen, pelé**
- ◆ **2 tasses de yogourt**
- ◆ **1 gousse d'ail hachée fin**
- ◆ **1 c. à soupe de menthe fraîche hachée**
- ◆ **2 c. à soupe d'huile d'olive**
- ◆ **gros sel et poivre au moulin**

1 Détaillez le concombre en dés et asséchez-le avec du papier absorbant.

2 Incorporez le concombre au yogourt. Ajoutez le reste des ingrédients et assaisonnez au goût avec le sel et le poivre.

3 Mettez le tzatziki dans un bol et arrosez-le d'un mice filet d'huile d'olive.

DONNE ENVIRON 2 ½ TASSES • PRÉPARATION 10 MINUTES

Dans le sens des aiguilles d'une montre, trois plats régionaux qui ont acquis une réputation mondiale : hoummos, purée d'aubergines et guacamole.

◆ Sauces à spaghetti ◆

La «sauce à spaghetti» se prête à bien des inspirations culinaires depuis la traditionnelle association tomates-ail-basilic jusqu'à des combinaisons inusitées comme la courgette et la menthe ou les crevettes et le fenouil. Les recettes suivantes conviennent à 500 g (16 oz) de pâtes alimentaires, cuites.

Sauce tomate traditionnelle

Plus les tomates sont mûres, plus la sauce sera savoureuse. Pour les peler, plongez-les 1 minute dans l'eau bouillante, puis dans l'eau très froide. Mais si les belles grosses tomates ne sont pas en saison, n'hésitez pas à recourir aux tomates italiennes en conserve. Dans ce cas, vous inclurez le jus dans la recette.

- ◆ **1,5 kg (3 lb) de tomates bien mûres, ou 4 tasses de tomates italiennes en boîte hachées**
- ◆ **2 c. à soupe d'huile d'olive**
- ◆ **3 gousses d'ail**
- ◆ **2 c. à soupe de concentré de tomate**
- ◆ **2 à 3 c. à soupe de basilic frais haché ou 2 c. à thé de basilic séché, écrasé entre les doigts**
- ◆ **1 c. à thé de sucre**
- ◆ **1 c. à thé de sel**
- ◆ **¼ c. à thé de poivre au moulin**

1 Si vous utilisez des tomates fraîches, pelez-les, puis hachez-les grossièrement.
2 Chauffez l'huile à feu modéré dans une grande poêle en fonte. Faites revenir l'ail 1 minute. Ajoutez les tomates, le concentré de tomate, le basilic et le sucre. Portez à ébullition en tournant constamment. Baissez le feu et laissez mijoter de 12 à 15 minutes pour épaissir.
3 Assaisonnez de sel et de poivre au goût. Nappez de cette sauce des pâtes alimentaires égouttées et bien chaudes ; mélangez délicatement et servez, si désiré, avec du parmesan.
DONNE 3 TASSES • PRÉPARATION 30 MINUTES

Pour donner plus de couleur à des spaghettis en sauce tomate, ajoutez de petites olives noires et une généreuse portion de feuilles de basilic hachées.

VARIANTES *Amatriciana* Dans 2 c. à soupe d'huile d'olive et 2 c. à soupe de beurre, faites revenir ½ tasse de pancetta (poitrine de porc) hachée avec 1 tasse d'oignon haché fin. Lorsque la pancetta est dorée mais non croustillante, égouttez le mélange et incorporez-le à la sauce tomate chaude. Au moment de servir, saupoudrez de ½ tasse de fromage râpé, pecorino ou romano.

Trévise ou roquette Taillez en chiffonnade 1 tête de trévise (radicchio) ou 2 bottes de roquette (arugula), cette dernière préalablement lavée, essorée et débarrassée de ses tiges. Faites cuire ½ tasse de bacon haché. Quand il est croustillant, ajoutez la chiffonnade le temps de la ramollir, puis 2 c. à soupe de basilic frais haché et 1 tasse de crème épaisse. Réchauffez bien et incorporez à la sauce tomate chaude.

Foies de poulet Dans 2 c. à soupe d'huile d'olive et 2 c. à soupe de beurre, faites revenir 4 à 5 minutes à feu modéré 250 g (½ lb) de foies de poulet parés et coupés en dés, ¼ tasse d'oignons verts hachés, 1 c. à thé de sauge fraîche et 2 c. à soupe de pancetta hachée. Avec une cuiller à trous, déposez les aliments solides dans la sauce tomate chaude. Déglacez la poêle avec ¼ tasse de vermouth et ajoutez le fond de cuisson à la sauce.

Courgette Détaillez une grosse courgette en julienne et faites-la revenir dans 1 c. à soupe d'huile d'olive. Quand elle est tout juste attendrie, ajoutez-y 2 c. à soupe de menthe fraîche hachée et incorporez-la à la sauce tomate chaude.

Saumon en crème Découpez en morceaux 250 g (8 oz) de filet de saumon sans peau. Faites revenir dans 2 c. à soupe de beurre 3 à 4 minutes à feu assez vif. Incorporez 1 tasse de crème épaisse, ¼ tasse de ciboulette hachée et 1 c. à thé de câpres. Faites tout juste réchauffer l'ensemble et incorporez-le à la sauce tomate très chaude.

Crevettes et fenouil Parez la moitié d'un petit bulbe de fenouil, tranchez-le mince et faites-le revenir légèrement dans 2 c. à soupe d'huile d'olive et 2 c. à soupe de beurre. Ajoutez 3 c. à soupe d'eau, couvrez et laissez braiser pendant 15 minutes. Par ailleurs, incorporez à la sauce tomate 500 g (1 lb) de crevettes crues moyennes, bien nettoyées. Faites-les cuire 3 à 4 minutes, le temps qu'elles deviennent roses. Ajoutez 2 c. à soupe de persil haché et le fenouil cuit.

Macaroni au gratin Détaillez en tranches fines 1 grosse aubergine (environ 500 g/1 lb) non pelée. Faites revenir dans ¼ tasse d'huile d'olive, égouttez et réservez. Par ailleurs, mélangez 1 ½ tasse de sauce tomate avec 500 g (1 lb) de macaronis cuits et égouttés. Étalez-en la moitié dans un plat à four peu profond préalablement beurré. Recouvrez avec les tranches d'aubergine et 1 tasse d'un mélange à parts égales de parmesan et de mozzarella râpés. Déposez par-dessus le reste des pâtes en sauce tomate. Saupoudrez le tout avec ½ tasse de mozzarella râpée. Enfournez dans un four préchauffé à 200 °C (400 °F) et laissez cuire de 15 à 20 minutes, jusqu'à ce que le plat de macaronis soit ferme et la surface dorée. Attendez 10 minutes avant de servir.

DONNE 4-6 PORTIONS • PRÉPARATION 15-20 MINUTES

Pesto classique

Au lieu du pilon et du mortier d'autrefois, on peut se servir d'un robot et l'on obtiendra d'aussi bons résultats.

- ◆ **1 ½ tasse de feuilles de basilic frais bien tassées**
- ◆ **2 gousses d'ail coupées en deux**
- ◆ **½ tasse de pignons, grillés ou non**
- ◆ **½ c. à thé de gros sel**
- ◆ **½ tasse d'huile d'olive vierge**
- ◆ **⅓ tasse de parmesan frais râpé**
- ◆ **poivre noir au moulin**

1 Travaillez au robot le basilic, l'ail, les pignons et le sel de façon à obtenir une pâte lisse. Versez l'huile d'olive en filet.

2 Videz la préparation dans un bol, incorporez le parmesan et assaisonnez au goût avec le poivre. Mélangez le pesto aux pâtes cuites et servez aussitôt. Ou bien conservez-le dans un pot sous une couche d'huile d'olive : il se garde ainsi 1 semaine au réfrigérateur, plus longtemps au congélateur.

DONNE ENVIRON 1 TASSE • PRÉPARATION 10 MINUTES

Pesto aux tomates sèches

Les tomates sèches et les noix de Grenoble donnent un pesto bien différent.

- ◆ **1 tasse de feuilles de basilic frais bien tassées**
- ◆ **½ tasse de tomates sèches dans l'huile, non égouttées**
- ◆ **¼ tasse de noix de Grenoble hachées, grillées ou non**
- ◆ **1 petit piment rouge épépiné et haché (facultatif)**
- ◆ **environ ½ tasse d'huile d'olive**
- ◆ **⅓ tasse de parmesan frais râpé**

1 Travaillez au robot le basilic, les tomates sèches, les noix de Grenoble et le piment rouge pour obtenir une pâte lisse. Pendant que l'appareil fonctionne, ajoutez l'huile en filet.

2 Videz la préparation dans un bol et incorporez le parmesan. Mélangez le pesto aux pâtes cuites et servez aussitôt. Ou bien conservez-le 1 semaine au réfrigérateur sous une couche d'huile d'olive.

DONNE ENVIRON 1 TASSE • PRÉPARATION 15 MINUTES

Sauce à la puttanesca

Anchois, câpres et olives lui valent son piquant.

- ◆ **2 à 3 c. à soupe d'huile d'olive**
- ◆ **2 gousses d'ail hachées**
- ◆ **3 grosses tomates bien mûres, pelées et hachées**
- ◆ **½ tasse d'olives noires dénoyautées**
- ◆ **2 c. à soupe de câpres égouttées**
- ◆ **½ c. à thé d'origan séché**
- ◆ **¼ c. à thé de piment séché**
- ◆ **2 c. à soupe de persil haché**
- ◆ **4 filets d'anchois plats, hachés**
- ◆ **poivre noir du moulin**

1 Chauffez l'huile dans un poêlon à feu modéré. Faites-y cuire tous les ingrédients, sauf le persil, les anchois et le poivre, pendant 15 minutes ou jusqu'à épaississement.

2 Ajoutez les trois derniers ingrédients et laissez cuire 2 minutes.

DONNE ENVIRON 1 TASSE • PRÉPARATION 30 MINUTES

◆ Pâtisserie salée ◆

Préparez des fonds de tarte à l'avance dans des moules en aluminium et congelez-les : le temps de le dire, vous pourrez réaliser une somptueuse entrée ou le plat principal d'un repas léger. La pâte à choux est une autre avenue intéressante : quoiqu'elle ne se congèle pas, on peut la conserver plusieurs jours.

Pâte brisée

Cette recette est prévue pour deux abaisses. Si vous voulez en faire une seule, reportez-vous aux quantités de l'encadré ci-dessous.

- ◆ **2 ¼ tasses de farine tout usage**
- ◆ **½ c. à thé de sel**
- ◆ **1 bâtonnet (115 g/4 oz) de beurre froid en petits morceaux**
- ◆ **¼ tasse de graisse végétale**
- ◆ **5 à 6 c. à soupe d'eau glacée**

1 Tamisez ensemble la farine et le sel. À l'aide d'un coupe-pâte ou de deux couteaux, incorporez le beurre et la graisse végétale jusqu'à ce que le mélange soit grumeleux.
2 Versez l'eau glacée, une cuillerée à soupe à la fois, pour amalgamer la pâte. Façonnez deux boules égales, enveloppez-les chacune dans de la pellicule plastique et réfrigérez au moins 1 heure avant d'abaisser.
3 Déposez une boule de pâte sur une plaque farinée, aplatissez-la légèrement, puis abaissez-la en cercle à partir du centre en vous servant du rouleau. Le cercle doit être suffisamment grand pour couvrir le fond et les parois du moule, plus un rebord. Prenez la deuxième boule pour l'abaisse du dessus et façonnez la bordure en la pinçant ou en l'écrasant à la four-

chette. Faites des incisions en surface pour que la vapeur puisse s'échapper.
4 Pour cuire la pâte, suivez les directives de la recette ou celles de la Cuisson à blanc (p. 46).
DONNE 1 TARTE À 2 ABAISSES • PRÉPARATION 1 H 30

Quiche lorraine

Dans la plus pure des traditions, la quiche lorraine se prépare simplement avec de la bonne crème d'habitant et du lard de la région. On a toutefois tendance à y ajouter du fromage. Avec une salade verte, cela donne un repas complet.

- ◆ **1 abaisse de pâte brisée (à gauche et encadré)**
- ◆ **6 tranches de lard taillé en lardons et légèrement frit**
- ◆ **1 ½ tasse de crème légère**
- ◆ **4 œufs**
- ◆ **½ c. à thé de sel**
- ◆ **1 petite pincée de cayenne**
- ◆ **1 petite pincée de muscade**
- ◆ **1 ½ tasse de gruyère râpé**

1 Préchauffez le four à 200 °C (400 °F).
2 Foncez un moule de 22 cm (9 po) avec l'abaisse. Écrasez la bordure à la fourchette. Laissez raffermir au réfrigérateur pendant 15 à 20 minutes. Cuisez 10 minutes à blanc (p. 46). Retirez le papier et les fèves.
3 Répartissez les lardons sur l'abaisse cuite. Fouettez la crème avec les œufs, le sel, le cayenne et la muscade. Saupoudrez le fromage sur les lardons et recouvrez avec la liaison obtenue.
4 Enfournez et laissez cuire 15 minutes à découvert. Abaissez le thermostat à 180 °C (350 °F) et cuisez 15 à 20 minutes de plus pour que la quiche soit ferme au centre. Attendez 10 minutes avant de la servir.
DONNE 6 PORTIONS • PRÉPARATION 1 HEURE

VARIANTE Pour une quiche aux oignons, remplacez le lard par 2 gros oignons tranchés attendris à la poêle dans du beurre.

Tartelettes de tomates

Ces purs délices de la Méditerranée font un repas rapide et somptueux à l'heure du midi.

- ◆ **1 abaisse de pâte feuilletée fraîche ou décongelée**
- ◆ **½ tasse de cheddar râpé fin**
- ◆ **2 c. à soupe de parmesan râpé**
- ◆ **500 g (1 lb) de tomates bien mûres, pelées et tranchées**
- ◆ **2 c. à soupe chacune de persil, de basilic et de thym**
- ◆ **1 c. à soupe d'huile d'olive vierge**
- ◆ **poivre noir du moulin**

1 Préchauffez le four à 200 °C (400 °F).
2 Dans l'abaisse de pâte feuilletée, découpez au moins quatre grands cercles à l'aide d'un emporte-pièce ou d'un couteau et d'un bol inversé. Faites-les cuire sur une tôle pendant 10 à 12 minutes jusqu'à ce qu'ils soient dorés et bien gonflés.
3 Saupoudrez la surface avec les deux fromages en ménageant une bordure tout autour.
4 Superposez les tranches de tomate sur le fromage, en répartissant les aromates. Arrosez avec l'huile d'olive et remettez au four pour 5 minutes environ, le temps que le fromage fonde. Éteignez le four et laissez-y les tartelettes pendant quelques minutes.
5 Servez tiède ou à la température ambiante.
DONNE 4-6 PORTIONS • PRÉPARATION 30 MINUTES

VARIANTES Ajoutez aux tomates des tranches de courgette sautées et des olives noires, ou bien des tranches de saucisson et de minces lanières de poivron rouge ou vert grillé.

Flamiche aux poireaux

Originaire du nord de la France, la flamiche peut être préparée avec une pâte brisée ou, comme ici, avec une pâte briochée.

- ◆ **1 recette de pâte à brioche (p. 56) levée une fois puis raffermie au réfrigérateur**
- ◆ **3 poireaux moyens**
- ◆ **3 c. à soupe de beurre**
- ◆ **115 g (4 oz) de jambon maigre détaillé en fines lanières**
- ◆ **1 ¼ tasse de crème épaisse**
- ◆ **2 œufs plus 1 jaune d'œuf**
- ◆ **1 pincée de muscade râpée**
- ◆ **sel au goût et poivre au moulin**

1 Graissez un moule carré de 25 cm (10 po).
2 Étalez les deux tiers de la pâte au fond du moule et pressez-la. Couvrez et laissez lever la pâte au chaud pendant 15 minutes.
3 Parez les poireaux aux deux extrémités, tranchez-les en deux sur la longueur et nettoyez-les sous le robinet d'eau froide.
4 Découpez-les en tranches de 1 cm (½ po). Dans une sauteuse, faites-les revenir 2 à 3 minutes à feu modéré dans du beurre chaud. Mettez le couvercle et laissez braiser les poireaux 15 à 20 minutes pour les attendrir.
5 Videz les poireaux dans un bol, ajoutez-y le jambon. Étalez le tout au fond du moule.
6 Fouettez la crème avec les œufs et le jaune d'œuf. Assaisonnez et versez dans le moule.

De gauche à droite, trois tartes salées typiques de diverses régions de la France : Flamiche aux poireaux, Tartelettes de tomates et Quiche lorraine.

7 Dans le reste de la pâte, abaissez un rectangle. Découpez-le en lanières pour former un treillis sur la flamiche. Scellez la bordure.
8 Couvrez la flamiche d'une feuille de papier ciré et laissez-la lever pendant 30 minutes dans un endroit chaud. À mi-temps, préchauffez le four à 190 °C (375 °F). Faites cuire environ 35 minutes, le temps que la garniture prenne.
DONNE 6-8 PORTIONS • PRÉPARATION TOTALE 2 HEURES

CUISSON À BLANC

POUR UNE TARTE, cuire à blanc signifie faire cuire la pâte seule, sans garniture. Cette cuisson peut être partielle ou totale, selon que les ingrédients de la garniture requerront ou non d'être cuits à leur tour.

Pour cuire la pâte à blanc, foncez un moule de la façon habituelle. Puis, au lieu d'y étaler la garniture, recouvrez-la d'un papier sulfurisé ou parcheminé, ou d'une feuille d'aluminium. Découpez un cercle qui déborde amplement.

Sur ce cercle, déposez des fèves, de gros haricots ou des pois secs. (Il se vend aussi des fèves de métal ou de céramique spécialement destinées à cette fonction.)

Faites cuire le fond de tarte pendant 12 à 15 minutes dans un four préchauffé à 220 °C (425 °F). Retirez fèves et papier et réenfournez. Au bout de 3 à 4 minutes, le pourtour de la croûte aura doré et légèrement rétréci.

Attendez que le fond de tarte ait perdu toute apparence pâteuse avant de le retirer du four. Laissez-le tiédir et il est prêt à garnir.

Feuilletés d'épinard

Ces petites bouchées sont une variante de la spanokopita grecque, sorte de tarte aux épinards et à la feta. Elles sont parfaites comme amuse-gueule, d'autant plus qu'elles se préparent à l'avance. Dans ce cas, après avoir accompli l'étape 4, vous les emballerez soigneusement pour les congeler. Le temps venu, faites-les cuire sans les décongeler, simplement badigeonnées d'huile.

- ◆ **1 petit oignon en dés**
- ◆ **2 c. à soupe d'huile d'olive**
- ◆ **1 paquet (225 g/10 oz) d'épinards hachés, décongelés et essorés**
- ◆ **⅓ tasse de feta**
- ◆ **⅛ c. à thé de poivre**
- ◆ **1 œuf**
- ◆ **⅓ paquet de 500 g (18 oz) de filo frais ou décongelé**
- ◆ **1 bâtonnet (115 g/4 oz) de beurre fondu**

1 Dans une casserole moyenne, faites revenir l'oignon dans l'huile environ 5 minutes à feu modéré pour l'attendrir sans le dorer. Retirez du feu, ajoutez les épinards, la feta, le poivre et l'œuf. Mélangez.

2 Avec un couteau pointu, découpez le filo sur la longueur en rubans de 5 cm (2 po). Déposez les rubans sur du papier ciré et couvrez-les avec un linge humide pour empêcher la pâte de se dessécher. Gardez-la toujours couverte pendant que vous travaillez.

3 Prenez un ruban de filo et badigeonnez-le légèrement de beurre fondu. À l'une des extrémités, déposez 1 cuillerée à thé de préparation aux épinards. Repliez la pâte de façon à former un angle droit. Repliez tout le reste du ruban en diagonale et vous obtiendrez un petit paquet triangulaire. Badigeonnez sa surface de beurre et posez-le sur une tôle.

4 Répétez l'étape 3 avec tout ce qui reste de filo et de préparation aux épinards. Si vous ne faites pas cuire les feuilletés tout de suite, couvrez-les de papier d'aluminium et réfrigérez.

5 Faites dorer les feuilletés 15 minutes dans un four préchauffé à 220 °C (425 °F). Laissez-les refroidir 10 minutes avant de les servir.

DONNE 36 FEUILLETÉS · PRÉPARATION 1 H 30

VARIANTES Vous pouvez essayer d'autres garnitures, comme des champignons sautés ou des dés de jambon et du gruyère.

Pissaladière

Pour cette préparation toute empreinte des parfums de la Provence, la pâte feuilletée constitue le fond parfait. Servez la pissaladière avec une salade pour un repas léger ou en petits carrés pour accompagner l'apéritif

- ◆ **1 abaisse de pâte feuilletée fraîche ou décongelée**
- ◆ **2 oignons moyens, tranchés mince**
- ◆ **2 c. à soupe d'huile d'olive**
- ◆ **½ c. à thé de thym séché**
- ◆ **2 grosses tomates ou 4 tomates italiennes, tranchées mince**
- ◆ **12 olives macérées dans l'huile, dénoyautées et tranchées**
- ◆ **6 filets d'anchois, coupés en deux**
- ◆ **1 œuf légèrement battu**

1 Préchauffez le four à 200 °C (400 °F). Graissez une tôle et posez-y l'abaisse de pâte feuilletée.

2 Dans une poêle en fonte, faites revenir les oignons à feu modéré dans l'huile pendant 10 à 15 minutes jusqu'à ce qu'ils deviennent translucides. Saupoudrez de thym.

3 Étalez la préparation sur le feuilleté en laissant une bordure de 2 cm (¾ po) sur le pourtour. Déposez par-dessus les tranches de tomate et les olives.

4 Disposez les filets d'anchois de façon à former un treillis. Badigeonnez la bordure apparente de la pâte avec l'œuf battu. Enfournez et laissez cuire 20 à 25 minutes, pour que la pâte soit dorée et bien gonflée. Servez tiède.

DONNE 6 PORTIONS · PRÉPARATION 1 HEURE

VARIANTES Pour varier, faites une garniture avec des tomates, du basilic haché et du gruyère ; ou bien des morceaux de thon, des olives grecques, des tranches d'oignon, de l'origan et du cheddar râpé. Dans les deux cas, arrosez d'un filet d'huile.

Pâte à choux

Les petits choux se conserveront plusieurs jours dans un récipient étanche. Pour les confectionner, il est important que les œufs soient à la température de la pièce. Servez-les en hors-d'œuvre, garnis de fruits de mer ou de fromage à la crème parfumé aux herbes ; ou au dessert, fourrés de crème fouettée, de crème pâtissière ou de fruits.

- ◆ **1 tasse d'eau**
- ◆ **½ tasse de beurre**
- ◆ **¼ c. à thé de sel**
- ◆ **1 tasse de farine tout usage**
- ◆ **4 œufs**

1 Préchauffez le four à 200 °C (400 °F).
2 Dans une grande casserole, mettez l'eau, le beurre et le sel. Amenez à ébullition à feu modéré.
3 Retirez la casserole du feu et versez-y la farine d'un trait. Avec une cuiller de bois, battez vigoureusement pendant 1 minute jusqu'à ce que la préparation se détache des parois de la casserole et forme une boule.
4 Ajoutez les œufs un à un et battez vigoureusement entre les additions pour que la préparation soit lisse et luisante (ci-dessous).
5 À l'aide d'un sac à pâtisserie muni d'une douille, formez de petits monticules de pâte sur une tôle non graissée. Rappelez-vous que les choux tripleront de taille en cuisant : une cuillerée à thé de pâte suffit pour un chou et il faut lui laisser 2-3 cm (1 po) d'espace tout autour pour s'étendre.

6 Enfournez et laissez cuire de 40 à 45 minutes sans ouvrir la porte du four. Éteignez mais laissez séjourner les choux encore 5 minutes dans le four en entrouvrant la porte, ce qui permettra de les dessécher à l'intérieur et leur donnera du mordant.
DONNE 12 GROS CHOUX OU 36 PETITS CHOUX • PRÉPARATION 1 H 15

VARIANTES La même pâte sert à faire des religieuses et des éclairs si on lui ajoute 1 c. à thé de sucre à l'étape 2. Pour les premières, faites des choux deux fois plus gros. Quand ils ont refroidi, tranchez-les au sommet, fourrez-les de crème pâtissière ou de crème fouettée et replacez leur chapeau. Pour former des éclairs, servez-vous d'une grosse douille ronde ou coupez un coin dans un sac de plastique robuste.

Gougère

Pour confectionner ce délicieux hors-d'œuvre, on associe à la pâte à choux du fromage et des épices. Accompagnée d'une salade, la gougère peut aussi constituer le clou d'un repas léger.

- ◆ **1⅓ tasse de farine tout usage**
- ◆ **½ c. à thé de sel**
- ◆ **1 pincée généreuse de cayenne**
- ◆ **1 pincée généreuse de muscade**
- ◆ **1½ tasse d'eau (ou ¾ tasse d'eau et ¾ tasse de lait)**
- ◆ **½ tasse de beurre**
- ◆ **4 œufs à température ambiante**
- ◆ **1¼ tasse de gruyère râpé**
- ◆ **1 c. à thé de moutarde de Dijon**

1 Préchauffez le four à 190 °C (375 °F). Graissez légèrement une tôle.
2 Assaisonnez la farine avec le sel, le cayenne et la muscade. Dans une grande casserole, portez l'eau et le beurre à ébullition. Retirez la casserole du feu et versez-y la farine assaisonnée d'un seul trait. Avec une cuiller de bois, battez vigoureusement pendant 1 minute jusqu'à ce que la préparation se détache des parois de la casserole et forme une boule (ci-dessous).
3 Ajoutez les œufs un à un et battez vigoureusement entre les additions pour que la préparation redevienne luisante.
4 Incorporez en battant 1 tasse de fromage râpé en même temps que la moutarde.
5 Sur la tôle, déposez à la cuiller huit monticules de pâte côte à côte de façon à former un cercle (les choux colleront les uns aux autres en cuisant pour former une couronne). Saupoudrez le reste du fromage râpé.
6 Enfournez et laissez cuire 45 minutes sans ouvrir la porte du four. Éteignez mais laissez séjourner la gougère dans le four encore 5 minutes pour assécher l'intérieur. La couronne de pâte sera ferme au toucher, mais elle se ramollira et s'affaissera légèrement une fois sortie du four. Servez sans attendre.
DONNE 6-8 PORTIONS • PRÉPARATION 1 H 30

CONFECTION DE LA PÂTE À CHOUX

1 *Dans une grande casserole, mettez l'eau, le beurre et le sel. Menez à ébullition à feu modéré puis retirez du feu. Ajoutez la farine et battez à la cuiller.*

2 *Continuez à battre encore une minute pour que la pâte se détache des parois de la casserole et forme une boule. Elle commence à avoir l'air desséchée.*

3 *Ajoutez un œuf et battez vigoureusement pour obtenir un aspect luisant. À mesure que vous incorporez les œufs, la pâte se sépare puis redevient homogène.*

4 *Quand tous les œufs ont été incorporés, la pâte est prête à être déposée en monticules sur une tôle beurrée. Ménagez de l'espace parce qu'elle va gonfler.*

◆ Charcuterie ◆

Pas surprenant que terrines et pâtés soient si populaires pour les réceptions : ils sont savoureux et leur préparation se fait à l'avance. Dans le plateau de hors-d'œuvre, présentez des tranches de saucisses maison badigeonnées de moutarde : elles auront tôt fait de disparaître !

Terrine de jambon, porc et veau

Simple à faire, cette terrine classique vous fera un bon pique-nique avec du pain pumpernickel ou de la baguette.

- ◆ **500 g (1 lb) de jambon en dés**
- ◆ **500 g (1 lb) de porc haché**
- ◆ **500 g (1 lb) de veau haché**
- ◆ **1 gousse d'ail hachée**
- ◆ **1 c. à thé de thym séché**
- ◆ **½ c. à thé de marjolaine séchée**
- ◆ **¼ c. à thé de muscade ou de macis en poudre**
- ◆ **1 c. à thé de sel**
- ◆ **⅛ c. à thé de poivre**
- ◆ **½ tasse de vin blanc sec ou de vermouth**
- ◆ **4 petites feuilles de laurier**
- ◆ **6 à 8 tranches de bacon**
- ◆ **125 g (4 oz) de foies de poulet parés et coupés en deux**

1 Préchauffez le four à 150 °C (300 °F). Dans un bol inoxydable, mettez les trois viandes, l'ail, les fines herbes, les épices, le sel et le poivre. Malaxez le tout avec vos mains. Mouillez avec le vin, couvrez et réfrigérez pendant 1 heure.

2 Déposez les feuilles de laurier au fond d'une terrine ou d'un moule à pain de 22 x 12 cm (9 x 5 po). Étalez en largeur la moitié des tranches de bacon en les laissant déborder des deux côtés. Tassez dans la terrine la moitié de la préparation. Alignez les foies de poulet au centre et recouvrez avec le reste de viande. Aplatissez les dernières tranches de bacon sur la surface et repliez les tranches du dessous par-dessus.

3 Placez la terrine dans un plat à four au bain-marie (versez alentour de l'eau chaude à mi-hauteur). Enfournez et laissez cuire de 2 heures à 2 h 30, jusqu'à ce que le pâté se décolle de la terrine et que les jus qui s'en écoulent lorsqu'on le pique soient clairs.

4 Laissez refroidir la terrine sur une grille. Inclinez-la pour vider toute trace de liquide. Quand elle est complètement refroidie, démoulez-la sur une assiette et enveloppez-la dans de la pellicule de plastique. Réfrigérez-la jusqu'au lendemain : elle se découpera mieux.

DONNE 6 PORTIONS • PRÉPARATION 2 H 45 PLUS UNE NUIT DE RAFFERMISSEMENT

Pâté de foies de poulet

Ce pâté a intérêt à mûrir un jour ou deux, pour que ses saveurs se développent bien. À tartiner sur des craquelins ou des petits toasts.

- ◆ **250 g (½ lb) de foies de poulet parés et coupés en deux**
- ◆ **2 c. à soupe de beurre**
- ◆ **100 g (3 oz) de fromage à la crème ramolli**
- ◆ **1 à 2 c. à soupe de brandy**
- ◆ **1 c. à thé de sel**
- ◆ **⅛ c. à thé de poivre**
- ◆ **½ c. à thé de thym séché**
- ◆ **⅛ c. à thé de muscade**
- ◆ **pistaches écalées (facultatif)**

1 À feu vif, faites dorer les foies de poulet 5 minutes dans le beurre.

2 Mettez les foies dans le bol du robot ou du mélangeur. Déglacez le fond de cuisson et ajoutez-le aux foies avec les particules de viande rôties, de même que tous les autres ingrédients sauf les pistaches. Réduisez-les en purée lisse en les travaillant de 20 à 30 secondes. Assaisonnez.

3 Videz la préparation dans un bol, couvrez avec de la pellicule de plastique et réfrigérez jusqu'au lendemain. Décorez avec les pistaches.

DONNE 4 PORTIONS • PRÉPARATION 15 MINUTES PLUS 1 NUIT DE RÉFRIGÉRATION

Saucisses en coiffe

Simple chair à saucisse moulée qui se déguste fraîche, de préférence au brunch du dimanche.

- ◆ **1 kg (2 lb) de porc sans gras**
- ◆ **120 g (4 oz) de lard gras**
- ◆ **1½ c. à thé de gros sel**
- ◆ **1½ c. à thé de sauge séchée**
- ◆ **½ c. à thé de thym séché**
- ◆ **¼ c. à thé de poivre concassé**
- ◆ **1 petit oignon haché fin**

1 Détaillez le porc et le lard en dés de 1 cm (½ po) ; dans un bol couvert, remettez-les au réfrigérateur pour qu'ils soient bien froids.

2 Dans un petit bol, mélangez le sel, les fines herbes et le poivre. Saupoudrez la viande avec ces aromates et ajoutez-y l'oignon. Malaxez le tout avec vos mains.

3 Divisez la préparation en deux pour la travailler au robot et obtenir un hachis grossier. Réfrigérez ce hachis jusqu'au lendemain afin que les saveurs se développent.

4 Confectionnez 10 à 12 boulettes. Mouillez-vous les mains avant d'aplatir ces boulettes en forme de saucisses plates. Celles-ci peuvent être cuites tout de suite ; sinon, empilez-les en intercalant entre elles du papier d'aluminium, enveloppez le tout dans du papier d'aluminium ou de la pellicule plastique et réfrigérez. Les saucisses se conserveront ainsi 2 jours. Vous pouvez aussi les congeler pour les garder plus longtemps, mais il faudra les décongeler avant de les cuire.

5 Mettez les saucisses dans une sauteuse très chaude et faites-les cuire 13 à 15 minutes à feu modéré en les retournant souvent pour les brunir également. Égouttez le gras à mesure et déposez-les, une fois cuites, sur du papier absorbant.

DONNE 10-12 SAUCISSES • PRÉPARATION 30 MINUTES

Saucisses italiennes au fenouil

Ces saucisses sont normalement confectionnées avec les boyaux. Si vous préférez sauter cette étape, suivez la recette des saucisses en coiffe (page ci-contre) à partir de l'étape 4.

- ◆ **1 kg (2 lb) de porc maigre haché**
- ◆ **1 c. à soupe de graines de fenouil écrasées**
- ◆ **1 feuille de laurier écrasée**
- ◆ **2 c. à soupe de persil haché**
- ◆ **3 gousses d'ail écrasées**
- ◆ **piments séchés écrasés, au goût (environ ¼ c. à thé)**
- ◆ **1 c. à thé de sel**
- ◆ **⅔ c. à thé de poivre du moulin**
- ◆ **4 c. à soupe d'eau**
- ◆ **2 à 3 m (2-3 vg) de boyau (3 cm/1¼ po de diamètre), trempé dans de l'eau salée pendant 2 heures**

1 En vous servant de vos mains, malaxez tous les ingrédients, sauf le boyau, dans un grand bol. Refroidissez la préparation au réfrigérateur pendant plusieurs heures ou toute la nuit.
2 Mettez la chair à saucisse dans un sac à pâtisserie munie d'une douille lisse de 2 cm (¾ po) de diamètre. Tenez le boyau d'une main, insérez-y la douille et pressez sur le sac de l'autre main pour faire pénétrer la préparation. Au début, contentez-vous de remplir une longueur équivalant à deux ou trois saucisses; séparez-les les unes des autres par une ficelle et détachez le tout au ciseau.
3 Rangez les saucisses dans un contenant de plastique, bien couvertes avec du papier ciré. Laissez-les mûrir trois jours au réfrigérateur avant de les faire cuire. Ou bien congelez-les.
4 Faites-les cuire 15 à 20 minutes sous le gril après les avoir badigeonnées d'huile d'olive et piquées une ou deux fois avec une fourchette.
DONNE 10-12 SAUCISSES • PRÉPARATION 45 MINUTES PLUS 1 NUIT DE RAFFERMISSEMENT

De l'arrière à l'avant dans le sens des aiguilles: Saucisses en coiffe, Saucisses italiennes au fenouil, Terrine de jambon, porc et veau, et Pâté de foies de poulet.

◆ Des fonds rentables ◆

On entend par «fond» un bouillon très concentré ou un jus de cuisson qui sert à rehausser une soupe, une sauce ou un ragoût. Ayez-en toujours une variété sous la main. Ils se gardent jusqu'à six mois au congélateur. Laissez une couche de graisse sur le dessus pour mieux les conserver ; retirez-la avant de vous en servir.

Fond brun

Demandez au boucher de casser les os pour qu'ils puissent entrer dans votre marmite.

- ◆ **2 kg (4 lb) d'os de bœuf avec un peu de chair (incluant un os à moelle)**
- ◆ **2 oignons hachés grossièrement**
- ◆ **2 carottes en rondelles**
- ◆ **2 branches de céleri tranchées, avec les feuilles**
- ◆ **6 brins de persil**
- ◆ **2 petites feuilles de laurier**
- ◆ **1 brin de thym frais ou ½ c. à thé de thym séché**
- ◆ **10 grains de poivre noir**
- ◆ **1 c. à soupe de sel**

1 Préchauffez le four à 200 °C (400 °F). Mettez les os, les oignons et les carottes dans une lèchefrite et faites-les dorer au four pendant 30 à 45 minutes.

2 Videz les ingrédients rôtis dans une marmite, ajoutez le reste des ingrédients de la recette et couvrez le tout avec environ 5 litres (20 tasses) d'eau froide.

3 Déglacez la lèchefrite avec un peu d'eau et videz-la dans la marmite.

4 Portez doucement à ébullition en écumant fréquemment. Le bouillon doit mijoter pendant 3 à 4 heures, marmite à demi couverte.

5 Clarifiez le bouillon (encadré, page ci-contre) ou filtrez-le à travers un tamis fin et une double épaisseur d'étamine. Refroidissez-le avant de le réfrigérer ou de le congeler dans de petits contenants.

DONNE 3 LITRES (12 TASSES) • PRÉPARATION 5 H 30

Une fois clarifié, le Fond brun peut devenir un délicieux consommé que vous servirez au début d'un grand repas simplement décoré d'un peu de cerfeuil.

VARIANTES Pour faire vos propres cubes de bouillon, réduisez le fond brun jusqu'à ce qu'il en reste 2 tasses. Laissez refroidir et versez dans des bacs à glaçons. Une fois congelés, les cubes (vous en aurez 12 en tout) peuvent être conservés dans un sac de plastique.

Fumet de poisson

Le fumet sert à pocher des poissons entiers ou à confectionner des sauces. Il ne doit pas trop cuire au risque de perdre sa saveur délicate. Les pétoncles sont une addition intéressante mais pas essentielle. Apprêtez-les ensuite avec le poisson.

- 1 poisson blanc entier (morue ou vivaneau par exemple) de 750 g (1 ½ lb) écaillé, nettoyé et débarrassé de l'arête centrale
- 1 ou 2 branches de céleri en tranches, avec les feuilles
- 1 petit oignon tranché
- 1 tasse de vin blanc ou le jus de 1 citron
- 1 tasse d'eau
- 3 brins de persil
- 1 brin de thym frais ou ½ c. à thé de thym séché
- 1 petite feuille de laurier
- ½ c. à thé de sel
- ½ c. à thé de grains de poivre
- 6 à 7 tasses d'eau froide
- 3 ou 4 pétoncles (facultatif)

1 Mettez les filets, la tête et les arêtes de poisson dans une marmite avec tous les autres ingrédients sauf les pétoncles. Portez à ébullition et écumez la surface à plusieurs reprises.
2 Laissez mijoter très doucement pendant 5 minutes sans couvrir, le temps que les filets soient cuits. Soulevez ceux-ci avec une cuiller à trous, égouttez-les et gardez-les pour une autre recette.
3 Laissez mijoter le reste pendant 15 minutes de plus. Le cas échéant, ajoutez les pétoncles au cours des 5 dernières minutes.
4 Retirez les pétoncles. Filtrez le fumet à travers une fine passoire. Refroidissez-le avant de le réfrigérer ou de le congeler.
DONNE 6-7 TASSES • PRÉPARATION 45 MINUTES

Fond de poulet

En plus de faire un délicieux bouillon, ce fond enrichit les sauces et les risottos.

- 1 poule à bouillir de 2 kg (5 ½ lb) ou 1 kg (2 lb) de dos, d'ailerons et de cous de poulet
- 250 g (½ lb) d'abats de poulet autres que les foies (facultatif)
- 3 branches de céleri en tranches, avec les feuilles
- 1 grosse carotte en rondelles
- 1 gros oignon pelé, coupé en quatre
- 1 poireau coupé en deux sur la longueur, rincé et tranché
- 6 brins de persil
- 1 brin de thym frais ou ½ c. à thé de thym séché
- 1 feuille de laurier
- 1 c. à thé de sel
- ½ c. à thé de grains de poivre

1 Mettez tous les ingrédients dans une marmite et recouvrez-les avec 10 à 12 tasses d'eau froide. Menez doucement à ébullition en écumant à plusieurs reprises.
2 Couvrez la marmite à demi et laissez mijoter à feu doux au moins 3 heures (plus le bouillon se corse, plus il est savoureux).
3 Filtrez le bouillon à travers un tamis fin et laissez-le refroidir dans un grand bol. Remplissez plusieurs contenants pour le réfrigérer ou le congeler, de manière à ne sortir chaque fois que ce dont vous avez besoin. Retirez la couche de gras juste avant de vous en servir.
DONNE 8 TASSES • PRÉPARATION 4 HEURES

CLARIFIER LE BOUILLON

Battez 2 blancs d'œufs et concassez les coquilles. Ajoutez le tout au bouillon et menez celui-ci à ébullition dans une casserole découverte.

Quand les blancs d'œufs ont commencé à coaguler, filtrez le bouillon à travers un grand tamis fin ou une passoire tapissée d'étamine. Tous les résidus auront adhéré à l'œuf.

Bouillon de légumes

Accumulez vos épluchures dans un sac au congélateur pour les ajouter au bouillon le temps venu. Celui-ci constitue une bonne base de braisage pour les légumes mais il remplace aussi, si on veut, le bouillon de poulet ou de bœuf.

- ½ bâtonnet de beurre doux (115 g/4 oz)
- 5 oignons hachés
- 2 poireaux coupés en deux sur la longueur, rincés et tranchés
- 2 gousses d'ail entières
- 4 carottes en rondelles
- 4 branches de céleri hachées grossièrement, avec les feuilles
- 6 à 8 champignons séchés
- 1 petite botte de persil
- 1 brin de thym frais ou ½ c. à thé de thym séché
- 1 c. à soupe de sel
- ½ c. à thé de poivre de la Jamaïque
- 1 pincée de muscade ou de macis
- 4 litres (16 tasses) d'eau
- 1 c. à soupe de vinaigre de vin rouge et 1 petit piment rouge frais, épépiné (facultatifs)

1 À feu modéré, faites revenir dans le beurre fondu les oignons, les poireaux et l'ail pendant 5 à 8 minutes pour que les oignons soient dorés. Ajoutez le reste des ingrédients sauf les deux qui sont facultatifs.
2 Menez doucement à ébullition en écumant à plusieurs reprises. Ajustez la chaleur pour que le bouillon mijote doucement pendant 2 h 30, en ajoutant de l'eau si nécessaire pour qu'il en reste toujours environ 12 tasses. Ajoutez le vinaigre et le piment 30 minutes avant la fin.
3 Filtrez le bouillon dans un grand bol en appuyant légèrement sur les légumes avec une cuiller de bois pour en tirer tout le suc. Éliminez le piment. Ce bouillon peut être clarifié (encadré à gauche) ou bien on peut y incorporer ½ tasse des légumes de cuisson. Réfrigérez ou congelez par petites portions.
DONNE 12 TASSES • PRÉPARATION 3 HEURES

◆ Pains éclairs ◆

Parce qu'ils n'ont pas besoin de lever, ces pains sont une gâterie qu'on peut confectionner à l'improviste. Certains d'entre eux qui contiennent des légumes et du fromage constituent même, à l'occasion, un repas léger.

Pain aux courgettes et au fromage

Utilisez un moule à pain ou un moule à muffins. Tartiné de fromage à la crème, de saumon fumé et de quelques câpres, ce peut être un hors-d'œuvre ; en tranches grillées avec un bon potage, un accompagnement.

- ◆ **2 tasses de farine tout usage**
- ◆ **1 c. à thé de levure chimique**
- ◆ **1 c. à soupe de sucre**
- ◆ **1 c. à thé de sel**
- ◆ **6 c. à soupe de beurre en petits morceaux**
- ◆ **1 tasse de cheddar fort, râpé**
- ◆ **1 gros œuf**
- ◆ **1 tasse de lait**
- ◆ **1 tasse de courgette râpée, essorée dans un linge propre**
- ◆ **1 c. à soupe d'oignon râpé**
- ◆ **1 c. à thé de moutarde de Dijon**

1 Préchauffez le four à 190 °F (375 °F). Graissez un moule de 20 x 10 cm (8 x 4 po).
2 Dans un grand bol, tamisez la farine, la levure chimique, le sucre et le sel. Incorporez le beurre avec un coupe-pâte ou deux couteaux jusqu'à ce que le mélange ait l'apparence d'une chapelure grossière. Ajoutez le fromage râpé.
3 Dans un petit bol, battez l'œuf avec le lait. Incorporez la courgette et l'oignon râpés ainsi que la moutarde. Versez cet apprêt sur les ingrédients secs. À l'aide d'une fourchette, mélangez-les juste ce qu'il faut pour que la pâte se tienne. Trop travaillée, elle donnerait un pain lourd.
4 Remplissez le moule. Enfournez et laissez cuire environ 40 à 45 minutes, jusqu'à ce que le pain ait levé et doré et qu'un cure-dent inséré en son centre en ressorte propre.
5 Laissez-le refroidir 10 minutes sur une grille avant de le démouler.
DONNE 1 PAIN • PRÉPARATION 1 H 15

Pain de maïs

Servi avec un potage ou un ragoût, ce beau pain jaune d'or stimule l'appétit.

- ◆ **1½ tasse de farine tout usage**
- ◆ **1¼ tasse de semoule de maïs jaune**
- ◆ **4 c. à thé de levure chimique**
- ◆ **2 c. à soupe de sucre**
- ◆ **1 c. à thé de sel**
- ◆ **1 œuf**
- ◆ **1¼ tasse de lait**
- ◆ **¼ tasse d'huile végétale**

1 Préchauffez le four à 200 °C (400 °F). Graissez un moule carré de 20 cm (8 po) de côté.
2 Dans un grand bol, tamisez la farine, la semoule de maïs, la levure chimique, le sucre et le sel et ménagez un puits au centre. Dans un plus petit bol, battez l'œuf avec le lait et l'huile. Versez ce mélange dans le puits et, à l'aide d'une fourchette, incorporez-le aux ingrédients secs. Ne travaillez pas trop la pâte.
3 Versez la pâte dans le moule et faites-la cuire 20 à 25 minutes, jusqu'à ce que le pain se décolle du moule et soit légèrement doré.
4 Laissez refroidir 10 minutes sur une grille avant de démouler. Découpez-le en gros carrés et servez-le chaud avec beaucoup de beurre.
DONNE ENVIRON 9 CARRÉS • PRÉPARATION 45 MINUTES

*Variations sur le thème du Pain : **1** au babeurre **2** à la bière **3** au sésame et à la citrouille **4** aux courgettes et au fromage **5** aux olives et aux tomates séchées.*

Pain à la bière

Un pain passe-partout à l'arôme malté.

- ◆ **2 ½ tasses de farine tout usage**
- ◆ **2 c. à soupe de sucre**
- ◆ **2 c. à thé de levure chimique**
- ◆ **1 c. à thé de sel**
- ◆ **1 tasse de bière**
- ◆ **¼ tasse plus 2 c. à soupe de beurre fondu**

1 Préchauffez le four à 180 °C (350 °F). Graissez un moule de 20 x 10 cm (8 x 4 po) et tapissez-le de papier à cuisson.
2 Dans un grand bol, tamisez la farine, le sucre, la levure chimique et le sel. Mouillez avec la bière et ¼ tasse de beurre, et mélangez.
3 Versez la pâte dans le moule et arrosez la surface avec le reste du beurre fondu. Cuisez environ 40 à 45 minutes, jusqu'à ce que le pain soit doré et qu'il rende un son creux.
4 Démoulez et faites refroidir sur une grille.
DONNE 1 PAIN • PRÉPARATION 1 H 15

Pain au babeurre

Pour lui donner belle apparence, décorez-le de gruau ou de graines qui adhéreront en cuisant.

- ◆ **2 tasses de farine tout usage**
- ◆ **2 c. à thé de bicarbonate de soude**
- ◆ **1 ½ c. à thé de sel**
- ◆ **⅓ tasse de graisse végétale ou de margarine**
- ◆ **2 tasses de farine de blé entier**
- ◆ **1 ⅔ tasse de babeurre**

1 Préchauffez le four à 200 °C (400 °F). Graissez légèrement une tôle. Dans un grand bol, tamisez ensemble la farine, le bicarbonate et le sel. À l'aide d'un coupe-pâte ou de deux couteaux, incorporez la graisse végétale. Ajoutez la farine de blé entier.
2 Mouillez avec le babeurre et mélangez bien. Sur une surface légèrement farinée, pétrissez la pâte 4 à 5 minutes pour l'assouplir.
3 Formez huit boules avec la pâte et déposez-les sur la tôle à intervalles de 5 à 8 cm (2-3 po). Incisez la surface en croix et ajoutez une garniture à votre goût. Enfournez. Au bout d'environ 20 minutes, les petits pains seront dorés, croustillants et rendront un son creux.
4 Refroidissez sur une grille. Servez chaud.
DONNE 8 PETITS PAINS • PRÉPARATION 45 MINUTES

Pain au sésame et à la citrouille

Un pain d'automne peu banal.

- ◆ **4 tasses de farine tout usage**
- ◆ **¼ tasse de sucre**
- ◆ **4 c. à soupe de bicarbonate de soude**
- ◆ **1 c. à thé de sel**
- ◆ **1 œuf**
- ◆ **1 tasse plus 2 c. à soupe de lait**
- ◆ **1 tasse de purée de citrouille**
- ◆ **⅓ tasse de beurre fondu**
- ◆ **1 c. à soupe de graines de sésame**

1 Préchauffez le four à 220 °C (425 °F). Graissez et farinez légèrement une tôle. Dans un bol, tamisez la farine, le sucre, le bicarbonate et le sel. Dans un autre, battez l'œuf et la tasse de lait ; ajoutez la purée de citrouille et le beurre.
2 Faites un puits au milieu des ingrédients secs, versez-y les ingrédients liquides et incorporez-les à la fourchette. Pétrissez la pâte 4 à 5 minutes sur une surface farinée.
3 Façonnez une miche ronde et placez-la sur la tôle. Faites une incision en croix et badigeonnez la surface avec ce qui reste de lait et les graines de sésame.
4 Faites cuire 25 minutes, réduisez la chaleur à 190 °C (375 °F) et cuisez environ 15 minutes de plus, jusqu'à ce que le pain rende un son creux.
DONNE 1 PAIN • PRÉPARATION 1 HEURE

Pain aux pacanes

Délicieux avec fruits et fromages à pâte molle.

- ◆ **2 tasses de farine tout usage**
- ◆ **2 c. à thé de bicarbonate de soude**
- ◆ **1 c. à thé de sel**
- ◆ **¾ tasse de pacanes hachées**
- ◆ **⅓ tasse de cassonade dorée**
- ◆ **1 gros œuf**
- ◆ **1 tasse de lait**
- ◆ **3 c. à soupe de beurre fondu**

1 Préchauffez le four à 180 °C (350 °F). Graissez un moule de 20 x 10 cm (8 x 4 po).
2 Dans un grand bol, tamisez la farine avec le bicarbonate et le sel ; ajoutez les pacanes et la cassonade. Dans un plus petit bol, battez l'œuf avec le lait ; ajoutez le beurre fondu.
3 Faites un puits au milieu des ingrédients secs, versez les ingrédients liquides et mélangez à la fourchette. Ne travaillez pas trop la pâte.
4 Versez la pâte dans le moule. Faites cuire de 45 à 50 minutes, jusqu'à ce qu'un cure-dent inséré au centre du pain en ressorte propre.
5 Faites refroidir le pain 10 minutes sur une grille avant de le démouler. Servez-le tiède.
DONNE 1 PAIN • PRÉPARATION 1 H 15

Pain aux olives et aux tomates séchées

Ce pain savoureux n'a pas son pareil.

- ◆ **2 œufs**
- ◆ **⅔ tasse de lait**
- ◆ **2 tasses de farine tout usage**
- ◆ **2 c. à thé de bicarbonate de soude**
- ◆ **1 c. à thé de gros sel**
- ◆ **3 c. à soupe de l'huile de conservation des tomates séchées**
- ◆ **½ tasse d'olives noires dans l'huile, égouttées et tranchées**
- ◆ **½ tasse de tomates séchées conservées dans l'huile, égouttées et tranchées**
- ◆ **1 c. à soupe de basilic ou de marjolaine hachés**

1 Préchauffez le four à 200 °C (400 °F). Graissez un moule à ressort de 20 cm (8 po) de diamètre.
2 Au batteur électrique, mélangez d'abord les œufs et le lait. Tamisez la farine avec le bicarbonate et ajoutez-les. Battez pendant 2 minutes, ajoutez le sel et l'huile et battez encore 1 minute. Incoporez les olives, les tomates et les fines herbes à la cuiller.
3 Versez la pâte dans le moule et faites cuire environ 30 minutes pour qu'un cure-dent inséré au centre du pain en ressorte propre.
4 Déposez sur une grille. Servez tiède.
DONNE 1 PAIN • PRÉPARATION 45 MINUTES

◆ Pains traditionnels ◆

La levure, en cuisant, donne au pain maison son arôme inégalé. Mais il y a aussi le pétrissage :
d'aucuns prétendent que c'est l'exercice parfait pour éliminer les tensions.
Leur entourage serait malvenu de les contredire !

Pâte à pizza

Cette recette convient pour une pizza format familial ou pour quatre petites pizzas que chacun garnira selon ses goûts propres.

- ◆ **1 sachet (7 g/ ¼ oz) de levure sèche active**
- ◆ **¾ tasse d'eau chaude (40-46 °C/105-115 °F)**
- ◆ **2 à 2 ¼ tasses de farine tout usage**
- ◆ **1 c. à thé de sel**
- ◆ **1 ½ c. à thé d'huile d'olive vierge**

1 Dans un petit bol, agitez la levure dans l'eau chaude avec une fourchette et laissez reposer 5 minutes jusqu'à ce qu'elle mousse.
2 Rassemblez dans le bol du robot 2 tasses de farine, le sel, la levure dissoute et l'huile d'olive. Travaillez le tout pour en faire une pâte en ajoutant de la farine au besoin.
3 Pétrissez brièvement sur une surface légèrement farinée. Ramassez en boule. Graissez

cette boule en la faisant tournoyer dans un bol huilé et couvrez-la de pellicule de plastique un peu huilée. Laissez reposer 1 heure dans un endroit chaud : elle doublera de volume.
4 Renversez le bol et aplatissez la pâte pour lui donner la forme d'une pizza. Déposez-la sur une tôle un peu huilée et garnissez-la à votre goût. Le moment venu, faites-la cuire au four préchauffé à 220 °C (425 °F), 20 à 25 minutes.
DONNE 1 PIZZA DE 30 CM (12 PO) • PRÉPARATION 1 H 15

VARIANTES La même pâte peut servir à confectionner des bretzels. À l'étape 4, abaissez-la au rouleau sur 2 cm (½ po) et formez un rectangle. Avec une roulette à pizza, découpez des rubans de 3 cm (1 po). Saupoudrez une tôle de semoule de maïs. Déposez-y les rubans façonnés en bretzels. Laissez-les lever 30 minutes sous une pellicule de plastique. Badigeonnez-les avec 1 jaune d'œuf et 1 c. à soupe d'eau et saupoudrez de gros sel. Faites cuire environ 10 minutes à 200 °C (400 °F).

Pain blanc de campagne

Faites deux gros pains ou 16 petits pains.

- ◆ **2 sachets (7 g/ ¼ oz chacun) de levure sèche active**
- ◆ **2 c. à thé de sucre**
- ◆ **3 ½ à 3 ¾ tasses d'eau chaude (40-46 °C/105-115 °F)**
- ◆ **11 tasses de farine à pain**
- ◆ **1 c. à soupe de sel**

1 Mettez la levure et le sucre dans un petit bol. Ajoutez l'eau chaude et agitez à la fourchette. Laissez reposer 5 minutes au chaud, jusqu'à ce que la levure soit mousseuse.
2 Mélangez la farine et le sel dans un grand bol et faites un puits au centre pour y verser la levure. Mélangez bien ; ajoutez un peu plus d'eau chaude si la préparation est trop sèche. Déposez-la sur une surface farinée et pétrissez-la jusqu'à ce qu'elle soit souple et rebondisse.
3 Pour faire des pains, graissez deux moules de 21 x 11 x 6 cm (8 x 4 x 3 po). Pour des petits

PAIN SURPRISE

1 *Découpez d'abord un couvercle de 2 cm (½ po) d'épaisseur. À 2 cm (½ po) des bords , découpez les quatre côtés jusqu'à 2 cm (½ po) du fond. Incisez un des côtés à 2 cm (½ po) de la base pour y insérer le couteau et détacher le fond.*

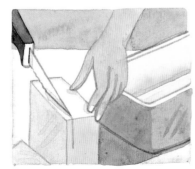

2 *Extrayez la mie d'un seul bloc. Détaillez-la en tranches minces d'épaisseur uniforme. Le meilleur type de pain à utiliser est celui à angles droits cuit au four de briques. Vous devez aussi disposer d'un couteau à dents bien acéré.*

3 *Servez-vous des tranches de pain pour faire les sandwichs de votre choix, mais gardez-les minces sinon ils ne pourront plus rentrer dans le pain évidé. Détaillez-les tous de la même façon : en carrés, en rectangles ou en bouchées.*

4 *Disposez soigneusement les sandwichs dans le pain évidé. Remettez le couvercle et entourez de deux rubans collés l'un à l'autre par en dessous. Vous pouvez aussi envelopper le pain surprise dans une serviette de table.*

pains, divisez la pâte en 16, donnez une forme ronde aux pâtons et posez-les sur des tôles. Dans les deux cas, couvrez de pellicule de plastique légèrement huilée et laissez reposer 1 heure au chaud pour que la pâte double de volume.

4 Préchauffez le four à 220 °C (425 °F). Retirez la pellicule et enfournez les moules. Faites cuire les gros pains 30 minutes et les petits 15 minutes pour que leur surface soit dorée.

5 À la sortie du four, démoulez les pains sur une grille pour qu'ils refroidissent.

DONNE 2 GROS OU 16 PETITS PAINS • PRÉPARATION 2 H

Pain au levain aux fines herbes

Comme il s'agit d'un pain au levain, il faut commencer plusieurs jours à l'avance à faire fermenter la farine avec de la levure et de l'eau.

LEVAIN
- **1 c. à thé de levure sèche active**
- **1 tasse d'eau chaude (40-43 °C/ 105-110 °F)**
- **1 tasse de farine de blé entier**

PÂTE
- **1¾ tasse de farine de blé entier**
- **1 tasse d'eau bouillante**
- **1 sachet (7 g/ ¼ oz) de levure sèche active**
- **1 c. à thé de sel**
- **1 c. à thé de sucre**
- **1 tasse d'eau chaude (40-43 °C/ 105-110 °F)**
- **½ tasse de levain (ci-dessus)**
- **½ tasse d'une fine herbe de votre choix, hachée**
- **4 tasses de farine à pain**

1 Levain : mettez la levure et l'eau au fond d'un bol, agitez à la fourchette et attendez 5 minutes que le mélange mousse.

2 Ajoutez la farine de blé et mélangez. Couvrez le bol de pellicule de plastique et laissez-le reposer de 3 à 7 jours à la chaleur ambiante.

3 Pâte : travaillez la farine de blé au mélangeur avec l'eau chaude. Laissez refroidir.

4 Dans un petit bol, faites dissoudre la levure, le sel et le sucre dans l'eau chaude. Ajoutez le levain, mélangez les deux puis incorporez-les à la farine de blé que vous avez travaillée avec l'eau. Ajoutez les fines herbes et suffisamment de farine à pain pour former une pâte.

5 Sur une surface farinée, pétrissez-la pendant 10 minutes. Graissez-la en la faisant tournoyer dans un bol huilé. Couvrez-la de pellicule de plastique et laissez-la lever pendant 1 heure dans un endroit chaud.

6 Préchauffez le four à 200 °C (400 °F). Graissez une grande tôle. Diviser la pâte en deux, dégonflez les deux pâtons et donnez-leur une forme ronde ou ovale.

7 Déposez les pâtons sur la tôle, couvrez de pellicule de plastique et laissez reposer à nouveau 1 heure pour qu'ils doublent de volume.

8 Retirez le plastique et faites cuire les pains pendant 30 minutes pour qu'ils soient dorés.

DONNE 2 PAINS • PRÉPARATION 3 H 30 PLUS 3-7 JOURS

Brioche

À défaut d'un moule à brioche, quelques pots à fleurs en terre cuite feront aussi bien l'affaire.

- **3 tasses de farine tout usage**
- **1 sachet (7 g/ ¼ oz) de levure sèche active**
- **1 c. à soupe de sucre**
- **1 c. à thé de sel**
- **115 g (4 oz) de beurre doux**
- **¼ tasse d'eau chaude (40-43 °C/105-110 °F)**
- **4 œufs**

1 Graissez un moule à brioche et tapissez-le de papier à cuisson ou de papier sulfurisé. Ou bien faites la même chose avec six pots de terre cuite de 9 cm (3 ½ po) de diamètre.

2 Au batteur électrique muni d'une palette pour démêler la pâte, mélangez la farine, la levure, le sucre et le sel.

3 Dans une petite casserole, faites fondre le beurre et ajoutez l'eau. Versez ce liquide sur la farine au batteur et travaillez suffisamment pour obtenir une consistance grumeleuse. Ajoutez les œufs un par un et battez 5 minutes pour que la pâte soit lisse mais non collante.

4 Graissez la pâte en la faisant rouler dans un bol huilé. Couvrez-la de pellicule de plastique

huilée et laissez-la reposer 2 heures dans un endroit chaud pour qu'elle double de volume.

5 Dégonflez la pâte et pétrissez-la pendant 5 minutes. Déposez-la dans le moule ou les pots à fleurs et déposez ceux-ci à leur tour sur une tôle. Couvrez de pellicule de plastique et laissez lever pendant 1 heure au chaud.

6 Préchauffez le four à 190 °C (375 °F). Retirez la pellicule et faites dorer pendant 15 à 20 minutes pour la grosse brioche ou 8 à 10 minutes pour les six brioches. Démoulez sur une grille à la sortie du four.

DONNE 1 GROSSE BRIOCHE OU 6 BRIOCHES
INDIVIDUELLES • PRÉPARATION 3 H 45

Pain entier aux graines

Au lieu de graines de lin, mettez celles de votre choix : sésame, citrouille, tournesol, pavot...

- **4 tasses de farine de blé entier**
- **6 c. à soupe de graines de lin**
- **1 c. à soupe de gros sel**
- **1 sachet (7 g/ ¼ oz) de levure sèche active**
- **1 c. à soupe plus 1 c. à thé d'huile d'olive**
- **1 ¾ à 2 tasses d'eau chaude (40-43 °C/105-110 °F)**
- **1 c. à soupe de lait**

1 Mettez la farine, 4 c. à soupe de graines de lin, le sel et la levure dans un bol. Ajoutez 1 c. à soupe d'huile et suffisamment d'eau chaude pour mélanger le tout en pâte.

2 Pétrissez la pâte pendant 5 minutes sur une surface farinée pour l'assouplir et lui donner de

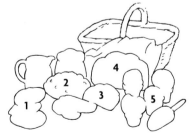

Quelques pains du répertoire traditionnel : **1** *Bases de pizzas individuelles* **2** *Pain plat aux olives* **3** *Pain aux poires et aux noix* **4** *Pain blanc de campagne* **5** *Brioche*

l'élasticité. Frottez-la avec 1 c. à thé d'huile, remettez-la dans le bol et couvrez de pellicule de plastique. Rangez-la dans un endroit chaud pendant 1 heure pour qu'elle double de volume.

3 Dégonflez la pâte et divisez-la en deux. Pétrissez chacune des moitiés pendant 3 minutes et donnez-leur une forme ronde. Mettez-les sur une tôle graissée et tapissée de papier de cuisson. Couvrez et laissez lever 30 minutes au chaud.

4 Préchauffez le four à 220 °C (425 °F). Badigeonnez les pains de lait et saupoudrez avec le reste des graines de lin. Faites cuire 30 minutes.

5 Démoulez sur une grille à la sortie du four.

DONNE 2 PAINS · PRÉPARATION 2 H 30

Pain plat aux olives

Le pain parfait pour accompagner un hoummos ou un aïoli à l'heure de l'apéritif.

- ◆ **2 ⅓ tasses de farine tout usage**
- ◆ **1 c. à thé de sel**
- ◆ **1 c. à thé de sucre**
- ◆ **1 sachet (7 g ⁄ ¼ oz) de levure sèche active**
- ◆ **⅔ tasse de lait tiède**
- ◆ **1 gros œuf**
- ◆ **¼ tasse d'huile d'olive vierge**
- ◆ **1 tasse d'olives noires hachées**
- ◆ **15 olives noires dénoyautées**
- ◆ **1 c. à soupe d'huile d'olive pour badigeonner**

SECRETS DU BOULANGER

Huilez légèrement vos mains avant de malaxer ou de pétrir : la pâte s'en détachera mieux.

Pour une croûte dorée et croustillante, vaporisez la pâte d'eau salée avant d'enfourner.

Le pétrissement peut se faire aussi bien à la main qu'au mélangeur muni d'un crochet à pâte. Vous pouvez aussi commencer avec l'appareil électrique et terminer à la main.

1 Tamisez la farine avec le sel dans un grand bol ; ajoutez le sucre et la levure.

2 Ménagez un puits au centre pour y déposer le lait, l'œuf, ¼ tasse d'huile et les olives hachées. Mélangez et déposez la pâte sur une surface généreusement farinée.

3 Pétrissez légèrement pendant 4 ou 5 minutes jusqu'à ce que la pâte soit lisse et souple. Graissez-la en la faisant tournoyer dans un bol huilé. Couvrez-la avec une pellicule de plastique légèrement huilée et laissez-la reposer 1 heure dans un endroit chaud pour lever.

4 Sur une surface farinée, abaissez-la au rouleau ou pressez-la pour former un cercle ou un ovale de 8 cm (3 po) d'épaisseur.

5 Préchauffez le four à 200 °C (400 °F). Parsemez la surface du pain avec les olives entières dénoyautées, badigeonnez d'huile et faites cuire environ 25 minutes jusqu'à ce que la croûte soit dorée. Servez tiède ou froid.

DONNE 1 PAIN · PRÉPARATION 2 HEURES

Pain aux poires et aux noix

Tartinez-le avec du miel et du yogourt, faites-le griller pour le petit déjeuner ou servez-le en fin de repas avec des fromages et des fruits.

- ◆ **1 tasse de poires séchées, trempées 1 heure dans l'eau chaude pour les réhydrater**
- ◆ **½ tasse de noix hachées**
- ◆ **5 tasses de farine à pain ou de farine tout usage**
- ◆ **2 c. à thé de gros sel**
- ◆ **1 sachet (7 g ⁄ ¼ oz) de levure sèche active**
- ◆ **1 ½ à 1 ¾ tasse d'eau chaude (40-43 °C ⁄ 105-110 °F)**
- ◆ **3 c. à soupe d'huile végétale**

1 Égouttez les poires et hachez-les grossièrement. Mettez-les dans un bol avec les noix hachées ; ajoutez la farine, le sel et la levure.

2 Ménagez un puits au centre des ingrédients secs ; versez-y 1 ½ tasse d'eau chaude et toute l'huile. Mélangez bien pour avoir une pâte molle en ajoutant de l'eau au besoin.

3 Sur une surface farinée, pétrissez la pâte pendant 10 minutes pour la rendre souple et

lisse. Divisez-la en deux et donnez aux pâtons une forme ovale. Placez chacun sur une tôle graissée et couvrez-les d'une pellicule de plastique légèrement huilée. Laissez-les reposer dans un endroit chaud pendant 40 minutes pour que la pâte double de volume.

4 Chauffez le four à 220 °C (425 °F). Retirez le plastique et faites sur la surface des pâtons une série d'incisions qui se croisent. Enfournez et, au bout de 10 minutes, baissez la température à 180 °C (350 °F). Laissez cuire environ 25 autres minutes pour que les pains soient dorés.

5 Démoulez les pains à la sortie du four.

DONNE 2 PAINS · PRÉPARATION 1 H 45

Fougasse

Faites-en de belles tranches grillées, garnies de légumes marinés ou grillés.

- ◆ **1 sachet (7 g ⁄ ¼ oz) de levure sèche active**
- ◆ **2 tasses d'eau chaude (40-43 °C ⁄ 105-110 °F)**
- ◆ **¼ c. à thé de sucre**
- ◆ **4 ½ à 5 ½ tasses de farine à pain ou de farine tout usage**
- ◆ **¼ tasse d'huile d'olive**
- ◆ **1 c. à soupe de sel**
- ◆ **brindilles de romarin**
- ◆ **huile d'olive pour arroser**
- ◆ **gros sel**

1 Mettez la levure dans un petit bol, ajoutez l'eau chaude et le sucre et agitez avec une fourchette. Laissez reposer au chaud pendant 20 minutes ; le mélange doit mousser.

2 Mettez la farine dans un grand bol et ménagez un puits au centre. Versez-y la levure, l'huile et le sel ; mélangez bien. Pétrissez la pâte obtenue pendant 10 minutes pour la rendre lisse. Mettez-la dans un bol huilé, couvrez sans serrer de pellicule de plastique huilée et laissez lever au chaud pendant 1 heure.

3 Répartissez la pâte entre deux tôles graissées. Abaissez-la avec vos doigts sur 1 cm (½ po) d'épaisseur. Couvrez de pellicule de plastique huilée et attendez 10 à 20 minutes.

4 Pressez la pâte à nouveau avec vos doigts et attendez 30 minutes.

5 Chauffez le four à 220 °C (425 °F). Enfoncez des brindilles de romarin dans la pâte. Arrosez d'huile et saupoudrez de sel. Enfournez. Au bout d'environ 25 minutes, la fougasse sera ferme et dorée. Servez-la tiède.

DONNE 2 PAINS • PRÉPARATION 3 HEURES

Pain pita

Façonnée en ovale et parsemée de sésame et de pavot, la même pâte vous donne un pain turc.

- ♦ **1 ¼ tasse d'eau chaude (40-46 °C/105-115 °F)**
- ♦ **1 c. à thé de levure sèche active**
- ♦ **1 c. à thé de sucre**
- ♦ **3 tasses de farine à pain ou de farine tout usage**
- ♦ **1 c. à thé bombée de sel**
- ♦ **1 ½ c. à thé d'huile d'olive**
- ♦ **¼ tasse de fines herbes**
- ♦ **huile d'olive pour badigeonner**

1 Dans le bol du batteur électrique, versez l'eau chaude et saupoudrez la levure. Agitez à la fourchette. Ajoutez le sucre et la moitié de la farine. À l'aide de la palette, mélangez. Couvrez le bol de pellicule de plastique huilée et laissez reposer la pâte au chaud pendant 2 heures ; elle doublera de volume.

2 Remettez le bol sur le socle, ajoutez le sel, 1 ½ c. à thé d'huile d'olive et le reste de la farine. Mélangez pendant 5 à 10 minutes pour rendre la pâte lisse et souple.

3 Sur une surface légèrement farinée, pétrissez la pâte pendant 10 à 12 minutes. Graissez-la en la faisant tournoyer dans un bol huilé. Couvrez-la de pellicule de plastique un peu huilée et laissez-la lever au chaud pendant 1 h 30.

4 Préchauffez le four à 240 °C (475 °F). Tapissez une tôle de papier à cuisson ou d'aluminium.

5 Sur une surface farinée, divisez la pâte en quatre boules. Abaissez chacune au rouleau pour en faire un cercle de 15 cm (6 po) de diamètre sur 1 cm (½ po) d'épaisseur. Déposez sur la tôle, arrosez d'huile et saupoudrez avec les herbes. Faites dorer 8 minutes au four.

6 Faites refroidir sur des grilles.

DONNE 4 PAINS PITA • PRÉPARATION 4 HEURES

CROÛTES ET CROÛTONS

Des TRANCHES de baguette grillées ou chauffées au four font d'excellentes croûtes pour des pizzas maison. Arrosez-les d'huile d'olive, étalez une couche de votre sauce tomate préférée, puis garnissez : prosciutto, gruyère, olives noires et parmesan râpé. Avec du sel, du poivre et un filet d'huile, elles sont prêtes à être cuites 7 à 10 minutes au four préchauffé à 200 °C (400 °F).

Pour confectionner des croûtes, détaillez une baguette en tranches et badigeonnez chacune d'huile d'olive ou de beurre fondu. Mettez-les brièvement au four préchauffé à 120 °C (250 °F) en les retournant une fois pour qu'elles blondissent. Les grandes croûtes peuvent servir d'assise à un steak ou à une caille (sur canapé). Les plus petites peuvent être tartinées de tapenade (p. 40) ou accompagner des terrines et des trempettes, comme celles des pages 40 et 41.

Pour faire des croûtons à l'ail, éliminez la croûte et taillez la mie en petits cubes de 2 cm (½ po). À feu modéré, faites sauter dans l'huile d'olive 2 gousses d'ail émincées pour les dorer sans les frire. Retirez l'ail après 2 ou 3 minutes. Faites frire les cubes de pain dans cette huile : ils deviendront dorés et croustillants. Asséchez-les sur du papier absorbant. Servez-vous-en dans les soupes, les salades et pour donner du croquant aux légumes et aux viandes. Conservez-les à l'abri de l'humidité.

◆ Gâteaux pour toutes occasions ◆

*Du plus simple au plus raffiné, entre un gâteau blanc garni de fruits et de crème fouettée
et un gâteau double chocolat en passant par un gâteau santé aux pommes, vous trouverez
parmi les recettes qui suivent de quoi satisfaire tous les goûts.*

Gâteau fudge au chocolat

Croustillant à l'extérieur, fondant à l'intérieur, ce gâteau comblera les désirs des passionnés du chocolat. Il ne requiert aucun glaçage, tout juste un décor poudré.

- ◆ **225 g (½ lb) de beurre doux**
- ◆ **225 g (8 oz) de chocolat mi-amer de bonne qualité, haché en copeaux**
- ◆ **6 œufs, jaunes et blancs séparés**
- ◆ **¾ tasse de sucre granulé**
- ◆ **⅓ tasse de cassonade**
- ◆ **3 c. à soupe de farine tout usage**
- ◆ **¼ tasse d'amandes en poudre**
- ◆ **½ c. à thé de crème de tartre**
- ◆ **1 c. à soupe de cacao non sucré tamisé avec 1 c. à soupe de sucre glace**

1 Préchauffez le four à 180 °C (350 °F). Beurrez et farinez un moule à fond amovible de 22 cm (9 po) et tapissez le fond avec du papier ciré.
2 Dans une casserole à fond épais, faites fondre le chocolat à feu doux dans le beurre en mélangeant sans arrêt. Retirez aussitôt du feu.
3 Dans un grand bol, fouettez les jaunes d'œufs avec le sucre et la cassonade le temps de les amalgamer. Versez par-dessus le chocolat fondu tandis qu'il est encore chaud, puis incorporez la farine et la poudre d'amandes.
4 Faites d'abord tournoyer les blancs d'œufs dans un bol posé sur une casserole d'eau chaude pour les tiédir. Ajoutez-leur ensuite la crème de tartre et, au batteur électrique, fouettez-les à haute vitesse jusqu'à ce qu'ils forment des pics légers. Incorporez-les à la préparation avec une spatule.
5 Versez dans le moule et faites cuire de 35 à 45 minutes, jusqu'à ce que le gâteau soit ferme sur le pourtour mais encore mou au centre ; insérez un cure-dents aux deux endroits.
6 Lorsque le gâteau est complètement refroidi, démoulez-le sur une assiette et retirez le papier ciré. Déposez des feuilles sur le

D'arrière en avant dans le sens des aiguilles d'une montre : Madeleines citronnées, Gâteau fourré aux fraises, Gâteau de pommes à la française et Gâteau fudge au chocolat.

gâteau, poudrez-le du mélange cacao-sucre glace et retirez les feuilles. Ce gâteau s'accompagne de crème fouettée. Dans son moule enveloppé de papier d'aluminium, il se garde 2 jours. Il ne faut ni le réfrigérer ni le congeler.
DONNE 8-10 PORTIONS • PRÉPARATION 1 H 15

Gâteau fourré aux fraises

Ce gâteau chiffon doit sa légèreté aux blancs d'œufs qui remplacent la poudre à lever. Pour garder son volume, il doit cuire lentement à basse température. Essayez-le aussi avec des pêches.

- ◆ **1 tasse de sucre granulé**
- ◆ **7 œufs, jaunes et blancs séparés**
- ◆ **2 c. à thé d'essence de vanille**
- ◆ **½ tasse de farine tout usage**
- ◆ **1 tasse de farine de pommes de terre**
- ◆ **1 tasse de crème épaisse**
- ◆ **450 g (1 lb) de fraises tranchées en deux**
- ◆ **sucre glace tamisé**

1 Préchauffez le four à 160 °C (325 °F). Beurrez et farinez un moule à fond amovible de 22 cm (9 po) et tapissez le fond avec du papier ciré.
2 Au batteur électrique, fouettez ensemble à haute vitesse le sucre, les jaunes d'œufs et la vanille jusqu'à ce que le mélange ait pâli et triplé de volume.
3 Tamisez ensemble les deux farines et faites-les entrer dans la préparation à la spatule.
4 Lavez les fouets du batteur. Fouettez les blancs d'œufs en neige ferme sans les dessécher. Mélangez-en une cuillerée à la préparation en tournant et faites entrer le reste avec une spatule. Versez la pâte dans le moule et faites cuire 60 à 65 minutes pour que le gâteau soit doré et qu'un cure-dent piqué au centre en ressorte propre. Laissez-le refroidir 10 minutes four éteint et porte ouverte, puis sur une grille.
5 Fouettez la crème en chantilly, avec un peu de sucre au goût. Tranchez le gâteau en deux horizontalement pour le fourrer de crème et de fraises. Poudrez la surface de sucre glace.
DONNE 8 PORTIONS • PRÉPARATION 2 HEURES

Madeleines citronnées

Il vous faut, pour ces petits gâteaux mousseline pas plus gros qu'un biscuit, un moule spécial. Les madeleines font merveille lors d'un buffet.

- ◆ **3 petits œufs ou 2 gros**
- ◆ **⅓ tasse de sucre granulé**
- ◆ **1 tasse de farine tout usage**
- ◆ **½ c. à thé de levure chimique**
- ◆ **¼ c. à thé de sel**
- ◆ **7 c. à soupe de beurre fondu**
- ◆ **zeste râpé de 1 citron**
- ◆ **1 c. à soupe de jus de citron**
- ◆ **sucre glace tamisé**

1 Préchauffez le four à 180 °C (350 °F). Beurrez généreusement et farinez légèrement un moule à madeleines de 7 cm (3 po) de long.
2 Dans un grand bol, fouettez les œufs et le sucre au batteur électrique à haute vitesse pendant 5 minutes. Dans un autre bol, tamisez ensemble la farine, la levure chimique et le sel. Incorporez délicatement avec une spatule les œufs fouettés, puis le beurre fondu, le zeste et le jus de citron.
3 Versez la pâte dans le moule et faites dorer au four pendant 20 à 25 minutes.
4 Laissez refroidir les madeleines sur une grille, puis poudrez la surface de sucre glace. Conservez-les dans des boîtes étanches.
DONNE 20 MADELEINES • PRÉPARATION 40 MINUTES

VARIANTE Vous pouvez confectionner un dessert original en décorant les madeleines de Tartinade anglaise à la lime (p. 27) et de crème fouettée.

LES MEILLEURS GÂTEAUX

Un moule en métal ni lourd ni léger donne une surface dorée et légèrement croustillante. Si vous recherchez une croûte plus épaisse et bien brune, utilisez du verre ou de la céramique.

Est-il cuit ? Les gâteaux lourds, au chocolat ou autres, conservent la trace du doigt lorsqu'on l'y enfonce ; les autres ont tendance à rebondir.

Gâteau citron-amandes

Le meilleur moule pour faire cuire ce gâteau délicat est le moule à kouglof : le tube au centre permet à la pâte de s'accrocher et au gâteau de lever plus uniformément tandis qu'il prend le motif du moule en cuisant. Servez-le chaud avec une cuillerée de crème fouettée ou à la température ambiante avec des fruits frais.

- ◆ **2 tasses de farine tout usage**
- ◆ **1 c. à thé de levure chimique**
- ◆ **2 bâtonnets (225 g/8 oz) de beurre doux ramolli**
- ◆ **1 tasse de sucre granulé**
- ◆ **zeste de 2 citrons râpé fin**
- ◆ **1 tasse de babeurre**
- ◆ **1 c. à thé d'essence de vanille**
- ◆ **6 blancs d'œufs**
- ◆ **¼ c. à thé de sel**
- ◆ **1 tasse d'amandes blanchies hachées fin**

DÉCOR
- ◆ **½ tasse de sucre**
- ◆ **3 c. à soupe de jus de citron**

1 Préchauffez le four à 180 °C (350 °F). Beurrez et farinez un moule à kouglof ou à fond amovible de 22 cm (9 po).

2 Sur du papier ciré, tamisez deux fois ensemble la farine et la levure chimique. Mettez le beurre dans un grand bol avec la moitié du sucre et le zeste de citron : défaites-le en crème au batteur électrique.

3 Incorporez les ingrédients secs au beurre fouetté en alternant avec le babeurre. Ajoutez la vanille et mélangez intimement le tout.

4 Lavez les fouets du batteur et fouettez les blancs d'œufs avec le sel pour les rendre très fermes. En ajoutant peu à peu le reste du sucre, achevez de les fouetter pour qu'ils deviennent luisants.

5 Mélangez une cuillerée de blancs d'œufs à la pâte et incorporez le reste, de même que les amandes hachées, avec une spatule.

6 Versez la pâte dans le moule, lissez la surface et faites cuire de 55 à 60 minutes, jusqu'à ce que le gâteau se détache des parois et qu'un cure-dents piqué au centre en ressorte propre.

7 Pour le décor, faites fondre le sucre à feu doux dans le jus de citron jusqu'à ce que vous obteniez la consistance d'un sirop.

8 Déposez le gâteau chaud sur une grille sans le démouler et piquez-le sur toute sa surface avec un cure-dents. Versez le sirop. Ne démoulez le gâteau qu'une fois refroidi. Il se garde 3 ou 4 jours dans un contenant étanche.

DONNE 8-10 PORTIONS • PRÉPARATION 1 H 30

Pain-gâteau aux abricots

Truffé de pacanes, ce pain-gâteau se déguste chaud à peine sorti du four, détaillé en tranches et tartiné de beurre, de fromage cottage ou de fromage à la crème.

- ◆ **¾ tasse d'abricots séchés hachés grossièrement**
- ◆ **¼ tasse d'eau bouillante**
- ◆ **115 g (4 oz) de beurre doux**
- ◆ **1 tasse de sucre**
- ◆ **1 œuf**
- ◆ **1 c. à thé d'essence de vanille**
- ◆ **2 tasses de farine tout usage**
- ◆ **1 c. à thé de levure chimique**
- ◆ **1 c. à thé de bicarbonate de soude**
- ◆ **¼ c. à thé de sel**
- ◆ **1 tasse de lait**
- ◆ **½ tasse de pacanes hachées**
- ◆ **½ tasse de confiture d'abricots**

1 Préchauffez le four à 180 °C (350 °F). Beurrez et farinez trois moules de 15 x 9 cm (6 x 3 ½ po).

2 Faites tremper les abricots séchés pendant 10 minutes dans l'eau bouillante.

3 Mettez le beurre dans un grand bol avec le sucre et défaites-le en crème au batteur électrique. Toujours en battant, incorporez l'œuf et la vanille. Tamisez à part la farine, la levure chimique, le bicarbonate et le sel.

4 Incorporez les ingrédients secs au mélange beurre-œuf en alternant plusieurs fois avec le lait. Terminez avec la farine. Avec la spatule, faites pénétrer les pacanes et les abricots avec leur eau de trempage.

5 Remplissez les moules et faites cuire de 45 à 50 minutes, jusqu'à ce qu'un cure-dents piqué au centre des gâteaux en ressorte propre.

6 Laissez reposer les gâteaux 5 minutes sur une grille avant de les démouler.

7 Dans une petite casserole, réchauffez la confiture d'abricots avec quelques gouttes d'eau en tournant constamment. À l'aide d'un pinceau, badigeonnez la surface des gâteaux pour former une glace luisante.

DONNE 3 GÂTEAUX DE 15 CM (6 PO) • PRÉPARATION 1 H 15

Gâteau de pommes à la française

Prenez des pommes un peu aigres (granny smith).

- ◆ **1 tasse de farine tout usage**
- ◆ **1 c. à thé de levure chimique**
- ◆ **¼ c. à thé de sel**
- ◆ **½ bâtonnet (60 g/2 oz) de beurre ramolli**
- ◆ **⅓ tasse de sucre**
- ◆ **1 œuf**
- ◆ **¼ tasse de lait**
- ◆ **2 pommes pelées, parées et taillées en quartiers, arrosées du jus de 1 citron**
- ◆ **3 c. à soupe de sucre**
- ◆ **1 c. à thé de cannelle moulue**

1 Préchauffez le four à 180 °C (350 °F). Beurrez un moule à fond amovible de 22 cm (9 po).

2 Sur du papier ciré, tamisez ensemble la farine, la levure chimique et le sel. Dans un grand bol, défaites le beurre en crème avec le sucre en fouettant à haute vitesse au batteur électrique.

3 Ajoutez l'œuf et battez bien. Ajoutez la moitié de la farine tamisée ; battez pour bien l'amalgamer. Incorporez le lait en alternant avec le reste de la farine. Vous aurez une pâte très épaisse.

4 Répartissez-la uniformément dans le moule.

5 Détaillez les quartiers de pomme en fines tranches sans les détacher complètement (voir la photographie de la page 60).

6 Placez les quartiers de pomme à l'envers sur la pâte en les ouvrant délicatement. Dans un petit bol, mélangez le sucre et la cannelle et saupoudrez-en le gâteau. Faites cuire de 60 à 70 minutes pour dorer la surface.

DONNE 6 PORTIONS • PRÉPARATION 2 HEURES

Gâteau au miel

Ce gâteau est si simple à faire que vous pouvez le faire en compagnie de vos enfants. Ils préféreront peut-être le saupoudrer de sucre glace plutôt que de pacanes.

- ◆ **2 gros œufs**
- ◆ **¾ tasse de miel**
- ◆ **¼ tasse d'eau**
- ◆ **¼ tasse d'huile végétale**
- ◆ **2 c. à thé d'essence de vanille**
- ◆ **1 ½ tasse de farine tout usage**
- ◆ **1 ½ c. à thé de levure chimique**
- ◆ **3 c. à soupe de lait en poudre écrémé**
- ◆ **¼ c. à thé de sel**

GLAÇAGE
- ◆ **¾ tasse de pacanes hachées**
- ◆ **¼ tasse de sucre glace**
- ◆ **1 c. à thé de cannelle moulue**

1 Préchauffez le four à 190 °C (375 °F). Beurrez et farinez un moule carré de 22 cm (9 po).
2 Dans le grand bol du batteur électrique et avec le fouet en spirale, fouettez les œufs et le miel à grande vitesse pendant 5 minutes pour qu'ils deviennent jaune pâle. Ajoutez l'eau, l'huile, la vanille, la farine, la levure chimique, le lait en poudre et le sel et mélangez juste ce qu'il faut pour avoir une pâte lisse.
3 Versez la pâte dans le moule et saupoudrez-la des ingrédients du glaçage si vous le voulez.
4 Faites cuire environ 25 minutes pour qu'un cure-dents en ressorte propre. Refroidissez ce gâteau avant de le démouler.

Gâteau portugais aux noix

Ce gâteau plein de saveurs est sans farine.

- ◆ **4 œufs, jaunes et blancs séparés**
- ◆ **1 tasse de sucre granulé**
- ◆ **2 ¼ tasses d'amandes moulues**
- ◆ **85 g (3 oz) de chocolat mi-sucré**
- ◆ **1 c. à soupe de crème épaisse**
- ◆ **½ tasse d'éclats d'amandes et ½ tasse de demi-pacanes pour décorer le gâteau**

1 Préchauffez le four à 180 °C (350 °F). Beurrez un moule à fond amovible de 20 cm (8 po) et tapissez le fond de papier ciré.
2 Dans un grand bol, fouettez les jaunes d'œufs avec le sucre jusqu'à ce qu'ils deviennent épais et jaune pâle. Incorporez les amandes moulues. Dans un autre bol, fouettez les blancs au batteur électrique à grande vitesse pour qu'ils forment des pics souples. Mélangez-en la moitié aux jaunes en tournant à la cuiller et incorporez le reste délicatement.
3 Versez dans le moule et cuisez de 50 à 55 minutes ; vérifiez la cuisson avec un cure-dents.
4 Laissez refroidir le gâteau sur une grille avant de le démouler. Retirez le papier ciré.
5 Faites fondre le chocolat au bain-marie à chaleur douce. Ajoutez-y la crème et versez-le en fine couche sur le gâteau.
6 Décorez avec les amandes et les pacanes. Ce gâteau, bien couvert, se garde 5 jours.
DONNE 8-10 PORTIONS • PRÉPARATION 2 H 15

Gâteau aux fruits de la passion

Pour remplacer le goût un peu aigrelet du fruit de la passion, vous pouvez utiliser une cuillerée à thé de jus de citron.

- ◆ **2 tasses de farine tamisée**
- ◆ **2 c. à thé de levure chimique**
- ◆ **2 bâtonnets (225 g/8 oz) de beurre doux ramolli**
- ◆ **1 tasse de sucre granulé**
- ◆ **3 œufs**
- ◆ **2 c. à soupe d'eau bouillante**
- ◆ **1 c. à thé d'essence de vanille**

GLAÇAGE
- ◆ **2 fruits de la passion**
- ◆ **1 tasse de sucre glace tamisé**

1 Préchauffez le four à 190 °C (375 °F). Beurrez un moule à fond amovible de 20 cm (8 po) et tapissez le fond de papier ciré.
2 Sur un autre papier ciré, tamisez la farine avec la levure chimique. Dans un grand bol, défaites le beurre en crème avec le sucre au batteur électrique à grande vitesse. Ajoutez les œufs un à un. Incorporez la farine délicatement, puis l'eau bouillante et la vanille.
3 Versez la pâte dans le moule. Faites cuire de 35 à 40 minutes, jusqu'à ce qu'un cure-dents piqué au centre du gâteau en ressorte propre.
4 Posez le gâteau 5 minutes sur une grille avant de le démouler. Laissez-le refroidir.
5 Coupez les fruits de la passion en deux et pressez la pulpe à travers un tamis en vous aidant avec le dos d'une cuiller. Mélangez la purée obtenue avec le sucre glace jusqu'à ce qu'elle ait la consistance nécessaire pour s'étaler et bien recouvrir la surface du gâteau. Laissez raffermir.
DONNE 8-10 PORTIONS • PRÉPARATION 2 HEURES

Kouglof

Une brioche alsacienne parfumée au rhum.

- ◆ **½ tasse de raisins de Corinthe**
- ◆ **½ tasse de raisins secs**
- ◆ **3 c. à soupe de rhum**
- ◆ **⅓ tasse d'éclats d'amandes**
- ◆ **2 sachets de 7 g (¼ oz) de levure sèche active**
- ◆ **1 tasse de lait chaud (40-46 °C/ 105-115 °F)**
- ◆ **3 tasses de farine tout usage**
- ◆ **1 pincée de sel**
- ◆ **3 c. à soupe de sucre granulé**
- ◆ **3 œufs battus légèrement**
- ◆ **1 bâtonnet (115 g/4oz) de beurre fondu**
- ◆ **sucre glace tamisé**

1 Faites tremper les raisins dans le rhum.
2 Préchauffez le four à 190 °C (375 °F). Beurrez généreusement un moule à kouglof de 22 cm (9 po) et faites adhérer les amandes. Réfrigérez.
3 Faites dissoudre la levure dans le lait chaud.
4 Tamisez la farine et le sel dans un grand bol et versez au centre la levure, le sucre, les œufs et le beurre fondu. Mélangez à fond à petite vitesse. Incorporez les raisins. Versez la pâte dans le moule.
5 Couvrez d'un linge humide et laissez lever 30 minutes ; le moule sera presque plein.
6 Faites cuire de 45 à 50 minutes. Attendez quelques minutes pour démouler : une fois refroidi, saupoudrez le kouglof de sucre glace.
DONNE 6 PORTIONS • PRÉPARATION 1 H 30

◆ Biscuits, muffins et scones ◆

*Ces petites douceurs du matin ou de l'après-midi n'exigent que quelques minutes de préparation;
et pourtant, parce que vous avez mis la main à la pâte, elles ne manqueront jamais de prouver
à votre famille ou à vos amis la marque de votre affection.*

Biscottis aux noix de macadam

Cuits deux fois, les biscottis répondent bien au sens étymologique du mot biscuit. Pour les déguster, trempez-les dans une boisson chaude. Faites la double recette et congelez-en une partie.

- ◆ **6 c. à soupe de beurre doux ramolli, en petits morceaux**
- ◆ **¾ tasse de sucre granulé**
- ◆ **2 œufs**
- ◆ **1 c. à thé d'essence de vanille**
- ◆ **2 c. à thé de zeste de citron râpé**
- ◆ **2 ¼ tasses de farine tout usage**
- ◆ **1 ½ c. à thé de levure chimique**
- ◆ **½ c. à thé de sel**
- ◆ **1 tasse de noix de macadam hachées grossièrement**

1 Préchauffez le four à 180 °C (350 °F). Graissez une tôle à pâtisserie.

2 Dans le grand bol du batteur électrique, travaillez le beurre et le sucre à grande vitesse pour obtenir une crème jaune pâle. Ajoutez en battant les œufs, la vanille et le zeste de citron. Incorporez la farine, la levure chimique, le sel et, pour finir, les noix.

3 Divisez la pâte en deux. Huilez-vous les mains et roulez chaque moitié en bûche de 5 cm (2 po) d'épaisseur et 30 cm (12 po) de long. Posez les bûches sur la tôle et faites-les cuire au centre du four 25 minutes pour les dorer.

4 Laissez refroidir la tôle sur une grille.

5 Mettez les bûches sur une planche à pain pour les découper de biais en tranches de 2 cm (¾ po). Maniez le couteau avec fermeté pour éviter l'émiettement. Placez les tranches à plat sur la tôle et remettez au four à 180 °C (350 °F) pour 10 minutes; retournez-les à mi-temps.

6 Faites refroidir sur une grille. Les biscottis se conservent 2 à 3 semaines dans une boîte.
DONNE 24-30 BISCOTTIS • PRÉPARATION 1 H 30

Biscuits salés au parmesan

Servez-les chauds, avec ou sans sauce trempette.

- ◆ **1 tasse de farine tout usage**
- ◆ **2 ½ c. à soupe de graines de sésame**
- ◆ **½ c. à soupe de sel**
- ◆ **¼ tasse de parmesan, plus 2 c. à soupe**
- ◆ **¾ c. à thé de bicarbonate de soude**
- ◆ **3 c. à soupe de beurre**
- ◆ **¼ à ⅓ tasse d'eau très froide**
- ◆ **graines de pavot (facultatif)**

1 Préchauffez le four à 180 °C (350 °F). Graissez une tôle à pâtisserie.

2 Mélangez la farine, les graines de sésame, le sel, ¼ tasse de parmesan et le bicarbonate. Incorporez le beurre en le frottant entre vos doigts : le mélange prendra l'aspect d'une fine chapelure. Amalgamez avec l'eau froide.

3 Étendez la pâte au rouleau sur une épaisseur de 3 mm (⅛ po). Découpez les biscuits à l'emporte-pièce. Posez-les sur une tôle, badigeonnez d'eau, saupoudrez de parmesan et de graines de pavot. Cuisez 15 minutes pour qu'ils soient dorés et croustillants. Ces biscuits se conservent 1 semaine dans une boîte de métal.
DONNE 24-36 BISCUITS • PRÉPARATION 30-40 MINUTES

Macarons à la noix de coco

Procurez-vous, dans un rayon d'aliments naturels, de la noix de coco déshydratée.

- ◆ **3 blancs d'œufs**
- ◆ **1 tasse de sucre granulé**
- ◆ **2 ½ tasses de noix de coco séchée**
- ◆ **1 tasse de noix de macadam ou d'amandes, hachées fin**

1 Préchauffez le four à 180 °C (350 °F). Graissez légèrement deux tôles à pâtisserie.

2 Fouettez les blancs d'œufs à grande vitesse pour qu'ils forment des pics souples. Incorporez le sucre peu à peu en battant bien. Lorsque le mélange a un aspect luisant, ajoutez les noix.

3 Façonnez de petites boules avec l'équivalent d'une cuillerée à thé de préparation.

4 Cuisez les macarons de 20 à 25 minutes pour les dorer. Faites-les refroidir sur une grille. Ils se conservent 2 ou 3 jours dans une boîte.
DONNE ENVIRON 35 MACARONS • PRÉPARATION 45 MIN

Bouchées de chocolat aux amandes

Un délicieux petit sablé qui accompagne le café.

- ◆ **2 tasses de farine tout usage**
- ◆ **½ tasse de cacao non sucré**
- ◆ **2 bâtonnets (225 g/8 oz en tout) de beurre doux ramolli**
- ◆ **½ tasse de sucre granulé**
- ◆ **1 c. à thé d'essence de vanille**
- ◆ **¼ c. à thé de sel**
- ◆ **1 tasse d'amandes grillées, hachées fin**
- ◆ **sucre glace tamisé**

1 Préchauffez le four à 180 °C (350 °F). Graissez une tôle à pâtisserie.

2 Sur du papier ciré, tamisez la farine et le cacao. Dans un grand bol, défaites le beurre en crème avec le sucre, la vanille et le sel. Incorporez la farine, puis les amandes.

3 Façonnez des boules avec l'équivalent d'une cuillerée à thé bombée de préparation. Cuisez les bouchées 20 à 25 minutes pour qu'elles se raffermissent. Laissez-les refroidir un peu avant de les déposer sur une grille.

4 Poudrez-les généreusement de sucre glace. Elles se gardent 5 jours dans une boîte.
DONNE 48-60 BOUCHÉES • PRÉPARATION 45 MINUTES

Tuiles aux amandes

Ce sont les tuiles romaines, que l'on peut admirer sur les toits des mas de Provence, avec leur forme légèrement incurvée, qui ont inspiré le nom de ces biscuits légers. Leur façonnage exige un peu d'adresse – ce qui vient avec la pratique –, mais, à dire vrai, ces tuiles seraient aussi bonnes si elles restaient plates.

- ◆ **6 c. à soupe (85 g / 3 oz) de beurre doux**
- ◆ **⅓ tasse de sucre plus 1 c. à soupe**
- ◆ **½ tasse de farine tout usage**
- ◆ **1 pincée de sel**
- ◆ **⅔ tasse d'éclats ou de flocons d'amande**

1 Préchauffez le four à 200 °C (400 °F) et graissez deux tôles à pâtisserie.

2 Dans le grand bol du batteur électrique, fouettez le beurre à grande vitesse avec le sucre pour le rendre léger et crémeux. Incorporez la farine et le sel en battant, puis les amandes en tournant.

3 Laissez tomber la pâte par petites cuillerées sur une des tôles en laissant beaucoup d'espace tout autour. Aplatissez chaque biscuit avec un doigt mouillé.

4 Enfournez la tôle et faites dorer les tuiles pendant 5 minutes. Laissez-les refroidir quelques instants. Enfournez l'autre tôle.

5 Pendant qu'elles sont encore chaudes et souples, soulevez les tuiles une à une avec une spatule pour les enrouler autour du rouleau à pâtisserie. Attendez chaque fois une minute pour qu'elles adoptent sa forme et achevez de les raffermir sur une grille. (Faites une première fournée de trois biscuits pour maîtriser la technique avant que les tuiles refroidissent.) Rangez les tuiles dans des boîtes étanches.

DONNE ENVIRON 24 TUILES • PRÉPARATION 40 MINUTES

D'arrière en avant dans le sens des aiguilles, quelques tentations irrésistibles : Biscottis aux noix de macadam, Tuiles aux amandes, Biscuits salés au parmesan et Bouchées de chocolat aux amandes.

Biscuits prêts-à-cuire

Préparez la pâte, étendez-la au rouleau et découpez-la à l'emporte-pièce; les biscuits attendront au congélateur le moment d'être cuits.

- ◆ **2 tasses de farine tout usage**
- ◆ **4 c. à thé de levure chimique**
- ◆ **1 c. à soupe de sucre**
- ◆ **½ c. à thé de sel**
- ◆ **½ tasse (115 g/4 oz) de beurre ou de graisse végétale fondus**
- ◆ **⅔ tasse de lait**

1 Mélangez la farine, la levure chimique, le sucre, le sel et le beurre fondu pour qu'ils ressemblent à une chapelure grossière. Ajoutez le lait et amalgamez la pâte à la fourchette.

2 Pétrissez-la 30 secondes sur une surface farinée. Étendez-la sur 2 cm (½ po) et découpez des biscuits ronds de 5 à 8 cm (2-3 po) de diamètre. Recommencez avec les retailles.

3 Poudrez les biscuits de farine à mesure que vous les empilez. Enveloppez le tout dans de la pellicule de plastique. Ces biscuits se conservent 4 semaines au congélateur.

4 Faites-les dégeler environ 15 minutes sur une tôle, puis cuisez-les de 15 à 20 minutes pour les dorer dans le four préchauffé à 220 °C (425 °F).

DONNE 15 BISCUITS • PRÉPARATION 35 MINUTES

Muffins à l'orange et aux dattes

Ils sont aussi bons au déjeuner qu'au goûter.

- ◆ **1 ¾ tasse de farine tout usage**
- ◆ **1 c. à thé de levure chimique**
- ◆ **1 c. à thé de bicarbonate de soude**
- ◆ **½ c. à thé de sel**
- ◆ **½ tasse de dates hachées**
- ◆ **1 bâtonnet (115 g/4 oz) de beurre doux ramolli**
- ◆ **¾ tasse de sucre**
- ◆ **1 gros œuf**
- ◆ **½ tasse de jus d'orange frais**
- ◆ **1 orange navel pelée, hachée, épépinée et réduite en purée (¾ tasse de purée)**

1 Préchauffez le four à 200 °C (400 °F). Graissez un moule à muffins de 12 alvéoles (7 cm/2 ½ po de diamètre).

2 Mélangez la farine, la levure, le bicarbonate et le sel dans un bol moyen. Ajoutez les dattes et enrobez-les. Dans un bol plus grand, fouettez le beurre à grande vitesse avec le sucre pour qu'il soit pâle et crémeux. Incorporez en fouettant l'œuf, le jus et la pulpe d'orange. Incorporez délicatement les ingrédients secs à la spatule sans trop les mélanger.

3 Remplissez les moules à muffins aux deux tiers. Faites cuire les muffins 20 minutes au centre du four pour les dorer. Démoulez-les pour qu'ils refroidissent sur une grille.

DONNE 12 MUFFINS • PRÉPARATION 35 MINUTES

Muffins aux bleuets

Ils sont, bien sûr, meilleurs avec des petits bleuets sauvages, frais ou congelés.

- ◆ **1 ½ tasse de bleuets**
- ◆ **3 tasses de farine tout usage**
- ◆ **1 c. à soupe de levure chimique**
- ◆ **½ c. à thé de bicarbonate de soude**
- ◆ **1 c. à thé de sel**
- ◆ **¾ tasse de sucre plus 2 c. à soupe**
- ◆ **3 c. à soupe de beurre fondu**
- ◆ **2 œufs légèrement battus**
- ◆ **1 tasse de babeurre**
- ◆ **1 ½ c. à thé d'essence de vanille**

1 Préchauffez le four à 200 °C (400 °F). Graissez un moule à muffins de 12 alvéoles (7 cm/2 ½ po de diamètre).

2 Enrobez les bleuets de 2 c. à soupe de farine.

3 Dans un grand bol, mélangez le reste de la farine avec la levure, le bicarbonate, le sel et ¾ tasse de sucre. Dans un autre bol, fouettez le beurre, les œufs, le babeurre et la vanille. Faites entrer ce mélange dans le premier, délicatement. Ajoutez les bleuets.

4 Remplissez les moules à muffins aux deux tiers. Saupoudrez de 2 c. à soupe de sucre. Faites dorer les muffins au centre du four 20 à 25 minutes. Démoulez et servez chauds.

DONNE 12 MUFFINS • PRÉPARATION 40 MINUTES

Muffins salés

Les muffins salés, faits avec du bacon, du fromage et des fines herbes au lieu du sucre et des épices, font un changement tout à fait plaisant.

- ◆ **1 ¾ tasse de farine tout usage**
- ◆ **2 c. à thé de levure chimique**
- ◆ **½ c. à thé de sel**
- ◆ **¼ tasse de fines herbes hachées**
- ◆ **¼ tasse de parmesan**
- ◆ **1 c. à soupe de sucre**
- ◆ **⅓ tasse de bacon émietté**
- ◆ **1 œuf battu**
- ◆ **1 tasse de lait**
- ◆ **½ bâtonnet (4 c. à soupe) de beurre fondu**

1 Préchauffez le four à 200 °C (400 °F). Graissez les alvéoles pour 12 muffins de 7 cm (2 ½ po) de diamètre ou 24 muffins miniatures.

2 Tamisez la farine avec la levure et le sel. Ajoutez-y les fines herbes, le fromage, le sucre et le bacon. Ménagez un puits au centre.

3 Dans un petit bol, mélangez l'œuf, le lait et le beurre fondu. Versez dans le puits. Mélangez délicatement à la fourchette. Le mélange doit rester grumeleux.

4 Remplissez les moules à muffins aux deux tiers. Faites dorer les muffins au four pendant 12 à 15 minutes s'ils sont miniatures, 15 à 20 minutes s'ils sont gros. Servez-les chauds.

DONNE 12 OU 24 MUFFINS • PRÉPARATION 15 MINUTES

TRUCS ET ASTUCES

SCONES ET MUFFINS

Ne travaillez pas trop la pâte à muffins. Quelques mouvements suffisent. Autrement, vous aurez des muffins lourds et caoutchouteux.

Pour des scones plus feuilletés, utilisez du babeurre ou du lait sur.

Congelez les scones et les muffins individuellement dans du papier d'aluminium: ils se gardent six mois. Décongelez-les puis réchauffez-les 12 à 15 minutes à 180 °C (350 °F) sans les déballer.

Muffins aux pommes et aux raisins

La pomme et le raisin étant sucrés, vous n'avez pas besoin d'utiliser beaucoup de sucre.

- ◆ **2 tasses de farine tout usage**
- ◆ **3 c. à thé de levure chimique**
- **1 c. à thé de sel**
- ◆ **½ c. à thé de cannelle moulue**
- ◆ **¼ c. à thé de muscade moulue**
- ◆ **¾ tasse de pomme râpée**
- ◆ **⅓ tasse de raisins secs dorés**
- ◆ **⅔ tasse de cassonade brune**
- ◆ **¼ tasse de noix de Grenoble ou de pacanes hachées**
- ◆ **2 œufs bien battus**
- ◆ **⅔ tasse de lait**
- ◆ **¼ tasse d'huile végétale**
- ◆ **1 tasse de céréales du matin : maïs, son ou flocons de blé**

1 Préchauffez le four à 200 °C (400 °F). Graissez 12 alvéoles à muffins de 7 cm (2 ½ po).
2 Dans un grand bol, mélangez la farine, la levure, le sel et les épices. Ajoutez la pomme râpée, les raisins, la cassonade et les noix. Ménagez un puits au centre.
3 Dans un petit bol, mélangez les œufs, le lait et l'huile. Versez ce liquide d'un trait au milieu des ingrédients secs et mélangez à peine pour les humidifier. Incorporez les céréales.
4 Remplissez les moules aux deux tiers. Faites cuire les muffins de 15 à 20 minutes pour qu'ils soient bruns et gonflés. Attendez 5 minutes avant de les démouler. Servez-les chauds.
DONNE 10-12 MUFFINS • PRÉPARATION 35 MINUTES

Pointes persillées au fromage

Avec une belle croûte dorée de fromage râpé.

- ◆ **2 tasses de farine de blé entier**
- ◆ **1 c. à thé de levure chimique**
- ◆ **1 c. à thé de bicarbonate de soude**
- ◆ **¾ tasse de cheddar en dés ou ¼ tasse de parmesan râpé**
- ◆ **¼ tasse de persil frais ciselé**
- ◆ **1 c. à thé de sel**
- ◆ **¾ tasse de lait ou de babeurre**

1 Préchauffez le four à 230 °C (450 °F). Dans le bol du robot, mettez la farine, la levure chimique, le bicarbonate, le fromage moins 1 c. à soupe, le persil et le sel. Travaillez le tout jusqu'à ce que le fromage soit émietté et enfariné, et le persil haché fin.
2 Versez le lait d'un trait et malaxez environ 5 secondes pour former une pâte molle.
3 Pétrissez doucement la pâte sur une surface farinée. Donnez-lui une forme ronde et posez-la sur une tôle saupoudrée de farine. Avec un bon couteau, imprimez-y huit pointes sans les détacher complètement. Saupoudrez la cuillerée à soupe de parmesan.
4 Faites cuire la pâte au centre du four pendant 20 à 25 minutes pour que sa surface soit brune et gonflée. Enveloppez-la quelques instants dans un linge. Détachez les pointes.
DONNE 8 POINTES • PRÉPARATION 35 MINUTES

Bouchées de scones aux fruits

Avant d'enfourner la pâte à scones, servez-vous d'un couteau pour délimiter les bouchées. Une fois cuites, elles se détacheront facilement. Servez-les pour le goûter avec du beurre et de la confiture ou mettez-en sur la table du petit déjeuner.

- ◆ **1 ½ tasse de farine tout usage**
- ◆ **1 c. à thé de crème de tartre**
- ◆ **½ c. à thé de bicarbonate de soude**
- ◆ **¼ c. à thé de sel**
- ◆ **6 c. à soupe de beurre**
- ◆ **½ tasse de sucre granulé**
- ◆ **¾ tasse de raisins secs**
- ◆ **1 œuf, jaune et blanc séparés**
- ◆ **⅔ tasse de babeurre**
- ◆ **1 c. à soupe de sucre glace**

1 Préchauffez le four à 190 °C (375 °F). Graissez un moule carré de 22 cm (9 po) et tapissez le fond de papier ciré.
2 Dans un grand bol, mélangez la farine, la crème de tartre, le bicarbonate, le sel et le beurre. Avec vos doigts, travaillez-les pour obtenir une sorte de chapelure fine. Ajoutez le sucre et les raisins secs. Mélangez-les bien.
3 Fouettez le jaune d'œuf avec le babeurre. Mélangez délicatement aux ingrédients secs.

4 Étalez la pâte dans le moule. Avec un couteau fariné, tracez des portions de 3 x 11 cm (1 x 4 ½ po). Badigeonnez de blanc d'œuf et saupoudrez de sucre glace. Faites cuire de 15 à 20 minutes pour dorer la surface. Servez ces bouchées de scones tièdes.
DONNE 16 BOUCHÉES • PRÉPARATION 35 MINUTES

Scones au gingembre et aux pacanes

Si vous voulez des scones traditionnels, étendez cette pâte au rouleau et découpez-y des cercles à l'emporte-pièce. Ou bien détaillez-la en bouchées comme dans la recette précédente. Mais quelle qu'en soit la présentation, servez ces scones tartinés avec du beurre ou du fromage à la crème ramollis.

- ◆ **2 tasses de farine tout usage**
- ◆ **1 c. à soupe de levure chimique**
- ◆ **3 c. à soupe de sucre**
- ◆ **½ c. à thé de sel**
- ◆ **½ bâtonnet (60 g / 2 oz) de beurre doux en petits morceaux**
- ◆ **2 œufs légèrement battus**
- ◆ **⅓ tasse de crème épaisse**
- ◆ **¼ tasse de gingembre cristallisé haché**
- ◆ **½ tasse de pacanes hachées**
- ◆ **1 blanc d'œuf légèrement battu**

1 Préchauffez le four à 190 °C (375 °F). Dans un grand bol, mélangez à fond la farine, la levure chimique, les deux tiers du sucre et le sel. Du bout des doigts, incorporez le beurre aux ingrédients secs pour former une sorte de chapelure grossière. Ajoutez les œufs battus, la crème, le gingembre et les pacanes. Malaxez pour bien les amalgamer à la pâte.
2 Sur une surface légèrement farinée, étalez la pâte au rouleau sur une épaisseur de 1 cm (½ po). Découpez-la avec un emporte-pièce fariné. Déposez les scones sur une tôle légèrement saupoudrée de farine, badigeonnez-les de blanc d'œuf battu et saupoudrez avec le reste de sucre. Cuisez environ 20 minutes pour que la surface soit d'un beau brun doré.
3 Faites refroidir les scones sur une grille. Servez-les tièdes ou à température ambiante.
DONNE 16 SCONES • PRÉPARATION 35 MINUTES

◆ Tartes ouvertes et tartes couvertes ◆

Pour plaire à un grand nombre de convives, rien de mieux qu'une tarte.
On a le choix entre plusieurs types de pâtes : pâte brisée comme celle de la page 44, pâte sablée
décrite ci-dessous ou pâte de chapelure de biscuits selon la recette de la page ci-contre.

Pâte sablée
Une pâte croustillante et sucrée qui ne ramollira pas sous une garniture de fruits juteux.

- 1 ½ tasse de farine
- 1 c. à thé de sucre
- ¼ c. à thé de sel
- 2 c. à soupe de lait en poudre
- 1 bâtonnet (115 g/4 oz) de beurre en petits morceaux
- 1 œuf

1 Mélangez la farine, le sucre et le sel. Ajoutez le lait en poudre et ménagez un puits.
2 Mettez-y le beurre et l'œuf et mélangez à fond. Du bout des doigts, incorporez le beurre au mélange pour obtenir une pâte.
3 Achevez d'y incorporez le beurre en la pétrissant doucement sur une surface farinée.
4 Farinez généreusement vos mains et ramassez la pâte en boule. Enveloppez-la dans de la pellicule de plastique et faites-la raffermir au moins 30 minutes au réfrigérateur.
5 Abaissez-la comme une pâte brisée (p. 44).
DONNE 1 ABAISSE DE 22 CM (9 PO) • PRÉPARATION 50 MIN

Tarte à la lime des Keys
La lime des Keys ne s'exportant pas hors de la Floride, des limes ordinaires feront l'affaire.

- 4 œufs, jaunes et blancs séparés
- ¾ tasse de lait concentré
- zeste de 2 limes finement râpé
- ½ tasse de jus de lime
- 1 abaisse en chapelure de biscuits (page ci-contre)
- ⅓ tasse de sucre

1 Préchauffez le four à 160 °C (325 °F). Dans un grand bol, mélangez les jaunes d'œufs avec le lait concentré, le zeste et le jus de lime.

2 Versez la préparation dans l'abaisse. Enfournez et faites cuire 20 minutes.
3 Fouettez les blancs d'œufs à grande vitesse pour les rendre fermes. Ajoutez le sucre peu à peu, toujours en fouettant.
4 Étalez cette meringue sur la tarte chaude et, avec le dos d'une cuiller, faites-la adhérer à la croûte sinon elle se rétractera à la chaleur. Remettez la tarte au four pendant 20 à 25 minutes pour que la meringue soit d'un beau doré. Faites refroidir la tarte sur une grille, puis réfrigérez-la pour la servir très froide.
DONNE 6 PORTIONS • PRÉPARATION 1 HEURE

TRUCS ET ASTUCES
DE BONNES PÂTES

La pâte à tarte doit recevoir un minimum de manipulation. Travaillez-la tout en douceur sinon elle sera lourde. Une main légère (et froide) la rend tendre et feuilletée.

Assurez-vous d'avoir l'eau la plus froide possible pour amalgamer la pâte ; certaines recettes précisent de l'eau glacée. Mais utilisez-la avec parcimonie : moins vous en ajoutez, mieux votre pâte s'en portera.

Pour raffermir la pâte avant de l'abaisser, c'est une bonne idée de la réfrigérer au moins 30 minutes et, mieux encore, plusieurs heures. Ceci lui évitera de rapetisser sous l'effet de la chaleur. Mais comme elle sera dure au sortir du réfrigérateur, accordez-lui 30 minutes à température ambiante et elle se manipulera mieux.

Pour étaler uniformément une abaisse de chapelure de biscuits, comprimez-la avec un moule de la même taille.

Tarte aux œufs
Riche et veloutée, cette garniture plaît à tout coup. Vous pouvez aussi varier ses parfums.

- 1 abaisse de pâte sablée (recette à gauche)
- 1 tasse de lait
- 1 tasse de crème épaisse
- 1 c. à thé d'essence de vanille
- 3 œufs légèrement battus
- ⅓ tasse de sucre
- 1 pincée de sel
- 1 pincée de muscade

1 Préchauffez le four à 200 °C (400 °F).
2 Faites cuire l'abaisse à blanc (voir p. 46) pendant 10 à 15 minutes, le temps de lui donner du corps. Sortez-la du four et baissez le thermostat à 160 °C (325 °F).
3 Réchauffez le lait et la crème à feu modéré jusqu'à ce qu'ils frémissent. Retirez du feu et ajoutez la vanille.
4 Dans un bol, mettez les œufs, le sucre, le sel et la muscade. Fouettez délicatement. Réchauffez les œufs en les remuant avec un tiers du lait chaud, puis versez-les dans la casserole avec le reste du lait et mélangez bien.
5 Versez ce mélange à travers un tamis dans un bol verseur et remplissez l'abaisse à demi cuite et enfournez.
6 Faites cuire de 30 à 40 minutes, jusqu'à ce qu'un couteau inséré au centre de la garniture en ressorte propre. Servez cette tarte froide pour que la garniture soit bien ferme.
DONNE 6 PORTIONS • PRÉPARATION 1 H 20

VARIANTES À l'étape 4, parfumez les œufs avec un peu de zeste d'orange râpé ; ou bien, à l'étape 3, mettez une feuille de laurier et quelques graines de cardamome dans le lait chaud, laissez infuser 30 minutes puis filtrez.

La tarte à la citrouille n'est pas réservée exclusivement à l'automne. Surtout si vous la parfumez au bourbon et la garnissez de pacanes, on vous en redemandera !

Tarte à la citrouille

L'heureux mariage d'une garniture crémeuse très parfumée et d'une pâte sablée bien croustillante fait de cette tarte à la citrouille un dessert particulièrement réussi. Si vous faites votre propre purée, choisissez des citrouilles petites et sucrées plutôt que la grosse citrouille traditionnelle de l'Halloween.

- ◆ **1 abaisse de pâte sablée (recette de la page ci-contre)**
- ◆ **2 tasses de purée de citrouille**
- ◆ **½ bâtonnet (60 g/2 oz) de beurre fondu**
- ◆ **¾ tasse de cassonade**
- ◆ **2 gros œufs**
- ◆ **1 à 2 c. à soupe de bourbon, de whisky ou d'essence de vanille**
- ◆ **1 c. à soupe de zeste d'orange râpé**
- ◆ **½ c. à thé de cannelle moulue**
- ◆ **1 tasse de lait**
- ◆ **demi-pacanes pour décorer**
- ◆ **crème fouettée (facultatif)**

1 Préchauffez le four à 220 °C (425 °F).
2 Abaissez la pâte et foncez un moule à tarte très profond de 22 cm (9 po). Faites raffermir l'abaisse au moins 15 minutes au réfrigérateur.
3 Dans un grand bol, battez la purée de citrouille à vitesse moyenne avec le beurre, la cassonade, les œufs, le bourbon, le zeste d'orange et la cannelle. Versez la garniture dans le moule et décorez-la avec les demi-pacanes.
4 Faites d'abord cuire la tarte pendant 10 minutes à 220 °C (425 °F), puis baissez le thermostat à 180 °C (350 °F) et prolongez la cuisson de 45 à 50 minutes, pour qu'un cure-dents piqué au centre de la tarte en ressorte propre. Refroidissez-la complètement sur une grille (ou réfrigérez-la) avant de la servir, avec de la crème fouettée si vous le désirez.
DONNE 8 PORTIONS • PRÉPARATION 1 H 25

Croûte en chapelure de biscuits

Cette croûte vite faite convient plus particulièrement aux garnitures qui requièrent peu ou pas de cuisson et doivent séjourner au réfrigérateur.

- ◆ **1 ¼ tasse de biscuits graham émiettés**
- ◆ **5 c. à soupe de beurre doux fondu**

1 Humectez la chapelure avec le beurre fondu et mélangez à la fourchette pour bien l'enrober.

2 Videz le mélange dans un moule à tarte. En pressant avec les doigts, étalez-le uniformément au fond et contre les parois. Faites raffermir au moins 1 heure au réfrigérateur. Si vous la trouvez encore trop molle, congelez-la 15 minutes avant de la garnir.
DONNE 1 ABAISSE DE 22 CM (9 PO) • PRÉPARATION 1 H 15

VARIANTES Utilisez des miettes de gaufrettes au chocolat ou de biscuits au gingembre, ou remplacez ½ tasse de chapelure de biscuits par des amandes ou des noisettes moulues.

◆ Douceurs irrésistibles ◆

Quand ils sont faits maison, chocolats et friandises sont encore meilleurs que vous ne l'auriez imaginé.
Ils vous donnent en outre l'occasion d'étaler vos talents et de faire cadeau de vos œuvres.
N'utilisez que des ingrédients de première qualité : la dépense en vaut toujours la peine.

Zestes confits

Servez-vous-en pour décorer desserts et crèmes glacées. Ou bien trempez-les dans le chocolat pour les servir avec le café.

- ◆ **3 citrons fermes mais mûrs (ou 3 oranges)**
- ◆ **¼ tasse de sucre granulé**
- ◆ **½ tasse d'eau**

1 En vous servant d'un couteau économe, détachez des agrumes une couche de pelure avec un minimum de fibre blanche amère. Avec un bon couteau, détaillez ces zestes en lanières : étroites si vous voulez vous en servir pour décorer, plus larges si vous avez l'intention de les tremper dans le chocolat.
2 Mettez-les dans une petite casserole, couvrez-les d'eau froide et chauffez jusqu'à ébullition. Égouttez les zestes, passez-les sous l'eau froide, puis remettez-les dans la casserole avec le sucre et la demi-tasse d'eau. Faites cuire à feu modéré jusqu'à ce que le liquide se soit évaporé et que les zestes soient luisants. Étendez-les sur du papier pour les refroidir.
3 Réfrigérés dans un pot bien fermé, ces zestes se gardent 6 mois.
DONNE ENVIRON 1 TASSE • PRÉPARATION 30 MINUTES

Rochers au raisin

Présentez ces grappes en cadeau dans de jolies boîtes ou des moules d'aluminium enrubannés.

- ◆ **225 g (8 oz) de chocolat mi-amer**
- ◆ **1 ½ tasse de noisettes hachées grossièrement**
- ◆ **½ tasse de raisins secs dorés**

1 Tapissez une tôle de papier d'aluminium.
2 Au bain-marie, faites fondre le chocolat à feu doux en tournant. Retirez du feu, ajoutez noisettes et raisins et tournez pour enrober.
3 Déposez la préparation sur la tôle par cuillerées à thé combles. Réfrigérez pour raffermir. Les rochers au raisin se gardent 1 ou 2 mois au réfrigérateur dans une boîte étanche.
DONNE ENVIRON 30 ROCHERS • PRÉPARATION 20 MIN

Friandises à la noix de coco

Pas de cuisson requise pour ces friandises d'antan, mignonnes et délicieuses. Présentez-les en cadeau dans des petits paniers d'osier. Un emballage de cellophane préservera leur fraîcheur.

- ◆ **2 ½ tasses de noix de coco déshydratée (rayon d'aliments naturels)**
- ◆ **½ tasse de sucre**
- ◆ **¼ c. à thé de crème de tartre**
- ◆ **1 tasse de lait concentré sucré**
- ◆ **quelques gouttes de colorant**

1 Tapissez un moule carré de 20 cm (8 po) avec du papier de cuisson ou d'aluminium.
2 Mélangez la noix de coco avec le sucre et la crème de tartre. Versez le lait concentré et travaillez pour former une masse compacte.
3 Étalez la moitié de la préparation dans le moule. Versez quelques gouttes de colorant dans l'autre moitié et malaxez pour bien le répartir. Étalez sur la première moitié. Couvrez de papier d'aluminium et laissez raffermir au réfrigérateur jusqu'au lendemain.
4 Faites des barres ou des carrés et emballez-les dans un contenant étanche. Ces friandises se conservent 1 mois au réfrigérateur.
DONNE 30-36 FRIANDISES • PRÉPARATION 10 MINUTES
PLUS 1 NUIT DE RAFFERMISSEMENT

Truffes aux noix et aux fruits

Un cadeau raffiné à offrir à vos amis ou une gâterie à vous faire à vous-même.

- ◆ **255 g (9 oz) de chocolat mi-amer**
- ◆ **2 c. à soupe de crème épaisse**
- ◆ **2 c. à soupe de cognac ou de rhum**
- ◆ **1 ¼ tasse d'abricots séchés, hachés fin**
- ◆ **½ tasse de noisettes hachées fin**
- ◆ **2 c. à soupe de gingembre cristallisé, émincé**
- ◆ **2 c. à soupe de sucre glace tamisé**
- ◆ **30 demi-noisettes**

1 Tapissez une tôle avec du papier de cuisson ou du papier d'aluminium.
2 Au bain-marie, faites fondre 115 g (4 oz) de chocolat à feu doux. Retirez du feu.
3 Ajoutez en battant la crème et le cognac. Incorporez les abricots, les noisettes, le gingembre et le sucre glace. Mélangez bien.
4 Réfrigérez la préparation s'il le faut pour la rendre plus facile à manipuler. Façonnez des boules de 3 cm (1 po) et alignez-les sur une feuille de papier ciré.
5 Au bain-marie, faites fondre le reste du chocolat à feu doux. Retirez du feu.
6 En vous aidant d'une fourchette, trempez chaque truffe dans le chocolat fondu et prenez le temps de bien l'égoutter. Mettez-la ensuite sur la tôle préparée et garnissez-la d'une demi-noisette.
7 Réfrigérez les truffes sur la tôle jusqu'à ce qu'elles se raffermissent, puis rangez-les dans des contenants étanches. Elles se conservent 1 mois au réfrigérateur.
DONNE ENVIRON 30 TRUFFES • PRÉPARATION 1 HEURE

Suçons

Pour parfumer ces suçons, achetez des huiles essentielles à la boutique d'aliments naturels ; les extraits à base d'alcool s'évaporent rapidement.

- ◆ **12 bâtonnets**
- ◆ **1 tasse de sucre**
- ◆ **½ tasse d'eau**
- ◆ **2 c. à soupe de sirop de maïs**
- ◆ **4 à 8 gouttes de colorant**
- ◆ **2 ou 3 gouttes d'essence**

1 Tapissez une tôle de papier d'aluminium et déposez-y les bâtonnets à intervalles de 10 cm (4 po).

2 Dans une casserole à fond épais, réchauffez le sucre, l'eau et le sirop de maïs à feu modéré jusqu'à ce que le sucre soit dissous. Mettez le couvercle et faites bouillir 1 minute pour dissoudre au besoin les dépôts de sucre cristallisé. Enlevez le couvercle et laissez bouillir le sirop jusqu'à ce que le thermomètre indique 155 °C (310 °F). Retirez aussitôt du feu.

3 Laissez refroidir la casserole 5 minutes sur une grille, puis ajoutez le colorant et l'essence.

4 Déposez le sirop par flaques de 5 à 8 cm (2-3 po) à un bout de chaque bâton. Laissez refroidir ; emballez de pellicule de plastique.

DONNE ENVIRON 12 SUÇONS • PRÉPARATION 40 MINUTES

VARIANTES Variez les couleurs et les parfums. Ou bien combinez-les : laissez refroidir les suçons, puis trempez-les d'un côté ou des deux dans un sirop différent.

Des friandises pour satisfaire toutes les envies :
1 *Loukoum* **2** *Truffes aux noix et aux fruits* **3** *Rochers au raisin* **4** *Croquant aux arachides* **5** *Friandises à la noix de coco* **6** *Guimauves*

Guimauves

Les guimauves sont faciles à faire du moment qu'on se sert d'un batteur électrique.

- ◆ **3 c. à soupe de sucre glace**
- ◆ **3 c. à soupe de fécule de maïs**
- ◆ **1 ½ c. à soupe de gélatine sans parfum**
- ◆ **⅓ tasse d'eau**
- ◆ **½ tasse de sucre granulé**
- ◆ **⅔ tasse de sirop de maïs léger**

1 Tapissez de papier ciré un moule de 33 x 22 x 5 cm (13 x 9 x 2 po). Mélangez le sucre glace avec la fécule de maïs ; saupoudrez-en une cuillerée à soupe dans le moule.

2 Dans le bol du batteur électrique, saupoudrez la gélatine sur ⅓ tasse d'eau et attendez 5 minutes qu'elle ramollisse.

3 Placez le bol dans une casserole d'eau frémissante et tournez pour dissoudre la gélatine. Ajoutez le sucre et continuez à tourner. Quand le sucre est dissous, retirez le bol de la casserole et ajoutez le sirop de maïs. Battez le mélange pendant 10 à 15 minutes pour qu'il devienne épais et crémeux. Laissez refroidir.

4 Avec une spatule mouillée, étalez le mélange dans le moule. Laissez refroidir et raffermir pendant 20 minutes.

5 Déposez la guimauve sur une planche. Saupoudrez une mince couche du mélange sucre glace et fécule. Découpez des carrés ; enrobez-les du même mélange. Les guimauves se conservent 1 à 2 semaines au sec et au frais dans un contenant étanche.

DONNE ENVIRON 36 GUIMAUVES • PRÉPARATION 1 HEURE

Fudge au caramel

Découpez-le en carrés et enveloppez-le dans du cellophane de couleur. Il fait de beaux cadeaux.

- ◆ **6 tasses de cassonade brune bien tassée**
- ◆ **1 ½ bâtonnet (170 g/6 oz) de beurre doux coupé en morceaux**
- ◆ **1 ¼ tasse de lait**
- ◆ **⅔ tasse de crème épaisse**
- ◆ **1 c. à thé d'essence de vanille**

1 Tapissez de papier d'aluminium un moule carré de 22 cm (9 po).

2 Dans une grande casserole à fond épais, réchauffez la cassonade, le beurre, le lait et la crème à feu modéré pour dissoudre la cassonade, fondre le beurre et atteindre l'ébullition.

3 Baissez le feu et laissez bouillir doucement jusqu'à ce que le thermomètre indique 115 °C (240 °F) ; agitez de temps en temps la préparation pour qu'elle n'attache pas.

4 Placez la casserole aussitôt dans une autre plus grande remplie d'eau froide. Faites-la refroidir suffisamment pour pouvoir en toucher le fond sans vous brûler.

5 Ajoutez la vanille et battez à la cuiller de bois jusqu'à ce que le fudge soit épais et crémeux. Quand il est devenu pâle et qu'il a perdu son brillant, versez-le dans le moule.

6 Une fois refroidi, marquez-le au couteau pour le défaire en carrés. Le fudge se garde 2 semaines dans une boîte au réfrigérateur.

DONNE 50-60 MORCEAUX • PRÉPARATION 3 HEURES

Croquant aux arachides

Ce bonbon classique est à la fois croquant sous la dent et fondant sous la langue.

- ◆ **2 ¾ tasses de sucre granulé**
- ◆ **½ bâtonnet (60 g/2 oz) de beurre doux**
- ◆ **⅔ tasse d'eau**
- ◆ **1 ½ tasse d'arachides peu salées**

1 Graissez un moule de 33 x 22 cm (13 x 9 po) et tapissez-le de papier d'aluminium.

2 Faites cuire le sucre, le beurre et l'eau environ 25 minutes à feu modéré pour obtenir un sirop mordoré (voir technique illustrée ci-dessous). Déposez sur une surface froide.

3 Ajoutez les arachides et versez l'apprêt dans le moule en étalant bien les composantes.

4 Laissez le croquant refroidir et devenir dur avant de le casser. Il se garde 1 mois au frais et au sec dans une boîte étanche.

DONNE ENVIRON 45 MORCEAUX • PRÉPARATION 1 HEURE

CONFECTION D'UN CROQUANT AUX ARACHIDES

1 *Dans une casserole à fond épais, faites chauffer le sucre, le beurre et l'eau à feu modéré en tournant avec une cuiller de bois. Menez à ébullition ; la préparation prendra une couleur plus foncée.*

2 *Dès les premiers bouillons, retirez la casserole du feu et posez-la sur une surface froide. Incorporez les arachides. (Pour le pralin, remplacez-les par des amandes grillées.)*

3 *Versez la préparation sur un moule à gâteau roulé, préalablement graissé et tapissé de papier d'aluminium. Laissez refroidir pendant au moins 30 minutes pour que le croquant soit bien pris.*

4 *Quand le croquant est devenu très dur, cassez-le en petits morceaux avec le manche d'un couteau. Pour le pralin, écrasez ces morceaux au rouleau. Gardez au frais et au sec dans un pot étanche.*

Noix sucrées et épicées

Présentez-les avec le fromage et les fruits à la fin du repas, ou bien grignotez-les dans la journée.

- ◆ **1 blanc d'œuf**
- ◆ **2 c. à soupe d'eau froide**
- ◆ **2 tasses des noix de votre choix**
- ◆ **½ tasse de sucre**
- ◆ **¼ tasse de fécule de maïs**
- ◆ **3 c. à thé de cannelle moulue**
- ◆ **1 c. à thé de poivre de la Jamaïque**
- ◆ **½ c. à thé de gingembre moulu**
- ◆ **½ c. à thé de muscade moulue**
- ◆ **1 pincée de sel**

1 Préchauffez le four à 180 °C (350 °F).
2 Dans un petit bol, fouettez légèrement le blanc d'œuf avec l'eau. Incorporez les noix.
3 Dans un bol plus grand, mettez le sucre, la fécule, les épices et le sel. Retirez les noix du blanc d'œuf et déposez-les dans le sucre épicé. Tapissez un moule à roulé de papier de cuisson ou de papier d'aluminium. Déposez-y les noix en une seule couche. Faites-les cuire 30 minutes pour qu'elles soient dorées.

DONNE 2 TASSES • PRÉPARATION 50 MINUTES

Loukoum

Ce délice oriental est facile à réaliser. Une précaution à prendre toutefois : quand le sirop se met à bouillir, badigeonnez l'intérieur de la casserole à l'aide d'un pinceau trempé dans l'eau froide pour empêcher la formation de cristaux de sucre.

- ◆ **4 tasses de sucre**
- ◆ **4 ½ tasses d'eau**
- ◆ **2 c. à thé de jus de citron**
- ◆ **1 ¼ tasse de fécule de maïs**
- ◆ **1 c. à thé de crème de tartre**
- ◆ **1 ½ c. à soupe d'eau de rose**
- ◆ **colorant rouge (facultatif)**
- ◆ **1 tasse de sucre glace**

1 Huilez un moule carré de 22 cm (9 po). Tapissez-le de pellicule de plastique huilée.
2 Dans une grande casserole, réchauffez le sucre, 1 ½ tasse d'eau et le jus de citron à feu modéré. Tournez jusqu'à ce que le sucre soit dissous et que la préparation se mette à bouillir. Baissez le feu et laissez mijoter le sirop doucement, sans l'agiter, jusqu'à ce que le thermomètre marque 115 °C (240 °F).
3 Dans une autre grande casserole, réchauffez 1 tasse de fécule à feu modéré avec la crème de tartre. Incorporez lentement les 3 tasses d'eau qui restent en veillant à ce qu'il ne subsiste aucun grumeau. Tournez sans arrêt jusqu'à ce que la préparation bouillonne et forme une épaisse pâte gluante.
4 Versez doucement le sirop au citron chaud sur l'apprêt de fécule. Baissez le feu et laissez mijoter environ 1 heure en agitant fréquemment pour empêcher la préparation d'attacher. Elle doit devenir couleur d'or pâle.
5 Incorporez l'eau de rose et le colorant de votre choix. Versez la préparation dans le moule et répartissez-la uniformément. Laissez le loukoum reposer jusqu'au lendemain à la température de la pièce sans le couvrir.
6 Tamisez le sucre glace, avec le quart de tasse de fécule qui reste, au-dessus d'une planche à découper. Démoulez le loukoum et coupez-le en carrés de 3 cm (1 po) avec un couteau huilé. Enrobez ces carrés du mélange sucre glace et fécule. Rangez-les par couches dans une boîte étanche et séparez les couches par des feuilles de papier ciré, elles aussi saupoudrées du mélange sucre glace et fécule.

DONNE ENVIRON 80 LOUKOUMS • PRÉPARATION 2 HEURES

FLEURS CRISTALLISÉES

L ES PENSÉES et les violettes entières, cultivées sans pesticides, de même que les pétales de roses donnent les meilleurs résultats une fois cristallisés. Cueillez-les tôt le matin.

1 Tapissez une tôle de papier d'aluminium.
2 Dans un petit bol, battez légèrement 1 c. à soupe de blancs d'œufs pasteurisés en poudre avec 2 c. à soupe d'eau jusqu'à ce qu'ils moussent. À l'aide d'un pinceau d'artiste, badigeonnez cet apprêt sur les deux faces des fleurs. Contentez-vous d'humecter la surface. Poudrez les fleurs de sucre superfin. Si le sucre n'adhère pas, recommencez.
3 Déposez les fleurs sur la tôle sans qu'elles se touchent. Faites-les sécher 10 à 15 minutes au four très doux (94 °C / 200 °F ou moins) avec la porte entrouverte. Vérifiez de temps à autre que les fleurs ne se décolorent pas. Au besoin, achevez de les sécher 1 à 3 jours au réfrigérateur.
4 Bien recouvertes de sucre, les fleurs cristallisées se conservent 3 à 4 jours dans un bocal étanche.

◆ Boissons à foison ◆

Que ce soit l'été, lors d'un grand barbecue, ou l'hiver, au moment des Fêtes, si vous attendez beaucoup d'invités, il vous faut un vaste choix de boissons. Avec ou sans alcool, en voici tout un assortiment où chacun trouvera de quoi se réchauffer, se rafraîchir, ou à tout le moins se désaltérer agréablement.

Pour fêter une grande occasion, ou tout simplement pour le plaisir de se retrouver : **1** *Citronnade* **2** *Punch aux canneberges* **3** *Eggnog au whisky* **4** *Coupe de jus de fruits* **5** *Bloody Mary chaud* **6** *Coupe de vin rouge aux fraises* **7** *Café crème au chocolat* **8** *Sangria*

Sangria

Si vous voulez offrir une seule boisson à tout un groupe d'invités, optez pour la sangria : vous n'entendrez pas beaucoup de gens s'en plaindre.

- ◆ **2 oranges tranchées**
- ◆ **2 citrons tranchés**
- ◆ **2 bâtons de cannelle**
- ◆ **¾ tasse de brandy**
- ◆ **1 bouteille de vin rouge**
- ◆ **1 bouteille de cidre mousseux rafraîchi**
- ◆ **glaçons**

1 Dans un grand pichet ou un bol, mettez les agrumes, les bâtons de cannelle et le brandy.
2 Versez le vin et le cidre par-dessus. Ajoutez les glaçons à la dernière minute.
DONNE ENVIRON 7 TASSES • PRÉPARATION 10 MINUTES

Punch aux canneberges

Traditionnelles au temps des Fêtes, les canneberges, avec leur saveur légèrement acidulée, sont aussi fort désaltérantes en été.

- ◆ **2 tasses de jus de canneberge**
- ◆ **2 tasses de jus d'ananas non sucré**
- ◆ **1 tasse de jus d'orange**
- ◆ **¾ tasse de Triple sec (si l'on veut une boisson alcoolisée)**
- ◆ **1 casseau de fraises équeutées et tranchées**
- ◆ **1 lime tranchée mince**
- ◆ **4 tasses de ginger ale rafraîchi**
- ◆ **glaçons**

1 Dans un contenant de verre, versez les jus, le Triple sec, les fraises et les tranches de lime. Réfrigérez pour que le tout soit très froid.
2 Au moment de servir, rajoutez doucement le ginger ale. Transvidez dans un bol à punch ou un grand pichet et mettez des glaçons.
DONNE ENVIRON 6 TASSES • PRÉPARATION 20 MINUTES
PLUS TEMPS DE REFROIDISSEMENT

VARIANTES Pour avoir un punch moins sucré, remplacez le ginger ale par de l'eau minérale ou du club soda.

Bloody Mary chaud

Voici une version insolite de cette boisson épicée que la chaleur rend plus mordante encore.

- ¼ tasse de vodka
- ¾ tasse de jus de tomate
- 4 gouttes de tabasco
- ¼ c. à thé de sauce Worcestershire
- gros sel
- poivre noir du moulin
- bâtonnet de céleri ou de concombre

1 Dans un récipient pouvant aller au micro-ondes, versez la vodka, le jus de tomate, le tabasco et la sauce Worcestershire. Réglez l'allure à Fort (7) et réchauffez 30 secondes.
2 Salez et poivrez à votre goût. Versez dans un verre et décorez d'un bâtonnet de céleri.
DONNE 1 TASSE • PRÉPARATION 10 MINUTES

Eggnog nouvelle vague

Dans ce lait de poule qu'on parfume à sa guise au whisky, au brandy ou au rhum, les œufs sont cuits pour contrer la salmonellose.

- 4 œufs
- ½ tasse de sucre
- 3 tasses de lait
- 1 c. à thé d'essence de vanille
- ½ tasse de whisky
- ½ c. à thé de muscade râpée
- 1 tasse de crème épaisse

1 Dans une casserole, battez en crème les œufs et le sucre. À part, réchauffez 2 tasses de lait à feu doux : versez doucement sur les œufs en agitant. Laissez cuire le mélange à feu doux pendant 15 à 20 minutes pour qu'il épaississe et atteigne 80 °C (170 °F). Ajoutez le reste du lait, la vanille, le whisky et la moitié de la muscade. Rafraîchissez au réfrigérateur pendant 3 heures.
2 Fouettez légèrement la crème et incorpo-rez-la délicatement à l'eggnog.
3 Présentez l'eggnog dans un bol à punch avec un décor de muscade fraîchement râpée.
DONNE 6 TASSES • PRÉPARATION 45 MINUTES PLUS 3 HEURES DE REFROIDISSEMENT

Liqueur d'agrumes

Une liqueur qui se déguste le soir au coin du feu.

- 1½ tasse de vin blanc
- 3 tasses de vodka
- 2 citrons tranchés
- 1 orange tranchée
- 1 morceau de zeste de citron
- 2 bâtons de cannelle
- 3 grains de poivre de la Jamaïque
- 3 clous de girofle
- 1 gousse de vanille
- 1 brin de romarin
- ¼ tasse de sucre

1 Mettez tous les ingrédients dans un bocal de verre muni d'un couvercle étanche. Laissez mûrir cette boisson pendant 4 semaines en agitant le bocal quotidiennement.
2 Stérilisez des pots ou des bouteilles (p. 168).
3 Filtrez la boisson à travers un tamis fin ou une double épaisseur d'étamine. Remplissez les pots ou les bouteilles et bouchez bien.
DONNE 5-6 TASSES • PRÉPARATION 15 MINUTES PLUS 4 SEMAINES DE FERMENTATION

Coupe de vin rouge aux fraises

Les fraises trempent d'abord dans du porto.

- 1 casseau de fraises équeutées et tranchées
- ⅓ tasse de sucre
- plusieurs zestes d'orange
- ¾ tasse de porto
- 1 bouteille de vin rouge
- eau gazeuse rafraîchie
- feuilles de menthe

1 Mettez les fraises dans une jatte avec le sucre, le zeste et le porto. Couvrez la jatte et laissez reposer au frais pendant 24 heures.
2 Au dernier moment, déposez les fraises dans un bol à punch et versez le vin rouge par-dessus. Servez avec un peu d'eau gazeuse et une feuille de menthe pour décorer.
DONNE ENVIRON 8 TASSES • PRÉPARATION 15 MINUTES PLUS 24 HEURES DE FERMENTATION

Thé glacé

La boisson d'été par excellence.

- 3 sachets de thé
- 4 tasses d'eau bouillante
- sucre (facultatif)
- glace concassée
- tranches de citron
- feuilles de menthe

1 Dans une théière ou une casserole émaillée, faites infuser le thé 4 minutes dans l'eau.
2 Versez le thé dans un pichet et jetez les sachets. Ajoutez du sucre au goût, puis laissez refroidir le thé mais ne le réfrigérez pas car cela le rendrait trouble.
3 Remplissez quatre verres de glace concas-sée. Versez le thé. Décorez d'une tranche de citron et d'une feuille de menthe.
DONNE 4-5 TASSES • PRÉPARATION 1 HEURE

VARIANTES Remplacez les tranches de citron par des tranches de lime, et le thé par une infusion parfumée aux fruits.

Café crème au chocolat

Un excellent remontant après une journée de sport au grand air.

- ½ tasse de café bien fort
- 1 à 3 c. à thé de sucre (facultatif)
- ½ tasse de crème légère ou ¼ tasse de crème épaisse et ¼ tasse de lait
- 1½ c. à thé de cacao non sucré
- crème fouettée
- 1 c. à soupe de chocolat au lait râpé
- 1 bâton de cannelle

1 Dans une grande tasse à déjeuner, mélangez le café et le sucre.
2 Faites chauffer la crème dans une petite casserole à feu doux. Incorporez le cacao.
3 Versez la crème sur le café. Décorez de crème fouettée et de chocolat râpé. Servez avec un bâton de cannelle en guise de cuiller.
DONNE 1 TASSE • PRÉPARATION 10 MINUTES

En trempant dans le brandy, les kumquats lui livrent leur goût caractéristique et leur jolie couleur. Vous vous délecterez autant des fruits que de la boisson.

Coupe de jus de fruits

Cette coupe pétillante ne renferme pas d'alcool.

- **2 tasses de jus d'orange frais**
- **8 tasses de jus de raisin**
- **4 tasses de jus d'ananas**
- **8 tasses d'eau gazeuse rafraîchie**
- **feuilles de menthe**
- **tranches de citron ou d'orange**
- **glaçons**

1 Versez les trois jus dans un bol de service et faites rafraîchir au réfrigérateur.
2 Au dernier moment, concassez la glace et ajoutez au bol l'eau gazeuse, les feuilles de menthe et les tranches d'agrume. Remplissez les verres de glace concassée, puis de jus de fruits.

DONNE ENVIRON 24 TASSES • PRÉPARATION 5 MINUTES PLUS TEMPS DE RAFRAÎCHISSEMENT

Citronnade

Vous pouvez la diluer avec de l'eau plate, de l'eau gazeuse ou du club soda et la décorer à votre guise de tranches de citron ou de lime. Ou bien, surtout pour soigner un rhume, préparez-la avec de l'eau bouillante et une cuillerée de brandy.

- **1 tasse de jus de citron frais**
- **le zeste de 2 citrons**
- **1 tasse de sucre**
- **1 c. à thé de crème de tartre**
- **2 tasses d'eau bouillante**

1 Stérilisez une bouteille (p. 168).
2 Dans un grand bol, mettez tous les ingrédients sauf l'eau bouillante. Mélangez-les avant d'ajouter cette dernière, et mélangez à nouveau ensuite pour dissoudre le sucre.
3 Remplissez la bouteille, bouchez-la et réfrigérez la citronnade. Prête à être consommée, après dilution, elle se garde 6 mois.

DONNE 2 ½ TASSES • PRÉPARATION 10 MINUTES

Brandy aux kumquats

Les kumquats confèrent au brandy non seulement un goût délicieux mais aussi une jolie couleur. Au cours des six premiers mois de leur macération, ils pourront servir à garnir de la crème glacée.

- **750 g (1 ½ lb) de kumquats**
- **2 tasses d'eau**
- **1 tasse de sucre**
- **½ gousse de vanille**
- **4 tasses de brandy**

1 Lavez les kumquats soigneusement et piquez-les chacun huit fois avec une aiguille.
2 Mettez l'eau dans une grande casserole avec le sucre et la gousse de vanille. Portez-la à ébullition à feu doux et laissez-la mijoter pendant 15 minutes. Ajoutez les kumquats, relancez l'ébullition et faites mijoter 5 minutes de plus.
3 Avec une cuiller à trous, déposez les kumquats dans un pot chaud de 6 tasses préalablement stérilisé (p. 168).
4 À feu vif, réduisez le sirop de moitié. Une fois refroidi, retirez-en la gousse de vanille et versez-le sur les kumquats.
5 Ajoutez le brandy et bouchez. Laissez mûrir au moins 1 mois dans un endroit frais et sec.

DONNE 6 TASSES • PRÉPARATION 1 HEURE PLUS 1 MOIS DE MACÉRATION

◆ Plats des Fêtes ◆

Dans bien des familles, on a une recette traditionnelle pour fêter les grandes occasions, Noël par exemple, et on la trouve généralement insurpassable. Nous avons inclus ici, à côté de quelques-unes de ces recettes, d'autres plats avec lesquels on festoie ailleurs dans le monde.

Petits sablés à l'orange

Leur goût légèrement acidulé distingue ces petits sablés des autres plus traditionnels.

- ◆ ¾ tasse de farine tout usage
- ◆ 3 c. à soupe de fécule de maïs
- ◆ ¼ tasse plus 2 c. à soupe de sucre
- ◆ le zeste râpé de 1 orange
- ◆ ¼ c. à thé de sel
- ◆ 7 c. à soupe de beurre doux en petits morceaux

1 Préchauffez le four à 150 °C (300 °F). Graissez un moule carré de 20 cm (8 po) de côté.
2 Tamisez dans un bol la farine et la fécule. Ajoutez ¼ tasse de sucre, le zeste d'orange et le sel. Travaillez le beurre entre vos doigts pour l'incorporer aux ingrédients secs, jusqu'à ce que vous obteniez une sorte de chapelure fine.
3 Pétrissez la pâte, puis étalez-la dans le moule en pressant. Au couteau, tracez 24 rectangles étroits. Piquez la surface avec une fourchette et saupoudrez avec 2 c. à soupe de sucre. Faites cuire 30 minutes. La pâte cuite doit être légèrement dorée.

SECRETS DU BOULANGER

Pour empêcher les fruits secs et les fruits confits de tomber au fond de la pâte, enrobez-les de farine avant de les incorporer au mélange.

Graissez la tôle avec de la graisse végétale plutôt que du beurre si vous ne voulez pas que vos biscuits calcinent. Et retirez-les de la tôle aussitôt qu'ils sont cuits.

Toutes les pâtes conviennent au mincemeat.

---

4 Laissez la pâte refroidir dans son moule jusqu'à ce qu'elle soit suffisamment ferme pour être déposée sur une grille.
5 Une fois la pâte refroidie, détaillez-la en rectangles. Ces petits sablés se garderont 1 semaine dans un contenant étanche.
DONNE 24 SABLÉS • PRÉPARATION 45 MINUTES

Mincemeat

Ce mélange de fruits secs parfumés aux épices est une garniture pour tartes et tartelettes qu'on sert traditionnellement en Grande-Bretagne au temps de Noël.

- ◆ 3 tasses de raisins de Corinthe
- ◆ 1½ tasse de raisins dorés
- ◆ 1½ tasse de raisins secs noirs
- ◆ ¾ tasse de zestes d'agrumes confits hachés
- ◆ 500 g (1 lb) de pommes à cuire pelées, parées et hachées fin
- ◆ 2½ tasses de cassonade bien tassée
- ◆ 1 c. à thé de poivre de la Jamaïque moulu
- ◆ 1 c. à thé de muscade moulue
- ◆ 1 c. à thé de cannelle moulue
- ◆ le zeste râpé et le jus de 2 citrons
- ◆ ¾ tasse de brandy

1 Dans un grand bol, mélangez à fond tous les ingrédients. Couvrez avec une pellicule de plastique et laissez reposer jusqu'au lendemain.
2 Tassez la préparation dans des pots préalablement stérilisés (p. 168) et bouchez bien. Laissez mûrir 4 à 6 semaines au réfrigérateur.
3 Mélangez la préparation encore une fois avant de vous en servir.
DONNE ENVIRON 10 TASSES • PRÉPARATION 30 MINUTES
PLUS 6 SEMAINES DE MACÉRATION

Biscuits grecs aux amandes

Ces douceurs que les Grecs nomment kourambiedes *font partie de leurs traditions de Noël. On peut les cuire à l'avance et les congeler. Elles se décongèlent très vite, le temps de préparer le café, qu'elles accompagnent d'ailleurs à merveille.*

- ◆ 2 bâtonnets (225 g/8 oz) de beurre doux ramolli
- ◆ ½ tasse de sucre granulé
- ◆ 1 œuf plus 2 jaunes d'œufs
- ◆ 3 tasses de farine tout usage
- ◆ ¼ c. à thé de sel
- ◆ ½ tasse d'amandes hachées fin
- ◆ environ 50 clous de girofle
- ◆ 1 tasse de sucre à glacer

1 Préchauffez le four à 180 °C (350 °F) et graissez deux tôles à pâtisserie.
2 Au mélangeur, travaillez ensemble le beurre, le sucre, l'œuf, les jaunes d'œufs, la farine, le sel et les amandes pendant 30 secondes pour les amalgamer.
3 Façonnez des boulettes de la grosseur d'une noix et insérez un clou dans chacune. Répartissez-les sur les tôles. Faites-les cuire de 25 à 30 minutes pour qu'elles soient bien dorées.
4 Déposez ces biscuits aussitôt sur des grilles. Attendez quelques minutes, puis saupoudrez-les généreusement de sucre à glacer. Les biscuits grecs aux amandes se conservent 1 à 2 semaines au réfrigérateur dans un contenant étanche. Pour les congeler, ne les saupoudrez pas mais enfermez-les dans une boîte en séparant les couches avec du papier ciré.
DONNE ENVIRON 50 BISCUITS • PRÉPARATION 1 HEURE

Noël évoque toujours la nostalgie d'antan. Dans le sens des aiguilles en commençant par l'arrière, à droite : Mincemeat, Gâteau de Noël, Biscuits grecs aux amandes, Pouding de Noël et Petits sablés à l'orange.

Lebkuchen aux canneberges

Le lebkuchen est un gâteau de Noël épicé, tradi-tionnel en Allemagne. Vous le trouverez particu-lièrement réconfortant avec une tasse de thé fumant par une froide journée d'hiver.

- ◆ 1⅓ tasse de miel
- ◆ ¾ tasse de sucre granulé
- ◆ 3 c. à soupe de beurre
- ◆ 3½ tasses de farine tout usage
- ◆ 1 c. à thé de levure chimique
- ◆ ½ c. à thé de bicarbonate de soude
- ◆ ¾ tasse d'amandes blanchies
- ◆ 1 tasse de canneberges séchées
- ◆ ¼ c. à thé de gingembre moulu
- ◆ ½ c. à thé de cardamome moulue
- ◆ 2 c. à thé de cannelle moulue
- ◆ 1 c. à thé de poivre de la Jamaïque moulu

GLAÇAGE
- ◆ 1½ tasse de sucre à glacer
- ◆ 2 c. à soupe de jus de citron
- ◆ 1 c. à soupe de beurre ramolli

1 Préchauffez le four à 180 °C (350 °F). Graissez et chemisez un moule carré de 22 cm (9 po).
2 Dans une grande casserole, faites chauffer le miel et le sucre à feu doux en remuant. Ajoutez le beurre; retirez du feu dès qu'il a fondu.
3 Tamisez ensemble dans un bol la farine, la levure et le bicarbonate. Versez ces ingrédients dans la préparation chaude. Incorporez les amandes, les canneberges et les épices en mélangeant bien. La préparation sera collante.
4 Versez-la dans le moule; égalisez la surface. Faites cuire au four pendant 25 à 30 minutes, jusqu'à ce qu'un cure-dents en ressorte propre. Faites refroidir le moule sur une grille.
5 Pour le glaçage, mettez tous les ingrédients dans un petit bol et remuez-les avec une cuiller de bois jusqu'à ce que le mélange soit lisse et homogène. Versez le glaçage sur le gâteau pen-dant qu'il est encore un peu chaud. Une fois refroidi, rangez le gâteau dans un contenant étanche. Il peut se garder 1 semaine.
DONNE ENVIRON 24 PORTIONS • PRÉPARATION 1 H 30

Pouding de Noël

Flambez ce pouding avec du rhum et accompa-gnez-le d'une sauce chaude au beurre et à la cassonade. Il se prépare au moins deux jours à l'avance; deux ou trois mois, c'est encore mieux.

- ◆ 1½ tasse de raisins secs hachés
- ◆ ⅔ tasse de dattes hachées
- ◆ 1 tasse de figues séchées bien souples, hachées
- ◆ 1 tasse de raisins de Corinthe
- ◆ ¾ tasse de raisins secs dorés
- ◆ ½ tasse de brandy
- ◆ 2 bâtonnets (225 g/8 oz) de beurre doux
- ◆ 1 tasse de cassonade brune tassée
- ◆ zeste râpé de 1 citron
- ◆ zeste râpé de 1 orange
- ◆ 4 œufs fouettés
- ◆ 1 tasse d'amandes blanchies hachées
- ◆ ¾ tasse de farine tamisée
- ◆ 1 c. à thé de cannelle
- ◆ ½ c. à thé de muscade
- ◆ 1 c. à thé de poivre de la Jamaïque
- ◆ 1 c. à thé de gingembre moulu
- ◆ 1½ tasse de chapelure fraîche de pain blanc

1 Graissez un moule en verre de 8 tasses.
2 Mettez les fruits secs dans un grand bol et arrosez-les de brandy. Mélangez à fond et laissez macérer de 12 à 24 heures.
3 Mettez le beurre et la cassonade dans un autre grand bol et battez-les à grande vitesse pour obtenir un mélange épais et crémeux. Incorporez les zestes et les œufs au fouet, puis les fruits et les amandes à la spatule. Faites entrer la farine et les épices également à la spatule et terminez avec la chapelure.
4 Versez cette pâte dans le moule; égalisez la surface. Taillez une feuille de papier ciré de la taille du moule plus 5 cm (2 po). Faites au centre un pli double qui s'ouvrira à mesure que le pouding gonflera en cuisant. Faites la même chose avec une feuille d'aluminium; posez-la par-dessus le papier ciré et fixez-les tous les deux au moule au moyen d'une ficelle.
5 Placez le moule sur une grille dans une grande marmite. Versez de l'eau bouillante jusqu'à mi-hauteur et mettez le couvercle. Réglez le feu pour que l'eau frémisse constam-ment et laissez cuire le pouding à la vapeur pendant 4 heures. Ajoutez de l'eau bouillante au besoin pour maintenir le niveau.
6 Retirez le moule de la marmite et laissez-le refroidir sur une grille. Enveloppez-le dans du papier ciré, puis du papier d'aluminium et conservez-le au réfrigérateur.
7 Réchauffez le pouding au micro-ondes ou 2 heures à la vapeur comme à l'étape 5.
DONNE 12-16 PORTIONS • PRÉPARATION 5 HEURES
PLUS 3 JOURS DE MACÉRATION ET DE MÛRISSEMENT

Gâteau de Noël

Enrichi de beurre, ce gâteau aux fruits peut se confectionner à la dernière minute.

- ◆ 255 g (9 oz) de beurre ramolli
- ◆ 1½ tasse de cassonade brune
- ◆ 4 œufs
- ◆ 3 tasses de farine tout usage
- ◆ ¼ c. à thé de sel
- ◆ 1 c. à thé de poivre de la Jamaïque
- ◆ 1 c. à thé de cannelle moulue
- ◆ ½ c. à thé de muscade moulue
- ◆ 1½ tasse chacun de raisins de Corinthe, de raisins secs dorés et de raisins secs foncés
- ◆ 1⅓ tasse de figues séchées bien souples, hachées
- ◆ 1¼ tasse de dattes hachées
- ◆ 1 tasse de pruneaux hachés
- ◆ 1¾ tasse d'abricots secs hachés
- ◆ ¾ tasse d'amandes blanchies, hachées
- ◆ ⅔ tasse de brandy plus 4 c. à soupe
- ◆ 2 c. à thé de poudre d'espresso diluée dans 1 c. à soupe d'eau

1 Préchauffez le four à 150 °C (300 °F). Graissez un moule rond de 22 à 25 cm (9-10 po) de dia-mètre et chemisez-en le fond avec plusieurs épaisseurs de papier ciré.
2 Mettez le beurre et la cassonade dans un grand bol et fouettez-les à grande vitesse pour obtenir un mélange crémeux. Ajoutez les œufs un à la fois et battez bien. Tamisez ensemble la

farine, le sel et les épices et incorporez-les à la spatule, de même que les fruits secs, les amandes, les ⅔ de tasse de brandy et le café espresso.

3 Versez cette pâte dans le moule ; égalisez la surface. Enfournez sur la grille du centre et laissez cuire 30 minutes. Baissez le thermostat à 140 °C (275 °F) et laissez cuire le gâteau pendant encore 3 h 30 ou jusqu'à ce qu'un cure-dents piqué au centre en ressorte propre.

4 À la sortie du four, couvrez le gâteau d'un linge à vaisselle recouvert d'une serviette épaisse pour qu'il refroidisse lentement.

5 Piquez sa surface avec une aiguille et versez ce qui reste de brandy. Emballez-le dans du papier ciré et rangez-le dans une boîte hermétique. Ce gâteau se conserve 3 mois au frais.

DONNE 30 PORTIONS • PRÉPARATION 4 H 45

Stollen

Sa forme ovale est censée évoquer l'Enfant-Jésus emmailloté dans ses langes.

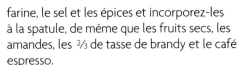

- ◆ **3 à 4 tasses de farine tout usage**
- ◆ **1 c. à thé de sel**
- ◆ **1 sachet (7 g/ ¼ oz) de levure sèche active**
- ◆ **½ tasse de lait chaud (40-46 °C/105-115 °F)**
- ◆ **⅓ tasse de sucre**
- ◆ **225 g (8 oz) de beurre doux ramolli plus 4 c. à soupe**
- ◆ **2 c. à soupe de cognac**
- ◆ **1 tasse d'amandes blanchies hachées**
- ◆ **1 ½ tasse de raisins secs hachés**
- ◆ **⅓ tasse de zestes d'agrumes confits**
- ◆ **1 c. à soupe de zeste de citron râpé**
- ◆ **sucre à glacer tamisé**

1 Dans un grand bol, tamisez 3 tasses de farine et le sel et ménagez un puits au centre. Dans un petit bol, faites dissoudre la levure dans la moitié du lait. Versez-la dans le puits avec le lait, le sucre, les 225 g (8 oz) de beurre et le cognac. Mélangez bien en ajoutant de la farine au besoin pour former une pâte souple.

2 Pétrissez-la 3 minutes, huilez-la, couvrez-la d'une pellicule de plastique un peu huilée et laissez-la reposer 1 heure au chaud.

3 Posez la pâte sur une surface légèrement farinée. Faites-y entrer en pétrissant les amandes, les raisins, les zestes confits et le zeste frais. Faites-la reposer comme à l'étape 2 ; elle devrait presque doubler de volume.

4 Donnez à la pâte une forme ronde d'un diamètre de 25 cm (10 po). Repliez-la en partie sur elle-même et façonnez-la en ovale. Sur une plaque graissée, laissez-la reposer encore de la même façon pendant 30 minutes.

5 Préchauffez le four à 190 °C (375 °F). Badigeonnez le pâton de beurre fondu et enfournez. Faites cuire 45 à 50 minutes en badigeonnant toutes les 10 minutes. Vérifiez la cuisson à l'aide d'un cure-dents.

6 Faites refroidir le moule sur une grille. Emballé dans du papier d'aluminium, le stollen se garde 3 ou 4 semaines au réfrigérateur. Servez-le en tranches fines que vous réchaufferez à four doux dans du papier d'aluminium ou que vous ferez toaster. Poudrez de sucre à glacer.

DONNE 10-12 PORTIONS • PRÉPARATION 4 HEURES

TRUCS ET ASTUCES

LES POUDINGS

Le pouding de Noël de la page ci-contre peut se faire aussi en petites portions pour 2 ou 3 personnes. Versez la préparation dans quatre moules de 2 tasses et faites cuire 2 heures à la vapeur.

Bien emballé, un pouding se conserve 3 mois au réfrigérateur ou 12 mois au congélateur. Décongelez-le au réfrigérateur avant de le réchauffer à la vapeur : 3 ou 4 jours pour la pleine recette, 2 ou 3 jours pour les petites portions.

Le four à micro-ondes est utile pour réchauffer le pouding. Prévoyez 10 minutes pour réchauffer un gros pouding en réglant l'allure à Moyen et 30 secondes à Maximum pour des portions individuelles.

Comme cadeau de Noël, présentez le pouding dans son moule, enveloppé dans un joli emballage décoratif.

Panforte

Le panforte est une spécialité de Sienne, en Italie. On conseille de le laisser raffermir un jour ou deux avant de le trancher. À défaut de fruits confits, employez des fruits secs.

- ◆ **¾ tasse d'amandes blanchies hachées**
- ◆ **¾ tasse de noisettes grillées hachées**
- ◆ **⅓ tasse d'ananas confit haché**
- ◆ **⅓ tasse d'abricots confits hachés**
- ◆ **⅓ tasse de poires confites hachées**
- ◆ **⅔ tasse de farine tout usage tamisée**
- ◆ **2 c. à soupe de cacao amer tamisé**
- ◆ **1 c. à thé de cannelle moulue**
- ◆ **100 g (3 ½ oz) de chocolat noir**
- ◆ **⅓ tasse de sucre granulé**
- ◆ **½ tasse de miel**
- ◆ **sucre à glacer tamisé**

1 Préchauffez le four à 150 °C (300 °F). Graissez un moule rond de 20 cm (8 po) de diamètre et chemisez le fond avec du papier ciré.

2 Dans un grand bol, mélangez amandes, noisettes et fruits confits avec farine, poudre de cacao et cannelle, et bien enrober.

3 Réchauffez à feu doux le sucre et le miel. Quand le sucre a fondu, augmentez la chaleur pour porter le sirop à ébullition ; puis baissez le feu et laissez-le mijoter 5 minutes. Pendant ce temps, faites fondre le chocolat au bain-marie à feu doux en remuant. Ajoutez-le, de même que le sirop, au mélange de fruits.

4 Répartissez la préparation dans le moule. Faites-la cuire au four pendant 30 minutes. (Le panforte vous paraîtra peut-être encore mou, mais il raffermit en se refroidissant.)

5 Faites-le refroidir sur une grille avant de le démouler. Poudrez-le de sucre à glacer et emballez-le dans du papier d'aluminium. Il se conserve 3 ou 4 semaines au frais dans un contenant étanche.

DONNE 8 PORTIONS • PRÉPARATION 1 HEURE

VARIANTE Vous pouvez aussi faire cuire le panforte dans un moule carré entre deux feuilles de papier de riz comestible.

◆ Délicieux desserts ◆

Bien dosés et soigneusement agencés, les ingrédients les plus simples peuvent produire de véritables chefs-d'œuvre : fruits frais à peine pochés, meringue légère comme l'air nappée d'une sauce de petits fruits ou flan lisse et soyeux constituent autant de délices pour terminer un repas en beauté.

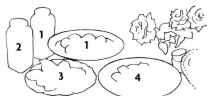

Quelques desserts qui n'ont pas besoin d'être riches pour satisfaire les papilles : **1** *Pêches en conserve* **2** *Figues au brandy* **3** *Meringues* **4** *Gratin de figues au brandy*

Compote de fruits, sauce sabayon

Cette compote raffinée se sert chaude. En France, on parfume le sirop avec une gousse de vanille ; en Italie, avec un zeste de citron ou d'orange.

- **1 tasse de sirop de pochage (voir Figues au brandy ci-après) ou de sirop de conserve**
- **1 gousse de vanille ou le zeste de 1 citron ou de 1 orange**
- **4 pêches pochées ou en conserve, égouttées**
- **4 prunes pochées ou en conserve, égouttées**

SAUCE SABAYON
- **2 jaunes d'œufs**
- **1 c. à soupe de sucre**
- **⅓ tasse de xérès doux**

1 Mettez le sirop dans une casserole avec la gousse de vanille ou le zeste et faites-le mijoter à feu modéré pendant 5 minutes.
2 Plongez-y les fruits pochés et réchauffez-les doucement en les retournant une ou deux fois et en les aspergeant de sirop.
3 Préparez la sauce au bain-marie au-dessus d'une casserole d'eau frémissante. Mettez-y les jaunes d'œufs, le sucre et le xérès et réchauffez-les en remuant au fouet sans arrêt jusqu'à ce que le mélange devienne crémeux et luisant et que le thermomètre indique 77 °C (170 °F). L'eau ne doit jamais bouillir car cela ferait coaguler les œufs et la sauce tournerait.
4 Versez immédiatement sur les fruits chauds et servez avec un petit biscuit.
DONNE 4-6 PORTIONS • PRÉPARATION 30 MINUTES

Figues au brandy

Pour un dessert raffiné prêt en un tournemain, ayez toujours sous la main un bocal de ces figues.

Servez-les nappées de crème fraîche, poudrées de sucre ou gratinées comme ci-dessous.

- **1 kg (2 lb) de figues fraîches ou 500 g (1 lb) de figues séchées, coupées en deux à la verticale**
- **1 tasse d'eau**
- **⅔ tasse de sucre**
- **4 grains d'anis étoilé**
- **1 bâton de cannelle**
- **1 tasse de brandy**

1 Mettez les figues, l'eau et le sucre dans une casserole. À feu doux, portez à ébullition et laissez mijoter 2 minutes si les figues sont fraîches, 5 à 8 minutes si elles sont séchées.
2 Retirez les figues avec une cuiller à trous. Dès qu'elles peuvent être manipulées, répartissez-les de façon décorative avec les épices dans un pot muni d'un couvercle étanche.
3 Versez le brandy et achevez de remplir le pot avec le sirop de pochage. Les saveur mettent au moins 1 semaine à se développer.
DONNE 2 POTS DE 2 TASSES • PRÉPARATION 30 MINUTES PLUS 1 SEMAINE DE MACÉRATION

Gratin de figues au brandy

Un dessert somptueux et pourtant simple à faire quand on a déjà préparé des figues comme ci-dessus.

- **8 figues au brandy (voir recette précédente)**
- **sauce sabayon (voir recette à gauche)**
- **sucre à glacer tamisé**
- **feuilles de menthe fraîche**

1 Allumez le gril. Égouttez les figues dans une passoire et disposez-les sur quatre assiettes pouvant soutenir la chaleur du gril.
2 Nappez de sauce sabayon et poudrez légèrement de sucre à glacer. Glissez les assiettes quelques secondes sous le gril, le temps de dorer la surface. Décorez de menthe.
DONNE 4 PORTIONS • PRÉPARATION 30 MINUTES

VARIANTES Apprêtez de la même façon n'importe quel fruit poché (pêches, poires, etc.).

Pêches en conserve

La même méthode convient à beaucoup d'autres fruits tels que prunes, nectarines ou abricots.

- ◆ **2 kg (4 lb) de petites pêches**
- ◆ **3 tasses de sucre**
- ◆ **4 tasses d'eau**
- ◆ **1 bâton de cannelle**
- ◆ **4 clous de girofle**
- ◆ **1 tasse de kirsch (facultatif)**

1 Pour peler les pêches, plongez-les 30 secondes dans l'eau bouillante puis dans l'eau froide.
2 Mettez le sucre, l'eau et les épices dans une grande casserole. Portez à ébullition à feu modéré.
3 Tranchez les pêches en deux et enlevez le noyau. Percez chaque moitié quatre fois pour permettre au sirop de pénétrer la chair. Plongez les pêches dans le sirop et laissez-les mijoter 5 minutes. Soulevez-les avec une cuiller à trous et disposez-les joliment avec les épices dans des pots stérilisés chauds (p. 168).
4 Réduisez le sirop en le faisant bouillir 5 minutes. Ajoutez le kirsch, si vous le voulez, et versez sur les fruits. Bouchez les pots et réfrigérez-les. Ils se gardent plusieurs mois.
DONNE 2 GROS POTS • PRÉPARATION 50 MINUTES

VARIANTES Pour les poires, le vin blanc ou le xérès conviennent mieux que le kirsch. Variez le parfum avec de la menthe ou du thym.

Meringues

Si les meringues ramollissent au bout de quelque temps, faites-les raffermir 5 minutes à four doux.

- ◆ **le blanc de 3 gros œufs**
- ◆ **1 pincée de crème de tartre**
- ◆ **½ tasse de sucre granulé**
- ◆ **½ tasse de cassonade**

1 Préchauffez le four à 120 °C (250 °F). Huilez légèrement des tôles et poudrez-les de farine. Une autre méthode consiste à les chemiser de papier de cuisson.
2 Dans un grand bol, fouettez les blancs d'œufs d'abord doucement, au batteur électrique ou avec un fouet métallique. Lorsqu'ils ont commencé à mousser, ajoutez la crème de tartre. Battez ensuite plus vite pour les rendre très fermes.
3 Ajoutez peu à peu 2 c. à soupe de sucre et continuez de battre pendant 2 ou 3 minutes. Mélangez le reste de sucre avec la cassonade. Incorporez la moitié de ce mélange en battant et l'autre moitié délicatement à la spatule.
4 Avec une cuiller à thé, formez de petits monticules ovales sur les tôles en les espaçant de 3 cm (1 po).
5 Faites cuire les meringues pendant 1 h 30. Éteignez le four. Retournez chaque meringue pour y enfoncer le doigt légèrement. Achevez de dessécher au four pendant environ 1 heure.
DONNE 24-36 MERINGUES • PRÉPARATION 3 HEURES

VARIANTES Pour des meringues que vous garnirez – de crème glacée et de fruits par exemple –, creusez un peu le dessus avant d'enfourner. À l'étape 5, ne les retournez pas : laissez-les se dessécher dans le four éteint.

Tiramisu

Vous ne vous étonnerez pas d'apprendre que c'est le dessert favori des Italiens.

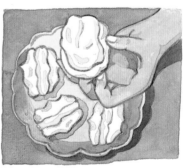

- ◆ **24 biscuits à la cuiller tranchés en deux à l'horizontale**
- ◆ **¾ tasse de café fort refroidi**
- ◆ **¼ tasse de rhum**
- ◆ **500 g (1 lb) de fromage mascarpone**
- ◆ **⅓ tasse de sucre**
- ◆ **2 c. à soupe plus 2 c. à thé de blancs d'œufs en poudre**
- ◆ **½ tasse d'eau**
- ◆ **¾ tasse de crème épaisse bien refroidie**
- ◆ **1 c. à thé d'essence de vanille**
- ◆ **50 g (2 oz) de chocolat râpé**

1 Préchauffez le four à 190 °C (375 °F). Faites griller les biscuits sur la tôle pendant 8 minutes. Disposez-en la moitié au fond d'un plat à four peu profond d'une contenance de 6 tasses. Mélangez le café et le rhum et aspergez-en la moitié sur ces biscuits.

CONFECTION DES MERINGUES

1 *Séparez soigneusement les blancs d'œufs des jaunes : la moindre trace de jaune peut empêcher les blancs de monter. Servez-vous d'accessoires – bol et fouet ou batteurs – propres et secs.*

2 *La préparation est prête lorsqu'on n'y discerne plus le moindre grain de sucre. Répartissez-la sur les tôles avec une cuiller mouillée. Aidez-vous de votre doigt pour former des ovales.*

3 *Confectionnez des meringues de taille égale. Ménagez-leur beaucoup d'espace pour permettre la circulation de l'air. Une fois cuites, elles doivent avoir à peine blondi.*

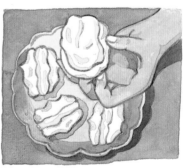

4 *Si on a l'intention de les garnir deux à deux en sandwich, il faut enfoncer le dessous un peu dès qu'elles sont cuites. La garniture pourra être de la crème fouettée, de la confiture ou de la pâte de lime.*

2 Dans un grand bol, fouettez le mascarpone avec 2 c. à soupe de sucre. Mettez la poudre de blanc d'œuf avec l'eau dans le bol du batteur électrique ; diluez-la en agitant une fourchette. Puis, à haute vitesse, battez les blancs d'œufs en ajoutant graduellement le sucre, jusqu'à ce qu'ils deviennent fermes et luisants.

3 Fouettez légèrement la crème avec la vanille. Incorporez-la au mascarpone en retournant la masse avec une spatule. Incorporez, pour finir, les blancs d'œufs battus.

4 Étalez la moitié de la préparation sur le fond de biscuits. Répartissez le reste des biscuits et aspergez-les de café au rhum. Recouvrez avec l'autre moitié de la préparation et saupoudrez de chocolat râpé. Couvrez et réfrigérez 2 heures.

DONNE 8-10 PORTIONS • PRÉPARATION 45 MINUTES PLUS 2 HEURES DE REFROIDISSEMENT

Pouding à la vanille

Un bon complément pour les fruits de saison.

- **¾ tasse de sucre**
- **1½ c. à soupe de fécule de maïs**
- **1 pincée de sel**
- **2 tasses de lait**
- **1 œuf**
- **2 c. à soupe de beurre**
- **1 c. à thé d'essence de vanille**

1 Mettez dans une casserole le sucre, la fécule et le sel. Ajoutez le lait et remuez : vous aurez une pâte lisse. Faites-la épaissir à feu modéré, en remuant constamment. Aux premiers bouillons, baissez le feu et prolongez la cuisson de 2 minutes en remuant. Retirez du feu.

2 Fouettez l'œuf pour le rendre mousseux. Réchauffez-le avec ½ tasse du mélange chaud avant de l'ajouter à la casserole. Faites épaissir 2 minutes à feu doux en remuant.

3 Retirez du feu, ajoutez le beurre et la vanille et versez dans des bols individuels. Refroidissez d'abord, puis réfrigérez.

DONNE 4-6 PORTIONS • PRÉPARATION 25 MINUTES PLUS 2 HEURES DE REFROIDISSEMENT

VARIANTES Pour un pouding au chocolat, parfumez le lait à l'étape 1 avec 50 g (2 oz) de chocolat mi-amer haché. Pour un pouding chocolat-menthe, mettez quelques feuilles de menthe froissées dans le lait au moment de le chauffer. Retirez-les à l'étape 2.

Pouding au riz parfumé à l'orange

Servez-le chaud ou froid avec des fruits ou de la confiture ou, mieux encore, de la marmelade.

- **½ tasse de riz à grains courts**
- **⅔ tasse d'eau**
- **⅛ c. à thé de sel**
- **1 tasse de lait**
- **1 tasse de crème épaisse**
- **⅓ tasse de sucre**
- **2 œufs**
- **1 c. à thé de zeste d'orange râpé**
- **⅛ c. à thé de muscade râpée**

1 Préchauffez le four à 160 °C (325 °F). Beurrez un plat à four de 6 tasses. Mettez le riz, l'eau et le sel dans une casserole. Portez à ébullition et laissez mijoter, avec un couvercle, pendant 12 minutes. Hors du feu, ajoutez le reste des ingrédients.

2 Versez la préparation dans le plat et faites cuire 50 minutes pour qu'elle se raffermisse.

DONNE 6 PORTIONS • PRÉPARATION 1 H 10

Coulis de framboises

Faites de la même façon un coulis de fraises, de mûres ou de bleuets. Pour un coulis de pêches ou d'abricots, utilisez des fruits frais et faites-les d'abord pocher légèrement.

DE BELLES IDÉES

DESSERTS DE FANTAISIE

Nappez de sauce chaude au chocolat ou au caramel des crêpes garnies de bananes tranchées. Décorez de crème glacée ou de crème fouettée.

Faites une pyramide de meringues en les agglutinant avec du pouding à la vanille. Nappez de sauce chaude au chocolat et décorez d'éclats d'amandes grillées.

- **½ casseau de framboises fraîches ou 1 paquet (250 g / 8 oz) de framboises congelées**
- **sucre à volonté**

1 Réduisez les framboises en purée au mélangeur ou au robot avec environ 2 c. à soupe de sucre. Passez la purée à travers un tamis. Ajustez la quantité de sucre.

2 Servez le coulis très frais. Bien couvert, il se conserve 2 jours au réfrigérateur.

DONNE ENVIRON 1 TASSE • PRÉPARATION 20 MINUTES

Sauce chaude au chocolat

Délicieuse sur une crème glacée à la vanille.

- **⅓ tasse de lait**
- **½ tasse de crème épaisse**
- **¼ tasse de sucre**
- **200 g (7 oz) de chocolat mi-amer**

1 Réchauffez à feu doux le lait, la crème et le sucre.

2 Ajoutez le chocolat et remuez pour le dissoudre. Servez tout de suite ou réfrigérez et réchauffez à feu doux à la dernière minute.

DONNE ENVIRON 1 ½ TASSE • PRÉPARATION 10 MINUTES

Sauce au caramel

Une autre sauce passe-partout.

- **170 g (6 oz) de beurre doux**
- **1½ tasse de cassonade**
- **⅛ c. à thé de sel**
- **1 tasse de crème épaisse**
- **1 c. à thé d'essence de vanille**

1 Faites fondre le beurre à feu doux dans une petite casserole. Ajoutez la cassonade, le sel et la crème ; remuez pour dissoudre la cassonade. Laissez mijoter 10 minutes en remuant sans arrêt pour empêcher la cassonade de cristalliser. Hors du feu, ajoutez la vanille.

2 Servez cette sauce chaude ou froide. Elle se garde 1 semaine au réfrigérateur dans un contenant bien couvert.

DONNE ENVIRON 2 ½ TASSES • PRÉPARATION 15 MINUTES

◆ Crèmes glacées ◆

Une crème glacée maison est l'un des plus grands plaisirs gustatifs que l'on puisse s'offrir. Et le fait de n'avoir pas de sorbetière n'est pas une excuse pour s'en priver (voir p. 15).

Crème glacée à la mangue

Une glace exotique au parfum des tropiques qu'il faut se hâter de manger dans les deux jours.

- ◆ **2 mangues bien mûres**
- ◆ **1 tasse de sucre**
- ◆ **2 tasses de crème épaisse**
- ◆ **1 tasse de lait**
- ◆ **1 c. à thé d'essence de vanille**

1 Pelez les mangues et détachez la pulpe du noyau. Défaites-la en purée au mélangeur avec le sucre.

2 Ajoutez le reste des ingrédients et mélangez le tout. Versez la préparation dans la sorbetière et suivez les directives du fabricant.

3 Servez la crème glacée aussitôt ou congelez-la dans un contenant couvert d'une pellicule de plastique. Faites-la ramollir 15 à 30 minutes au réfrigérateur avant de la servir.

DONNE 4-5 TASSES • PRÉPARATION 45 MINUTES

Crème glacée à la lavande

On trouve du miel de lavande, de même que des fleurs de lavande séchées, dans les boutiques d'aliments naturels.

- ◆ **¾ tasse de lait**
- ◆ **½ tasse de miel de lavande ou autre miel de fleurs**
- ◆ **2 ½ tasses de crème épaisse**
- ◆ **4 jaunes d'œufs**
- ◆ **2 c. à thé de fleurs fraîches de lavande ou 1 ½ c. à thé de fleurs séchées**
- ◆ **1 c. à thé d'essence de vanille**

1 Dans une grande casserole, chauffez le lait, le miel et 1 tasse de crème à feu modéré, en tournant pour dissoudre le miel. Fouettez les jaunes d'œufs dans un bol à part.

2 En remuant sans arrêt, réchauffez doucement les jaunes d'œufs avec la moitié du lait chaud, puis versez-les dans la casserole. Faites mijoter la préparation à feu doux, en l'agitant au fouet, jusqu'à ce qu'elle épaississe et que le thermomètre indique 77 °C (170 °F). Incorporez au fouet le reste de la crème fraîche, les fleurs de lavande et la vanille.

3 Réfrigérez la préparation pendant 8 heures. Retirez les fleurs si vous le désirez.

4 Filtrez la préparation en la versant dans la sorbetière. Pour la suite, suivez les directives du fabricant.

5 Servez la crème glacée aussitôt ou congelez-la dans un contenant couvert d'une pellicule de plastique. Faites-la ramollir 15 à 30 minutes au réfrigérateur avant de la servir.

DONNE 4-5 TASSES • PRÉPARATION 10 HEURES AU TOTAL

Crème glacée aux petits fruits

Son parfum sera plus riche si vous mêlez plusieurs petits fruits – mûres et bleuets par exemple.

- ◆ **2 tasses de petits fruits**
- ◆ **½ tasse de sucre**
- ◆ **½ tasse de lait**
- ◆ **1 ½ tasse de crème épaisse**
- ◆ **⅛ c. à thé de sel**

1 Triez les petits fruits et mettez-les dans un bol avec la moitié du sucre (¼ tasse). Écrasez-les au pilon.

2 Mélangez le lait, la crème, le sel et le reste du sucre.

3 Versez la préparation dans la sorbetière et suivez les directives du fabricant.

4 Servez la crème glacée aussitôt ou congelez-la dans un contenant couvert d'une pellicule de plastique. Faites-la ramollir 15 à 30 minutes au réfrigérateur avant de la servir.

DONNE 3-4 TASSES • PRÉPARATION 45 MINUTES

Crème glacée à la mandarine

Aussi raffinée que simple à réaliser, cette glace spectaculaire par son goût se fait avec des mandarines en conserve.

- ◆ **3 boîtes (284 ml/10 oz chacune) de mandarines égouttées**
- ◆ **jus de 1 orange**
- ◆ **1 tasse de sucre**
- ◆ **1 tasse de crème épaisse**
- ◆ **1 tasse de crème épaisse pour la décoration (facultatif)**
- ◆ **quartiers de mandarine ou petits fruits pour la décoration**

1 Au mélangeur, défaites les quartiers de mandarine en purée puis filtrez cette purée à travers une passoire. Versez suffisamment de jus d'orange pour avoir 2 tasses de purée. Ajoutez le sucre et remuez pour le dissoudre.

2 Fouettez 1 tasse de crème pour qu'elle soit ferme mais moelleuse ; incorporez-y la purée à la spatule. Dans un bol de métal inoxydable ou de plastique recouvert d'une pellicule de plastique, congelez la préparation pendant 2 heures à 2 h 30 : elle sera partiellement prise.

3 Fouettez-la pour la rendre moelleuse. Congelez-la à nouveau pendant 3 à 6 heures.

4 Démoulez et décorez de crème fouettée, au goût, et de quartiers de mandarine.

DONNE 4-5 TASSES • PRÉPARATION 15 MINUTES PLUS 8 H 30 DE RAFFERMISSEMENT

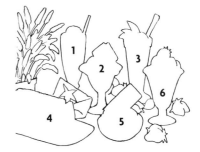

Rien ne vous vaudra plus de reconnaissance de la part de vos convives qu'une glace ou un sorbet maison, dont voici un assortiment : **1** *Crème glacée aux petits fruits* **2** *Crème glacée à la lavande* **3** *Crème glacée à la mangue* **4** *Semifreddo aux pacanes (p. 90)* **5** *Sorbet citron-menthe (p. 92)* **6** *Sorbet aux fraises (p. 90)*

QUELQUES SAUCES

AU CARAMEL ÉCOSSAIS Au micro-ondes ou au bain-marie, faites fondre 85 g (3 oz) de chocolat mi-amer. Ajoutez ½ tasse de crème épaisse et ½ tasse de caramel écossais. Remuez pour dissoudre et bien amalgamer. Servez chaud.

Faites votre propre caramel écossais en suivant les étapes 1 à 3 de la recette de Crème glacée au caramel croquant (page ci-contre). Donne 1 tasse.

AUX FRUITS EXOTIQUES Pelez 1 mangue et réduisez-la en purée au mélangeur. Ajoutez ½ tasse de pulpe de fruits de la passion (6 à 8 fruits) filtrée au tamis. Réfrigérez. Donne 1 tasse.

Crème glacée bananes et miel

On peut l'accompagner de biscottis (p. 64) ou de biscuits au gingembre.

- ◆ **6 jaunes d'œufs**
- ◆ **2 tasses de lait**
- ◆ **½ tasse de miel**
- ◆ **2 c. à thé d'essence de vanille**
- ◆ **2 tasses de crème épaisse**
- ◆ **3 bananes écrasées (1 tasse)**

1 Dans une casserole au bain-marie, mélangez au fouet les jaunes d'œufs et le lait. Ajoutez le miel et la vanille. Cuisez à feu modéré en remuant jusqu'à ce que la préparation nappe la cuiller (77 °C / 170 °F au thermomètre).

2 Versez la préparation dans un bol et attendez qu'elle refroidisse. Couvrez de pellicule de plastique et réfrigérez pendant 1 heure.

3 Incorporez la crème épaisse et la purée de bananes. Versez dans une sorbetière et suivez les directives du fabricant.

4 Servez la crème glacée aussitôt ou congelez-la dans un contenant couvert d'une pellicule de plastique. Faites-la ramollir 15 à 30 minutes au réfrigérateur avant de la servir.

DONNE 5-6 TASSES • PRÉPARATION 2 H 30

Crème glacée à la vanille

Elle se marie à merveille aux deux sauces décrites dans l'encadré de gauche.

- ◆ **2 tasses de lait**
- ◆ **1 petite gousse de vanille fendue en deux**
- ◆ **8 jaunes d'œufs battus**
- ◆ **¾ tasse de sucre**
- ◆ **¼ c. à thé de sel**
- ◆ **4 c. à soupe d'essence de vanille**
- ◆ **2 tasses de crème épaisse**

1 Dans une casserole à fond épais, chauffez le lait jusqu'à ce qu'il se forme des petites bulles. Hors du feu, ajoutez la gousse de vanille. Couvrez et laissez tiédir.

2 Retirez la gousse et remettez dans le lait les graines détachées à la pointe du couteau. Fouettez dans un bol les jaunes d'œufs avec le sucre, le sel et la vanille. Quand le mélange est devenu bien crémeux, versez-y le lait chaud en remuant énergiquement.

3 Remettez dans la casserole et faites cuire, sans cesser de remuer, pendant 6 minutes : la préparation doit napper la cuiller (77 °C / 170 °F).

4 Filtrez-la dans un bol à travers un tamis. Remuez pendant qu'elle refroidit. Incorporez au fouet la crème fraîche. Couvrez de pellicule de plastique et réfrigérez 1 heure.

5 Versez la préparation dans une sorbetière et suivez les directives du fabricant.

6 Servez la crème glacée aussitôt ou congelez-la dans un contenant couvert d'une pellicule de plastique. Faites-la ramollir 15 à 30 minutes au réfrigérateur avant de la servir.

DONNE 5-6 TASSES • PRÉPARATION 2 H 30

Crème glacée aux agrumes

Avec son petit goût acidulé, cette glace est un bon complément pour une salade de fruits.

- ◆ **½ tasse d'un jus d'agrume**
- ◆ **1 œuf**
- ◆ **1 tasse de sucre**
- ◆ **1 tasse de crème épaisse**
- ◆ **1 ½ tasse de lait**
- ◆ **1 c. à soupe de zeste râpé du même agrume**
- ◆ **1 pincée de sel**

1 Dans une casserole à fond épais, faites cuire le jus d'agrume, l'œuf et le sucre à feu doux, sans cesser de remuer, jusqu'à ce que le sucre soit dissous et que le thermomètre indique 77 °C (170 °F). Ajoutez la crème, le lait, le zeste râpé et le sel.

2 Laissez refroidir la préparation, puis réfrigérez-la pendant 1 heure.

3 Versez la préparation dans la sorbetière et suivez les directives du fabricant.

4 Servez la crème glacée aussitôt ou congelez-la dans un contenant couvert d'une pellicule de plastique. Faites-la ramollir 15 à 30 minutes au réfrigérateur avant de la servir.

DONNE 5-6 TASSES • PRÉPARATION 2 HEURES

TRUCS ET ASTUCES

QUELQUES REMARQUES

Faites votre propre essence de vanille. Mettez 1 gousse de vanille et 3 c. à soupe de vodka dans un bocal fermé. Au bout de 4 semaines, jetez la gousse : le liquide sera de l'essence.

Dans une sorbetière à l'ancienne, on brasse la crème glacée sur un mélange de glace pilée et de sel gemme. Les pales sont activées par une manivelle. Plus la crème glacée se refroidit, plus l'effort à fournir est grand.

Les sorbetières électriques les plus grosses et les plus chères refroidissent et malaxent la crème glacée en même temps. D'autres plus petites ne font que malaxer au congélateur.

Crème glacée aux pêches

Un des vrais plaisirs de l'été, cette glace peut également se faire avec 10 ou 12 abricots frais.

- ◆ **5 grosses pêches bien mûres**
- ◆ **1 c. à soupe de jus de citron**
- ◆ **½ tasse de miel**
- ◆ **1 ¼ tasse de crème épaisse**
- ◆ **¼ tasse de sucre**
- ◆ **1 c. à thé d'essence de vanille**

1 Incisez en X la pelure à la base des pêches, plongez-les 1 minute dans l'eau bouillante et déposez-les dans l'eau froide : les peaux s'enlèveront facilement. Hachez la pulpe.
2 Au mélangeur, défaites la pulpe en purée grossière avec le jus de citron et le miel.
3 Dans un grand bol, battez la crème fraîche avec le sucre et la vanille : elle doit être épaisse mais pas trop ferme. Incorporez la purée.
4 Versez la préparation dans la sorbetière et suivez les directives du fabricant.
5 Servez la crème glacée aussitôt ou congelez-la dans un contenant couvert d'une pellicule de plastique. Faites-la ramollir 15 à 30 minutes au réfrigérateur avant de la servir.
DONNE 4-5 TASSES • PRÉPARATION 1 H 30

Crème glacée hawaïenne

Le parfum des tropiques domine dans cette glace très goûteuse qu'on sert avec des biscottis.

- ◆ **1 ⅓ tasse de lait très chaud**
- ◆ **3 œufs**
- ◆ **1 tasse de sucre**
- ◆ **½ tasse de filaments de noix de coco sucrée**
- ◆ **2 c. à thé d'essence de vanille**
- ◆ **1 boîte (540 ml/19 oz) d'ananas écrasés, égouttés**
- ◆ **1 ⅓ tasse de crème épaisse**

1 Dans une casserole à fond épais, mélangez au fouet le lait chaud avec les œufs et le sucre. Cuisez la préparation à feu doux, sans cesser de la tourner, jusqu'à ce qu'elle nappe la cuiller (77 °C/170 °F). Versez-la dans un bol à travers une passoire. Incorporez la noix de coco, la vanille et l'ananas. Rajoutez la crème fraîche et réfrigérez bien.
2 Versez la préparation dans une sorbetière et suivez les directives du fabricant.
3 Servez la crème glacée aussitôt ou congelez-la dans un contenant couvert d'une pellicule de plastique. Faites-la ramollir 15 à 30 minutes au réfrigérateur avant de la servir.
DONNE 4-5 TASSES • PRÉPARATION 1 H 30

VARIANTES Remplacez l'ananas et la noix de coco par 250 g (8 oz) de l'un ou l'autre des ingrédients suivants : barre chocolatée aux fruits et aux noix, hachée ; biscuits oréos écrasés ; fruits confits et noix hachés.

Crème glacée au caramel croquant

La note croquante et sucrée du caramel dans le velouté de la glace à la vanille produit une combinaison irrésistible.

CARAMEL CROQUANT
- ◆ **5 c. à soupe de sucre**
- ◆ **2 c. à soupe de miel**
- ◆ **1 c. à thé de bicarbonate de soude**

CRÈME GLACÉE
- ◆ **1 ⅓ tasse de lait**
- ◆ **1 tasse de crème épaisse**
- ◆ **1 gousse de vanille fendue**
- ◆ **½ tasse de sucre**
- ◆ **¾ tasse d'eau**
- ◆ **6 jaunes d'œufs**

1 Chemisez une tôle de papier d'aluminium.
2 Mettez le sucre et le miel dans une casserole à fond épais et portez lentement à ébullition en remuant. Laissez mijoter 4 minutes à feu très doux en remuant de temps à autre.
3 Hors du feu, ajoutez le bicarbonate en tournant vigoureusement, ce qui produira une imposante quantité de bulles. Versez le caramel sur la tôle et laissez-le refroidir.
4 Cassez le caramel en petits morceaux.
5 Pour faire la crème glacée, faites d'abord chauffer le lait et la crème avec la vanille dans une casserole à fond épais. Retirez du feu, mettez un couvercle et laissez infuser. Ne conservez de la gousse de vanille que les grains que vous détacherez à la pointe du couteau.
6 Dans une autre casserole, faites chauffer le sucre et l'eau. Quand le sucre s'est dissous, augmentez la chaleur et faites bouillir jusqu'à ce qu'une goutte de ce sirop forme une boule dure dans l'eau froide (127 °C/260 °F).
7 Pendant ce temps, fouettez les jaunes d'œufs pour les épaissir. Versez dessus le sirop chaud en filet mince et ne cessez de fouetter qu'une fois la préparation refroidie : elle sera crémeuse et légère.
8 Filtrez le lait infusé à travers un tamis, versez-le dans la préparation aux œufs et mélangez. Versez le tout dans une sorbetière et suivez les directives du fabricant. Ajoutez le caramel à la crème glacée à moitié prise.
9 Servez la crème glacée aussitôt ou congelez-la dans un contenant couvert d'une pellicule de plastique. Faites-la ramollir 15 à 30 minutes au réfrigérateur avant de la servir.
DONNE 5-6 TASSES • PRÉPARATION 3-6 HEURES

Crème glacée au chocolat

Cette version part d'un flan au chocolat.

- ◆ **1 ¼ tasse de lait très chaud**
- ◆ **3 œufs**
- ◆ **¾ tasse de sucre**
- ◆ **60 g (2 oz) de chocolat amer haché en petits morceaux**
- ◆ **2 c. à thé d'essence de vanille**
- ◆ **¼ c. à thé de sel**
- ◆ **2 tasses de crème épaisse**

1 Dans une casserole à fond épais, mélangez au fouet le lait chaud, les œufs et le sucre. Cuisez à feu doux, toujours en fouettant, jusqu'à ce que le thermomètre marque 77 °C (170 °F). Filtrez la préparation. Incorporez le chocolat, la vanille et le sel, puis la crème fraîche. Réfrigérez.
2 Versez la préparation dans une sorbetière et suivez les directives du fabricant.
3 Servez la crème glacée aussitôt ou congelez-la dans un contenant couvert d'une pellicule de plastique. Faites-la ramollir 15 à 30 minutes au réfrigérateur avant de la servir.
DONNE 4-5 TASSES • PRÉPARATION 2 H 30

Desserts glacés et autres friandises

L'été, en pleine canicule, quoi de plus rafraîchissant qu'un sorbet aux fruits, un yogourt congelé bien crémeux, ou encore le traditionnel gâteau à la crème glacée! Vous trouverez ici la recette de toutes ces gourmandises, y compris les bananes au chocolat et les suçons glacés aux fruits tropicaux.

Semifreddo aux pacanes

Semifreddo signifie, en italien, à demi gelé.
La consistance de ce dessert évoque une mousse glacée ou une crème glacée molle.

- ◆ **2 ½ tasses de lait**
- ◆ **6 jaunes d'œufs**
- ◆ **¼ tasse de sucre**
- ◆ **1 ¾ tasse de crème épaisse**
- ◆ **3 c. à soupe de sirop d'érable**
- ◆ **½ tasse de pacanes hachées**
- ◆ **¾ c. à thé d'essence d'amande**
- ◆ **12 biscuits à la cuiller**
- ◆ **chocolat râpé pour décorer**

1 Graissez un moule à pain de 25 x 10 cm (10 x 4 po). Tapissez-le avec de la pellicule plastique que vous pourrez rabattre sur la surface.
2 Faites chauffer le lait sans le laisser frémir.
3 Dans un bol résistant à la chaleur, fouettez les jaunes d'œufs et le sucre. Quand le mélange est devenu jaune pâle, incorporez doucement le lait chaud. Placez le bol au-dessus d'une casserole d'eau frémissante et faites épaissir en remuant suffisamment pour napper la cuiller (77 °C/170 °F).
4 Retirez le bol de la casserole et appliquez de la pellicule de plastique sur la surface pour prévenir la formation d'une peau. Laissez refroidir complètement.
5 Fouettez légèrement la crème fraîche. À la spatule, incorporez-y la préparation aux œufs refroidie, le sirop d'érable, les pacanes hachées et l'essence d'amande.
6 Versez la préparation dans le moule. Disposez soigneusement sur la surface un rang de biscuits à la cuiller. Rabattez la pellicule de plastique pour recouvrir le moule et rangez-le au congélateur pendant 6 à 8 heures. Sortez le semifreddo du congélateur environ 15 minutes avant de le servir et laissez-le ramollir au réfrigérateur. Démoulez-le sur une assiette de ser-

vice de manière à l'asseoir sur la couche de biscuits. Saupoudrez de chocolat râpé et servez sans tarder. Vous pouvez le réfrigérer de nouveau, mais pas plus de 20 à 30 minutes.
DONNE 8 PORTIONS • PRÉPARATION 8 HEURES EN TOUT

Gâteau à la crème glacée

Ce «gâteau» qui fait le bonheur des enfants n'est rien d'autre qu'un sundae au chocolat dans une abaisse de biscuits oréos. Simple à confectionner, il donne aux petits l'occasion de mettre la main à la pâte. Si vous le servez pour un anniversaire, laissez le fêté choisir le parfum des deux glaces.

- ◆ **1 ½ tasse de biscuits oréos écrasés au robot**
- ◆ **2 c. à soupe de beurre fondu**
- ◆ **3 tasses de crème glacée au café ramollie**
- ◆ **¾ tasse de sauce au chocolat (p. 85) tiède ou refroidie**
- ◆ **3 tasses de crème glacée à la vanille, au chocolat ou au caramel croquant, ramollie**
- ◆ **½ tasse d'amandes grillées ou de chocolat râpé pour décorer**

1 Mélangez soigneusement à la fourchette les biscuits émiettés avec le beurre. Pressez-les au fond et à mi-hauteur d'un moule à fond amovible de 20 cm (8 po) de diamètre. Faites raffermir au congélateur pendant 30 minutes.
2 Étalez la crème glacée au café dans le moule et congelez encore pendant 30 minutes. Nappez de sauce au chocolat; congelez 15 minutes. Étalez l'autre crème glacée, lissez la surface et décorez d'amandes ou de chocolat râpé. Couvrez avec de la pellicule de plastique et remettez au congélateur 1 heure au moins.
3 Entourez le moule d'un linge trempé dans l'eau bouillante pour mieux démouler le

gâteau. Découpez-le avec un couteau trempé dans l'eau chaude.
DONNE 8-10 PORTIONS • PRÉPARATION 2 H 30 EN TOUT

Sorbet aux fraises

Vous pouvez associer aux fraises des framboises et des bleuets.

- ◆ **6 tasses de fraises (ou d'un mélange de petits fruits)**
- ◆ **1 ¾ tasse de sucre**
- ◆ **2 tasses de jus d'orange sans pulpe**
- ◆ **2 c. à soupe de Grand Marnier**
- ◆ **fleurs et feuilles comestibles pour la décoration**

1 Nettoyez les fraises sous l'eau; égouttez-les. Équeutez-les, tranchez-les en deux et mettez-les dans un bol avec le sucre et le jus d'orange. Laissez macérer pendant 1 heure.
2 Au robot, défaites-les en purée avec leur jus, puis ajoutez le Grand Marnier.
3 Versez la préparation dans deux bacs ou dans un contenant à congélation peu profond. Congelez-la 1 heure ou plus pour qu'elle soit ferme mais non dure.
4 À l'aide d'une cuiller, remettez-la dans le bol du robot. Défaites les cristaux en actionnant le moteur par intermittence.
5 Remettez la préparation au congélateur.
6 Répétez l'étape 4.
7 Remettez la préparation dans les bacs, couvrez de pellicule de plastique et, cette fois, laissez le sorbet devenir tout à fait dur.
8 Avant de le servir, faites-le ramollir 15 minutes au réfrigérateur. Présentez-le dans des coupes rafraîchies et décorez-le, si vous le désirez, de fleurs et de feuilles.
DONNE ENVIRON 6 TASSES • PRÉPARATION 10 HEURES
INCLUANT TEMPS DE RAFFERMISSEMENT

Suçons glacés aux fruits tropicaux

Pour ces friandises glacées, combinez fruits tropicaux et fruits saisonniers : ananas, papayes, mangues, pêches, raisins, pommes, oranges ou autres. Pelez-les au-dessus du bol pour recueillir leur jus.

- ◆ **6 tasses de fruits pelés, parés au besoin et coupés en bouchées**
- ◆ **3 tasses de punch aux fruits tropicaux ou de jus d'orange**

1 Mélangez les fruits dans un bol. Remplissez aux trois quarts de ce mélange des gobelets de plastique de la taille voulue. Des petits moules de fantaisie conviendront aussi.

2 Versez le punch ou le jus sur les fruits en tenant compte que les liquides se dilatent en congelant. Insérez un bâtonnet au centre à mi-temps de leur congélation.

DONNE 24 GOBELETS DE ½ TASSE • PRÉPARATION 10 MINUTES PLUS UNE NUIT DE CONGÉLATION

Bananes glacées au chocolat

Teintez les bâtonnets avec du colorant alimentaire.

- ◆ **8 petites bananes**
- ◆ **250 g (8 oz) de chocolat noir**
- ◆ **3 c. à soupe de graisse végétale**
- ◆ **1 tasse chacune de noix de Grenoble et de noix macadam hachées**
- ◆ **8 brochettes de bois débarrassées des extrémités pointues**

1 Tapissez une tôle de pellicule de plastique.

2 Enfoncez les brochettes à mi-longueur dans les bananes ; alignez celles-ci sur la tôle, couvrez de pellicule de plastique et congelez.

3 Faites d'abord fondre le chocolat dans la graisse végétale au bain-marie. En tenant les bananes une à une au-dessus du bol, nappez-les de chocolat sur toute leur surface, puis enrobez-les de noix.

4 Remettez-les sur la tôle au congélateur. Enveloppez-les individuellement quand le chocolat est ferme.

DONNE 8 BANANES • PRÉPARATION 1 H 45

Bananes glacées au chocolat (derrière), suçons glacés aux fruits tropicaux (à droite) et aux fraises (devant).

Suçons glacés aux fraises

- ◆ **2 casseaux de fraises**
- ◆ **½ tasse de jus de pomme concentré**
- ◆ **8 bâtonnets**

Écrasez les fraises sans les réduire en purée. Incorporez le jus de pomme concentré. Remplissez des bacs à glaçons ou de petits gobelets de papier. Faites durcir au congélateur en insérant les bâtonnets à mi-temps.

DONNE 8 SUÇONS DE ⅓ DE TASSE • PRÉPARATION 10 MINUTES PLUS 6 HEURES DE CONGÉLATION

Sorbet citron-menthe

Servi dans une jolie coupe, ce sorbet simple à confectionner fait toujours belle figure au menu.

- ◆ **1 tasse de sucre**
- ◆ **2 ½ tasses d'eau**
- ◆ **½ tasse bien tassée de feuilles de menthe fraîche**
- ◆ **½ tasse de jus de citron**

1 Dans une casserole à fond épais, chauffez le sucre et l'eau à feu modéré en remuant jusqu'à dissolution du sucre. Laissez bouillir le sirop 3 minutes. Plongez-y les feuilles de menthe et laissez infuser environ 1 heure.

2 Filtrez le sirop à travers un tamis et ajoutez le jus de citron.

3 Versez la préparation dans des bacs ou un contenant à congélation peu profond. Faites congeler environ 4 heures.

4 Écrasez les cristaux qui se sont formés en promenant une fourchette de long en large. Couvrez le sorbet et remettez-le au congélateur pendant 4 à 8 heures. Faites-le ramollir au réfrigérateur 15 minutes avant de le servir.

DONNE 3-4 TASSES • PRÉPARATION 1 H 30 PLUS 8 HEURES DE CONGÉLATION

Sorbet

Une sorbetière accélère la préparation de ce sorbet que l'on sert garni d'une tranche de melon.

- ◆ **6 tasses de melon de miel ou de cantaloup en petits dés**
- ◆ **¾ tasse de sucre**
- ◆ **3 c. à soupe de liqueur de melon (Midori par exemple)**

1 Au mélangeur, défaites le melon en purée avec le sucre et la liqueur. Travaillez la purée jusqu'à dissolution du sucre.

2 Faites-la bien refroidir au réfrigérateur.

3 Videz la purée dans une sorbetière et suivez les directives du fabricant.

4 Versez le sorbet dans des bacs ou un contenant à congélation, couvrez et congelez. Réfrigérez 15 minutes avant de servir.

DONNE ENVIRON 4 TASSES • PRÉPARATION 1 H 15

Yogourt glacé au café

Enrichi de crème, ce dessert complète bien un souper léger. Pour ceux qui surveillent le gras, le yogourt peut être écrémé.

- ◆ **3 tasses de yogourt nature**
- ◆ **1 ½ c. à soupe de poudre d'espresso instantané**
- ◆ **¾ tasse de sucre**
- ◆ **1 tasse de crème épaisse**
- ◆ **60 g (2 oz) de chocolat mi-amer haché**
- ◆ **1 c. à thé d'essence de vanille**

1 Dans un tamis fin ou doublé d'une mousseline, faites égoutter le yogourt au-dessus d'un bol pendant 1 heure au réfrigérateur.

2 Dans un autre bol, mettez la poudre d'espresso, le sucre et la crème et remuez pour dissoudre le sucre. Fouettez cette crème pour qu'elle soit ferme mais souple. Ajoutez le yogourt égoutté, le chocolat et la vanille. Mélangez soigneusement.

3 Versez la préparation dans une sorbetière et suivez les directives du fabricant.

4 Servez le yogourt glacé tout de suite ou congelez-le dans un bol couvert de pellicule de plastique. Faites-le ramollir 15 minutes au réfrigérateur avant de le servir.

DONNE 5-6 TASSES • PRÉPARATION 2 H 15

Granité au capuccino

Pour décorer ce dessert destiné aux plus chaudes journées de l'été, servez-vous de grains de café enrobés de chocolat. (Vous en trouverez dans les boutiques spécialisées.)

- ◆ **1 ¼ tasse de café noir fort et chaud (pas de café instantané)**
- ◆ **¼ tasse de sucre granulé**
- ◆ **5 c. à soupe de Kahlúa ou autre liqueur au café**
- ◆ **1 tasse de crème épaisse**
- ◆ **1 c. à soupe de sucre à glacer**
- ◆ **cacao sans sucre pour décorer**

1 Dans un petit bol, mettez le café, le sucre et 3 c. à soupe de Kahlúa. Remuez bien pour dissoudre le sucre.

2 Versez ce café dans un bac ou un contenant à congélation peu profond. Donnez au granité sa texture caractéristique en promenant une fourchette de long en large dans le moule à intervalles de 45 minutes pour briser les cristaux au fur et à mesure de la congélation.

3 Fouettez la crème avec le reste du Kahlúa et le sucre à glacer pour en faire une chantilly plutôt souple.

4 Pour servir, écrasez le granité légèrement à la fourchette et remplissez-en des coupes rafraîchies. Décorez de chantilly au café saupoudrée de cacao.

DONNE 6-8 PORTIONS • PRÉPARATION 2 H 30 PLUS 8 HEURES DE CONGÉLATION

VARIANTE Avec de l'amaretto au lieu du Kahlúa, le granité aura un goût subtil d'amande.

Granité de champagne aux sanguines

Si les sanguines ne sont pas en saison, remplacez-les par des pamplemousses ou des citrons.

- ◆ **1 ½ tasse de sucre**
- ◆ **1 tasse d'eau**
- ◆ **2 tasses de jus d'oranges sanguines fraîches**
- ◆ **2 tasses de champagne**
- ◆ **1 pincée de sel**

1 Mettez le sucre et l'eau dans une casserole à feu doux et remuez pour dissoudre le sucre. Portez ce sirop à ébullition et faites-le bouillir 3 minutes. Attendez 1 heure qu'il refroidisse.

2 Versez le sirop dans un bol avec le jus d'orange, le champagne et le sel. Mélangez.

3 Versez le liquide dans des bacs ou un contenant à congélation, couvrez de pellicule de plastique et congelez. Donnez au granité sa texture caractéristique en promenant trois fois une fourchette de long en large pour écraser les cristaux à intervalles de 45 minutes.

4 Laissez raffermir 8 heures au congélateur ou jusqu'au lendemain. Faites ramollir 15 minutes au réfrigérateur avant de servir.

DONNE 12 PORTIONS • PRÉPARATION 3 HEURES PLUS 8 HEURES DE CONGÉLATION

Granité de pêches

Les pêches peuvent être des mangues ou des nectarines. Décorez de quartiers du même fruit.

- ◆ **1 tasse d'eau**
- ◆ **½ tasse de sucre**
- ◆ **4 pêches mûres pelées et hachées grossièrement**
- ◆ **1 c. à soupe d'eau-de-vie ou de liqueur de pêche**

1 Mettez l'eau et le sucre dans une casserole à feu modéré et remuez pour dissoudre le sucre. Portez ce sirop à ébullition et faites-le bouillir 3 minutes. Attendez 1 heure qu'il refroidisse.
2 Au robot ou au mélangeur, réduisez les pêches en purée. Ajoutez le sirop et l'eau-de-vie ou la liqueur et mélangez soigneusement.
3 Versez le liquide dans des bacs ou un contenant à congélation, couvrez de pellicule de plastique et congelez. Donnez au granité sa texture caractéristique en promenant trois fois une fourchette de long en large pour écraser les cristaux à intervalles de 45 minutes.
4 Couvrez de pellicule de plastique et congelez au moins 6 heures pour raffermir. Faites ramollir le granité 15 minutes au réfrigérateur avant de le servir dans des coupes rafraîchies.

DONNE 4 TASSES • PRÉPARATION 2 HEURES PLUS 6 HEURES

Yogourt glacé chocolat-noix

On peut en faire un goûter énergisant.

- ◆ **170 g (6 oz) de chocolat mi-amer**
- ◆ **1¼ tasse de crème épaisse**
- ◆ **½ tasse d'abricots séchés ou de cerises séchées, hachés fin**
- ◆ **½ tasse de raisins secs dorés**
- ◆ **2 tasses de yogourt à la vanille**
- ◆ **⅔ tasse de grains de chocolat**
- ◆ **½ tasse d'amandes hachées fin**
- ◆ **½ tasse de noisettes hachées**

1 Chemisez un moule à gâteau, un moule à pain ou un bol avec suffisamment de pellicule de plastique pour qu'elle dépasse largement.
2 Faites fondre le chocolat au micro-ondes ou au bain-marie. Mélangez-le avec ¼ tasse de crème. Faites tremper les abricots séchés (ou les cerises) et les raisins 15 minutes dans de l'eau chaude. Égouttez et asséchez.
3 Battez fermement la crème. Incorporez le yogourt et le chocolat et mélangez à fond. Incorporez le reste des ingrédients à la spatule.
4 Versez la préparation dans le moule et recouvrez avec la pellicule de plastique. Faites-la congeler au moins 6 heures. Détaillez en tranches à la température ambiante.

DONNE 5 TASSES • PRÉPARATION 40 MINUTES PLUS 6 H

Sorbet au kiwi

Léger et rafraîchissant, ce sorbet finira bien un repas plantureux. Servez-le dans une vaisselle dont la couleur fera ressortir la sienne.

- ◆ **1 tasse d'eau**
- ◆ **2 tasses de sucre**
- ◆ **jus de 2 citrons**
- ◆ **6 gros kiwis mûrs, pelés et hachés grossièrement**
- ◆ **feuilles de menthe fraîche**

1 Mettez l'eau, le sucre et la moitié du jus de citron dans une casserole à feu modéré et tournez pour dissoudre le sucre. Portez ce sirop à ébullition et faites-le bouillir 3 minutes. Attendez 1 heure qu'il refroidisse.
2 Au mélangeur ou au robot, réduisez les kiwis en purée. Arrosez avec le reste du jus de citron et incorporez la purée au sirop refroidi.
3 Versez la préparation dans un contenant à congélation, couvrez de pellicule de plastique et congelez. Écrasez les cristaux à la fourchette trois fois à intervalles de 45 minutes.
4 Couvrez et congelez au moins 6 heures. Faites ramollir 15 minutes au réfrigérateur avant de servir avec un décor de feuilles de menthe dans des coupes rafraîchies.

DONNE 4 TASSES • PRÉPARATION 8 H 45

CONFECTION DES SORBETS ET DES GRANITÉS

1 *Réduisez les fruits en purée au mélangeur ou au robot avec un liquide. Ce liquide peut être n'importe quel jus, incluant la tomate, mais l'alcool en abondance empêchera la congélation.*

2 *Versez la purée dans des bacs ou des récipients à congélation peu profonds. Pour un granité, écrasez les cristaux à la fourchette à plusieurs reprises pour uniformiser la texture.*

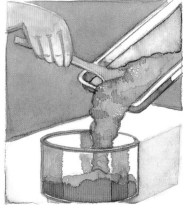

3 *Pour un sorbet, passez la purée à demi prise au robot pour en raffiner la texture. Recongelez-la dans son contenant. Répétez au moins une fois, puis laissez prendre 6 heures au congélateur.*

4 *Faites ramollir 15 minutes au réfrigérateur avant de servir. Défaites légèrement le granité ou le sorbet à la fourchette. Présentez dans des coupes rafraîchies avec un décor de fruits frais.*

◆ Provisions du congélateur ◆

La congélation permet de conserver la couleur, la texture et la saveur des fruits et des légumes frais.
Profitez de l'abondance de la saison pour faire des provisions. Si vous avez un potager, ne laissez rien
se gâter : vous continuerez tout au long de l'année à récolter ce que vous avez semé.

Légumes

La plupart des légumes se congèlent sans pro-
blème. Consultez l'encadré de la page ci-contre
pour savoir comment et pendant combien de
temps il faut les blanchir à l'eau bouillante ou à la
vapeur, et pour connaître les proportions poids-
volume. Servez-vous de sacs à congélation réutili-
sables ou de contenants robustes munis de bons
couvercles. Pour préparer un légume congelé,
faites-le cuire dans une casserole couverte avec
un tout petit peu d'eau. Ne le remettez jamais
au congélateur.

Asperges, carottes et haricots verts

Lavez, parez et détaillez en morceaux de 5 cm
(2 po) ou d'une taille adaptée au contenant.
Sélectionnez les asperges selon la taille :
ébouillantez les plus grosses 4 minutes, les
petites 2 minutes. Les haricots verts demandent
d'être blanchis 3 minutes ; les carottes entières
5 minutes, les carottes en tranches 2 minutes.
Rafraîchissez aussitôt à l'eau froide ; égouttez
soigneusement. Emballez, étiquetez et congelez.

Betteraves

Lavez et parez en gardant un bout
de tige de 3 cm (1 po). Ne pelez pas.
Sélectionnez les betteraves selon la taille : faites
bouillir les plus grosses 45 à 50 minutes, les
petites 25 à 30 minutes. Vérifiez leur cuisson en
les piquant avec une fourchette. Égouttez, laissez refroidir, puis pelez. Détaillez en tranches ou
en dés. Emballez, étiquetez et congelez.

La congélation vous permet de profiter à longueur
d'année de la valeur nutritive des légumes qui ont mûri
au soleil chez vous ou dans votre région.

Fèves-gourganes et haricots de Lima

Triez et écossez des fèves ou des haricots jeunes et tendres. Ébouillantez-les 1, 2 ou 3 minutes selon la taille. Rafraîchissez-les aussitôt à l'eau froide ; égouttez soigneusement. Emballez, étiquetez et congelez.

Brocoli, chou-fleur

Lavez les bouquets, pelez les tiges si elles sont coriaces et détaillez les deux en morceaux de 4 cm (1 ½ po). Blanchissez 5 minutes à la vapeur. Rafraîchissez aussitôt à l'eau froide ; égouttez. Emballez, étiquetez et congelez.

Choux de Bruxelles

Enlevez les tiges et les feuilles coriaces. Ébouillantez les petits sujets 3 minutes, les plus gros 5 minutes. Rafraîchissez aussitôt à l'eau froide ; égouttez. Emballez, étiquetez et congelez.

Maïs

Ne congelez que de petits épis. Épluchez-les. Ébouillantez-les 4 minutes et rincez-les à l'eau froide ; égouttez. Enveloppez-les un à un dans du papier d'aluminium ou du papier à congélation en serrant bien. Emballez-en plusieurs dans un sac sous vide.

Pour congeler uniquement les grains, blanchissez et refroidissez les épis comme ci-dessus avant de les égrener. Emballez sous vide, étiquetez et congelez.

Haricots verts

Lavez et parez. Ébouillantez les haricots entiers 3 minutes, les haricots coupés 2 minutes. Blanchissez 5 minutes à la vapeur. Rafraîchissez aussitôt sous l'eau froide ; égouttez. Emballez, étiquetez et congelez.

Champignons

Essuyez les champignons avec un linge humide. Ne les rincez pas et ne les pelez pas. Les tout petits peuvent être congelés crus, étalés sur une tôle. Une fois durcis, rassemblez-les dans un sac. Les champignons sauvages comme le portobello et le shiitake seront tranchés, poêlés dans du beurre puis emballés dans de petits récipients avec leur jus de cuisson.

Petits pois

Triez et écossez les petits pois. Ébouillantez-les 90 secondes. Les sugar snaps seront ébouillantés 2 minutes dans leurs cosses effilées. Rincez rapidement à l'eau froide ; égouttez. Emballez, étiquetez et congelez.

Citrouilles et courges d'hiver

Lavez-les et coupez-les en deux pour retirer les graines et les filaments. Détaillez en tranches ou en cubes. Faites attendrir à la vapeur. Écrasez en purée. Emballez en laissant un espace d'expansion de 2 cm (½ po). Congelez.

Épinards et légumes feuillus verts

Lavez et triez les feuilles. Éliminez les plus grosses tiges. Ébouillantez 30 à 60 secondes pour les ramollir. Rincez-les aussitôt à l'eau froide. Égouttez et pressez avec un objet lourd pour bien essorer. Emballez sous vide dans des sacs à congélation. Étiquetez et congelez.

Poivrons

Choisissez des poivrons fermes, essuyez-les. Coupez leurs tiges et retirez les graines. Détaillez en moitiés, en rondelles ou en demi-rondelles : ébouillantez les premières 2 minutes, les autres 1 minute. Rincez à l'eau froide. Emballez sous vide, étiquetez et congelez.

Macédoine de légumes

Coupez tous les légumes à la même taille. Faites-les blanchir individuellement selon les directives pour chacun, en réduisant le temps selon la taille. Laissez refroidir, faites le mélange de votre choix et emballez la macédoine dans des sacs par portions équivalant à un repas. Étiquetez et congelez.

PRÉPARATION DES LÉGUMES POUR LA CONGÉLATION

L A PLUPART des légumes se congèlent, à l'exception de la famille des salades et de ceux qui contiennent beaucoup d'eau comme les concombres, les radis, les oignons et les courges d'été dont la courgette (ces trois derniers se congèlent cependant s'ils sont râpés). Les tomates se congèlent mieux sous la forme de coulis ou de sauce tomate. Avant de congeler un légume, il faut le blanchir à l'eau bouillante ou à la vapeur pour fixer sa couleur et préserver sa saveur.

MÉTHODE À L'EAU BOUILLANTE Dans une grande marmite, portez 12 tasses d'eau à ébullition. Placez l'équivalent de 500 g (1 lb) de légumes en morceaux dans un panier de métal troué : plongez celui-ci dans l'eau. Dès que l'ébullition reprend, comptez les secondes ou les minutes en vous référant aux directives concernant chaque légume. Retirez le panier et plongez-le aussitôt dans de l'eau très froide ; au besoin, ajoutez de la glace ou changez l'eau. Égouttez bien.

MÉTHODE À LA VAPEUR Mettez un rang de légumes sur une marguerite et placez celle-ci dans une marmite au-dessus de 5 cm (2 po) d'eau bouillante. Couvrez et faites étuver selon les directives. Laissez refroidir naturellement.

Pour obtenir 4 tasses de légumes congelés, voici l'équivalent en poids de légumes frais :

ASPERGES	1-1,4 kg	(2 ½ -3 lb)
BETTERAVES PARÉES	1-1,4 kg	(2 ½ -3 lb)
BROCOLI	1 kg	(2 ½ lb)
CAROTTES	1-1,4 kg	(2 ½ -3 lb)
CHAMPIGNONS	500 g-1 kg	(1-2 ½ lb)
CHOU-FLEUR	1 kg	(2 ½ lb)
CHOUX DE BRUX.	1 kg	(2 ½ lb)
COURGES D'HIVER	1,4 kg	(3 lb)
ÉPINARDS	1 kg	(2 ½ lb)
GOURGANES	1 kg	(2 ½ lb)
HARICOTS VERTS	700 g-1 kg	(1 ½ -2 ½ lb)
MAÏS	1 kg	(2 ½ lb)
PATATES SUCRÉES	700 g	(1 ½ lb)
PETITS POIS	1 kg	(2 ½ lb)
POIVRONS	1,4 kg	(3 lb)
TOMATES	1 kg	(2 ½ lb)

Fruits

Congelez les fruits lorsqu'ils sont bien mûrs et pleins de saveur. L'hiver venu, vous pourrez vous en servir pour faire des compotes, garnir des tartes ou décorer des desserts.

Fruits congelés dans le sucre

Si l'on désire utiliser les fruits pour faire des sauces ou des gâteaux, il faut les congeler sans ajouter aucun liquide.

- ◆ **4 tasses d'un fruit au choix trempé dans l'eau acidulée (voir l'encadré à droite)**
- ◆ **½ à ⅔ tasse de sucre**

1 Asséchez les fruits sur un linge ou du papier absorbant.
2 Mettez les fruits dans un bol. Ajoutez assez de sucre pour les couvrir tous, puis remuez doucement pour les dissoudre.
3 Remplissez des contenants ou des sacs à congélation d'une capacité de 2 tasses et chassez l'air avant de fermer. Étiquetez et congelez.
DONNE 4 TASSES • PRÉPARATION 15 MINUTES

Sirop pour fruits congelés

Préparez un sirop léger, moyen ou épais selon que le fruit est lui-même plus ou moins sucré : léger pour le raisin frais ou le cantaloup, par exemple, plutôt épais pour des cerises ou des prunes sures. Pour 4 tasses de fruits prêts à être congelés, vous aurez besoin de 1 à 1½ tasse de sirop.

SIROP	SUCRE	EAU	RENDEMENT
léger	**2 tasses**	**4 tasses**	**5 tasses**
moyen	**3 tasses**	**4 tasses**	**5 ½ tasses**
épais	**4 ¾ tasses**	**4 tasses**	**6 ½ tasses**

1 Mettez la quantité d'eau requise dans une casserole et portez à ébullition. Ajoutez le sucre, remuez pour le dissoudre et laissez bouillir 2 minutes.
2 Faites refroidir le sirop à l'air libre puis au réfrigérateur. Il est prêt à être utilisé.

VARIANTES Pour le parfumer, ajoutez une gousse de vanille, un bâton de cannelle ou un zeste de citron à l'étape 1. Éliminez ce condiment avant de réfrigérer le sirop à l'étape 2.

Fruits congelés dans le sirop

Les fruits que vous congelez dans le sirop s'utilisent ensuite tels quels, égouttés ou non, tout comme si vous les achetiez en conserve ou congelés au magasin. Mais leur saveur est d'autant mieux préservée qu'ils passent directement dans votre congélateur. Délicieux sur de la crème glacée, un gâteau blanc ou un pouding maison !

- ◆ **1 portion du sirop choisi (voir la recette précédente)**
- ◆ **6 tasses d'un fruit au choix trempé dans l'eau acidulée (voir l'encadré à droite)**

1 Préparez et réfrigérez le sirop.
2 Versez ½ tasse de sirop froid chacun dans trois contenants à congélation d'une capacité de 2 tasses. Entassez les fruits en chassant l'air.
3 Couvrez les fruits avec du sirop pour remplir le contenant jusqu'à 2 cm (½ po) du bord. Fermez hermétiquement, étiquetez et congelez.
DONNE 6-7 TASSES • PRÉPARATION 10-15 MINUTES

Fruits congelés au naturel

Cette méthode convient à tous les fruits, mais surtout aux petites baies – fraises, framboises et bleuets – que vous voudrez employer comme décoration. Une fois décongelés, ces fruits pourront être écrasés en purée et additionnés d'un peu de sucre pour napper une crème glacée, un gâteau ou tout autre dessert.

- ◆ **4 tasses d'un fruit au choix trempé dans l'eau acidulée (voir l'encadré à droite)**

1 Égouttez les fruits sur un linge ou du papier absorbant. Étendez-les sur un plateau et faites les raffermir au congélateur.
2 Remplissez deux sacs ou deux contenants à congélation de fruits congelés et chassez-en l'air. Fermez, étiquetez et congelez.
3 Faites décongeler les fruits au réfrigérateur dans leur contenant, ou en plongeant le contenant dans un bol d'eau froide pendant quelques minutes. Servez-les très froids.
DONNE 4 TASSES • PRÉPARATION 10 MINUTES

PRÉPARATION DES FRUITS

Les fruits s'abîment facilement : il faut les manipuler le moins possible. À mesure que vous les nettoyez, mettez-les à tremper dans de l'eau acidulée (environ 8 tasses d'eau additionnée de 1 ou 2 cuillerées à soupe de jus de citron ou de vinaigre doux). Il faut ensuite les assécher soigneusement si l'on veut éviter qu'ils se couvrent de cristaux et s'agglutinent en congelant.

Pour congeler 4 tasses de fruits, il faut acheter les quantités suivantes :

ABRICOTS	600-750 g	(1 ¼ -1 ½ lb)
CERISES	1-1,4 kg	(2-3 lb)
FRAISES	600 g	(1 ¼ lb)
FRAMBOISES	500 g	(1 lb)
MANGUES	1,2-1,4 kg	(2 ½ -3 lb)
PÊCHES, POIRES	1-1,4 kg	(2-3 lb)
POMMES	1,2-1,4 kg	(2 ½ -3 lb)

Pelez, parez et tranchez les pommes. Équeutez et dénoyautez les cerises. Dénoyautez, coupez en deux ou en tranches les abricots, les pêches, les prunes et les mangues. Équeutez les baies. Pelez le melon et détaillez-le en cubes ou en boules.

Autres aliments congelés

La viande, le poisson, la volaille, les plats cuisinés, la pâtisserie et même les fines herbes peuvent se congeler avec de bons résultats. Pour ne pas dépasser le temps limite de conservation, n'omettez jamais d'étiqueter chaque contenant.

Pain

Il doit être complètement froid avant d'être emballé dans un double sac à congélation. Un pain se conserve 6 mois, des petits pains 3 mois.

Gâteaux

Les gâteaux congelés sans garniture ni glaçage se conservent particulièrement bien. (On ne congèle pas une garniture ou un glaçage contenant des blancs d'œufs.) Enveloppez-les dans de la pellicule de plastique, puis dans du papier d'aluminium. Un gâteau simple se conserve environ 4 mois. Exposez-le une heure ou deux à la température ambiante avant de le servir.

Mélange à muffins

Pour congeler des muffins ou des petits gâteaux avant cuisson, déposez des cassolettes de papier dans les alvéoles d'un moule à muffin. Remplissez chacune de préparation et faites congeler sans couvrir. Emballez les cassolettes une fois durcies dans des sacs à congélation. Elles se gardent 2 mois.

Avant d'enfourner, remettez les cassolettes dans le moule et prévoyez un temps de cuisson un peu plus long que la recette normale.

Fromages

Les fromages à pâte dure – cheddar, édam, gruyère, gouda – se garderont 6 mois dans une double épaisseur de pellicule de plastique bien serrée. Décongelez-les 8 heures au réfrigérateur. Le fromage à la crème se garde 6 mois; cottage et ricotta ne se congèlent pas.

Pâte à choux

Tapissez une tôle de papier de cuisson. Formez des choux de la taille et de la forme voulues. Congelez sans couvrir. Emballez les choux durcis dans des sacs ou, mieux, dans des contenants qui les protégeront. Ils se gardent 3 mois et on les fait cuire sans les décongeler.

Œufs

Congelez des œufs entiers dans des petits contenants. Mélangez le jaune et le blanc avec une fourchette et ajoutez ½ c. à thé de sel pour 6 œufs entiers, ou une pincée pour 6 jaunes. Ne salez pas les blancs. Congelez-les individuellement dans un bac à glaçons avant de les emballer. Les blancs comme les jaunes et les œufs entiers se gardent 6 mois.

Poisson

Il faut le congeler moins de 24 heures après l'avoir pêché. Écaillez et lavez les petits pois-sons, emballez-les dans des sacs et chassez-en l'air. Congelez les gros poissons en filets, en darnes ou entiers. Seuls les gros poissons entiers ont besoin d'être décongelés avant la cuisson : faites-les séjourner 24 heures au réfrigérateur. Les poissons blancs se conservent 3 mois, les poissons gras 2 mois.

Fines herbes

Lavez les brindilles entières, asséchez-les dans une essoreuse à salade et emballez-les dans un sac que vous pourrez ouvrir et refermer à chaque usage. Les fines herbes hachées comme le persil et la ciboulette se conservent 2 mois dans des récipients ou dans des moules à glaçons remplis d'eau.

Viande

Emballez par portions pour un repas dans de la pellicule de plastique bien serrée. Séparez les petites coupes avec du papier ciré. Le bœuf se garde 8 mois, le porc et l'agneau 6 mois.

Volaille

Congelez la volaille entière ou en moitié dans des sacs à congélation sous vide; ou faites un seul rang avec les petites coupes. La volaille entière se garde 6 mois, les morceaux 4 mois.

BOL DE GLACE DÉCORATIF

POUR FAIRE un bol en glace, vous aurez besoin de deux bols de même forme, en verre ou en acier inoxydable, qui puissent s'encastrer l'un dans l'autre avec un interstice de 3 cm (1 po). Disposez avec art des fleurs, des feuilles, des fines herbes ou des tranches d'agrume tout autour du plus grand bol et placez le plus petit par-dessus. (Choisissez un décor assorti à ce que vous comptez y mettre.) Reliez les deux bols avec du ruban-cache pour qu'il n'y ait pas de jeu. Dans l'interstice, versez doucement de l'eau bouillie refroidie jusqu'à 2 cm (½ po) du bord. (L'eau bouillie est plus cristalline.) À la pointe du couteau, insérez, si vous le voulez, d'autres décorations. Faites congeler toute la nuit.

Sortez les bols du congélateur et déposez-les dans une assiette ou sur une serviette. Au bout de 10 à 20 minutes, ils se sépareront facilement. Ne hâtez pas le processus avec de l'eau chaude car tout serait gâché. Retirez le ruban-cache, sortez le plus petit bol et retournez le plus grand pour démouler le bol de glace. Remettez celui-ci au congélateur jusqu'au dernier moment.

Votre intérieur

*L*a réalisation d'un bel intérieur n'est pas difficile — vous n'avez besoin que d'un peu de temps, d'imagination et, dans la plupart des cas, d'un budget modeste. Dans ce chapitre, de nombreux experts vous livrent des idées et des techniques de décoration qui donneront à vos pièces la touche spéciale que vous désirez. Vous y apprendrez, par exemple, comment donner à peu de frais une finition de style à des murs et à un plancher. En faisant tout vous-même, vous économiserez, en obtenant exactement l'effet recherché.

Une fois murs et planchers terminés, rehaussez votre décor avec des meubles et des accessoires de votre cru grâce à des techniques de peinture astucieuses pour rajeunir tables, chaises et cadres, ou bien sortez votre machine à coudre pour confectionner coussins, housses, draperies et nappes rondes. Que vous fabriquiez un joli paravent pour une chambre ou le séjour, construisiez des étagères pour mettre en valeur vos photos préférées ou dissimuliez un foyer inutilisé derrière un panneau décoratif, il existe une foule d'idées pour chaque pièce de votre intérieur. Le présent chapitre vous propose également des produits d'entretien maison qui vous permettront de garder votre maison étincelante de propreté.

AVANT DE COMMENCER...

Les projets de décoration décrits dans ce chapitre proposent des solutions maison aux accessoires fabriqués en série, vous donnant ainsi la chance d'ajouter une touche personnelle à votre intérieur. Avant de commencer, prenez le temps d'évaluer l'effet qu'aura votre projet sur votre décor actuel.

TOUT DANS VOTRE MAISON contribue par sa couleur, son motif ou sa texture à l'atmosphère qui y règne. Afin de tirer le meilleur parti des techniques de finition présentées ici, pensez sérieusement aux couleurs et aux proportions avant d'entreprendre un projet, ainsi qu'à l'effet qu'auront les changements sur l'aspect global d'une pièce.

Le but de la décoration intérieure est de mettre en évidence des éléments intéressants tout en minimisant ou même en dissimulant de moins attrayants. Utilisés habilement, couleurs, motifs et textures peuvent changer notre perception des dimensions d'une pièce.

Jeu de dimensions

Pour qu'un plafond paraisse plus haut — et la pièce plus spacieuse —, peignez-le d'une teinte plus pâle que le plancher et les murs. Vous pouvez accentuer cette illusion en suspendant des rideaux rayés qui descendent jusqu'au sol à partir d'une large cantonnière couvrant l'espace entre la fenêtre et le plafond. Pour un effet plus marqué, la couleur des rayures devrait s'agencer à celle des murs. Si un plafond paraît trop haut, appliquez sa couleur jusqu'à la cimaise pour que les murs paraissent plus longs et le plafond plus bas. Des rayures horizontales sur les murs donneront le même effet si elles ne sont pas trop souvent interrompues par des ouvertures. Dans une petite pièce, tout détail horizontal sous la ceinture attire le regard vers le bas, repoussant les murs.

Influence de la couleur

La couleur est l'élément-clé en décoration. Les magasins de peinture offrent maintenant, grâce à un système informatisé, toutes les teintes possibles et inimaginables. Si une telle palette vous rend indécis, vous pouvez choisir les couleurs que vous aimez en les associant à des choses simples, tels des souvenirs tendres ou des moments heureux. Même les couleurs de vos vêtements peuvent servir de point de départ à celles que vous choisirez pour votre décor. Gardez à l'esprit que des couleurs riches, foncées, donnent de l'intensité à une pièce, la faisant paraître confortable et intime. Des teintes claires, au contraire, procurent une sensation d'espace, de grandeur. Choisissez et agencez des couleurs que vous aimez; vos goûts personnels seront un gage d'originalité et de style.

Motifs et textures

Les motifs jouent le même rôle que la couleur mais nécessitent un peu plus de dextérité. En général, la taille des motifs devrait correspondre à la grandeur de la pièce, les plus gros étant réservés aux vastes espaces et les motifs simples et petits aux pièces de dimensions plus modestes. Agencer motifs et couleurs peut aussi donner un résultat très intéressant.

Une surface texturée réfléchira la lumière différemment selon ses zones d'ombre et de clarté. Par ailleurs, sa couleur aura un effet sur la sensation au toucher.

UTILISATION DE LA COULEUR, DES TEXTURES ET DES MOTIFS

La couleur est un puissant outil de décoration. Utilisez-la sans hésiter, mais en tenant compte de l'enchaînement des pièces. Le vestibule, par exemple, donne le ton à votre décor et a une influence directe sur les pièces avoisinantes.

Les textures apportent une dimension spéciale aux murs et aux tissus, créant de subtiles distinctions entre l'ombre et la lumière. Elles donnent de la profondeur et de l'éclat à beaucoup de couleurs qui, autrement, resteraient quelconques.

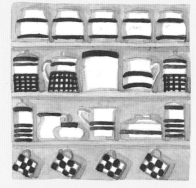

Les motifs dotent tout décor d'un élément rassurant qui repose sur l'effet de répétition. On peut les retrouver aussi bien sur des bibelots ou des accessoires que sous une forme plus évidente, soit sur des tissus ou du papier peint.

Une décoration réussie représente une toile de fond attrayante pour les objets que vous aimez. Ici, de la porcelaine de Chine bleu et blanc contraste avec le mur blanc, les tablettes, le vase et les livres, tous dans des teintes de brun.

*Nul besoin de beaucoup d'équipement ni de beaucoup d'argent pour apporter une
touche personnelle à votre décor. Peinture, pinceaux et rouleaux sont en tête de liste,
suivis de ciseaux et de crayons. Du tissu et de petits morceaux de bois constitueront
aussi un modeste investissement qui vous rapportera gros en matière de beauté.*

Solution magique : une couche de peinture

Peindre est une des tâches les plus faciles et les plus satisfaisantes que
vous puissiez entreprendre. La clé du succès ? Une préparation minutieuse. Assurez-vous que toutes les surfaces sont réparées et bien poncées avant d'y appliquer la peinture. Si une surface est piquée ou inégale,
remplissez les fissures ou les creux avec un produit approprié, tel que
pâte de bois ou bouche-pores, et poncez de nouveau une fois sec. Vous
devez enlever toute trace de poussière ou de sable résultant du ponçage.
Essuyez avec un chiffon doux légèrement humide, puis passez sur le bois
un chiffon résiné, humecté de térébenthine ou d'essence minérale et
d'un peu de vernis, qui ramasse bien la poussière de bois.

Qualité oblige !

La taille du pinceau utilisé dépend de ce que vous avez à faire. Par
exemple, quand vous vernissez un cadre, choisissez un pinceau légèrement plus petit que la largeur du cadre. Le travail de détail se fait mieux
avec de petits pinceaux fins d'artiste, et des pinceaux de qualité donnent
un bien meilleur fini. Utilisez toujours de bons pinceaux en nylon, à
moins d'avis contraire. Les soies naturelles s'accordent mal avec les peintures à base d'eau alors que le nylon convient aussi bien au latex qu'aux
peintures à l'alkyde. Servez-vous, pour appliquer la peinture sur les murs,
d'une éponge de mer naturelle plutôt que synthétique. Avec les éponges
naturelles vous obtenez un doux effet alors que les autres laissent des
marques qui peuvent gâcher l'effet homogène recherché.

Décoration au pochoir

Si vous êtes novice dans le découpage de pochoirs (pp. 276-277), prenez
un motif simple, telle la poire à la page 161. Quand vous créez un pochoir,
découpez toujours les sections du dessin avec minutie. Les « attaches »
reliant ces différentes sections doivent rester intactes. Non seulement
gardent-elles le pochoir en une pièce, mais elles servent aussi de lignes
directrices une fois le travail terminé. Sans elles, le résultat manquera de
netteté. Le découpage d'un pochoir est une tâche exigeant beaucoup
de temps et de patience. Comme vous êtes susceptible de le réutiliser,
nettoyez-le et rangez-le avec soin. Après usage, enlevez tout ruban-
cache. Déposez le pochoir sur une table recouverte de plusieurs couches
de journaux et d'essuie-tout, puis essuyez-le avec un chiffon doux
humecté d'essence minérale pour enlever toute trace de peinture.
Rangez le pochoir à plat entre deux cartons rigides.

Ajustement et application du modèle

Après avoir choisi un modèle de pochoir, mesurez la longueur de la surface sur laquelle le pochoir sera appliqué, puis divisez le résultat par la largeur du pochoir pour savoir combien de fois le modèle sera répété. Marquez au crayon les endroits où se trouveront ces répétitions. Vous devrez peut-être ajuster l'espacement de façon que le motif arrive bien dans les coins. Selon le modèle, le fait d'utiliser seulement une portion du pochoir dans ces mêmes coins pourrait être une façon à la fois symétrique et attrayante d'adapter le motif à votre espace.

Le tamponnage est la méthode traditionnelle pour peindre au pochoir. Une brosse raide sert à tamponner la peinture sur la surface à couvrir. Si vous ne possédez pas pareille brosse (disponible dans les magasins de matériel d'artiste), coupez les soies d'un pinceau rond à environ 1 cm (½ po) de longueur pour obtenir la rigidité voulue. Pendant que vous appliquez votre modèle, essuyez de temps à autre, avec un chiffon humide ou un essuie-tout, l'excédent de peinture, à l'endos du pochoir, pour éviter la formation de coulisses autour du motif.

Dorure maison

L'application d'une feuille de métal très mince sur des objets décoratifs est un art ancien dont l'élégance du résultat est rarement égalée par d'autres techniques de décoration. Dans sa forme la plus raffinée, la dorure s'applique sur une surface à l'aide d'une feuille d'or ou d'argent.

Il existe néanmoins des métaux de base, comme le tombac ou l'aluminium, qui sont plus faciles à appliquer et qui donnent tout de même un bel effet. Le tombac, un alliage de cuivre et de zinc qui remplace très souvent la feuille d'or, est le métal qui a été utilisé dans le présent chapitre pour la dorure de cadres (p. 152). Une fois habitué au tombac, vous voudrez peut-être travailler avec de l'or en feuille, un art qui nécessite un équipement spécial et une grande dextérité manuelle.

La dorure n'est pas difficile à maîtriser en soi si vous faites preuve de beaucoup de délicatesse en manipulant votre matériel. Même votre souffle peut altérer une plaque de la feuille une fois sa face supérieure exposée. Il est important que vos doigts n'entrent pas en contact direct avec la feuille, car elle est susceptible de se désintégrer. Portez des gants de coton et manipulez la feuille en utilisant la couche de papier support (entre chaque plaque) sur l'objet à dorer. Une fois la dorure appliquée, évitez de toucher à la surface avant qu'elle ne soit vernie.

Comme cette technique nécessite un peu de pratique, il serait bon que vous fassiez quelques essais avant de vous y mettre sérieusement. En brossant la feuille à la fin du processus de dorure, vous constaterez souvent que la surface présente des craquelures, à travers lesquelles vous pourrez voir la couche de peinture rouge appliquée avant la feuille. C'est tout à fait normal et, en fait, cet aspect ajoute à la beauté du fini.

Une technique différente : le découpage

Bien qu'un pinceau à poil de martre fasse partie du matériel requis pour un cadre de miroir découpé (p. 154), le poil synthétique – qui est moins coûteux – conviendra tout aussi bien pour un projet unique. Ne poncez jamais, entre les applications de découpage, en décrivant des cercles ; procédez plutôt par un mouvement hachuré de gauche à droite et de haut en bas, qui se veut aussi la technique appropriée pour le vernissage. Si vous avez protégé votre cadre avec un vernis à l'huile au fini satiné et que vous vouliez lui donner un éclat doré, attendez qu'il soit sec (cela peut prendre jusqu'à une semaine) ; utilisez alors un chiffon doux – une chaussette en coton fera parfaitement l'affaire – et polissez-le à coups légers. Nécessitant à la fois temps, patience et dextérité avec les ciseaux, l'art traditionnel du découpage peut faire de merveilleux cadeaux très personnels. Vous pouvez, par exemple, décorer une boîte à bijoux en bois en y reproduisant les fleurs préférées d'un ami.

CRÉATION D'UN POCHOIR POUR UNE BORDURE ARRONDIE

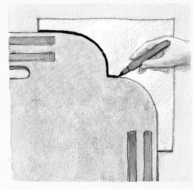
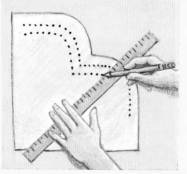
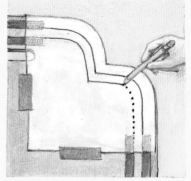
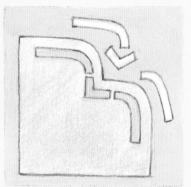

1 *Placez l'acétate sous la section à bordure arrondie. Avec un marqueur indélébile à pointe fine, tracez-y cette forme jusqu'à environ 5 cm (2 po) du prochain côté droit. Utilisez un couteau d'artiste pour découper le bord arrondi.*

2 *Avec une règle, faites deux rangées de points équidistants à l'intérieur du bord arrondi. Suivez les mesures du projet choisi (ex. : le pare-étincelles, p. 149) pour l'espacement par rapport au bord et entre les rangées de points.*

3 *Utilisez un pistolet à dessin et une règle pour relier les points en deux lignes incurvées parallèles. Posez l'acétate sur la section arrondie de l'objet à décorer afin de vérifier si la bordure est correctement espacée selon les lignes de côté.*

4 *Dessinez des lignes espacées de 3 mm (⅛ po) et distancées de 10 à 15 cm (4-6 po) : ce seront les lignes parallèles des attaches. Découpez les sections du pochoir au couteau en laissant les attaches. Peignez les vides plus tard.*

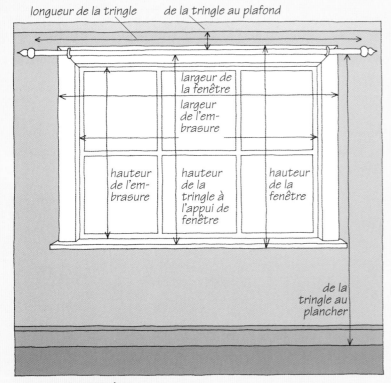

longueur de la tringle   de la tringle au plafond

largeur de la fenêtre

largeur de l'embrasure

hauteur de l'embrasure

hauteur de la tringle à l'appui de fenêtre

hauteur de la fenêtre

de la tringle au plancher

Mesures d'une fenêtre

L'art d'habiller une fenêtre

Si vous avez la chance de pouvoir bénéficier d'une belle vue, vous voudrez sûrement choisir des parures de fenêtre qui la mettront en valeur. C'est particulièrement important dans les pièces où la lumière abonde. Une draperie en soie (p. 123) sur de simples voilages ou une cantonnière de tissu vaporeux (p. 120) satisferont ces besoins. Elles rehaussent une fenêtre bien proportionnée, mais peuvent aussi cacher les défauts d'une autre beaucoup moins attrayante. Ces deux façons de parer une fenêtre donnent un cadre à la vue tout en laissant la lumière pénétrer à flots. Une fenêtre sans vue, par contre, aura avantage à être habillée d'une toile décorative (voir exemple, p. 124). Vous pouvez également confectionner des rideaux à l'italienne en suivant les directives pour le rideau de douche (p. 136) et décorer une belle tringle pour les suspendre (p. 126).

En prenant les mesures (diagramme ci-dessus), faites un croquis de votre fenêtre et notez-y les choses suivantes : longueur de la tringle ou du rail ; distance entre le côté extérieur du cadre de fenêtre et le bout de la tringle ; hauteur entre la tringle et l'appui intérieur de la fenêtre ; hauteur entre la tringle et le plancher ; distance entre la tringle et le plafond ; distance entre la tringle et le haut du cadre de fenêtre ; hauteur totale de la fenêtre ; hauteur de l'embrasure ; largeur totale de la fenêtre ; largeur de l'embrasure. Si vous n'êtes pas certain de la quantité de tissu nécessaire pour vos rideaux, montrez votre croquis à un détaillant de tissus qui pourra vous aider à faire les bons calculs. Utilisez les mêmes mesures pour commander des stores.

Glossaire

Acrylique d'artiste : peinture aqueuse disponible en tubes ; utilisée seule ou comme colorant dans des glacis, des frottis et des lavis à l'eau.

Chiffon résiné : morceau de toile de coton imbibé d'huile de lin. Ce chiffon spécial, vendu en quincaillerie et dans les centres de rénovation, permet d'enlever les infimes particules de poussière résultant du ponçage du bois, laissant une surface propre et prête pour la prochaine étape.

Chinage : similaire à la technique de l'éponge, le chinage demande cependant d'utiliser une brosse à pochoir ou un putois, brosse dure en poils de putois permettant d'obtenir le même aspect granité irrégulier.

Colle blanche d'artiste : colle blanche composée de polyacétate de vinyle (PAV). Elle acquiert en séchant un fini transparent souhaitable dans beaucoup de techniques d'art où la colle ne doit pas être apparente.

Fini coquille d'œuf : fini semi-lustré dans une peinture au latex ou à l'huile. Sa consistance est plus épaisse que celle d'autres finis moins lustrés, une qualité souhaitable pour obtenir des effets spéciaux sur de grandes surfaces. La peinture au fini coquille d'œuf mettant plus de temps à sécher, vous aurez tout le loisir de la travailler.

Frottis : type de glacis qui donne un fini d'aspect moucheté. La couche de frottis glacé craque et se fendille, laissant apparaître la couleur contrastante de la couche de fond. Vous pouvez vous procurer des frottis à l'eau ou à l'huile dans les magasins de matériel d'artiste, auxquels vous ajouterez le colorant pour acrylique ou peinture à l'huile approprié.

Gesso : liquide blanc composé de fine craie blanche, appelée blanc de craie, mélangé avec une colle faite à partir de peau de lapin. Vous pouvez l'employer pour préparer le canevas des carpettes (p. 116), comme apprêt, couche de fond, fini en trompe-l'œil et sous la dorure des cadres.

Glacis : mince couche transparente de couleur qu'on étend sur une couche de fond colorée. Pour créer éclat et profondeur, appliquez plusieurs couches de glacis de différentes couleurs. Les magasins de peinture vendent des glacis «prêts-à-poser» : achetez le même type pour toutes les couches de peinture et de glacis, soit à l'eau ou à l'huile.

Pâte thermoplastique blanche : mélange de pâte flexible servant à fabriquer des objets à peindre plats, tels les dinosaures à aimant de la page 318. Achetez cette pâte dans un magasin de matériel d'artiste, ou faites-la vous-même en mélangeant deux parts égales de sel et de farine avec assez d'eau pour obtenir une pâte malléable.

Peinture au chiffon : technique par laquelle des chiffons ou des papiers froissés sont roulés sur de la peinture fraîche afin de faire ressortir la couleur de fond. Changez-en fréquemment.

Peinture à l'éponge : application à l'éponge d'une ou plusieurs couches de peinture d'une ou plusieurs couleurs. La technique consiste à tamponner l'éponge sur la surface afin d'obtenir un effet granité irrégulier.

Toile thermofusible : entoilage utilisé pour renforcer les appliqués, empêcher leur enchevêtrement et les garder en place pendant que vous cousez tout autour. La chaleur du fer à repasser active son agent liant.

Tombac : alliage de cuivre et de zinc utilisé en dorure ; remplace l'or en feuille plus coûteux et difficile à manier. À l'achat, les feuilles de métal, de la taille d'un carnet, sont séparées par des couches de papier support qui servent à la manipulation et empêchent le métal de ternir.

◆ Murs et finis texturés ◆

Pourquoi vous contenter d'un mur uni quand la peinture vous offre une foule de possibilités ?
Grâce aux techniques simples décrites ici, vous pourrez obtenir de beaux effets et, lorsque vous vous
sentirez plus à l'aise avec ces méthodes, qui sait jusqu'où votre imagination vous mènera !

Effet de fresque

Un tel fini crée un effet délicat et antique. Le mélange de teintes qui se fondent doucement apporte une touche chaleureuse à beaucoup de décors, qu'ils soient rustiques ou modernes. Faites des essais sur une planche ou une petite surface avant de vous attaquer au mur complet.

- ◆ **2 pinceaux larges**
- ◆ **peintures au latex mat en blanc cassé et jaune ocre clair**
- ◆ **éponge de mer naturelle**
- ◆ **chiffon de nettoyage**

1 Appliquez deux couches de peinture blanc cassé et laissez sécher.

2 Appliquez l'ocre par sections de 90 cm (3 pi) de côté, de façon rapide et uniforme.

3 Avant que la peinture sèche, prenez l'autre pinceau pour frotter la couleur sur la surface et obtenir un effet marbré. Essuyez-le au fur et à mesure sur un chiffon propre pour que les soies restent le plus sèches possible. Recommencez le tout si l'effet est trop inégal.

4 Mélangez deux parts égales de peinture blanc cassé et d'eau. Trempez-y l'éponge et, en travaillant rapidement, appliquez sur toute la surface peinte dans un mouvement de frottage. Mouillez l'éponge dans le mélange d'eau et de peinture à mesure que vous avancez.

5 Pendant que la peinture est encore fraîche, essorez toute l'humidité contenue dans l'éponge. Dans un mouvement circulaire, frottez-la

sur toute la surface. Ne faites pas pression sur l'éponge car la peinture s'étendrait inégalement. Avancez sur toute la surface jusqu'à ce que vous obteniez un effet marbré. Essorez l'éponge souvent pour enlever l'excès d'humidité. Sur une grande superficie, deux personnes côte à côte munies chacune d'une éponge réussiront à travailler vite et efficacement.

Donnez à vos murs l'apparence du plâtre vieilli sans pour autant avoir à attendre 100 ans avant que le temps fasse son œuvre. Deux personnes travaillant ensemble peuvent terminer une pièce en deux jours. Nombreuses sont les couleurs de base qui conviennent très bien, mais particulièrement les tons d'ocre et de terre de la Méditerranée et du Sud-Ouest américain.

Peinture au chiffon

Pour obtenir ce fini tacheté, utilisez deux couleurs. Quand la couche de fond est sèche, la seconde couleur (ou glacis) est diluée dans de l'eau, appliquée et partiellement enlevée avec un chiffon en créant un motif régulier. Pour de meilleurs résultats, utilisez des peintures au fini coquille d'œuf et faites différents tests sur une petite surface avant de commencer. Il vaut mieux travailler à deux.

- ◆ **pinceau large**
- ◆ **peinture au latex pour la couche de fond (gris ou à votre choix)**
- ◆ **peinture au latex pour le glacis au chiffon (gris-vert ou couleur de votre choix diluée dans une quantité égale d'eau)**
- ◆ **beaucoup de chiffons de coton, tels de vieux draps découpés**

1 Appliquez deux couches de fond de gris ; laissez sécher 4 heures après la première couche et 24 heures après la seconde.

2 En travaillant sur une petite surface à la fois (90 cm / 3 pi de côté), la première personne applique la seconde couleur sur la couche de fond en faisant des hachures comme dessous.

3 L'autre personne suit juste derrière et, en travaillant rapidement avec des bandes de tissu pliées, roulées ou chiffonnées, étend une partie de la peinture en un motif irrégulier qui aura l'air homogène sur un mur entier. Utiliser différentes textures de tissu créera des surfaces tex-

La peinture au chiffon donne un effet délicat, un peu voilé, comme le ferait un papier peint discret, mais sans les joints. Les teintes pastel douces conviennent parfaitement à cette technique.

turées différentes, de même que tordre doucement le chiffon ou en frapper la surface. Changez souvent de chiffon. Rattrapez immédiatement les coulisses de peinture pour ne pas gâcher votre travail. Pour de meilleurs résultats, peignez la pièce sans vous arrêter. Ne refaites jamais une portion de mur car les retouches se détacheront du reste. Repeindre le mur entier est la seule façon d'obtenir un résultat satisfaisant si vos premiers efforts laissent à désirer. Laissez sécher le glacis.

Un plafond peint à l'éponge donne à une pièce une impression d'intimité. Vous pouvez faire des pauses car les lignes de démarcation sont faciles à dissimuler.

Peinture à l'éponge

C'est un des finis les plus rapides et les plus faciles à réaliser. Le résultat ? Un effet de style et des erreurs aisément rectifiables. Nous avons utilisé ici un vert jungle sombre, mais vous pouvez choisir n'importe quelle couleur foncée si vous respectez les quantités de peinture et d'eau recommandées. Faites un essai sur une planche ou un petit pan de mur avant d'entreprendre la pièce au complet.

- ◆ **pinceau**
- ◆ **peintures au latex mat en vert jungle et blanc cassé**
- ◆ **éponges de mer naturelles**

1 Peignez le mur en vert jungle. Laissez sécher. Le mur peut paraître foncé une fois sec, mais l'effet final sera beaucoup plus clair.

2 Mélangez deux parts égales de peinture blanc cassé et d'eau. Avec l'éponge, frottez le mélange sur toute la surface. Ne vous inquiétez pas si des plaques de vert foncé apparaissent, elles donneront du caractère à votre mur.

Même un débutant peut arriver à d'excellents résultats en peignant à l'éponge. L'effet marbré ne vise pas à cacher des surfaces mal réparées. Pour obtenir un très beau fini, préparez vos murs avec soin.

3 Mélangez deux parts égales de vert jungle et de blanc cassé. Trempez à peine l'éponge dans le mélange de manière qu'elle reste presque sèche, puis tamponnez sur le mur en exerçant une pression égale. Assurez-vous de varier les angles pour éviter de créer un motif évident. Faites en sorte de vous servir d'un coin de l'éponge pour appliquer la peinture jusqu'au bord du mur. Laissez sécher.

4 Ajoutez du blanc au mélange pour l'éclaircir. Avec une éponge propre, appliquez la nouvelle teinte en deuxième couche et laissez sécher.

5 Ajoutez d'autre blanc. Avec une éponge propre, appliquez la nouvelle teinte en troisième couche et laissez sécher. C'est cette teinte, la plus claire des trois, qui constituera la couleur dominante du fini texturé.

◆ Coup de pinceau rafraîchissant ◆

Vous pouvez redonner vie à de vieux meubles par une simple couche de peinture. La peinture à l'éponge est particulièrement facile à réaliser, même pour un débutant, alors que des pochoirs simples permettent de créer un objet sur mesure pour un décor ou pour quelqu'un de spécial.

Berceuse au pochoir

Vous pouvez personnaliser la traverse supérieure de cette berceuse en y inscrivant au centre, par exemple, le nom d'un enfant. Des lettres, des chiffres et des signes de ponctuation colorés donnent à la chaise un petit air gai.

- ◆ **papier de verre**
- ◆ **chiffon résiné**
- ◆ **1 litre (1 pte) de peinture latex jaune**
- ◆ **pinceau**
- ◆ **peintures acryliques en rouge, bleu, vert, violet et orange**
- ◆ **2 à 5 petites brosses à pochoir**
- ◆ **palette ou plateau en plastique**
- ◆ **essuie-tout**
- ◆ **pochoir précoupé de lettres, de chiffres et de signes de ponctuation de 2,5 cm (1 po) de hauteur**
- ◆ **ciseaux**
- ◆ **ruban-cache**

1 Poncez les surfaces de la berceuse afin qu'elles soient bien lisses pour l'application de la peinture. Essuyez avec un chiffon résiné.

2 Peignez la chaise en jaune ou de la couleur de votre choix. Laissez-la sécher. Appliquez une deuxième couche, et peut-être même une troisième, pour obtenir une couleur unie.

3 Découpez le gros pochoir en plusieurs petits (voir encadré, p. 108).

4 Travaillez avec une couleur à la fois et une brosse sèche. Déposez un peu de peinture sur la palette et trempez-y le bout de la brosse. Faites-la tourner légèrement sur un essuie-tout pour bien répartir la peinture.

Une berceuse d'enfant peinte dans une couleur vive et décorée de dessins au pochoir pourra faire un cadeau parfait pour un anniversaire ou une occasion spéciale.

TRUCS ET ASTUCES

TRUCS POUR TRAVAILLER AVEC UN POCHOIR PRÉCOUPÉ

Un pochoir tout fait peut se révéler encombrant pour travailler sur un objet tel que la berceuse en page 107. À partir d'une grande feuille, les lettres et les chiffres isolés deviennent difficiles à ajuster sur les barreaux, les montants et les traverses.

Une solution facile consiste à découper le pochoir en sections plus petites et plus flexibles de quatre à six lettres chacune, par exemple.

Utilisez du ruban-cache comme zone tampon autour des bords des mini-pochoirs quand la brosse entre en action. Le ruban se pliant bien, un mini-pochoir peut ainsi être inséré entre les barreaux et vous donner accès à toutes les lettres, à tous les chiffres et les signes de ponctuation.

5 Positionnez le pochoir de la lettre, du chiffre ou de la ponctuation à l'endroit voulu sur la berceuse et appliquez la couleur dans un même mouvement circulaire. Gardez le pochoir bien à plat sur la surface avec du ruban-cache (ci-dessous) pour que la peinture ne fasse pas de coulisses. Il serait peut-être aussi utile de masquer les lettres adjacentes avec du ruban avant d'en peindre une nouvelle.

6 Répétez les étapes 4 et 5 jusqu'à ce que la berceuse soit toute décorée. Prenez une brosse propre et sèche pour changer de couleur.

7 Quand vous avez fini de travailler au pochoir et que la peinture est complètement sèche, appliquez plusieurs couches de polyuréthane en suivant les directives du fabricant.

Commode à l'éponge

Nous avons utilisé ici deux teintes de la même couleur, mais vous pouvez aussi travailler avec trois ou quatre teintes pour obtenir un effet différent. Avant de commencer, faites des essais sur un bout de planche afin de vous assurer de l'effet final. Les possibilités étant presque illimitées, gardez en tête les étapes franchies et les peintures utilisées au fur et à mesure du processus.

- ◆ **papier de verre**
- ◆ **chiffon résiné**
- ◆ **1 litre (1 pte) de peinture au latex vert cendré clair**
- ◆ **pinceau**
- ◆ **1 litre (1 pte) de peinture au latex vert cendré moyen**
- ◆ **petite et grosse éponges de mer naturelles**
- ◆ **seau d'eau**
- ◆ **assiettes en carton**
- ◆ **gants de caoutchouc**
- ◆ **polyuréthane**

1 Enlevez poignées et ferrures des tiroirs. Poncez avec soin les surfaces à peindre, y compris les poignées en bois. Vérifiez l'intérieur des tiroirs. Si c'est peint, vous voudrez peut-être le rafraîchir aussi. Poncez soigneusement avant de peindre.

2 Essuyez bien les surfaces poncées avec un chiffon résiné. Peignez l'intérieur des tiroirs au

pinceau si vous voulez. Laissez sécher complètement avant de passer à l'autre étape.

3 Appliquez au pinceau sur la commode une couche de la couleur la plus claire. Laissez sécher. Mettez une deuxième et même une troisième couche pour obtenir une couleur unie.

4 Enfilez les gants de caoutchouc pour travailler à l'éponge. Trempez les éponges dans l'eau et tordez-les pour en enlever l'excédent.

5 Plongez légèrement le bas de l'éponge dans la peinture vert cendré moyen et faites un ou deux pâtés dans une assiette en carton pour répartir la peinture et enlever l'excédent.

6 Tamponnez l'éponge sur le meuble en un léger mouvement circulaire. Le coup d'éponge apparaîtra plus foncé au début mais s'éclaircira au fur et à mesure que l'éponge manquera de peinture. En travaillant au hasard sur chaque surface, vous pourrez équilibrer la couleur.

7 Répétez les étapes 5 et 6 jusqu'à ce que le meuble soit complètement couvert. Servez-vous de la petite éponge pour les coins difficiles d'accès et les détails comme les poignées.

8 Laissez la peinture sécher complètement, puis appliquez sur la commode plusieurs couches de polyuréthane en suivant les directives du fabricant.

Que vous partiez d'un vieux chiffonnier usé par les années ou d'un meuble neuf en bois non peint, le résultat parle de lui-même.

SUBSTITUT D'ÉPONGE NATURELLE

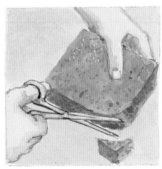

1 *Si vous ne trouvez pas d'éponges naturelles, modifiez une éponge synthétique achetée au supermarché. Coupez d'abord les coins pointus avec des ciseaux.*

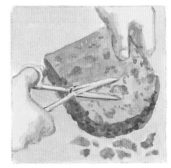

2 *Donnez une forme arrondie aux coins, puis faites d'autres entailles irrégulières à la surface. (Des bords arrondis sont le premier gage de qualité pour une éponge naturelle.)*

3 *Plongez l'éponge avec modération dans la peinture, puis étalez-en un peu en faisant rouler l'éponge dans plusieurs directions, comme vous feriez avec une naturelle.*

◆ Planchers au pochoir traditionnels ◆

A l'ère coloniale, la peinture au pochoir était une façon largement répandue et peu coûteuse d'ajouter couleur et motifs. Bien qu'il existe aujourd'hui beaucoup d'autres techniques de décoration, la peinture au pochoir est toujours appréciée pour le charme et le caractère qu'elle confère à tout décor.

Pour appliquer une bordure au pochoir sur un plancher, utilisez le modèle proposé au bas de la page ou achetez-en un précoupé dans un magasin de matériel d'artiste. Le pochoir n'adhérera pas au vernis ou à la cire. Un plancher en bois décapé et sablé peut être peint au pochoir tel quel, mais il peut être aussi recouvert de deux ou trois couches de latex de couleur complémentaire avant de procéder à la pose de la bordure.

- ◆ **papier à pochoir**
- ◆ **couteau d'artiste**
- ◆ **fixatif en aérosol peu adhérent**
- ◆ **tapis de coupe autoréparant**
- ◆ **crayon, règle et gomme**
- ◆ **petite brosse à pochoir**
- ◆ **pinceau d'artiste**
- ◆ **peinture au latex en harmonie avec la couleur du plancher et des murs**
- ◆ **papier-calque (si vous n'utilisez pas de photocopieuse)**
- ◆ **ruban-cache, au besoin**
- ◆ **vernis de polyuréthane**
- ◆ **brosse pour appliquer le polyuréthane**

1 A l'aide d'une photocopieuse, agrandissez le modèle ci-dessous – ou le modèle choisi – à la taille désirée. (Pour l'agrandir sans photocopieuse, voir p. 276.)
2 Vaporisez le dos du modèle de fixatif pour éviter qu'il ne bouge pendant le découpage, puis placez-le sur le papier à pochoir. Avec le couteau d'artiste, découpez soigneusement les

TRUCS POUR LE POCHOIR

Quand vous peignez un meuble au pochoir, donnez-vous la peine d'inclure poignées et ferrures dans le modèle. Le motif dans son ensemble n'en sera que plus élégant.

Pour centrer un motif sur un mur ou un plancher, enfoncez une punaise à chaque coin et tendez deux cordes en diagonale. Le centre est à leur jonction. Marquez-le et alignez le motif.

L'intérieur de certains meubles – bureaux et armoires, par exemple – se prête bien à la peinture au pochoir. Vous serez ainsi agréablement surpris chaque fois que vous aurez besoin de papier à lettres ou d'une taie d'oreiller.

Enjolivez votre sous-sol en peignant le plancher de béton. Assurez-vous que ce dernier soit lavé à la brosse et bien sec avant de commencer. Protégez la peinture au pochoir avec trois couches de polyuréthane transparent.

Rehaussez des fenêtres avec vue grâce à un motif peint au pochoir autour du châssis. Reprenez un motif de la vue, tels des glands si vous voyez un chêne par la fenêtre, ou choisissez-en un qui s'inspire d'autres éléments de la pièce.

erreur, réparez-la en mettant un petit morceau de ruban-cache de chaque côté.
3 Avant d'appliquer la peinture, voyez comment vous ajusterez le pochoir dans l'espace prévu (p. 102). Mesurez votre plancher et la largeur du pochoir, puis déterminez l'espace à laisser entre les répétitions. Avec le modèle proposé ici, vous obtiendrez une apparence des plus soignées si le cercle au centre du po-choir tombe à chaque coin de la pièce.
4 En partant de ce principe, mesurez le plancher et calculez combien de répétitions du motif s'aligneront de chaque côté du plancher et quel devra être l'espace entre les pochoirs. Faites une légère marque au crayon là où chaque pochoir doit commencer.
5 Collez le pochoir et appliquez la peinture avec la brosse à cet usage : utilisez très peu de peinture et étalez-la avec le bout de la brosse seulement. Soulevez le pochoir prudemment. Avec le pinceau et un peu de peinture, reliez les quatre parties du cercle. Laissez sécher.
6 Reprenez l'étape 5 jusqu'à ce que vous ayez complété la section à peindre. Une fois le tout fini et bien sec, effacez les marques de crayon.
7 Protégez le plancher avec trois couches de polyuréthane mat ou lustré. Laissez sécher 24 heures entre les couches.

formes sur le tapis de coupe. Partez du centre et tournez le papier à pochoir au fur et à mesure. Si vous coupez une des attaches par

Une simple bordure de plancher peinte au pochoir confère à une pièce une touche personnelle aux allures coloniales. Vous pouvez choisir un modèle reprenant un motif d'un papier peint ou d'un tissu.

Pochoir d'une bordure classique

❖ Tapis de chiffon réversibles ❖

Vos pieds s'enfonceront littéralement dans ces jolis tapis tressés ou tricotés faits à partir de chutes de tissu. Les franges leur donnent un petit air à la fois simple et campagnard.

Pour tresser, choisissez une de ces façons de plier le tissu : une fois sur la largeur ou deux fois sur la largeur, les bords francs se rejoignant au centre.

POUR TOUS LES TAPIS

- **fils assortis aux tissus**
- **fil à tapis assorti au tissu**
- **aiguille à coudre n° 1**
- **aiguille à tapisserie**
- **aiguille pointue n° 9**
- **grosses épingles de sûreté**
- **ciseaux ; galon à mesurer**
- **élastiques pour attacher les bandes de tissu en rouleaux**

Tapis tressé en cœur

Celui-ci mesure environ 76 x 63 cm (30 x 25 po). Pour confectionner un napperon assorti, partez d'une ligne de 20 cm (8 po) pour un V de 30 cm (12 po) ; faites cinq ou six tours.

- **3 m (3 ½ vg) de tissu de 110 cm (44 po) de large en trois imprimés différents**
- **planche à découper**

Échantillon pour toutes les tresses
2,5 à 2,8 cm (1-1 ⅛ po) de largeur.

Préparation des bandes de tissu

1 Suivez les directives de la page 281 pour déchirer les bandes en utilisant 25 cm (10 po) pour la mesure A et 12,5 cm (5 po) pour la B ; déchirez jusqu'à 3,8 cm (1 ½ po) des lisières.

2 Pliez chaque imprimé l'envers à l'intérieur, et roulez en pelote. Pour joindre deux bandes de tissu, recouvrez les deux bouts sur environ 1,3 cm (½ po) et cousez au point devant avec du fil assorti. Limitez la taille des pelotes à 10 bandes pour éviter qu'elles soient trop grosses.

Tressage

1 Pour commencer la tresse, faites un pli à chaque bout de bande, placez-les côte à côte et cousez les trois bouts ensemble (p. 114).

2 Tressez sur environ 18 m (20 vg).

3 Pour donner aux tresses une forme de cœur, repliez sur lui-même le début de la tresse, en formant une ligne de départ de 30,5 cm (12 po). À l'aide du fil à tapis et de l'aiguille à coudre,

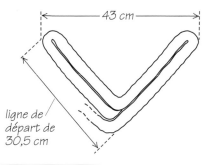

43 cm

ligne de départ de 30,5 cm

faufilez le début de la tresse. Avec l'aiguille à tapisserie, lacez le fil à tapis à travers les bords intérieurs. Arrêtez en haut de la boucle. Avec la tresse, formez une autre boucle de 30,5 cm (12 po) de l'autre côté ; épinglez ces boucles à 43 cm (17 po) de distance – en formant un V – sur une planche à découper. Lacez la deuxième à partir du haut avec du fil à tapis.

4 Faites huit tours avec la tresse autour de ce centre en V et arrêtez-vous au bas du cœur.

5 Pour la finition, découpez une bande de tissu de 5 x 7,5 cm (2 x 3 po). Repliez le long côté. Taillez les extrémités de la tresse et faufilez-les ensemble. Entourez de la bande (voir étape 4, p. 114) et cousez-la au tapis.

Des tapis tressés à l'accent champêtre feront merveille dans votre décor. Utilisez de douces cotonnades dans une ou deux teintes et mêlez tissus imprimés et unis dans les tresses pour créer un effet voilé délicat.

Tapis rectangulaire

Il mesure 56 x 96 cm (22 x 38 po), en excluant 7,5 à 10 cm (3-4 po) de franges à chaque extrémité.

◆ **1,80 m (2 vg) de tissu en 110 cm (44 po) de large – six imprimés**

1 En suivant les directives du tapis en cœur, commencez à tresser trois bandes de même couleur environ 10 cm (4 po) à partir d'un bout et continuez sur 96 cm (38 po).

2 Faites trois à quatre tresses de même longueur dans chaque tissu en terminant leurs extrémités en forme de gland (voir ci-dessous).

3 Placez les tresses dans un certain ordre de couleurs, lacez et cousez les bandes ensemble.

Tapis ovale

Il mesure environ 70 cm x 1 m (28 x 40 po).

◆ **7 tissus imprimés et unis (A-G) en 110 cm (44 po) de large allant du beige au brun foncé :**
◆ **A et G : 1,40 m (1 ½ vg)**
◆ **B et C : 3,40 m (3 ¾ vg)**
◆ **D : 2,50 m (2 ¾ vg)**
◆ **E et F : 1,80 m (2 vg)**

1 Comme pour le tapis en cœur, tressez A, B et C sur 6,40 m (7 vg). À partir d'une ligne centrale de 38 cm (15 po), faites cinq tours.

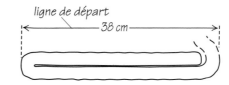

ligne de départ
38 cm

2 Tressez B, C et D ensemble sur environ 8,20 m (9 vg) et lacez quatre tours.

3 Tressez D, E et F sur environ 2,70 m (3 vg) et lacez un tour.

4 Tressez E, F et G sur environ 6 m (6 ½ vg) et lacez deux tours en finissant du côté long. Terminez la tresse au début de la courbe du bout ovale.

5 Pour la finition, vous pouvez dissimuler le bout de la tresse (voir tapis en cœur) ou lui donner une forme de gland (voir tapis rectangulaire). Pour le cacher, faufilez-en les trois extrémités. Repliez un long côté d'une bande de 5 x 7,5 cm (2 x 3 po) et placez-le sous les bouts de la tresse. Repliez l'autre côté en l'aboutant au centre. Enroulez ensuite la bande ainsi formée sur les bouts de la tresse et cousez-les ensemble à points coulés.

PETITS TRUCS

Choisissez du coton grand teint ou des mélanges de coton comme ceux qui servent à faire des couettes. Si le tissu comporte une lisière sans motifs imprimés, enlevez-la avant de déchirer les bandes continues qui formeront les tresses.

Des retailles de différents tissus donnent d'attrayants tapis multicolores. Rassemblez assez de bouts de tissu, et approximativement du même poids, pour obtenir le métrage total nécessaire.

Quand les tapis sont sales d'un côté, tournez-les ; ensuite, vous les laverez. Ce simple geste suffit à garder un niveau d'usure égal des deux côtés.

Pour laver des tapis de chiffon, mettez-les au cycle délicat et retirez-les de la sécheuse avant qu'ils soient tout à fait secs. Étendez-les par terre sur un sac de plastique. Tapotez-les pour qu'ils reprennent leur forme et laissez-les sécher à plat.

Procurez-vous une thibaude dans une quincaillerie pour placer sous votre tapis. Achetez-la 2,5 cm (1 po) plus petite que le tapis.

ÉTAPES ÉLÉMENTAIRES DU TRESSAGE DES BANDES

1 *Tout d'abord, faites des pelotes avec les bandes déchirées en pliant celles-ci l'endroit à l'extérieur. Attachez-les avec des élastiques. Pour faire une tresse, pliez les bouts de trois bandes et cousez-les à la main à l'aide de plusieurs points.*

2 *Pour tresser, ramenez bien la bande de droite par-dessus la bande centrale et placez-la au centre. Ramenez la bande de gauche par-dessus la nouvelle bande centrale et placez-la au centre. Répétez ces deux étapes jusqu'à longueur désirée.*

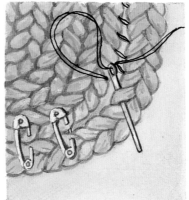

3 *Pour lacer avec du fil à tapis double, piquez le fil à travers une tresse, puis prenez une aiguille à tapisserie pour passer le fil d'un côté et de l'autre des bords intérieurs. Tirez le fil le plus serré possible, sans toutefois déformer le tapis.*

4 *Finalement, repliez les longs côtés d'une bande de 5 x 7,5 cm (2 x 3 po), en les aboutant au centre ; enroulez fermement cette bande sur le bout de la tresse et cousez à points coulés.*

Un tapis de chiffon dans des teintes de bleu et de blanc, une combinaison de couleurs classique, ajoute une touche d'élégance dans une cuisine ou une salle de bains. Pratique, ce tapis est tricoté au simple point de jersey à partir de tissu de coton lavable.

3 En utilisant une couleur de tissu, montez 22 mailles. 1er rg : 22 end. 2e rg : 22 env. Répétez ces deux rangs (point de jersey) sur 44 rgs, ou jusqu'à 30 cm (12 po). Arrêtez les mailles en glissant une boucle à la fois sur un crochet et en tirant la prochaine que vous déposez sur l'aiguille ; coupez le tissu à 5 cm (2 po) de la dernière boucle et tirez le bout à travers.

4 Répétez le 3 pour faire deux autres carrés.

5 Avec la deuxième couleur de tissu, reprenez l'étape 3 pour confectionner trois carrés.

Assemblage du tapis

1 Limitez chaque carré à 30 cm (12 po).

2 En prenant deux carrés à la fois, épinglez trois rangées (voir schéma). Alternez les couleurs et retournez tous les carrés d'une même couleur côté envers vers le haut. Épinglez le haut ou le bas contre le côté du carré contrastant. Cousez les carrés ensemble de chaque côté avec du fil à tapis et une aiguille à coudre, par points devants ou roulés.

Tapis tricoté en damier

Tricotez autant de carrés de 30,5 cm (12 po) qu'il vous faut pour obtenir la surface de tapis désirée. Il vous faut 1,15 m (1¼ vg) de tissu pour chaque carré. Le tapis présenté fait 60 x 90 cm (2 x 3 pi).

- ◆ **3,40 m (3¾ vg) de tissu en 110 cm (44 po) de large pour chaque couleur (bleu et blanc)**
- ◆ **aiguilles à tricoter de 10 mm**
- ◆ **crochet de 7 mm**

Échantillon

5½ mailles et 11 rgs = 10 cm (4 po) au point de jersey, avec aiguilles de 10 mm. Si vous avez moins de mailles, utilisez des aiguilles plus petites ; ou le contraire. (Abréviations, p. 298.)

Confection des carrés

1 Suivez les directives de la page 281 pour les bandes de tissu en utilisant 5 cm (2 po) pour la mesure A et 2,5 cm (1 po) pour la B.

2 Repliez la bande le côté endroit à l'envers.

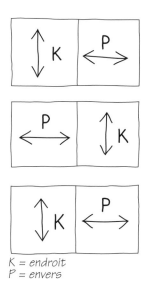

K = endroit
P = envers

3 Cousez les rangs ensemble de chaque côté pour que les coins soient solidement fixés.

◆ Petits tapis peints ◆

Depuis les années 1700, la peinture sur tapis en canevas se veut une façon pratique de décorer les planchers. Son procédé de base est étonnamment simple. Vous pouvez utiliser un des quatre modèles présentés ici ou en concevoir un vous-même en vous inspirant, par exemple, de motifs ornant vos tissus ou votre papier peint.

Pour commencer, appliquez sur le canevas une couche de gesso (apprêt d'artiste) et deux couches de couleur de fond. Choisissez pour ce faire une des couleurs les plus claires de votre modèle.

- **bâche de protection en plastique**
- **canevas d'artiste (voir Trucs pour le canevas, ci-contre)**
- **gesso acrylique ; mélangez 875 ml (3 ½ t) de gesso avec 250 ml (1 t) d'eau pour couvrir 4,60 m² (50 pi²)**
- **rouleau à peinture à revêtement mi-rugueux, plateau**
- **peinture de fond : latex d'extérieur mat ou latex coquille d'œuf**
- **pinceau en nylon de 7,5 cm (3 po)**
- **longue règle en métal, équerre, crayon HB, gomme d'artiste**
- **ciseaux**
- **colle blanche d'artiste**
- **machine à coudre avec aiguille robuste, fil de polyester blanc**
- **peinture pour le modèle : latex, acrylique d'artiste, aérosol**
- **pinceaux d'artiste**
- **pochoirs, peintures à pochoir et brosses à pochoir (optionnels)**
- **ruban à masquer**
- **éponge**
- **vernis à l'eau**
- **pinceau en nylon de 5 cm (2 po)**
- **cire en pâte, chiffons**
- **endos caoutchouté liquide antidérapant**
- **rouleau à revêtement en mousse**

1 Étendez la bâche de protection et placez-y le canevas, la surface lisse en haut. Appliquez-y généreusement au rouleau le mélange de gesso en travaillant à partir du centre. Empêchez le matériel d'onduler et aplanissez toutes les arêtes. Laissez le canevas sécher pendant la nuit.

TRUCS POUR LE CANEVAS

Le canevas d'artiste se vend dans les magasins de matériel d'artiste en différents poids. Normalement, plus il est lourd, plus il est coûteux. Votre détaillant pourra vous en suggérer un de poids moyen. Disponible jusqu'à 3 m (10 pi) de large, il peut être acheté de n'importe quelle longueur. Votre canevas devrait être au moins 20 cm (8 po) plus long et plus large que votre tapis pour permettre un ourlet et pour compenser le rétrécissement causé par l'application de gesso.

Achetez assez de métrage pour faire un tapis sans coutures. Les quatre modèles présentés ici pourront donner des tapis de 60 x 85 cm (2 pi x 2 pi 9 po) ou 90 cm x 1,20 m (3 x 4 pi).

Demandez au détaillant d'enrouler votre canevas sur un rouleau de tissu pour éviter les faux plis.

Même si le canevas n'a pas de bon ou de mauvais côté, le plus lisse se peindra mieux.

Esquissez des figures géométriques, tels les motifs à damiers ou à chevrons, que vous reproduirez à l'échelle sur du papier quadrillé. Une fois l'effet désiré obtenu, achetez un canevas et fabriquez votre tapis conformément aux proportions.

2 Appliquez au pinceau une couche de couleur de fond en travaillant à partir du centre. Peignez sans dépasser les bords. Laissez sécher.

3 Retournez le canevas. À l'aide de l'équerre, de la règle et du crayon, délimitez les dimensions au dos du petit tapis. Dessinez un second rectangle à 15 mm (⅝ po) à l'extérieur du premier. Faites une ligne de 45 degrés à chaque coin extérieur (diagramme 1). Coupez sur les lignes extérieures et les coins en biais.

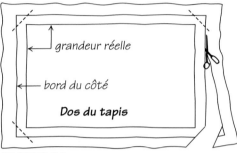

DIAGRAMME 1

4 Repliez le coin pour que la diagonale touche la ligne au crayon (diagramme 2); collez.

5 Un bord à la fois, rabattez un ourlet de 15 mm (⅝ po) à l'envers du canevas. Surpiquez à 6 mm (¼ po) du bord (diagramme 3).

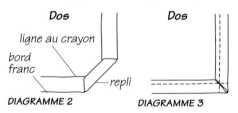

DIAGRAMME 2

DIAGRAMME 3

6 Étendez le tapis à l'endroit. Appliquez une seconde couche de fond. Une fois le tapis sec, dessinez le modèle au crayon, puis peignez. Le ruban-cache masquera certaines sections d'un dessin à motifs linéaires pendant le travail. Terminez par la peinture au pochoir.

7 Une fois le tapis sec, enlevez la poussière avec une éponge humide. Selon les directives du fabricant, appliquez le vernis comme scellant. Reprenez cette étape trois à cinq fois, jusqu'à ce que la surface soit lisse.

8 À l'aide de chiffons doux, appliquez une mince couche de cire. Polissez à la main avec un linge propre pour obtenir un beau lustre.

9 Tournez le tapis à l'envers. Appliquez la colle sous le bord lâche du côté ; laissez sécher.

10 Selon les directives du fabricant, apposez l'endos caoutchouté à l'intérieur des lignes.

Quatre modèles de tapis

Tapis à damiers *Appliquez d'abord le crème en couleur de fond, puis ajoutez les carrés et les triangles colorés. Partez de la bordure en marquant autour du périmètre des intervalles égaux et en tirant, à l'aide d'une règle, des lignes à 45 degrés pour faire les triangles. Servez-vous de leurs pointes pour délimiter la largeur des carrés.*

Tapis à chevrons *Ce modèle s'inspire d'un parquet ou d'un dallage en briques. Appliquez d'abord la couche de fond couleur crème et la bordure brune. Continuez ensuite en reproduisant les mêmes mesures à l'aide d'une règle, ou découpez un gabarit en carton de la grosseur d'une «brique» et utilisez-le pour recréer le motif.*

Tapis céleste *Masquez les bordures blanches avec du ruban avant d'appliquer le fond bleu clair, puis le bleu nuit de la bordure. Une fois le fond sec, enlevez le ruban et peignez lignes de cadrage, points blancs, lunes et étoiles. (Les pochoirs facilitent la tâche.) À main levée, ajoutez les ombres noires autour des lunes et des étoiles.*

Tapis abstrait *Les formes s'y entrecroisent produisant un effet saisissant. Peignez le fond crème, puis ajoutez les autres couleurs. Tracez les cercles avec deux crayons et un bout de ficelle: attachez un crayon à chaque bout de la ficelle, tenez-en un fermement en plein centre et dessinez le contour du cercle avec l'autre.*

◆ Pleins feux sur les feuilles d'automne ◆

Grâce à une technique utilisant du faux verre coloré – si facile que même de jeunes enfants peuvent s'y adonner –, les feuilles deviennent des «capteurs de soleil» qui miroitent comme des bijoux. Variez-en les couleurs afin de saisir l'essence de leurs changements saisonniers ou pour vous mettre dans une ambiance de fête.

Chêne

Ces feuilles de bouleau, de chêne et d'érable sont, plus ou moins, grandeur nature, mais vous pouvez les faire plus grosses si vous voulez. Achetez vos fournitures dans un magasin de matériel d'artiste.

- ◆ **1 feuille de 20 x 25 cm (8 x 10 po) de styrène ou de plastique clair**
- ◆ **bouteilles de 25 ml (1 oz) de peinture sur verre : jaune soleil, or éclatant, rouge baie, orange coquelicot, ambre et vert lierre**
- ◆ **bouteille de 25 ml (1 oz) de faux plomb liquide en étain ou bronze**
- ◆ **essuie-tout, coton-tiges**
- ◆ **trombone**
- ◆ **poinçon à noix ou cure-dents**

1 Agrandissez les dessins de feuilles à la photocopieuse, ou grossissez-les à la main en suivant les directives de la page 276. La feuille

Ces feuilles aux couleurs vibrantes qui scintillent au soleil semblent littéralement tomber devant la fenêtre.

de bouleau fait 6,3 x 9 cm (2 ½ x 3 ½ po), celle du chêne 8,2 x 12,7 cm (3 ¼ x 5 po), celle de l'érable 10,8 x 9 cm (4 ¼ x 3 ½ po).

2 Placez une feuille de styrène vierge sur le dessin, le côté lisse en haut.

Application du plomb

1 Utilisez le bout d'un trombone pour percer une ouverture dans le bec de la bouteille de faux plomb liquide.

2 Pour favoriser l'écoulement, appuyez le bec de la bouteille sur le styrène. Pressez légèrement et levez le bec à environ 6 mm (¼ po) de la surface aussitôt que le plomb se met à couler.

3 Tenez la bouteille à un léger angle, le bec relevé, et suivez le contour de la feuille.

Ajoutez ensuite les lignes intérieures. Le plomb s'étendra dans la direction imprimée par les mouvements de votre main.

4 Laissez le plomb sécher pendant 24 heures.

Coloration

1 Votre surface de travail doit être plane pour empêcher que les peintures ne se mêlent ou ne forment une flaque. Avant de commencer, mélangez bien chaque couleur en balançant la bouteille d'avant en arrière (ne l'agitez pas car des bulles indésirables pourraient apparaître).

2 Refaites l'étape 1 d'application du plomb.

3 Tenez la couleur choisie au même angle que la bouteille de plomb. Libérez un petit pâté au centre d'une des sections plombées en pressant plus légèrement encore qu'avec le plomb, la peinture étant plus liquide. Sans presser, servez-vous du bec pour remplir la section complète d'une mince couche de peinture. Utilisez un poinçon à noix ou un cure-dents pour pousser la couleur contre le plomb ainsi que dans les endroits étroits et les pointes.

4 Libérez des points d'une couleur puis des tourbillons d'une autre couleur, et mêlez-les avec le bec de la bouteille. Vous pouvez aussi créer des lignes de couleurs en alternance et utiliser un cure-dents pour les mélanger.

5 Laissez la peinture sécher 24 heures.

6 Détachez la feuille avec précaution. Pressée sur une vitre propre, elle y collera. Choisissez une fenêtre où la feuille captera la lumière.

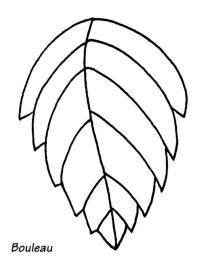

Bouleau

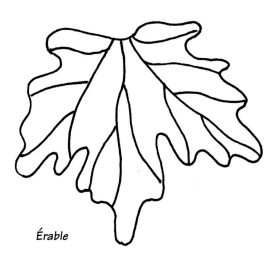

Érable

FABRICATION DES « CAPTEURS DE SOLEIL »

1 *Pour favoriser l'écoulement du plomb, appuyez le bec de la bouteille sur le styrène. Pressez légèrement et levez le bec à environ 6 mm (¼ po) de la surface aussitôt que le plomb se met à couler.*

2 *Pour appliquer le plomb, tenez la bouteille à un léger angle, le bec relevé. Suivez le contour de la feuille, puis ajoutez les lignes intérieures. Le plomb s'étendra au gré des mouvements de votre main.*

3 *Si vous faites une erreur ou si vous n'aimez pas l'aspect d'une ligne, enlevez le plomb fraîchement appliqué avec un coton-tige ; la ligne pourra être redessinée. Laissez sécher pendant 24 heures.*

4 *Libérez un pâté de peinture au centre d'une section en pressant la bouteille très légèrement. Servez-vous du bec pour remplir la section de couleur ; un cure-dents sera utile pour les coins.*

✦ Habillage des fenêtres ✦

L'habillage des fenêtres peut être simple, et néanmoins élégant. Souvent, il suffit à donner à la pièce entière un charme qu'on ne lui soupçonnait pas. Aujourd'hui, quand la fenêtre donne sur un paysage agréable, il est d'usage de n'en habiller que le cadre; le soleil peut ainsi pénétrer à pleine baie.

Cantonnière drapée

La fenêtre illustrée ici mesure 1 m (36 po) de largeur et sa parure comporte cinq enroulements et deux pans; les supports sont en dehors du cadre. Le métrage nécessaire est spécifié ci-dessous. Pour connaître le nombre d'enroulements exigés pour une fenêtre de largeur différente, divisez la longueur de la tringle par 20 cm (8 po), comptez 60 cm (24 po) par enroulement et ajoutez 1 m (36 po) par pan.

- ✦ **5 m (5 ½ vg) de chintz (pêche) en 140 cm (54 po) de large**
- ✦ **5 m (5 ½ vg) de toile à jours ou de filet (écru) en 140 cm (54 po) de large**
- ✦ **fil de la couleur du chintz**
- ✦ **12 m (13 vg) de ganse métallisée or de 6 mm (⅛ po) de large**
- ✦ **règle longue en métal, ruban à mesurer**
- ✦ **triangle à angle droit, craie**
- ✦ **ciseaux, 2 épingles de sûreté**

Confection

1 Pliez la pièce de chintz en deux, endroit sur endroit, et étendez-la sur la pièce de toile en superposant les lisières; épinglez.

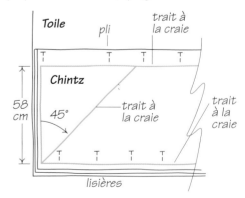

Symétriquement drapée et terminée par de beaux pans, cette cantonnière encadre bien la fenêtre et le paysage.

2 Tracez une ligne à la craie le long de la lisière du chintz, sur toute la longueur. Tracez-en une autre à 58 cm (23 po) de la première. Aux deux bouts du rectangle ainsi formé, tracez une ligne à 45 degrés pour les pans (diagramme, p. 120).

3 Coupez ; ôtez les épingles : vous avez deux pièces de chintz et une de toile.

4 Placez l'endroit d'un chintz sur l'envers de la toile ; faufilez à 6 mm (¼ po) des quatre bords.

5 Installez le pied à fermeture à glissière sur la machine. À partir de 1 m (36 po) d'un coin, sur un long côté, piquez la ganse sur le faufil en arrondissant un peu les coins. Encochez-la légèrement pour qu'elle fasse bien le rond. Superposez les bouts de la ganse et piquez à travers les deux épaisseurs.

6 Endroit contre endroit, piquez l'autre chintz sur la toile juste à gauche de la première piqûre. Laissez une ouverture de 45 cm (18 po) au centre d'un long côté.

7 Tournez l'ouvrage à l'endroit par l'ouverture et fermez celle-ci au point d'ourlet. Repassez le bord près de la ganse avec un fer sec.

Pose de la cantonnière

1 Marquez à la craie le centre de la tringle. Mettez des épingles au centre de la cantonnière. À partir du centre, faites l'enroulement central, toile sur le dessus et épingles dans le bas. Enroulez la moitié droite de la cantonnière, de l'avant à l'arrière, à environ 30 cm (12 po) au-dessus des épingles. Faites deux autres enroulements de 30 cm (12 po) de hauteur, en allant vers la droite. (S'il y a un nombre pair d'enroulements, commencez en plaçant les épingles dans le haut, à l'arrière de la tringle.)

2 À partir du centre, faites deux enroulements vers la gauche, en travaillant cette fois de l'arrière vers l'avant pour conserver le même angle. Au dernier enroulement, arrêtez-vous à l'arrière, sans revenir sur l'avant.

3 Posez la tringle sur ses supports. Faites passer les pans de la cantonnière par-dessus les supports, de l'arrière vers l'avant. Rectifiez le drapé de la cantonnière et celui des pans pour que l'effet soit beau à l'œil.

NOTE Il est plus facile de monter la cantonnière si la tringle est à plat sur un lit, une table ou un parquet, et non suspendue à la fenêtre.

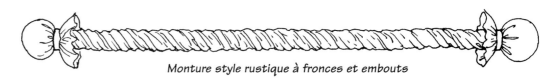

Monture style rustique à fronces et embouts

Monture style rustique

Avec ce qui reste du tissu de la cantonnière (p. 120), vous pouvez décorer une tringle et ses embouts. Si vous êtes plus intéressé par ce projet que par le précédent, achetez 2 m (2 vg) de chintz et 45 cm (18 po) de toile ou de filet.

- ◆ **le reste des tissus achetés pour la cantonnière (p. 120) ou nouveau métrage (voir ci-dessus)**
- ◆ **fil assorti aux tissus et ganse**
- ◆ **fil retors beige à boutonnière, aiguille**
- ◆ **règle, compas, papier, crayon, craie**
- ◆ **2 morceaux de 45 cm (18 po) de fil de fer n° 22, pince coupante, pince**
- ◆ **2 cercles de 20 cm (8 po) de molleton blanc extra-épais**
- ◆ **tringle en bois de 3,5 cm (1 ⅜ po) de diamètre, égale à la distance entre les supports plus 5 cm (2 po)**
- ◆ **deux supports de monture en bois**
- ◆ **deux embouts tournés de 7 cm (2 ¾ po) de diamètre**
- ◆ **45 cm (18 po) de galon métallisé or de 1 cm (⅜ po)**
- ◆ **rond de 1,3 cm (½ po) de ruban autocollant, type velcro**

1 Pour couvrir la tringle, coupez ou montez un tissu de 14 cm (5 ½ po) de largeur sur une longueur égale à deux à trois fois celle de la tringle (le froncé est beau avec plus de tissu).

2 Faites un double ourlet de 6 mm (¼ po) à chaque bout. Sur la longueur, pliez la bande en deux sur l'endroit et piquez à 6 mm (¼ po). Ne repassez pas. Tournez la bande sur l'endroit et enfilez-la sur la tringle en la fronçant.

3 Pour rembourrer les embouts, enfilez le fil retors à boutonnière dans l'aiguille et faites des points à environ 1,3 cm (½ po) et 6 mm (¼ po) du bord dans le molleton (voir diagramme 1).

VARIANTES

À PARTIR du projet de monture à fronces, créez une cantonnière et décorez une fenêtre entière. Commencez par déterminer la quantité de tissu nécessaire.

Les fronces ont ici la même hauteur, de part et d'autre de la tringle. Aux 14 cm (5 ½ po) de largeur donnés pour la bande, ajoutez 25 cm (10 po). Piquez et tournez la coulisse comme on vient de le dire. Centrez la piqûre en longueur sur l'arrière et repassez. Piquez à 6 cm (2 ½ po) du bord, de chaque côté, pour former les fronces. Enfilez la tringle dans la coulisse et suspendez-la en fronçant le tissu d'un support à l'autre. Ou tortillez toute la garniture en spirale : l'effet sera différent, mais tout aussi joli.

Pour obtenir une retombée de 25 cm (10 po) sous la tringle et un froncé étroit dans le haut, ajoutez 63 cm (25 po) aux 14 cm (5 ½ po) de largeur déjà mentionnés. Repassez en plaçant la longue piqûre à 7,5 cm (3 po) du haut. Piquez à 6 et à 12 cm (2 ½ et 5 po) du bord, dans le haut, pour former la coulisse.

Mettez un embout sur le rond et tirez les deux fils ; enroulez-les plusieurs fois autour du col de l'embout et assujettissez-les avec un nœud coulant.

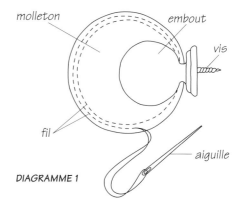

DIAGRAMME 1

4 Tracez sur du papier un cercle de 34 cm (13 ½ po); pour chaque embout, découpez deux ronds dans le chintz et un dans la toile.

5 Sur l'envers du cercle de toile, épinglez l'endroit d'un cercle de chintz. Faites une ouverture en X de 4 cm (1 ½ po) au centre de l'autre rond de chintz; épinglez-le sur le cercle de toile, endroit sur endroit.

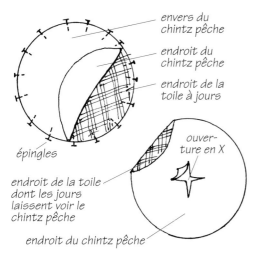

envers du chintz pêche

endroit du chintz pêche

endroit de la toile à jours

épingles

ouverture en X

endroit de la toile dont les jours laissent voir le chintz pêche

endroit du chintz pêche

6 Piquez à 6 mm (¼ po) du bord, sur toute la circonférence. Émoussez la marge et tournez l'ouvrage à l'endroit par l'ouverture en X. Repassez piqûre et marge si c'est nécessaire. Répétez les étapes 5 et 6 pour le second embout.

7 Pour froncer le rond, tracez à la craie une ligne en pointillés à 7 cm (2 ¾ po) du bord. Enfilez un double fil retors à boutonnière dans l'aiguille. Toile sur le dessus, faites des points de bâti de 1 cm (½ po) de longueur sur les pointillés. Déposez l'embout coussiné au centre du rond – toile sur le dessus – et tirez énergiquement les fils. Arrêtez-les avec un nœud coulant.

8 Enroulez du fil de fer autour du col de l'embout; en tenant les bouts avec la pince, tour-

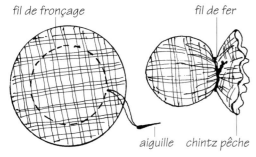

fil de fronçage

fil de fer

aiguille   chintz pêche

nez l'embout pour bien tendre le fil contre les fronces. Aplatissez-le sur le col et coupez ce qu'il y a de trop. Espacez les fronces également. Répétez sur l'autre embout.

9 Mesurez le col, ajoutez 5 cm (2 po) et coupez le galon à cette longueur. Repliez l'un des bouts de 1 cm (½ po) et cousez-le à la main. Enroulez le galon autour du col, endroit dessus. Coupez le rond de velcro en deux et posez-en une moitié de chaque côté pour fixer le galon.

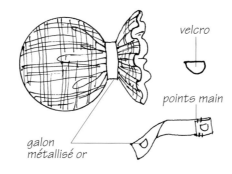

velcro

points main

galon métallisé or

10 Vissez les embouts aux extrémités de la tringle et suspendez-la sur les supports.

Crémaillère à bouillons

La crémaillère à bouillons met en valeur la légèreté du voilage froncé sur la tringle. Taillez-la dans un tissu sans envers, comme du taffetas, avec la méthode A. Dans les étoffes à envers, cousez l'une sur l'autre deux pièces du même tissu ou une de chacun des tissus assortis, selon la méthode B. Ajustez le métrage à votre fenêtre en mesurant sa largeur. Faites un essai sur la tringle avant de couper les pièces.

- **voilage : mousseline ou filet** Métrage : 2 panneaux de la hauteur du bas de la tringle au plancher, plus tour de tringle, plus 1 cm (½ po) de marge de couture et 20 cm (8 po) d'ourlet
- **cantonnière : largeur de la fenêtre, plus 45 cm (18 po) par bouillon, plus deux fois la longueur d'un pan, dans chaque étoffe**
- **fils assortis**
- **épingles, ruban à mesurer**

Voilage

1 Dans le bas de chaque panneau, tournez sur l'envers deux fois 10 cm (4 po) pour former un double ourlet. Cousez au point d'ourlet.

2 Encochez les lisières tous les 5 cm (2 po) environ, de chaque côté des panneaux. Tournez sur l'envers deux fois 2,5 cm (1 po) et repassez. Cousez au point d'ourlet.

3 Pour la coulisse, dans le haut des panneaux, tournez sur l'envers 1 cm (½ po) et repassez. Toujours sur l'envers, rabattez une bande égale à la demi-circonférence de la tringle et fixez au point d'ourlet.

4 Enfilez la tringle dans la coulisse de chaque panneau et suspendez le voilage.

NOTE Si vous choisissez un tissu plus lourd qu'un voilage, attendez 18 heures ou davantage avant de mesurer et de coudre l'ourlet : l'étoffe peut s'étirer sous l'effet de son propre poids. L'ourlet serait alors à reprendre.

Cantonnière – Méthode A

1 Pliez la longueur réelle ou rectifiée de la pièce en deux transversalement, endroit sur endroit; épinglez les côtés l'un sur l'autre sur 60 cm (24 po) à chaque bout. Repliez les bouts sur un long côté : vous obtenez un angle de 45 degrés. Coupez les deux bouts le long du pli en diagonale et enlevez les épingles.

2 Tournez 6 mm (¼ po) de tissu sur chacun des quatre côtés et repassez. Tournez encore 6 mm (¼ po) sur les quatre côtés et repassez : vous obtenez un ourlet étroit et double. Cousez-le au point d'ourlet.

Cantonnière – Méthode B

1 Les pièces doivent être exactement de même longueur et les bouts doivent former un angle droit avec les longs côtés. Au besoin, rectifiez le côté le plus long en fonction du plus court. Coupez les extrémités en diagonale (voir étape 1, méthode A). Faites une minuscule encoche au centre du pli sur les longs côtés avant d'ôter les épingles.

2 Dépliez les étoffes et superposez-les, endroit sur endroit, en faisant accorder les bouts en diagonale. Épinglez les deux longs côtés à partir de l'encoche centrale, en allant jusqu'aux extrémités en diagonale.

3 Piquez à 1 cm (½ po) du bord sur les quatre côtés, en laissant une ouverture d'environ 15 cm (6 po) sur l'un des longs côtés.

4 Ouvrez la couture en repassant un des côtés de la piqûre puis l'autre. Dans les coins, émoussez les marges de biais en les réduisant à 3 mm (⅛ po) de largeur.

5 Par l'ouverture laissée sur un grand côté, tournez la cantonnière à l'endroit. Repassez les côtés en plaçant les piqûres en plein sur l'arête du pli : l'envers de l'ouvrage ne doit pas se voir sur l'endroit.

6 Fermez l'ouverture au point d'ourlet.

Montage de la cantonnière (A et B)

1 Mettez le milieu de la cantonnière sur le milieu de la tringle, le côté le plus court dans le haut. Drapez-la sur la tringle en la laissant pendre un peu devant, dans le centre, et en ramenant les pans derrière la tringle, aux deux extrémités (voir diagramme 1).

2 Si vous préférez que le bord supérieur de la cantonnière soit droit dans le haut de la tringle tandis que le bord inférieur présente un léger arrondi (voir photo), tendez la cantonnière dans le haut et drapez-la sur la largeur près des extrémités de la tringle. Vous n'aurez plus qu'à tirer doucement vers le bas, dans le centre de

DIAGRAMME 1

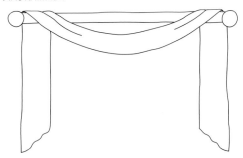

DIAGRAMME 2

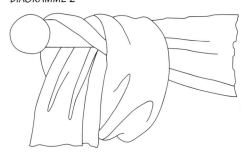

la tringle, de façon à dégager du tissu pour créer le drapé souhaité.

3 Pour que le drapé tienne, nouez lâchement chacun des pans autour de la tringle (voir diagramme 2). Vous pouvez faire légèrement bouillonner le nœud sur le devant pour dissimuler le bout de la tringle. Si vous utilisez un tissu contrastant en guise de doublure, comme dans la méthode B, il se laissera voir dans les pans, en aval des nœuds.

Les voilages laissent entrer à pleine baie le soleil et la lumière tout en assurant votre intimité et, le cas échéant, en dissimulant une vilaine vue. Vous pouvez les surmonter d'une cantonnière en soie décorative, nouée lâchement aux extrémités de la tringle. Dans une chambre, la cantonnière peut s'harmoniser aux coloris du couvre-lit ; dans le salon, elle peut être taillée dans l'étoffe qui recouvre fauteuils et divan.

Store pour enfant

Reportez au pochoir ce motif – ou un de votre invention – sur le store d'une chambre d'enfant.

- ◆ **store en toile**
- ◆ **peinture au latex (facultatif)**
- ◆ **peinture acrylique d'artiste : crème, rouge, bleu pâle, bleu foncé, blanc, jaune, rose, vert pâle, vert foncé**
- ◆ **pinceau, pour l'arrière-plan**
- ◆ **ruban-cache**
- ◆ **crayon, règle**
- ◆ **acétate à pochoir**
- ◆ **exacto et plaque de coupe**
- ◆ **petit pinceau à pochoir**

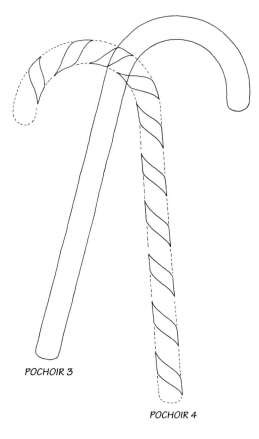

POCHOIR 3

POCHOIR 4

Habillez la fenêtre d'une chambre d'enfant en reproduisant sur la toile de son store des dessins tirés d'un univers enfantin.

POCHOIR 1

POCHOIR 2

1 Si vous ne trouvez pas de store en toile de la couleur voulue, peignez l'arrière-plan au latex : une teinte pâle fait ressortir le motif.
2 Commencez par le motif à tambour, dans le bas. Avec un crayon et une règle, dessinez un rectangle de 38 x 13 cm (15 po x 5 ¼ po) pour le corps du tambour. Entourez-le de ruban-cache et peignez-le en rouge. Laissez sécher pendant 20 minutes avant de retirer le ruban.
3 Avec du ruban-cache, délimitez un rectangle de 14 x 4 cm (5 ½ po x 1 ⅝ po) au-dessus et en dessous du corps du tambour. Avec le pinceau à pochoir, peignez ces deux bandes en bleu clair. Laissez sécher 20 minutes : ôtez le ruban.
4 Les triangles bleu foncé dans les bandes bleu pâle (voir photo, ci-contre) et les guirlandes blanches sur le tambour peuvent être peints à la main. Pour que le dessin soit plus précis, agrandissez les pochoirs 1 et 2 (ci-dessus) de 200 p. 100, puis encore de 200 p. 100 et enfin de 140 p. 100 à la photocopieuse. (Pour agrandir

à la main, voir p. 276 : les triangles ont des côtés de 5 cm (2 po) et chaque feston de la guirlande mesure 14,5 cm (5 ¾ po) de largeur.) Transférez le motif agrandi sur acétate et découpez-le.
5 Déposez le pochoir 1 sur les bandes bleu pâle et peignez les triangles bleu foncé (étape 1, ci-dessous). Laissez sécher. Déplacez le pochoir et complétez les triangles. Retournez le pochoir pour peindre les triangles du bas. (Essuyez-le avant de le retourner ou d'appliquer une autre couleur.)
6 Posez le pochoir 2 sur le grand rectangle rouge et peignez la guirlande (étape 2, ci-dessous) en blanc. Quand c'est sec, faites les trois ronds jaunes au sommet des festons. Mettez une seconde couche de blanc et de jaune au besoin.
7 Cannes : agrandissez les pochoirs 3 et 4 (page ci-contre) de 175 p. 100. Faites les acétates comme à l'étape 4. Le pochoir 3 donne la forme et le 4, les rayures. Dans ce dernier cas, ne reproduisez que les lignes pleines. Il y a deux groupes de coloris : rouge sur rose et vert foncé sur vert pâle : peignez-les séparément.
8 Mettez le pochoir 3 au-dessus du tambour, peignez-le en rose. Répétez ici et là en le renversant parfois. Laissez de l'espace pour insérer les cannes vertes. Quand c'est sec, prenez le pochoir 4 pour les rayures rouges. Faites la même chose pour les cannes vertes.

Montures à rideaux

La monture des rideaux peut devenir un objet décoratif. Voici quelques suggestions qui s'adapteront facilement à votre décor.

Monture vert-de-gris à l'antique

Avec de la peinture, il est facile de donner à une monture en bois l'apparence du cuivre oxydé par l'âge ou les intempéries.

◆ **tringle en bois dépassant de 5 cm (2 po) les supports de fixation**
◆ **papier de verre fin**
◆ **scellant tout usage**
◆ **petit pinceau**
◆ **émail semi-lustré à l'alkyde brun foncé**
◆ **fil de laiton pour suspendre les tableaux**
◆ **pince coupante**
◆ **pâte à frottis à l'alkyde (boutiques de fournitures d'art)**
◆ **peinture à l'alkyde vert-de-gris**
◆ **chiffons de coton**

1 Poncez la tringle pour la rendre bien lisse.
2 Posez une couche de scellant. Laissez-la sécher, puis poncez. Appliquez deux couches de peinture semi-lustrée brun foncé en laissant sécher entre les couches.
3 Enroulez deux fils de laiton de même longueur, un à chaque bout de la tringle, à 3 cm (1 ¼ po) des extrémités.
4 Assujettissez les fils et coupez les bouts avec la pince coupante.
5 Mélangez la pâte à frottis et la peinture vert-de-gris selon les directives du fabricant. Avec le petit pinceau, appliquez cette pâte d'un seul côté de la tringle sur la peinture brune et le fil de laiton.
6 Avec une boule en chiffon de coton, tamponnez la peinture encore fraîche. L'effet est plus réaliste si vous laissez ici et là des irrégularités : ne recherchez pas la perfection.
7 Quand la peinture est sèche, donnez le même traitement à l'autre côté de la tringle. Quand c'est sec, suspendez celle-ci.

NOTE On peut traiter de la même façon les supports et les anneaux en bois.

DÉCORATION D'UN STORE AU POCHOIR

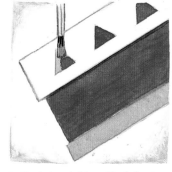

1 *Sur la bande bleu pâle du haut, posez le pochoir 1 à gauche et peignez les quatre triangles en bleu foncé. Laissez sécher. Déplacez le pochoir et faites les quatre autres triangles. Pour la bande inférieure, mettez le pochoir tête en bas.*

2 *Avec le pochoir 2, dessinez la guirlande. Posez le pochoir sur le rectangle rouge de façon que la guirlande touche les deux côtés. Dans le haut, laissez de l'espace pour les cercles jaunes. Peignez les festons en blanc.*

3 *Pour les cannes, posez le pochoir 3 au-dessus du tambour et peignez-le en rose. Ici et là, renversez le sens des cannes et laissez de l'espace pour les cannes vertes. Prenez le pochoir 4 pour peindre les rayures rouges ou vert foncé.*

Monture en bambou

Décorez une tringle en bambou avec un gland en ficelle ou en raphia à chaque bout.

- ◆ **tringle en bambou ajustée aux supports**
- ◆ **carré en carton robuste de 10 cm (4 po) de côté**
- ◆ **ficelle brune ou raphia naturel (boutiques d'artisanat)**
- ◆ **ciseaux**
- ◆ **colle blanche**
- ◆ **ruban-cache**

Pour chaque gland

1 Recouvrez le carton de ficelle étroitement enroulée, ou de raphia.
2 Insérez un bout de ficelle sous l'enroulement et faites un nœud.
3 Retirez la ficelle du carton. Cintrez avec de la ficelle à 2,5 cm (1 po) du nœud pour former le col du gland.
4 Avec des ciseaux, coupez les boucles dans le bas du gland et étalez-les. Rectifiez.
5 Enroulez de la ficelle à travers la tête du gland et faites plusieurs nœuds. Attachez le gland à environ 4 cm (1 ½ po) du bout de la tringle.
6 Mettez de la colle sur 1 cm (⅜ po) de part et d'autre de la ficelle qui tient le gland et masquez-la avec de la ficelle. Faites-la tenir avec du ruban-cache pendant que la colle sèche.

Monture à rayures bonbon

Votre enfant sera ravi de voir à sa fenêtre une monture qui lui rappelle la magie du cirque.

- ◆ **tringle en bois dépassant de 2,5 cm (1 po) les supports**
- ◆ **peinture blanc mat au latex**
- ◆ **pinceau**
- ◆ **ruban rouge : deux fois et demie la longueur de la tringle**
- ◆ **vieux journaux**
- ◆ **fixatif en vaporisateur**
- ◆ **deux pelotes (rouge, blanche) de fil à tricoter à quatre brins**
- ◆ **carton**
- ◆ **compas, crayon, règle**
- ◆ **colle blanche**
- ◆ **papier de verre fin**
- ◆ **ciseaux**

Montage de la tringle

1 Poncez la tringle ; recouvrez-la de deux couches de peinture blanche. Laissez sécher.
2 Étendez des journaux sur le sol. Dessus, mettez le ruban bien plat, endroit dessous. Vaporisez un des deux bouts de fixatif.
3 Couchez la tringle à 45 degrés sur le ruban.
4 Faites rouler la tringle sur le ruban en vous assurant qu'il s'enroule étroitement et en spirale uniforme.
5 Continuez ainsi jusqu'à la fin en vaporisant et en enroulant le ruban, section par section.

6 Quand le ruban est posé, enfilez les anneaux, avant de poser les pompons.

Montage des pompons

1 Il vous faut deux pompons, un à chaque bout. Pour chacun, dessinez au compas sur du carton deux cercles dont le diamètre sera trois fois celui de la tringle. Découpez-les.
2 Avec un crayon et une règle, divisez chaque cercle en huit. Découpez un cercle un peu plus grand que le diamètre de la tige au centre de chaque carton.
3 Réunissez les deux cartons et enroulez le fil autour d'eux en allant constamment du centre à la périphérie ; passez du rouge au blanc et du blanc au rouge à chaque section.
4 Une fois les cercles recouverts de fil, étalez de la colle sur 1 cm (⅜ po) environ à un bout de la tringle. Faites entrer le bout de la tringle dans le trou central des cartons et laissez sécher. Répétez pour l'autre pompon.
5 Pour chaque pompon, introduisez le bout des ciseaux entre les cartons, à la périphérie, et coupez la laine tout autour. Mettez un bout de laine entre les cartons et faites plusieurs nœuds. Ôtez le carton. Coupez la laine en trop et ébouriffez le pompon.

Un bel assortiment de montures décoratives. De haut en bas, monture à rayures bonbon et à pompons, monture vert-de-gris à l'antique, monture en bambou avec glands, monture écaille de tortue (technique, p. 152).

◆ Coussins et glands de fantaisie ◆

Voulez-vous introduire une note de gaieté et de couleur dans votre salon ou votre chambre ?
Pensez aux glands. Sur les coussins et les traversins, les stores, les abat-jour et les embrasses de rideau,
ils ont un petit air guilleret qui fait sourire et met de bonne humeur.

Gland simple

Les instructions ci-dessous sont données pour des glands de 6,5 cm (3 po) illustrés à droite sur l'embrasse et les coussins; fil ou ruban conviennent.

- ◆ **carton épais de 12,5 x 7,5 cm (5 po x 3)**
- ◆ **1 pelote de fil de coton à crochet, écru**
- ◆ **aiguille courbe à grand chas**
- ◆ **ciseaux**

Appliquez la méthode de base décrite page 128 selon les directives qui suivent. À l'étape 1, enroulez le coton 150 fois sur le petit côté du carton. À l'étape 2, prenez 50 cm (20 po) de coton pour faire le nœud au sommet. À l'étape 3, enroulez 1 m (36 po) de coton à 2,5 cm (1 po) du sommet du gland pour former le col.

Vous pouvez faire quatre glands avec un seul carton. Plutôt que de couper le fil quand le premier gland est terminé, laissez 2,5 cm (1 po) de jeu et commencez-en un autre. Coupez les fils qui relient les glands avant de les enlever des cartons.

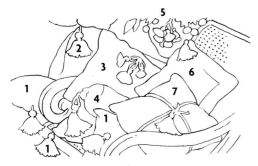

Une belle collection d'articles douillets : **1** *Coussins à glands simples* **2** *Embrasse de rideau* **3** *Coussin à bords plats et glands en grappes* **4** *Traversin à glands simples* **5** *Pot de fleurs à glands en grappes* **6** *Coussin gansé à glands simples dans les angles* **7** *Coussin à cordelette torsadée terminée par des glands simples.*

Grappe de glands

Une grappe de glands est composée de plusieurs glands non séparés les uns des autres. On lui donne du relief en prenant plusieurs coloris. (Voir les glands du pot de fleurs, p. 127.) Les instructions ci-dessous donnent des glands de 5 cm (2 po).

- ◆ **carton épais de 12 x 5 cm (5 x 2 po)**
- ◆ **1 pelote de fil de coton à crochet rouge**
- ◆ **1 pelote de fil de coton à crochet couleur café**
- ◆ **2 écheveaux de fil de coton perlé n° 5, couleur or**
- ◆ **2 écheveaux de fil de coton perlé n° 5, couleur écrue**
- ◆ **aiguille courbe à grand chas**

Confectionnez quatre glands dans chaque coloris, selon les étapes 1 à 3 illustrées ci-dessous. Chaque grappe peut se faire sur le même carton, comme on l'explique dans les instructions pour glands simples, page 127.

Étape 1 : enroulez le fil 80 fois autour du carton. Étape 2 : coupez deux longueurs de 1 m (36 po) de fil, pour le nœud au sommet du gland. Étape 3 : coupez une longueur de 50 cm (20 po) de fil pour cintrer le col de chaque gland, à 1 cm (½ po) du sommet. Ne coupez pas les boucles, comme on le dit à l'étape 4 ; contentez-vous de les étaler légèrement.

Nouez les quatre liens de chaque coloris 2,5 à 5 cm (1-2 po) au-dessus des glands, en modifiant la distance d'un gland à l'autre. Nouez ensemble les quatre glands, 2,5 cm (1 po) au-dessus des premiers nœuds. Enroulez tous les fils sur eux-mêmes et nouez.

Coussin à bord plat

Ce coussin élégant, illustré à la page 127, comporte deux tissus assortis dont le deuxième, un fleuri, est utilisé en bordure. L'ouvrage mesure 50 cm (20 po) de côté : c'est un carré. Les piqûres sont à 1 cm (½ po) des bords vifs.

- ◆ **1,15 m (1 ¼ vg) de tissu A**
- ◆ **70 cm (¾ vg) de tissu B**
- ◆ **fermeture à glissière de 40 cm (16 po)**
- ◆ **forme à coussin de 45 cm (18 po)**

1 Dessus : coupez un carré de 28 cm (11 po) dans le tissu A. Dans le tissu B, coupez quatre bandes de 54 x 15 cm (21 x 6 po).

2 Endroit sur endroit, bords vifs égaux, épinglez les bandes B en bordure du carré A. Piquez en laissant une ouverture de 1 cm (½ po) de chaque côté des coins. Fermez les coins en onglet (p. 306).

3 Repassez les marges du bord intérieur sur l'envers.

4 Piquez le carré à onglet par-dessus un autre carré en tissu A (voir ci-dessous le dessus du coussin) pour que le tissu dépasse des bords de 2,5 cm (1 po).

5 Pour le dessous, coupez deux pièces dans le

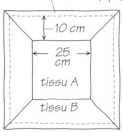
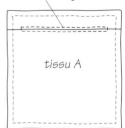

Dessus du coussin   *Dessous du coussin*

tissu A, l'une de 54 x 47 cm (21 x 18 ½ po), l'autre de 54 x 9 cm (21 x 3 ½ po).

6 Pour la fermeture à glissière, épinglez les deux pièces l'une sur l'autre, endroit sur endroit. Marquez une ouverture de 40 cm (16 po) au centre du bord. Piquez sur 6 cm (2 ½ po) à chaque bout et ouvrez au fer. Épinglez et piquez la fermeture à glissière.

7 Endroit sur endroit, fermeture à glissière ouverte, piquez ensemble le dessus et le dessous du coussin. Tournez sur l'endroit et surpiquez à 2,5 cm (1 po) du bord pour le rendre plat.

8 Insérez le coussin. Décorez au besoin d'une grappe de glands (voir p. 127).

CONFECTION D'UN GLAND

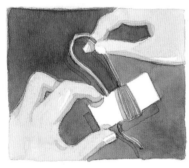

1 *Donnez au carton la largeur correspondant à la longueur du gland. Tenez le bout du fil dans le bas du carton et enroulez-le dessus à l'épaisseur voulue ou autant de fois qu'on le spécifie.*

2 *Pour arrêter le fil, enfilez-le dans une aiguille courbe et passez-le sous les enroulements. Désenfilez l'aiguille, amenez le fil au sommet du gland et nouez-le fermement.*

3 *Retirez l'ouvrage du carton. Avec un fil, cintrez le col du gland. Faites un nœud devant et un autre derrière. Enroulez les bouts autour du col, puis enfilez-les et faites-les entrer dans le col.*

4 *Coupez les boucles dans le bas du gland et égalisez la jupe. Pour la gonfler, tenez-la 30 secondes au-dessus du bec d'une bouilloire en ébullition et peignez-la avec une aiguille.*

Traversin

La forme arrondie du traversin met de la fantaisie dans un groupe de coussins rectangulaires.

- **tissu de 60 x 52 cm (24 x 20 ½ po)**
- **1,30 m (1 ½ vg) de ganse de 6 mm (¼ po)**
- **1,80 m (2 vg) de ficelle et une épingle de sûreté**
- **traversin de 15 cm (6 po) de diamètre x 33 cm (13 po)**
- **2 glands simples**

1 Coupez la ganse en deux.

2 Envers dessus, faites une marque sur les longs côtés du tissu à 12 cm (4 ¾ po) et à 14 cm

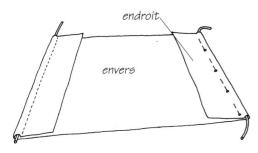

(5 ½ po) des coins. Centrez une ganse entre les marques à chaque bout et rabattez le tissu par-dessus. Avec le pied à fermeture à glissière, piquez près de la ganse (ci-dessus).

3 Ouvrez les bouts. Épinglez les longs côtés, endroit sur endroit. Piquez à 2,5 cm (1 po) (ci-dessous). Ouvrez la couture au fer.

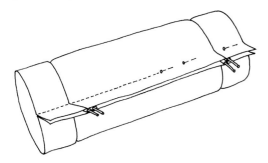

4 Coulisses : envers dessus, pliez le tissu de 1,25 cm (½ po) et repassez. Pliez de nouveau et repassez : la coulisse est de 2,5 cm (1 po) à chaque bout. Piquez au point d'ourlet ; laissez une ouverture de 2,5 cm (1 po) près de la couture.

CORDELETTE TORSADÉE

L A CORDELETTE TORSADÉE va bien avec un gland. Confectionnée dans le même tissu que le gland – ou dans un tissu ou un fil contrastant –, elle peut servir à décorer le coussin ou à tenir le gland en place.

Commencez le travail avec trois à cinq bouts de fil ou coupez-les de façon à leur donner environ trois fois la longueur de la cordelette requise pour votre ouvrage. Nouez-les ensemble à chaque bout. Attachez un des bouts à un support ferme, un crochet à tasse par exemple. Insérez un crayon entre les fils à l'autre bout et raidissez les fils en poussant le crayon contre le nœud. Tournez le crayon à de nombreuses reprises pour torsader les fils. Continuez ainsi jusqu'à ce qu'ils soient parfaitement torsadés.

Retirez le crayon tout en retenant les fils de la main. De l'autre main, pincez fermement le faisceau de fils au milieu et repliez-le pour que les deux bouts noués se rejoignent. Laissez aller le centre : les fils se retordront d'eux-mêmes et formeront une cordelette. Avec les doigts, resserrez au besoin la torsade, petits bouts par petits bouts : la cordelette doit être tendue, mais rester souple. Nouez les extrémités ensemble.

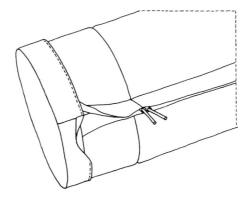

5 Coupez la ficelle en deux. Nouez le bout d'une ficelle autour d'une épingle de sûreté fermée. Introduisez-la dans une coulisse et faites-la sortir à l'autre bout. Froncez en tirant les deux bouts. Nouez et coupez.

---

6 Tournez l'ouvrage et insérez le traversin. Introduisez l'autre ficelle dans l'autre coulisse : tirez, froncez, nouez et coupez comme en 5. Fixez un gland à chaque bout.

Coussin gansé

Une jolie ganse et des glands simples ou en grappes donnent aux coussins les plus simples une grande élégance. Celui qui est décrit ici est recouvert de deux tissus assortis et ses bords sont à onglet. La couleur de la ganse peut faire contraste avec les coloris du tissu ou s'y harmoniser. Le coussin illustré à la page 127 mesure 40,5 cm (16 po) de côté ; il est carré. Les mesures comprennent une marge couture de 1 cm (½ po).

- **30 cm (⅓ vg) de tissu A**
- **90 cm (1 vg) de tissu B**
- **2 m (2 ¼ vg) de ganse de 6 mm (¼ po)**
- **colle ou fil, pour les bouts**
- **coussin de 45 cm (18 po)**
- **glands assortis aux tissus**

1 Dessus : coupez un carré de 25 cm (10 po) dans le tissu A. Dans le tissu B, coupez quatre bandes de 43 x 11,5 cm (17 x 4 ½ po).

2 Endroit sur endroit, bord sur bord, épinglez les bandes B en bordure du carré A. Piquez en laissant une ouverture de 1 cm (½ po) dans un des coins. Finissez les bandes en onglet dans les coins (p. 306).

3 Ganse : coupez des biais de 4 cm (1 ⅝ po) dans le tissu A – vous devez en avoir environ 2 m (2 ¼ vg) au total. Pour fabriquer et poser le biais, reportez-vous aux instructions données à la page 134.

4 Dessous : répétez les étapes 1 et 2.

5 Endroit sur endroit, piquez ensemble le dessus et le dessous avec le pied à fermeture à glissière en laissant une ouverture de 35 cm (14 po) d'un côté.

6 Au besoin, émoussez la marge couture en diagonale dans les coins pour en réduire le volume. Tournez l'ouvrage. Confectionnez les glands (page ci-contre) et posez-les dans les coins. Insérez le coussin dans sa housse et fermez l'ouverture au point d'ourlet.

◆ Nocturne douillet ◆

*Pour relever le décor de votre chambre, rénovez des articles que
vous possédez déjà. Reportez des motifs au pochoir sur un abat-jour
de lampe ou appliquez sur le linge de lit un motif floral.*

Draps à roses

*Découpez des motifs de roses dans un joli chintz
et appliquez-les sur les draps et les taies d'oreiller
avec du filet thermocollant. Une piqûre au point
de zigzag réalisée à la machine autour des
appliqués complète l'ouvrage.*

- ◆ **drap de dessus uni**
- ◆ **deux taies d'oreiller unies**
- ◆ **90 cm (1 vg) de tissu à imprimé floral**
- ◆ **1,80 m (2 vg) de filet thermo-collant monté sur papier**
- ◆ **fil assorti au motif de l'imprimé**
- ◆ **petits ciseaux bien coupants**

1 Repassez le drap, les taies d'oreiller et le
tissu pour éliminer tous les faux plis.
2 Dans le tissu à imprimé floral, choisissez les
motifs que vous voulez découper. Sur l'envers
du tissu, appliquez des morceaux de filet
thermocollant pour qu'ils dépassent un peu
les motifs. Découpez les fleurs – avec leurs
feuilles, s'il y a lieu. Pelez l'envers papier du
filet. Préparez autant d'appliqués qu'il faut.
3 Placez les motifs découpés le long de la
bordure supérieure du drap et aux endroits
appropriés sur les taies d'oreiller. Repassez les
appliqués au fer chaud pour les fixer. Si vous
voulez en placer près du bout fermé de la taie,
défaites la couture pour ouvrir la taie avant de
faire la surpiqûre au point de zigzag; vous la
refermerez après.
4 Chargez la canette de fil assorti au linge de
lit et enfilez dans l'aiguille un fil assorti aux
appliqués. Avec un point de zigzag étroit et
serré et le pied-machine qui convient, piquez
avec soin autour de chaque appliqué. Prolongez la piqûre de quelques points superposés
aux premiers et coupez les fils à ras.

*Des teintes pastel pour les motifs au pochoir, des appli-
qués à fleurs et une peinture bleu pâle sur le meuble
créent une ambiance de détente dans la chambre.*

POSE DES APPLIQUÉS

1 *Mettez du filet thermocollant à
l'arrière des appliqués choisis et
découpez-les. Ôtez l'envers papier
qui recouvre le filet.*

2 *Disposez les motifs à votre goût
près de la bordure du drap et sur
la taie d'oreiller. Collez-les au fer
chaud.*

3 *Avec le pied-machine adéquat,
ourlez le bord des motifs d'une
piqûre au point de zigzag pour leur
donner du relief et les faire tenir.*

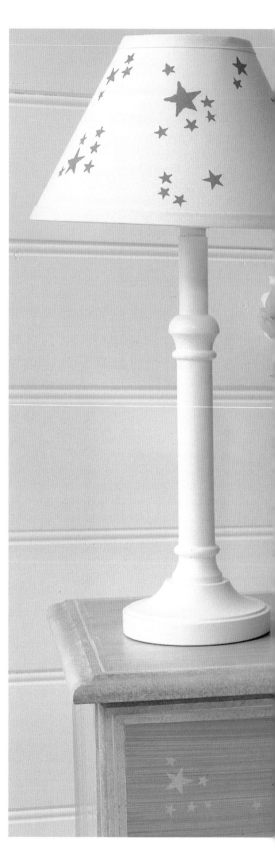

Embellissez une petite commode de style rustique avec de la peinture travaillée selon les techniques du pointillage et du veinage.

Pochoir à étoiles

Abat-jour à étoiles

Décorez un abat-jour uni avec un pochoir et un peu de peinture (p. 130). Agrandissez le patron ci-dessus et préparez un pochoir sur acétate ou achetez un pochoir déjà fait.

- **lampe en bois, abat-jour crème**
- **papier de verre fin**
- **peinture semi-lustrée au latex – couleur crème**
- **peinture acrylique d'artiste – bleu**
- **pochoir à étoiles**
- **pinceau**
- **petit pinceau à pochoir**
- **ruban-cache peu collant**

1 Poncez le pied de la lampe.

2 Donnez-lui deux couches de peinture crème. Poncez après chacune.

3 Fixez le pochoir à étoiles dessus avec du ruban. Trempez à peine le bout du pinceau dans de la peinture bleue et peignez les étoiles par petits coups. Faites-les toutes ou choisissez-en simplement quelques-unes au hasard.

Pochoir à nœuds

Commode de chambre

Une petite commode de chambre toute simple devient le point de mire de la pièce avec une application de peinture selon les techniques du veinage et du pointillage. La peinture texturée s'achète en boutique pour fournitures d'artiste.

- ◆ **papier de verre fin**
- ◆ **scellant au latex**
- ◆ **pinceau de nylon**
- ◆ **peinture au latex mat blanc**
- ◆ **linge à épousseter**
- ◆ **peinture texturée bleue :**
  1 volume de latex bleu mat,
  1 volume de relief moyen,
  1 volume d'eau
- ◆ **peinture texturée rose :**
  1 volume de latex rose mat,
  1 volume de relief moyen,
  1 volume d'eau
- ◆ **pinceau de 5 cm (2 po) en fibres naturelles**
- ◆ **petit pinceau à pochoir**
- ◆ **ruban-cache peu collant de 6 mm et 1,3 cm (¼ et ½ po)**
- ◆ **acétate à pochoir**
- ◆ **marqueur à pointe fine**
- ◆ **exacto, règle**
- ◆ **cire ou vernis satin à l'eau**

1 Poncez le meuble ; ôtez la poussière avec un chiffon doux. Avec le pinceau de nylon, appliquez le scellant sur toutes les surfaces.

2 Quand il est sec, poncez le bois pour le rendre lisse à nouveau.

3 Avec le pinceau de nylon, appliquez deux couches de peinture blanche. Poncez chaque couche quand elle est sèche et ôtez la poussière avec le linge à épousseter.

4 Mettez une bande de ruban-cache de 1,3 cm (½ po) sur le dessus du meuble, à 3 cm (1 ¼ po) du bord. Si la commode comporte un tiroir et une porte, mettez une bande de 1,3 cm (½ po) en bordure, sur l'un et sur l'autre. Pour décorer une petite commode à tiroirs, masquez les bordures sur les côtés du meuble.

5 Avec le pinceau de nylon, appliquez la peinture texturée bleue sur les surfaces délimitées par le ruban et, avant qu'elle ne sèche, balayez-la avec le pinceau de 5 cm (2 po) en fibres naturelles pour créer un effet de veinage. Laissez sécher parfaitement avant d'ôter le ruban.

6 Mettez du ruban de 1,3 cm (½ po) au bord de la région veinée. Mettez du ruban de 6 mm (¼ po) au centre de l'espace entre le premier ruban et le bord du meuble (étape 3, ci-dessous). Trempez le bout du pinceau dans un peu de peinture texturée bleue et peignez par petits coups — avec le bout du pinceau seulement — dans les deux régions que vous venez de délimiter. Laissez bien sécher la peinture avant d'enlever le ruban.

7 Isolez la bande de 6 mm (¼ po) qui reste avec du ruban-cache. Avec le pinceau à pochoir, appliquez dans cet espace la peinture texturée rose. Laissez sécher ; ôtez le ruban.

EFFETS DE SURFACE

Pour décorer le meuble, nous avons recours à deux techniques : veinage pour le corps ; pointillage en bordure. L'inverse est tout aussi joli.

L'effet obtenu varie selon le pinceau utilisé et la pression que vous appliquez. Si vous n'avez pas de pinceau en fibres naturelles, prenez ce que vous avez sous la main. Vous pouvez veiner la peinture avec de la laine d'acier ou un peigne à dents fines.

Prolongez la thématique réalisée sur le meuble et la lampe en répétant les techniques du veinage ou du pointillage sur un autre élément de décor dans la pièce.

8 Avec le pinceau à pochoir et la peinture blanche, peignez de petits motifs sur la peinture bleue. Nous avons utilisé un pochoir à nœuds fantaisie sur le dessus du meuble et sur la porte. Pour le fabriquer, agrandissez le motif illustré sur la page ci-contre (pour agrandir sans photocopieuse, voir p. 276). Reportez au marqueur le dessin sur l'acétate (voir p. 101) et découpez avec un exacto.

9 Quand la peinture est bien sèche, appliquez deux couches de cire ou de vernis. Polissez chaque couche de cire ou poncez chaque couche de vernis, quand elles sont sèches.

DÉCOR AU POCHOIR AVEC DE LA PEINTURE TEXTURÉE

1 *Peignez d'abord toutes les surfaces en blanc ; poncez et époussetez. Mettez une bande de ruban-cache à environ 3 cm (1 ¼ po) des bords sur le dessus, les côtés, la porte et le tiroir.*

2 *Appliquez la peinture texturée bleue au pinceau de nylon dans l'espace délimité. Passez un pinceau raide sur la peinture fraîche pour créer un effet de veinage. Laissez sécher ; ôtez le ruban.*

3 *Cachez le bord de la région veinée avec du ruban. Centrez du ruban de 6 mm (¼ po) dans l'espace qui reste. Appliquez de la peinture bleu par petits coups. Laissez sécher ; ôtez le ruban.*

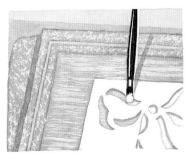

4 *Entourez la bordure qui reste vide de ruban de 1,3 cm (½ po) ; peignez-la en rose. Ôtez le ruban quand c'est sec. Sur le bleu, faites des nœuds en blanc au pochoir. Laissez sécher ; cirez ou vernissez.*

◆ Faites de beaux rêves ◆

Blottissez-vous en confort et en beauté sous un édredon douillet dont vous aurez confectionné vous-même la housse dans des tissus de votre choix. Le jour, ne le cachez pas sous un couvre-lit : ce serait vraiment dommage ! Au contraire, rendez-le encore plus invitant en accumulant à la tête des coussins moelleux.

Housse d'édredon

Le métrage convient à un édredon de 193 x 218 cm (76 x 86 po). Pour le modifier, voir page 136. Pour avoir un rideau de douche assorti, voir page 137.

- ◆ **7 m (7 ¾ vg) de tissu A en 140 cm (54 po) de large**
- ◆ **2,20 m (2 ½ vg) de tissu B en 140 cm (54 po) de large**
- ◆ **fils assortis**
- ◆ **1,80 m (2 vg) de corde à cordonnet de 6 mm (¼ po) de diamètre**
- ◆ **23 cm (9 po) de ruban velcro de 2,5 cm (1 po) de large**
- ◆ **ciseaux, crayon, craie**
- ◆ **ruban à mesurer, longue règle en métal**

1 Dessus : dans le tissu A, coupez une pièce de 135 x 224 cm (53 x 88 po) et deux de 32 x 224 cm (12 ½ x 88 po).

2 Dessous : dans le tissu A, coupez une pièce de 135 x 221 cm (53 x 87 po) et deux pièces de 32 x 221 cm (12 ½ x 87 po).

3 Rabat : dans le tissu B, coupez deux pièces de 196 x 39 cm (77 x 15 ½ po), longs côtés dans le droit fil du tissu. Coupez aussi l'équivalent de 11 m (12 vg) de biais de 1,5 cm (⅝ po) que vous rabouterez par la suite (pour le cordonnet) et cinq attaches de 15 x 33 cm (6 x 13 po).

4 Mettez la corde sur l'envers du biais, enveloppez et piquez contre le cordonnet avec le pied à fermeture à glissière (voir ci-dessous).

5 Sur les longs côtés du panneau central du dessus, piquez le cordonnet à gauche de sa piqûre. Délestez le biais de 3,8 cm (1 ½ po) de corde dans le haut et de 1,3 cm (½ po) dans le bas pour libérer l'ourlet et les piqûres.

6 Placez le panneau central sur les panneaux de côté, endroit sur endroit, et piquez à gauche de la piqûre du cordonnet mais tout contre. Au fer, ouvrez les marges vers le centre.

7 Refaites les étapes 5 et 6 pour le dessous.

8 Haut du dessus : au fer, repliez 1,3 cm (½ po) et encore 2,5 cm (1 po) sur l'envers. Coupez le velcro en sept pièces de 3 cm (1 ¼ po) et séparez les côtés boucles et agrafes. Sur l'endroit de l'ourlet supérieur, épinglez une pièce à boucles au centre et deux autres, équidistantes chacune de 5 cm (2 po) des extrémités ; espacez les quatre autres également entre celles-ci.

9 Placez l'ourlet à velcro face à vous. Avec le pied standard de la machine à coudre, piquez à point d'ourlet le repli et les bords internes de l'ourlet en prenant le ruban dans la piqûre.

10 Posez le cordonnet sur les côtés et le bas du dessus de la housse avec le pied à fermeture à

Avec deux imprimés assortis, vous obtenez une ravissante housse pour édredon ou patchwork défraîchis. Si ce sont des tissus lavables sans repassage, ils garderont leur éclat longtemps.

CONFECTION DU CORDONNET (GANSE)

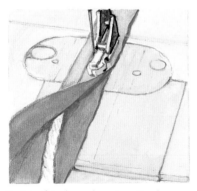

1 *Pour faire le cordonnet, mettez la corde au centre du biais, sur l'envers. Repliez-le, bord vif sur bord vif. Avec le pied à fermeture à glissière à droite de l'aiguille, piquez tout près de la corde. Le biais se prête suffisamment à l'enroulement sans froncer autour de la corde.*

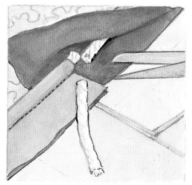

2 *Pour joindre les deux bouts du cordonnet sans briser la ligne — sur une housse à coussin par exemple — arrêtez la machine à 5 cm (2 po) de l'un des bouts, en laissant l'aiguille piquée ; défaites 2,5 cm (1 po) de piqûre, coupez la corde et raboutez le bout à l'autre.*

3 *Repliez 1,3 cm (½ po) du biais en excès et enroulez le reste autour du cordonnet. Finissez la piqûre : le pied vous guidera. À ce point-ci, vous avez posé le cordonnet sur un des côtés de la housse — dessus ou dessous — et vous êtes prêt à le poser sur l'autre côté.*

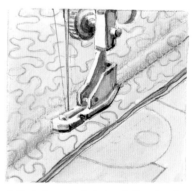

4 *Endroit sur endroit, bord vif sur bord vif, mettez sur le dessus le côté ayant le cordonnet et cousez-le sur l'autre côté. Installez le pied à fermeture à glissière à droite de l'aiguille et piquez juste à gauche de la piqûre du cordonnet pour qu'elle ne se voie pas à l'endroit.*

glissière, en allant d'un coin supérieur à l'autre. Défaites la piqûre du cordonnet à 5 cm (2 po) du bout, coupez 2,5 cm (1 po) de corde, enroulez le biais vide autour du cordonnet et repiquez. Épinglez et piquez le cordonnet sur l'endroit du dessus; arrondissez les coins inférieurs, au besoin en émoussant la marge de couture du cordonnet. Quand vous arrivez dans l'autre coin supérieur, ouvrez le cordonnet, coupez la corde et insérez le biais dans le cordonnet pour que celui-ci soit en ligne avec le pli de l'ourlet.

11 Endroit sur endroit, dessus face à vous, épinglez et piquez ensemble le dessus et le dessous de la housse le long des côtés et du bas. Tournez l'ouvrage et repassez le long du cordonnet.

12 Revenez au pied standard. Épinglez ensemble les pièces du rabat, endroit sur endroit. Faites une petite encoche au centre du long côté inférieur. Faites-en une autre sur chacun des côtés, à 19 cm (7 ½ po) du haut. Tracez une ligne entre les encoches latérales et l'encoche centrale. Coupez le rabat sur ces lignes.

13 Piquez les côtés et le bas oblique du rabat.

14 Sur l'endroit du rabat, disposez et épinglez les pièces de velcro à 3,8 cm (1 ½ po) à l'intérieur du long bord supérieur de façon qu'elles correspondent aux pièces posées sur le dessus de la

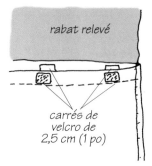

rabat relevé

carrés de velcro de 2,5 cm (1 po)

housse. Piquez-les tout autour au point d'ourlet.

15 Coupez de biais les coins du rabat et émoussez la marge à 6 mm (¼ po). Tournez le rabat sur l'endroit et repassez-le. Piquez les côtés et le bas à 6 mm (¼ po) du bord.

16 Endroit sur endroit, épinglez et piquez le dessus du rabat sur le dessous de la housse. Au fer, couchez les marges vers le rabat.

17 Au fer, repliez 1,3 cm (½ po) sur le dernier bord du rabat; couvrez la piqûre et épinglez sur l'endroit pour consolider l'ouvrage.

18 Sur l'endroit, surpiquez dans la dépression de la piqûre de surface pour coudre ensemble les épaisseurs du rabat. Surpiquez de nouveau à 6 mm (¼ po) de la piqûre sur le côté du rabat.

19 Marquez à la craie cinq boutonnières de 2,5 cm (1 po), à partir de 3,8 cm (1 ½ po) des bords obliques du rabat. Mettez-en une au centre, deux à 7,5 cm (3 po) du bord de chaque côté et les autres entre les précédentes. Piquez-les dans le droit fil du tissu et fendez-les au milieu avec des ciseaux.

20 Coupez cinq attaches de 12,5 x 33 cm (5 x 13 po) dans le tissu B en centrant (s'il y a lieu) le motif sur la largeur. Pliez-les en deux sur la longueur, endroit sur endroit, et piquez en laissant une ouverture de 2,5 cm (1 po) au centre; ouvrez les marges au fer. Placez la couture au centre et piquez les attaches aux deux bouts. Coupez les coins de biais, tournez l'ouvrage à l'endroit et repassez. Faites un nœud coulant au centre de chaque attache. Épinglez une attache à

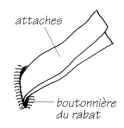

attaches

boutonnière du rabat

3,8 cm (1 ½ po) au centre du bas du rabat, deux autres à 7,5 cm (3 po) des extrémités et les deux dernières entre les premières. Fixez-les avec une aiguille.

21 Enfilez l'édredon ou le patchwork dans la housse. Superposez les rubans velcro et passez les attaches à travers les boutonnières.

Taies d'oreiller fantaisie

Avec ce qui reste des tissus achetés pour la housse à édredon, décorez deux oreillers ou des coussins assortis (pp. 128-129).

1 Coupez deux bandes dans le tissu de la housse de 7,5 cm (3 po) de large et égales en longueur au périmètre de la taie plus 2,5 cm (1 po) pour les marges. Pliez les longs côtés par-dessous au fer pour qu'ils aboutent sur l'envers.

2 Dans l'ourlet de chaque taie, défaites la piqûre sur 5 cm (2 po).

3 Insérez 1,3 cm (½ po) de la bande dans l'ouverture. Épinglez la bande repliée au fer sur l'endroit de la taie et insérez le second bout dans l'ouverture de l'ourlet. Finissez les bouts au point d'ourlet; fermez la piqûre. Répétez pour l'autre taie.

Rideau de douche

Rabat et attaches sont assortis à la housse de l'édredon; les tissus ont été inversés. Le rideau mesure 183 x 193 cm (72 x 76 po), passants exclus. Mettez l'ourlet à 2,5 cm (1 po) du sol.

- ◆ **4,50 m (5 vg) de tissu A en 140 cm (54 po) de large**
- ◆ **2,20 m (2 ½ vg) de tissu B en 140 cm (54 po) de large**
- ◆ **fils assortis**
- ◆ **longue règle en métal, crayon, ruban à mesurer**
- ◆ **ciseaux**
- ◆ **12 crochets de plastique pour la doublure**

1 Dans le tissu A, coupez un panneau de 135 x 206 cm (53 x 81 po) et deux panneaux de 37 x 206 cm (14 ½ x 81 po). Coupez les petits panneaux de façon que les motifs du grand s'y prolongent, même après les piqûres.

2 Épinglez et piquez les petits panneaux de chaque côté du grand à 1,3 cm (½ po); ouvrez les coutures au fer.

Le rideau de douche est assorti à la housse d'édredon décrite pour l'édredon, page 135. Cet ensemble crée un décor élégant mais discret qui, de la chambre, se prolonge dans la salle de bains.

3 Dans le bas, repliez au fer 1,3 cm (½ po), puis les 10 cm (4 po) de l'ourlet. Cousez au point d'ourlet. (Bas et côtés peuvent aussi être cousus avec le pied à points perdus.)

4 Sur les côtés, repliez au fer 5 cm (2 po) deux fois. Cousez au point d'ourlet. Assurez-vous que le bas des côtés est à égalité avec l'ourlet.

5 Dans le haut, la largeur doit être de 183 cm (72 po). Dans le tissu B, coupez dans le droit fil deux rectangles de 37 x 186 cm (14 ½ x 73 po) pour le rabat. Superposez-les endroit sur endroit et épinglez ici et là. Faites une petite encoche au centre du long côté inférieur. Faites-en une autre sur les côtés, à 16,5 cm (6 ½ po) du haut. Tracez des lignes en diagonale entre les encoches des côtés et celle du centre. Coupez le rabat le long de ces lignes.

6 Endroit sur endroit, épinglez et piquez les côtés et les diagonales du bas. Ouvrez les coutures au fer. Émoussez les angles de biais et réduisez la marge couture à 6 mm (¼ po).

7 Tournez le rabat sur l'endroit et repassez. Piquez de nouveau à 6 mm (¼ po) en dedans de la première piqûre. Passez à l'étape 19 de la housse (ci-contre) pour faire les boutonnières.

DES RIDEAUX ASSORTIS

En modifiant les mesures, vous pouvez confectionner des rideaux de fenêtre à partir des instructions données pour le rideau de douche. Mesurez la largeur de la fenêtre et sa hauteur à partir du dessus de la tringle et faites deux panneaux sans rabat ni attache. La parure aura deux fois la largeur de la fenêtre.

Si vous avez un faible pour les attaches, installez les rideaux, entourez chacun à mi-hauteur avec un ruban à mesurer, notez la mesure et reportez-la sur les embrasses ; de petits anneaux cousus à leur extrémité vous permettront de ramener les rideaux à des crochets fixés au mur.

8 Coupez 12 passants de 12 x 15 cm (5 x 6 po) dans les raies florales en centrant le motif sur la largeur.

9 Pliez-les en deux sur la longueur, endroit sur endroit, et piquez ; ouvrez au fer. Tournez. Mettez la couture à l'arrière et repassez. Pliez chaque passant en deux, bords vifs ensemble, et piquez à 1 cm (⅜ po) du bord.

10 Distribuez les passants également sur le rabat, endroit sur endroit : il y aura un passant en ligne avec chaque côté ; répartissez uniformément les autres entre ceux-ci. Épinglez. Piquez dans la piqûre du haut.

11 Épinglez l'endroit du rabat sur l'envers du rideau, bord vif sur bord vif, dans le haut. Piquez. Réduisez les marges à 6 mm (¼ po).

12 Repassez le rabat sur l'endroit du rideau, les passants pointant vers le haut. Piquez à 1 cm (⅜ po) du bord, dans le haut.

13 Exécutez l'étape 20 décrite pour la housse, page ci-contre, pour coudre les attaches. Posez-les sur le rideau et faites-les passer dans les boutonnières du rabat.

14 Cousez les crochets à doublure dans le bas de chacun des passants, sur l'arrière du rideau de douche.

VARIANTE Supprimez le rabat sur le rideau de douche ; faites deux rideaux à passants pour la fenêtre de la salle de bains et suspendez-les tous les deux au moyen de montures à tringles et supports en plastique.

◆ Cure de rajeunissement pour le patio ◆

Surmontée ou non d'une nappe contrastée, une nouvelle nappe peut embellir n'importe quelle table
ronde. Avec vos fauteuils de metteur en scène aux nouveaux dossiers et sièges assortis, vous aurez un
petit coin fait sur mesure pour prendre des repas agréables et détendus sur le patio ou la véranda.

Nappe ronde

Une fois que vous aurez confectionné votre propre
nappe maison – en une heure environ –, vous ne
voudrez plus jamais en acheter une. Choisissez un
tissu à votre goût et agencez-le à une nappe de
dessus que vous pourrez laver plus souvent.

NAPPE DE DESSOUS
- ◆ **tissu (voir tableau pour métrage)**
- ◆ **fil assorti**
- ◆ **ciseaux**
- ◆ **ganse de 3,2 cm (1 ¼ po)**
- ◆ **ruban à mesurer, ficelle, crayon**

NAPPE DE DESSUS FRONCÉE
- ◆ **4,80 m (5 ½ vg) de ruban à froncer**
- ◆ **8 petites épingles de sûreté**

Assemblage des nappes

1 Taillez les pièces de tissu requises (tableau
ci-contre). S'il y a des motifs qui se répètent,
raccordez-les aux coutures.

2 Endroit contre endroit, cousez un panneau
latéral à chaque bord long du panneau central
pour former un grand
carré. Ouvrez les cou-
tures au fer.

3 Endroit contre
endroit, pliez le tissu
en deux dans un sens
et encore une fois
dans l'autre sens, for-
mant un carré de
quatre épaisseurs :
épinglez celles-ci.

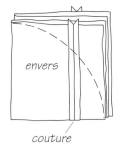

envers

couture

4 Attachez une ficelle à un crayon. Tendez-la
à partir du pli central et faites lentement pivo-

Ces deux nappes faites maison, harmonisant siège et
dossier du fauteuil de metteur en scène, ensoleillent un
patio sans que vous ayiez à y mettre trop d'efforts.

ter le crayon d'un coin à l'autre pour délimiter la courbe de la ligne de coupe.

5 Taillez le tissu sur cette ligne.

Finition de la nappe de dessous

1 Enlevez les épingles retenant le tissu.

2 Coupez des bandes de 12,5 cm (5 po) de large dans le biais du tissu B pour la ganse et joignez-les (p. 141) pour obtenir la bonne longueur (tableau ci-contre). Ouvrez les coutures.

3 Faites la ganse en suivant les directives données à la page 134.

4 Dans le sens du fil, épinglez et cousez la ganse au périmètre de la nappe. Joignez les bouts de la ganse (voir p. 134).

5 Sur l'endroit, cousez la couture en points de côté pour maintenir le rentré en place.

Froncement de la nappe de dessus

1 Reprenez les étapes d'assemblage des nappes. Les quatre épaisseurs de tissu toujours épinglées, faites une minuscule entaille dans le bord franc des quatre plis. Faites un point au crayon à 50 cm (20 po) au-dessus de chaque entaille et tirez un trait de l'entaille au point.

2 L'endroit encore à l'intérieur, pliez le tissu en deux, les traits alignés deux par deux, et épinglez. Pliez ce demi-cercle en deux. Refaites l'étape 1 pour tirer quatre autres traits à mi-chemin du premier ensemble. Désépinglez.

3 Le long du bord, pliez 6 mm (¼ po) deux fois vers l'intérieur et cousez cet ourlet double.

4 Coupez huit morceaux de ruban à froncer de 52 cm (21 po) de long. À 1,3 cm (½ po) d'un bout, utilisez une épingle robuste pour tirer les fils du ruban. Pliez les bouts coupés de 1,3 cm (½ po) à l'envers. Centrez l'envers de chaque ruban sur une ligne identifiée, les fils lâches juste au-dessus du bord de l'ourlet.

5 Cousez en points de côté sur un bord, sur le dessus et de l'autre côté du ruban. Tirez le fil aussi serré que possible et faites un nœud coulant en bas. (Ne coupez pas le fil car vous voudrez défroncer la nappe pour la laver et la repasser.) Utilisez une épingle de sûreté pour fixer le fil en boucle au ruban.

NOTE Tous les bords de couture apparents, surtout dans le cas de tissus qui s'effilochent, devraient être surjetés ou surfilés.

Tableau des mesures de table ronde

Plateau de 75 cm (30 po): dessus de 1,80 m (72 po); dessous de 2,10 m (84 po)

Plateau de 90 cm (36 po): dessus de 2,10 m (84 po); dessous de 2,40 m (90 po)

Plateau de 1,20 m (48 po): dessus de 2,40 m (90 po); dessous de 2,60 m (102 po)

Métrage requis en tissu de 140 cm (54 po) de large et en ganse de 3 cm (1 ¼ po) de diamètre:

Dessus de 1,80 m (72 po): 3,80 m (4 ⅛ vg) de tissu; pas de ganse; panneaux latéraux de 1,80 m x 24 cm (72 x 9 ½ po)

Dessous de 2,10 m (84 po): 4,35 m (4 ¾ vg) de tissu; ganse de 7,30 m (8 vg); panneaux latéraux de 2,10 m x 39 cm (84 x 15 ½ po)

Dessous de 2,40 m (90 po): 4,70 m (5 ⅛ vg) de tissu; ganse de 7,50 m (8 ¼ vg); panneaux latéraux de 2,40 m x 47 cm (90 x 18 ½ po)

Dessous de 2,60 m (102 po): 5,30 m (5 ¾ vg) de tissu; ganse de 90 cm (10 vg); panneaux latéraux de 2,60 m x 62 cm (102 x 24 ½ po)

Toutes les nappes: 1 m (1 vg) pour la ganse

Rénovation des fauteuils

De nouveaux sièges et dossiers matelassés auront tôt fait de leur redonner vie.

- ◆ **50 cm (½ vg) en 140 cm (54 po) de large de tissu pour les dossiers**
- ◆ **1 m (1 vg) en 140 cm (54 po) de large de tissu pour les sièges**
- ◆ **70 cm (¾ vg) en 110 cm (44 po) de large d'entoilage rigide**
- ◆ **crayon, marqueur hydrosoluble**
- ◆ **papier, ruban à mesurer, équerre**

1 Utilisez le vieux tissu des fauteuils pour vous faire un patron. Défaites tous les points.

2 Calquez chaque morceau de tissu sur papier. Servez-vous de l'équerre pour les coins (diag. 1).

3 À l'extérieur de toutes les lignes, dessinez un rentré de 1,3 cm (½ po). À partir de chaque patron, coupez-en deux dans le tissu et un dans l'entoilage.

4 Endroit contre endroit et l'entoilage sur un côté, épinglez et cousez chaque morceau en laissant une ouverture de 10 cm (4 po) à une extrémité pour pouvoir le retourner.

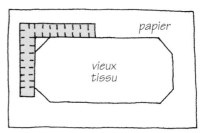

DIAGRAMME 1

5 Coupez le rentré d'entoilage le long de la couture. Coupez les coins en biais et le rentré de couture à 6 mm (¼ po). Remettez à l'endroit et repassez.

6 Repliez chaque extrémité vers l'arrière en suivant votre patron (diag. 2). Cousez de haut en bas avec des points de côté. Faites une autre couture à 6 mm (¼ po).

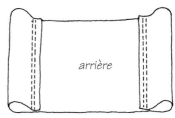

DIAGRAMME 2

7 Pour le siège, utilisez le marqueur pour tracer une ligne continue à 5 cm (2 po) à l'intérieur du cadre, formant ainsi un rectangle. Au dos, tracez un rectangle de la même largeur dont les lignes du haut et du bas seront à 4 cm (1 ½ po) de ces bords. Enlevez le siège en tissu.

8 Tracez deux rectangles plus petits à l'intérieur du premier (diag. 3). Sur le siège, faites-les à 5 cm (2 po) de distance et sur le dossier, à 4 cm (1 ½ po). Surpiquez tous les rectangles. Ce capitonnage renforce le tissu.

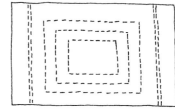

DIAGRAMME 3

◆ Sièges de chaise en tissu ◆

Des coussins aux motifs colorés et audacieux, un peu de peinture : il n'en faut pas plus pour rafraîchir une vieille chaise. Ce bain de jouvence est tout aussi efficace pour les chaises à siège capitonné qui redeviendront plus pimpantes que jamais.

Coussin de chaise

Avec des chaises en bois, vous pouvez donner libre cours à votre fantaisie. Les deux de droite, assorties l'une à l'autre, présentent des motifs et des coloris vivants et élégants.

- **colle à bois**
- **pâte de bois et couteau à mastic**
- **papier de verre fin (n° 120)**
- **pinceaux**
- **bouche-pores (bois non fini)**
- **1 litre de peinture par chaise (coloris au choix)**
- **papier uni (plus grand que le siège), crayon, épingles**
- **ciseaux, couteau de cuisine**
- **2 blocs de mousse de 5 cm (2 po) d'épaisseur (aux dimensions des sièges)**
- **1,40 m (1 ½ vg) de tissu à meuble de poids moyen par chaise**
- **cordonnet de 6 mm (¼ po) (pour faire deux fois le tour de chaque coussin)**
- **fil assorti**

Préparation de la chaise

1 Réparez l'assemblage avec de la colle. Masquez les fissures dans le bois avec de la pâte de bois ; quand la chaise est sèche, poncez-la pour que sa surface soit très douce.
2 Sur un bois non fini, appliquez d'abord un bouche-pores. Poncez le bois déjà peint pour le rendre lisse. Choisissez une couleur différente pour chaque chaise, en harmonie avec le tissu, et laissez bien sécher la peinture.

Rénovez vos vieilles chaises avec des peintures et des tissus différents mais complémentaires. Elles mettront de la gaieté dans la maison.

Confection du coussin

1 Tracez le contour du coussin sur le papier. Ajoutez une marge de couture de 1 cm (½ po) et coupez deux pièces par coussin en centrant le motif si le tissu est un imprimé.

2 Supprimez la marge de couture du patron ; épinglez-le sur le bloc de mousse et coupez.

3 Dans le droit fil du tissu, coupez deux bandes pour les côtés, chacune de 7 cm (2 ¾ po) de largeur et d'une longueur égale à la moitié du périmètre du coussin plus 1 cm (½ po). Endroit sur endroit, cousez les bandes l'une à l'autre pour les raccorder ; ouvrez les coutures au fer avant de continuer.

4 Pour les attaches, coupez deux pièces de 3 x 30 cm (1 ¼ x 12 po), chacune dans le droit fil du tissu. Pliez-les en deux sur la longueur, endroit sur endroit ; piquez à 1 cm (½ po) du bord. Tournez. Repassez. Repliez les bouts et fermez à point perdu.

5 Coupez au carré les bords du tissu qui reste. Pour former un biais, rabattez une lisière en diagonale selon un angle de 45 degrés. Coupez dans le pli. Faites ainsi plusieurs bandes en diagonale en donnant à chacune 4 cm (1 ⅝ po) de largeur. Vous devriez en avoir assez pour faire le tour d'un coussin, plus 30 cm (12 po).

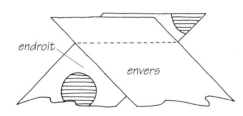

6 Coupez et réunissez les bandes pour n'en avoir qu'une (voir ci-dessus). Ouvrez au fer.

7 Pour former le cordonnet (p. 136), pliez le biais en deux sur la longueur, envers sur envers, et mettez-y la corde. Avec un pied à fermeture à glissière, piquez près de la corde.

8 Faufilez le cordonnet sur le dessus de la housse ; partez du centre, à l'arrière, et alignez les bords. Encochez-le dans les coins pour former l'arrondi. Avec le même pied et à 2,5 cm (1 po) de l'extrémité du cordonnet, piquez-le sur la housse, tout près de la piqûre précédente. Quand vous avez fait presque le tour, coupez le cordonnet à 2,5 cm (1 po) au-delà du début (p. 136). Défaites la piqûre et repliez le biais de 1 cm (½ po). Coupez la corde à ras pour abouter les extrémités ; enroulez le biais par-dessus la partie coupée et terminez la piqûre. Répétez pour le dessous.

9 Faufilez le côté sur le dessus en faisant des crans dans les coins. Dessus face à vous, piquez juste à gauche des deux piqûres précédentes. Cousez le dessous sur le côté de la même façon, en laissant une ouverture de 19 cm (7 ½ po) à l'arrière. Tournez l'ouvrage, insérez la mousse et fermez au point d'ourlet

10 Fixez le centre d'une attache dans chaque coin arrière du coussin et nouez à un montant.

Siège capitonné

En renouvelant les sièges de votre mobilier de salle à manger, vous donnez à la pièce une toute nouvelle dimension. De la même façon, vous pouvez rafraîchir avec brio des chaises en solde ou achetées dans une vente de débarras.

- ◆ **papier de verre fin (n° 120)**
- ◆ **pâte de bois, couteau à mastic**
- ◆ **bouche-pores (bois non fini)**
- ◆ **1 litre de peinture par chaise (coloris au choix)**
- ◆ **pinceaux**
- ◆ **marteau de tapissier ou tournevis**
- ◆ **ciseaux**
- ◆ **adhésif en vaporisateur**
- ◆ **par chaise : 70 cm (27 po) de tissu à meuble, 70 cm (27 po) de molleton de polyester, 60 cm (24 po) de feutre noir ou d'entretoile non tissée**
- ◆ **semences et marteau ou agrafes et agrafeuse**
- ◆ **maillet de cuir de vache**

1 Ôtez les vis dans les quatre coins ; retirez le siège. Réparez la chaise au besoin et peignez-la (voir Préparation de la chaise, p. 140).

2 Avec le marteau ou le tournevis, retirez les semences ou les agrafes pour enlever l'ancien tissu que vous utiliserez comme patron. Coupez le nouveau tissu un peu plus grand que l'ancien. Mettez le motif au centre ou équilibrez les rayures, s'il y a lieu. Placez le tissu de sorte que le droit fil aille de l'avant à l'arrière.

3 Découpez le molleton aux dimensions voulues ; vaporisez-le d'adhésif et posez-le sur l'ancien molleton en le tendant bien.

4 Posez le siège à l'envers sur l'envers du tissu. À l'arrière du siège, vaporisez de l'adhésif sur le bord du tissu et ramenez celui-ci en appuyant pour qu'il colle au siège ; assurez-vous que le fil est droit. En partant du centre, mettez des semences ou des agrafes tous les 5 cm (2 po) sur ce bord. N'en mettez pas dans les coins.

5 Mettez le siège à l'endroit et tirez le tissu par-dessus pour qu'il soit bien tendu. Tournez de nouveau le siège à l'envers et sur le devant ; en partant du centre, posez des semences (avec le marteau de tapissier) ou des agrafes (avec l'agrafeuse) tous les 5 cm (2 po) : elles traversent le tissu mais n'entrent qu'à moitié dans le cadre. Faites de même sur les côtés.

6 Remettez le siège à l'endroit et vérifiez la disposition du tissu. S'il faut l'ajuster, retirez les semences ou les agrafes et recommencez. Sinon, faites-les entrer complètement dans le cadre avec le maillet.

7 Dans les coins, rabattez le tissu qui est de trop vers l'intérieur en faisant de tout petits plis qui se verront à peine (étape 4, ci-dessous).

Pour réparer un siège capitonné, apportez le patron chez un vendeur de mousse et demandez-lui de tailler le rembourrage.

TRUCS ET ASTUCES

FINITION IMPECCABLE

Pour réparer un siège capitonné, apportez le patron chez un vendeur de mousse et demandez-lui de tailler le rembourrage.

Pour réparer un coussin à attaches, étalez toutes les pièces de la housse sur le tissu avant d'en faire la découpe.

Vaporisez un produit contre les taches sur les nouveaux sièges si le tissu n'a pas été traité commercialement avant l'achat.

8 Rectifiez le tissu en trop entre les semences ou les agrafes.

9 Pour le cache-poussière, mesurez la longueur et la largeur du dessous du siège ; soustrayez 2,5 cm (1 po) dans chaque sens et coupez le feutre ou l'entretoile selon ces mesures. Centrez la pièce sous le siège et fixez-la avec des semences ou des agrafes en recouvrant les bords vifs du tissu à meuble.

10 Faites entrer le siège dans le cadre de la chaise en le frappant au besoin avec le maillet. Si le siège était fixé avec des vis, remettez-les.

11 Refaites les étapes 2 à 10 pour chaque chaise dont vous voulez changer la housse.

RECOUVREMENT D'UN SIÈGE CAPITONNÉ

1 *Ôtez le siège et mettez-le à l'envers : vous verrez des sangles ou un cache-poussière. Enlevez toutes les semences ou agrafes et retirez l'ancien tissu.*

2 *Servez-vous-en pour tailler le nouveau tissu un peu plus grand. Collez le bord du tissu sur le bord du siège, à l'arrière ; mettez des semences ou des agrafes.*

3 *Tournez le siège et tirez le tissu sur le rembourrage pour qu'il soit bien tendu. Fixez-le à demi, d'abord sur le devant, puis sur les côtés.*

4 *Dans les coins, rabattez le tissu en trop vers l'intérieur en faisant plusieurs tout petits plis. Fixez. Posez un nouveau cache-poussière en feutre sous le siège.*

◆ Houssses et écrans décoratifs ◆

Ce sont les petites touches personnelles qui donnent à une maison son cachet. Des housses à plis plats habillent la salle à manger, tandis qu'un paravent est à la fois pratique et élégant. Et quelle meilleure façon de décorer un foyer que de mettre devant l'âtre un panneau ou un écran.

Housses de chaise

Véritables magiciennes du déguisement, les housses transforment instantanément une pièce.

- ◆ **papier, crayon, ciseaux**
- ◆ **ruban à mesurer**
- ◆ **3 à 4 m (3-4 vg) de tissu décoratif en 110 cm (44 po) de large par chaise**
- ◆ **épingles**
- ◆ **craie de tailleur**
- ◆ **fil assorti**
- ◆ **2 boutons à recouvrir de 2,5 cm (1 po) de diamètre**
- ◆ **12 cm (5 po) de ruban de satin de 2,5 cm (1 po) de large, par chaise**

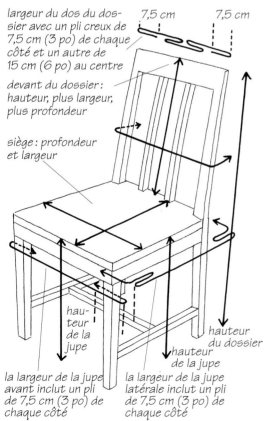

largeur du dos du dossier avec un pli creux de 7,5 cm (3 po) de chaque côté et un autre de 15 cm (6 po) au centre

7,5 cm   7,5 cm

devant du dossier : hauteur, plus largeur, plus profondeur

siège : profondeur et largeur

hauteur de la jupe

hauteur du dossier

hauteur de la jupe

la largeur de la jupe avant inclut un pli de 7,5 cm (3 po) de chaque côté

la largeur de la jupe latérale inclut un pli de 7,5 cm (3 po) de chaque côté

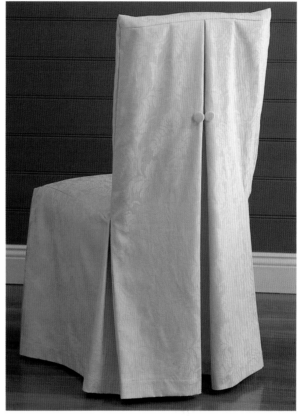

La housse comprend six pièces : le devant du dossier, le siège, trois sections de jupe (devant et deux côtés), garnies de plis dans les angles, et le dos de la chaise garni d'un profond pli creux d'une seule venue de haut en bas.

Prise des mesures

1 Faites la liste des six pièces de la housse sur un papier : vous y inscrirez les mesures.

2 Mesurez la longueur et la largeur de chaque zone en suivant les flèches inscrites sur le diagramme (à gauche), sans oublier les courbes représentant des plis creux de 7,5 cm (3 po) sur la jupe et le dos de la chaise. Ajoutez 5 cm (2 po) de marge. Dans le bas de la jupe et du dos de la

Des plis creux dans chaque coin du siège et dans le dos donnent à ces housses un aspect couturier de la plus fine élégance. Deux boutons, un de chaque côté du pli creux au dos de la chaise, sont reliés par un ruban. Retirez ce ruban et vous pouvez facilement enlever ou remettre la housse.

chaise, cette marge deviendra l'ourlet. Ailleurs, les marges de couture seront toutes ramenées à 1 cm ($\frac{1}{2}$ po).

Coupe des pièces

En respectant vos mesures et sans oublier les marges de couture, coupez une pièce par section de chaise. Si le tissu comporte un grand motif floral, placez-le au centre de chacune. S'il est à rayures ou à imprimé écossais, faites les raccords dans le haut du dossier, aux coutures du dos et du devant du dossier et d'une couture à l'autre dans le volant. Cela exige plus de tissu et de travail, mais vos efforts seront amplement récompensés.

Montage de la housse

En montant les pièces sur la chaise, mettez les épingles là où vous piquerez plus tard, comme si elles tenaient lieu de couture.

1 En suivant le diagramme 1 (p. 144), mettez le devant du dossier sur la chaise, envers du tissu à l'extérieur. Faites une pince avec une épingle à chaque bord extérieur du haut pour bien emboîter le dessus et les côtés du dossier.

2 Selon le diagramme 2 (p. 144), mettez la pièce du siège sur le siège, envers à l'extérieur. Épinglez la marge arrière sur le bas du devant du dossier, d'un côté à l'autre du siège. Marquez la piqûre à la craie sur les deux pièces ; cette ligne vous guidera quand vous piquerez.

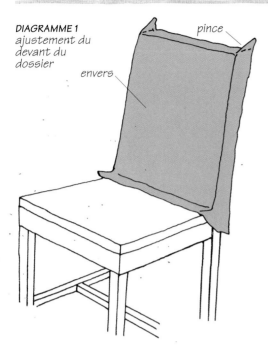

DIAGRAMME 1
ajustement du devant du dossier

pince

envers

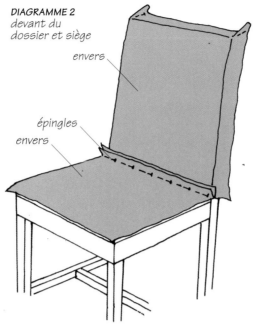

DIAGRAMME 2
devant du dossier et siège

envers

épingles

envers

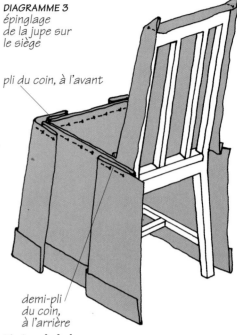

DIAGRAMME 3
épinglage de la jupe sur le siège

pli du coin, à l'avant

demi-pli du coin, à l'arrière

3 Sur les trois pièces de la jupe, pliez au fer la marge de 5 cm (2 po) sur l'envers ; finissez les bords de l'ourlet et faufilez. Faites de même dans le dos de la chaise.

4 Sur les côtés de la jupe, formez et épinglez un pli de 7,5 à 12 cm (3-5 po) de chacune des extrémités de la pièce (soit l'équivalent de la moitié d'un pli creux). Épinglez un côté de la jupe, envers à l'extérieur, sur le côté de la chaise : l'ourlet étant au sol et les plis dans les coins, épinglez la marge de couture du haut sur la marge de couture du côté du siège. Relevez le bord inférieur du devant du dossier, dans le côté, et épinglez la jupe dessus. Négligez pour l'instant l'avant de la jupe qui semble empiéter sur le devant de la chaise. Faites l'autre côté de la même façon.

5 Envers à l'extérieur, épinglez le devant de la jupe, ourlet contre le sol, sur la marge de couture du devant du siège. Dans chaque coin, rabattez vers l'avant la profondeur du pli et épinglez.

6 Finissez d'épingler les côtés de la jupe en ramenant le demi-pli non épinglé sur le tissu du devant de la jupe qui a été replié vers le centre. Ces deux épaisseurs forment le second côté du pli creux (voir diagramme 3). Épinglez les marges de couture verticales du devant et des côtés de la jupe à 7,5 cm (3 po) du coin.

7 Pliez en deux sur la longueur, endroit sur endroit, la pièce qui va dans le dos de la chaise. Mesurez 15 cm (6 po) au centre, placez trois épingles parallèlement au pli et formez un pli creux de part et d'autre de ces épingles.

8 Épinglez les marges de couture supérieures (devant et dos du dossier). Réduisez la marge de couture à 5 cm (2 po) (diagramme 4).

9 Épinglez le dos de la chaise sur le côté du devant du dossier, du haut jusqu'au siège. Placez le second côté du pli creux du dos et l'épaisseur de la jupe par-dessus le dos du dossier. Épinglez-les, comme pour le devant.

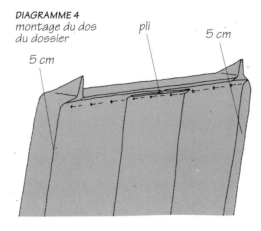

DIAGRAMME 4
montage du dos du dossier

pli

5 cm

5 cm

Piqûre de la housse

1 Marquez à la craie toutes les coutures sur chaque épaisseur de tissu le long des épingles. Encochez les replis de dessus des plis et les lignes de couture. Retirez les épingles.

2 Endroit sur endroit, piquez les pièces de la housse dans l'ordre suivi pour les ajuster sur la chaise.

3 Réduisez les marges de couture à 1 cm (½ po) et finissez les bords vifs au point de zig-zag (surtout si le tissu a tendance à s'effilocher).

4 Surpiquez l'ourlet à 4,5 cm (1 ¾ po) du pli.

5 Repassez la housse au fer à vapeur et enfilez-la sur la chaise.

6 Couvrez deux boutons avec le tissu de la housse ; cousez-les de part et d'autre du pli, au centre du dos, à 25 cm (10 po) du haut.

7 Cousez ensemble les deux bouts du ruban, endroit sur endroit, pour former un cercle. Ouvrez la couture au fer et tournez le ruban. Tordez le cercle pour obtenir un 8 et glissez chaque boucle dans un bouton pour fermer le dos de la housse.

Discret et élégant : tel est le décor créé grâce aux housses classiques qui recouvrent les chaises et qui s'harmonisent au paravent. À vous le choix des coloris ou des motifs : les possibilités sont infinies.

Paravent à raies

Le paravent sert à dissimuler ce qu'on ne veut pas montrer, par exemple un coin studio dans un salon. Notre écran ne demande pas de matériaux coûteux : des charnières, des semences, trois panneaux de fibres et du papier peint que vous pourriez remplacer par un peu de peinture. Si le papier peint est déjà encollé, supprimez la brosse et la colle et suivez les instructions du fabricant.

- ◆ **3 panneaux de fibres de densité moyenne mesurant 162 x 50 x 2 cm (64 x 16 x ¾ po)**
- ◆ **papier de verre n° 120**
- ◆ **apprêt au latex ou scellant pour bois**
- ◆ **ciseaux**
- ◆ **1 pinceau (10 cm/4 po)**
- ◆ **2 rouleaux de papier peint**
- ◆ **1 boîte de colle à papier peint**
- ◆ **1 brosse à encoller**
- ◆ **1 pinceau ou rouleau**
- ◆ **brosse de tapissier**
- ◆ **couteau d'artiste**
- ◆ **crayon**
- ◆ **ruban à mesurer**
- ◆ **perceuse électrique**
- ◆ **tournevis**
- ◆ **6 charnières de porte de 2 cm (¾ po) de largeur**
- ◆ **120 semences de tapissier en laiton**
- ◆ **maillet de caoutchouc**

Pose du papier peint

1 Poncez légèrement les panneaux, surtout près des bords.

2 Posez une couche d'apprêt ou de scellant sur les deux faces ; laissez sécher et poncez.

3 Coupez le papier peint aux dimensions d'une face d'un panneau en ajoutant 5 cm (2 po) de tous les côtés.

4 Étendez le papier peint sur une table et enduisez-le de colle au complet (sans oublier les bords) avec la brosse à encoller.

5 Soulevez-le avec soin et appliquez-le bien à plat sur le panneau (ce travail se fait mieux à deux). Passez la brosse de tapissier (ou un rouleau à peinture propre et sec) sur le papier, en allant du centre vers les bords pour éliminer les

bulles d'air. S'il en reste, soulevez le papier et remettez-le en place de la même façon avec la brosse ou le rouleau.

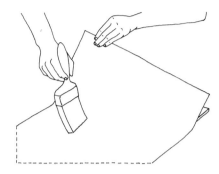

6 Repliez le papier peint sur le bord du panneau en appuyant avec le pouce et l'index (voir ci-dessous). Bien que vous ayez appliqué de la colle jusque sur les bords, la lisière repliée sur l'épaisseur du panneau ne collera pas bien. Attendez 30 minutes et encollez-la de nouveau.

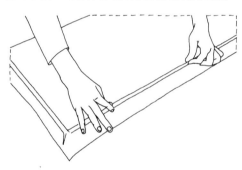

7 Appliquez de la colle sur l'un des longs bords du panneau et sur le papier peint qui doit le recouvrir. Passez le rouleau dessus. Posez le panneau sur l'autre long côté et, avec un couteau d'artiste bien coupant, enlevez le papier peint en trop (ci-dessous). Procédez de la même façon pour recouvrir de papier peint les deux petits côtés du panneau, ainsi que le deuxième long côté. Dans les angles, pliez le

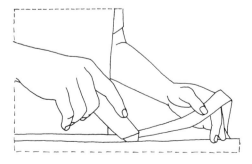

papier peint en onglet et collez-le ou coupez-le complètement.

8 Quand le papier peint est sec, tournez le panneau et exécutez les étapes 3 à 5 pour recouvrir l'autre face ; omettez cependant le repli de 5 cm (2 po) puisque le côté des panneaux est déjà recouvert. Enlevez tout de suite avec une éponge mouillée la colle qui a pu déborder sur le papier peint déjà posé. Coupez le papier en trop sur les bords avec un couteau d'artiste bien affûté.

9 Recouvrez de papier peint tous les autres panneaux de la même façon.

Pose des charnières et des semences

1 Quand le papier peint est sec, marquez au crayon l'emplacement des charnières sur chaque panneau. La vis du milieu des charnières supérieure et inférieure doit être à 20 cm (8 po) du bord, dans le haut et le bas. Placez la troisième charnière à égale distance des deux autres.

2 Pour les semences, faites une marque au crayon tous les 10 cm (4 po) le long du bord gauche de chaque panneau. Sur le bord droit, faites une marque à 5 cm (2 po) du haut et, par la suite, tous les 10 cm (4 po) ; la dernière marque sera à 5 cm (2 po) du bas. De la sorte, la séquence de pose des semences ne sera pas brisée quand les charnières seront en place.

3 Prenez les panneaux qui formeront la section de gauche et la section centrale du paravent et mettez-les côte à côte en les faisant reposer sur leurs longs côtés.

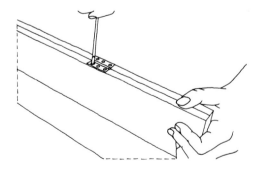

4 Posez les charnières sur les marques que vous avez faites. Avec une perceuse électrique, faites un petit avant-trou pour les vis.

5 Avec le tournevis, vissez les trois charnières sur un panneau, puis sur l'autre (voir ci-dessus).

6 Posez les charnières qui articulent le panneau central sur celui de droite (étapes 4 et 5). Ces charnières ouvrent dans le sens contraire aux autres charnières : quand elles sont toutes posées, le paravent ouvert a l'aspect d'un N. C'est ce qui lui donne la stabilité voulue.

7 Lorsque le paravent est complètement articulé, vous pouvez poser les semences de tapissier. Repliez le paravent et faites-le reposer sur le côté des panneaux. Enfoncez les semences avec le maillet de caoutchouc (voir ci-dessous) sur les marques faites à l'étape 2.

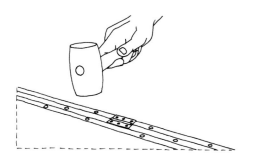

8 Pour terminer le travail, enfoncez quatre semences dans les côtés supérieur et inférieur de chacun des panneaux. Si le paravent va sur un parquet, vous voudrez peut-être remplacer les semences par des patins en caoutchouc dans le bas pour ne pas égratigner le bois. Posez le premier à 5 cm (2 po) du bord et les autres, tous les 10 cm (4 po). Si le papier peint est rayé, les lignes guideront l'espacement des patins.

TRUCS ET ASTUCES

PARTIR DU BON PIED

Le panneau de fibres est un matériau moins susceptible de gondoler que le contreplaqué ; ses bords sont finis. Vendu en panneaux, il peut être coupé aux dimensions voulues par le marchand de bois. Gardez les chutes pour faire d'autres projets ou pour essayer des techniques de peinture.

« Fais du feu dans la cheminée », chantait le poète. Mais quand l'âtre est vide et froid, mieux vaut le dissimuler derrière ce panneau, fabriqué de vos mains.

Panneau de cheminée

Le panneau de cheminée a deux objectifs : masquer l'âtre en période estivale et empêcher la chaleur de fuir par la cheminée en hiver.

- ◆ **pinceau (6 cm / 2 ½ po)**
- ◆ **apprêt au latex ou scellant**
- ◆ **1 panneau de fibres de densité moyenne, de 1 cm (½ po) d'épaisseur, aux dimensions de l'âtre**
- ◆ **papier de verre fin (n° 120)**
- ◆ **peinture au latex (deux coloris)**
- ◆ **enduit à relief (magasins de peinture ou de matériel d'artiste)**
- ◆ **éponge de mer naturelle**

POUR DÉCORER
- ◆ **papier à emballage cadeau**

- ◆ **petits ciseaux, couteau d'artiste**
- ◆ **crayon**
- ◆ **colle blanche**
- ◆ **chiffon propre ou raclette**
- ◆ **patron de pochoir (p. 148)**
- ◆ **acétate ou carton à pochoir**
- ◆ **marqueur à pointe fine**
- ◆ **pinceau à pochoir (1 cm / ½ po)**
- ◆ **peinture de teinte or**
- ◆ **rosettes en plastique à poser dans les angles (facultatif)**
- ◆ **vernis à l'eau**

1 Avec le pinceau, enduisez le panneau d'apprêt ou de scellant. Quand c'est sec, poncez délicatement.

2 Nettoyez le pinceau avant d'appliquer deux couches de peinture de fond. Laissez sécher.

3 Mélangez 1 volume de peinture (deuxième coloris), 1 volume d'enduit à relief et 1 volume d'eau. Mouillez et essorez parfaitement l'éponge. Trempez-la dans le mélange. Déchargez-la en tamponnant du papier journal. Tamponnez délicatement la couche de fond en changeant constamment de direction pour éviter toute régularité dans le travail : il faut que la couleur du fond ressorte un peu ici et là. Laissez sécher.

4 Avec de petits ciseaux bien coupants, découpez des motifs décoratifs dans le papier à emballage cadeau. Nous avons utilisé un motif représentant un vase plein de fleurs ; nous l'avons découpé presque partout avec des ciseaux, en recourant cependant à un couteau exacto dans les endroits difficiles d'accès. Si le motif qui vous séduit est grand et se manipule mal, divisez-le en petites sections que vous assemblerez au moment du collage.

5 Placez les motifs de façon à créer un effet d'ensemble agréable à l'œil. Inscrivez quelques points de repère au crayon sur le panneau.

6 Mettez de la colle au dos des motifs et collez-les sur le panneau. Éliminez les bulles d'air avec un chiffon ou une raclette, en allant du centre vers la périphérie.

7 Pour la bordure dorée, agrandissez de 200 p. 100 à la photocopieuse le motif de grecques ci-dessous. (Pour agrandir à la main, voir p. 276.) Posez l'acétate sur l'agrandissement, faites le contour du dessin au marqueur et découpez au couteau d'artiste. Ou achetez un pochoir approprié dans une boutique de matériel d'artiste.

8 Avec le pinceau, le pochoir et la peinture couleur or, entourez le panneau d'une frise décorative placée à 2 cm (¾ po) du bord.

9 Recouvrez les petites moulures en plastique de peinture or. Quand elles sont sèches, collez-les dans les angles, sur la frise.

10 Enduisez le panneau de vernis et laissez-le sécher avant de le mettre en place.

Écran de cheminée

Le motif ressemble à celui du panneau de cheminée (p. 147), mais l'effet est fort différent.

- **1 panneau de fibres de densité moyenne, de 56 x 71 x 1 cm (22 x 28 x ½ po)**
- **règle, crayon, compas**
- **scie circulaire, accessoire à tenon**
- **perceuse, foret de 2,8 cm (1 ⅛ po)**
- **papier à poncer (fin et moyen)**
- **planche de pin dressée de 5 x 2,5 x 40 cm (2 x 1 x 16 po)**
- **ciseau de 6 mm (¼ po)**
- **colle blanche**
- **pinceau (5 cm / 2 po)**
- **apprêt au latex ou scellant**
- **peinture au latex (trois coloris)**
- **enduit à relief (magasins de peinture ou de matériel d'artiste)**
- **éponge de mer naturelle**
- **ruban-cache de 1 cm (½ po)**
- **couteau d'artiste ou exacto**
- **acétate à pochoir**
- **marqueur permanent à pointe fine**
- **pinceau à pochoir (1 cm / ½ po)**
- **petits ciseaux**
- **papier à emballage cadeau**
- **chiffon propre ou raclette**
- **vernis à l'eau**

Fabrication de l'écran

1 Suivez le diagramme de la page ci-contre pour couper le haut de l'écran. Mesurez et dessinez au crayon un rectangle de 10 x 6,5 cm (4 x 3 po) dans chaque angle supérieur du panneau. Coupez à la scie circulaire.

2 Avec le compas, dessinez un cercle de 5 cm (2 po) de rayon. Mettez la pointe du compas en «A», dans un coin, et dessinez un arc de cercle. «A» est à 5 cm (2 po) des deux bords (voir le

diagramme). Faites de même dans les trois autres coins. Découpez à la scie sauteuse.

3 Poignée : percez deux trous de 2,8 cm (1 ⅛ po) et découpez une ouverture à la scie sauteuse d'un trou à l'autre (voir diagramme).

4 Poncez toutes les lignes de coupe, d'abord au papier de verre moyen, puis fin.

5 Pieds : coupez le pin en deux pour avoir deux morceaux de 20 cm (8 po). Pour découper les rainures dans lesquelles entrera le panneau, faites deux lignes verticales de 2,5 cm (1 po) de profondeur à 1 cm (½ po) l'une de l'autre au centre de chaque pièce (mesures ci-dessous). Avec l'accessoire à tenon et la scie circulaire, faites deux traits de scie dans chaque pièce ; ôtez le bois au ciseau entre les traits de scie.

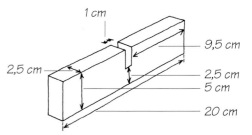

6 Arrondissez les deux pieds sur le dessus (ci-dessous) en traçant une jolie courbe et en coupant à la scie sauteuse. Poncez d'abord au papier de verre moyen, puis au papier fin.

7 Enduisez les rainures de colle ; faites-y entrer le panneau en laissant dépasser 5 cm (2 po) de chaque côté. Laissez sécher complètement avant de soulever l'écran.

Le pochoir ci-dessous vous donne la ravissante frise à grecques qui décore le panneau de cheminée (p. 147).

Ce superbe écran à cheminée tient debout seul. Il donnera à votre foyer autant de relief, en été, qu'il en a en hiver quand un feu y pétille.

Décoration de l'écran

1 Pour le devant de l'écran, exécutez les étapes 1 à 3 données pour le panneau (p. 145). Peignez le dos d'une seule couleur.

2 Pour délimiter la bordure, placez du ruban-cache de 1 cm (½ po) à 1 cm (½ po) du bord de l'écran de chaque côté. Ajoutez un second ruban tout contre le premier et un troisième tout contre le deuxième. Retirez le ruban du milieu : l'espace dégagé devient la bordure décorative de l'écran. Avec une règle et un crayon, rectifiez les angles droits internes du troisième ruban.

3 Voir page 102 pour découper un pochoir à bords courbes. Préparez-en un pour les doubles courbes qui bordent l'écran entre le dessus et les côtés. Tracez la bordure décorative de 1 cm (½ po) à 1 cm (½ po) du bord.

4 Peignez l'espace délimité par le ruban-cache avec le troisième coloris et le pinceau à pochoir. Posez le pochoir le long d'une courbe et peignez. Quand tout est sec, retirez les lisières de ruban. Essuyez le pochoir et utilisez-le à l'envers pour peindre l'autre côté.

5 Couchez l'écran sur une table, pieds dans le vide. Appliquez le motif floral selon les étapes 4 à 6 décrites pour le panneau de cheminée.

6 À la fin des travaux, vernissez l'écran.

CONSEILS D'EXPERT

Pour découper des motifs dans du papier, donnez un petit angle aux ciseaux pour que la coupe soit légèrement en biseau. Le bord du motif est plus joli ; on ne voit pas de papier blanc.

Pour encoller les motifs, placez-les à l'envers sur un carton et badigeonnez-les de colle, en allant du centre vers les bords.

Pour faciliter la mise en place des motifs en papier, diluez la colle de ½ volume d'eau.

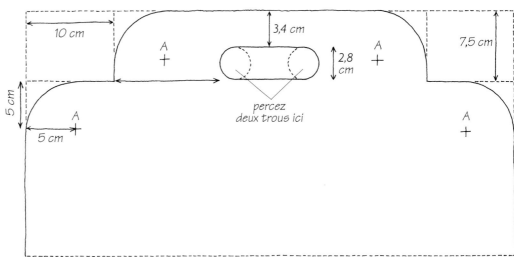

10 cm

3,4 cm

7,5 cm

A

A

2,8 cm

5 cm

A

percez deux trous ici

5 cm

A

A

Le charme des bougies

La bougie a un charme indéniable. Inséparable des petits dîners intimes,
elle sert à commémorer les anniversaires et à célébrer les fêtes. Enjolivez un cadeau en plaçant
au milieu du nœud de fantaisie une petite bougie faite par vous avec dévotion.

Bougies roulées

Les bougies à la cire d'abeille roulées et parfumées au miel sont plus faciles à réaliser que les bougies moulées et brûlent plus longtemps. Utilisez des feuilles de cire souples et alvéolées : vous en trouverez dans diverses teintes là où l'on vend du matériel d'artiste.

- ◆ **ciseaux**
- ◆ **mèche**
- ◆ **cire d'abeille**
- ◆ **couteau universel**
- ◆ **règle**
- ◆ **couteau à beurre**

1 Pour rendre la cire plus facile à manipuler, réchauffez-la une minute ou deux sur un calorifère ou avec un sèche-cheveux. Mesurez la hauteur de la bougie, ajoutez 2 cm (¾ po) et coupez une mèche de cette longueur. Couchez-la sur un long côté de la cire, repliez celle-ci par-dessus et pressez pour la faire adhérer.
2 Enroulez délicatement la feuille de cire sur elle-même : le haut et le bas du rouleau seront

BOUGIES ET SÉCURITÉ

Confection des bougies. La paraffine est très inflammable. Faites-la fondre au bain-marie, sans que sa température dépasse 100 °C (200 °F). Manipulez la cire chaude et les moules avec des gants : leur température peut vous brûler gravement.

Utilisation des bougies. Soyez toujours vigilant quand vous allumez des bougies. Placez-les dans un endroit sûr : un courant d'air pourrait coucher la flamme sur des rideaux ou un meuble et y mettre le feu. Assurez-vous que la bougie est solide, qu'elle ne se renversera pas. Et surtout, gardez les bougies hors de la portée des enfants.

très droits et la mèche sera bien assujettie à l'intérieur.
3 Quand le rouleau a atteint le diamètre voulu, tranchez la feuille avec le couteau

universel. Pour obtenir une coupe bien nette, servez-vous d'une règle.
4 Passez sur la coupe un couteau à beurre réchauffé sous l'eau chaude du robinet ou avec un sèche-cheveux. N'appuyez pas (la cire d'abeille est fragile : vous pourriez écraser la bougie). Pour amorcer la mèche, imbibez-la d'un peu de cire avant de l'enflammer.

VARIANTES Pour obtenir des bougies de différentes hauteurs, taillez en conséquence la feuille de cire avant de l'enrouler sur elle-même. Groupez des bougies de hauteurs et de diamètres différents : l'effet est ravissant.

Pour obtenir une bougie conique, coupez la feuille de cire en triangle rectangle. Enroulez-la à partir d'un des côtés de l'angle droit.

Ornez une bougie conique de nid-d'abeilles ; collez-y des couches de feuille de cire, chacune plus courte que la précédente.

Pour confectionner une bougie carrée, équarrissez-la délicatement contre une surface dure et lisse à chaque quart de tour.

BOUGIES ROULÉES

1 *Réchauffez la feuille de cire d'abeille quelques minutes seulement avec un sèche-cheveux réglé au plus bas pour l'assouplir. Ne la faites pas fondre !*

2 *Posez la feuille de cire sur une table. Couchez la mèche sur la feuille près du bord, et enroulez-la. À chaque tour, vérifiez que le rouleau est égal et bien serré.*

3 *Mettez une lame neuve dans le couteau universel. Prenez une règle pour couper droit. Tenez-la d'une main pendant que vous coupez de l'autre.*

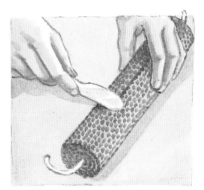

4 *Réchauffez un couteau à beurre dans l'eau chaude, séchez-le et passez-le sur la jointure pour la faire disparaître. La chaleur est plus importante que la pression.*

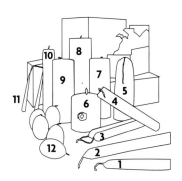

1 *Bougie conique trempée* 2, 3, 4 *Bougies roulées en cire d'abeille* 5 *Bougie moulée* 6 *Cylindre moulé orné d'un sceau à cacheter* 7, 8, 9 *Cylindres roulés en cire d'abeille* 10 *Bougie colonnaire moulée* 11 *Petites bougies cylindriques* 12 *Bougies ovoïdes moulées.*

Bougies moulées

On trouve des moules de formes variées : fruits, légumes ou figures géométriques. Certains articles de cuisine – boîtes de conserve vides, moules à tartelettes, pots de fleurs – font aussi l'affaire.

- ◆ **moule à bougies et mèche**
- ◆ **bain-marie**
- ◆ **paraffine**
- ◆ **papier ciré**
- ◆ **scellant à moule**
- ◆ **vaporisateur antiadhésif**
- ◆ **thermomètre à bonbon**
- ◆ **craies ou teintures à cire**

1 Coupez une longueur de mèche de 8 à 10 cm (3-4 po) de plus que la hauteur du moule. Faites fondre de la cire au bain-marie et trempez-y la mèche pendant 5 minutes. Couchez-la sur du papier ciré et laissez-la sécher : elle doit être bien droite. Si le moule n'est pas hermétique, étanchéisez-le avec un scellant à moule. Vaporisez-le d'antiadhésif.

2 Fixez la mèche dans le fond du moule avec du scellant à moule. Attachez l'autre bout à un bâtonnet ou à une brochette. Tendez la mèche et couchez le bâtonnet sur le haut du moule.

3 Faites fondre la cire au bain-marie : sa température ne doit pas dépasser 100 °C (200 °F) au thermomètre à bonbons. Ajoutez l'élément colorant et remuez pour qu'il fonde. Versez la cire dans le moule jusqu'à 1 cm (½ po) du haut.

4 Avec des gants isolants, prenez les moules et mettez-les dans l'eau froide sans éclabousser la cire. Laissez refroidir pendant 1 heure.

5 En refroidissant, la cire se creuse autour de la mèche. Avec une fourchette, piquez ici et là la dépression et remplissez de cire fondue.

6 Quand la cire est bien froide, démoulez la bougie avec le bâtonnet. Raccourcissez la mèche ; rectifiez le dessous de la bougie en la plaçant dans de l'eau chaude.

VARIANTES Pour parfumer la bougie, mettez dans la cire fondue quelques gouttes d'essence parfumée – bois de santal, vanille, amande, cannelle, pin ou agrume – ou d'huile essentielle : lavande, rose, jasmin, lilas, etc. Ajoutez quelques gouttes d'huile de citronnelle à la cire des bougies que vous utiliserez à l'extérieur : elles éloigneront les insectes.

Ornez certaines bougies d'un sceau à cacheter en cire, fixé avec un peu de cire liquide.

◆ Cadres à encadrer ◆

*Un beau cadre neuf est souvent plus cher que ce qu'il encadre. Profitez des ventes de débarras,
allez dans une boutique d'articles usagés : vous y trouverez des cadres bon marché grâce auxquels vous
exercerez vos talents artistiques. Les fournitures se vendent dans les boutiques de matériel d'artiste.*

Cadre à dorure

Rien de tel qu'une finition à l'antique.

- **éléments moulés en plastique (fournitures d'artiste)**
- **peinture satinée rouge au latex**
- **2 pinceaux de nylon**
- **papier de verre (n° 220)**
- **fixatif à l'eau (encollage rapide)**
- **gants blancs en coton**
- **métal en feuilles**
- **colle blanche**
- **vernis à base d'eau**

1 Donnez deux couches de peinture rouge au cadre et aux éléments moulés. Après chaque couche, laissez sécher et poncez. Essuyez avec un linge doux.

2 Mettez du fixatif sur les éléments. Attendez 15 minutes (il sera encore collant). Avec des gants blancs, détachez assez de feuilles métalliques pour couvrir les éléments. Coupez-les en quatre sans enlever le papier protecteur.

3 Déplacez le papier du dessus pour dégager 6 mm (¼ po) de pellicule dorée. Tournez la feuille avec son papier à l'envers et déposez la pellicule dégagée sur l'élément. Faites glisser le papier du dessous pendant que vous mettez la pellicule en place sur l'élément moulé. Retirez le papier du dessus. Appliquez un deuxième quart de pellicule de la même façon, mais en empiétant de 6 mm (¼ po) sur la précédente. Dorez ainsi tous les éléments.

4 Plaquez la pellicule dorée avec un pinceau, sans toucher à la colle : les éléments et l'encollage doivent être complètement recouverts.

5 Collez les éléments sur le cadre, mettez sous presse et laissez sécher une nuit.

6 Enduisez le cadre d'un vernis à l'eau.

Cadre opalescent

Donnez un reflet nacré au cadre en superposant quatre glacis différents.

- **quatre glacis : peinture au latex (rouge, verte, bleue et blanc de nacre), mélange à frottis et eau (en quantités égales)**
- **pinceau de nylon, laine d'acier**

1 Appliquez une couche mince et inégale de chaque glacis dans l'ordre ; laissez sécher entre les couches.

2 Poncez légèrement à la laine d'acier.

Cadre écaille de tortue

L'effet est obtenu avec des pinceaux.

- **peinture jaune satinée au latex**
- **pinceaux ronds en nylon, n°s 1, 3 et 6**
- **glacis 1 : peinture terre de Sienne brûlée et frottis (quantités égales)**
- **glacis 2 : terre de Sienne brûlée, terre de Sienne nature, frottis (quantités égales)**
- **glacis 3 : peinture noire et frottis (quantités égales)**

1 Peignez le cadre en jaune.

2 Appliquez les glacis par petites touches en diagonale : le glacis 1 avec le pinceau n° 6 ; le glacis 2 avec le pinceau n° 3 et le glacis 3 avec le pinceau n° 1, le plus fin. Vous pouvez inter-

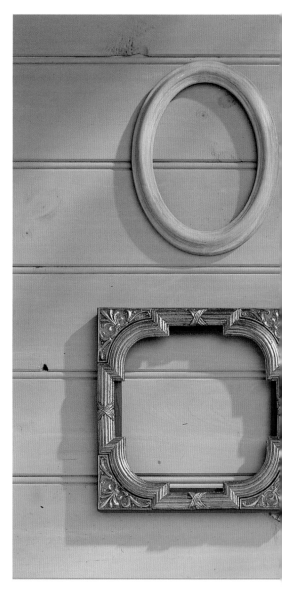

TRAVAUX PRÉPARATOIRES

Si la surface à travailler est peinte ou vernie, décapez-la avec de la laine d'acier et de l'essence minérale. Quand elle est sèche, poncez-la avec du papier de verre n° 220.

Poncez le bois nu avec du papier de verre n° 220 et bouchez les pores avec un scellant à l'eau ou de la gomme-laque.

Si la surface est irrégulière, poncez-la avec du papier de verre n° 220 ou de la laine d'acier. Essuyez avec un chiffon absorbant.

---

changer les glacis si vous le désirez. Plongez les pinceaux dans l'eau pour diluer les glacis et mieux les répartir. Mélangez les coloris à certains endroits; ailleurs, ne les mélangez pas. Laissez percer un peu de jaune ici et là. Faites ressortir de fins détails avec le glacis 3.

Voici quelques cadres d'une grande beauté. De gauche à droite : rangée du haut, deux cadres à frottis, un cadre à moulures de plâtre et un cadre fini écaille; rangée du bas, cadre à dorure et éléments moulés, cadre à finition nacrée et cadre à décor mixte (frottis et dorure).

Finition patinée

Quelques couches de peinture suivies de ponçages simulent «du temps l'irréparable outrage».

- ◆ **2 ou 3 pinceaux en mousse (5 cm/2 po)**
- ◆ **peinture (latex ou acrylique) blanche, verte, rose et bleue**
- ◆ **papier de verre (nº 220)**
- ◆ **chiffon à épousseter**
- ◆ **cire en pâte**

1 Appliquez inégalement une couche de peinture blanche pour créer des effets d'ombre et de lumière. Ne couvrez pas parfaitement le cadre. Laissez sécher.

2 Poncez, puis essuyez avec le chiffon.

3 Appliquez trois couches de peinture – verte, rose et bleue (mais n'en couvrez pas complètement le cadre); laissez sécher et poncez entre les couches. Multipliez les couches et les ponçages à votre goût, car il n'y a pas de règle fixe pour cette technique. Le cadre doit donner l'impression d'avoir été patiné par le temps.

4 Terminez en appliquant une fine couche de cire en pâte.

153

◆ Cadre à la française ◆

Le décor du cadre de ce miroir emprunte son style à une antique tradition française appelée
«l'art du découpage». À cette époque, on allait jusqu'à poser une centaine de couches de vernis.
Il n'en est rien ici, mais le décor de ce cadre atteint une perfection digne d'une exposition d'artisanat.

Un peu de peinture, de papier et de colle suffit à faire de ce cadre en bois nu un objet d'art.

- **miroir encadré de bois non fini, pin ou autre**
- **tournevis**

PRÉPARATION ET PEINTURE
- **papier à poncer sec et humide nᵒ 600**
- **pinceaux de mousse de 7 cm (2 ¾ po) et de 6 mm (¼ po)**
- **ruban-cache de 6 mm (¼ po)**
- **peinture satinée noire (latex)**
- **pinceau, règle, pistolet**
- **marqueur à pointe fine**
- **peinture de fond rouge (latex)**
- **petit pinceau à pochoir**
- **peinture couleur or (latex)**
- **chiffons absorbants en coton**
- **pinceau ligneur nᵒ 0**
- **scellant à l'eau**

COUPAGE ET COLLAGE
- **feuilles de plastique**
- **papier à emballage cadeau**
- **plaque de coupe**
- **couteau d'artiste (lame neuve)**
- **petits ciseaux à lames droites**
- **crayon colleur**
- **pâte de bois**
- **colle blanche**
- **rouleau en caoutchouc (10 cm/4 po)**
- **vinaigre blanc**

VERNISSAGE ET PONÇAGE
- **pinceau de martre nᵒ 12**
- **vernis transparent à l'eau**
- **papier à poncer sec et humide nᵒ 1200**
- **chiffon à épousseter**
- **vernis satin transparent à l'huile**

Préparation et peinture

1 Retirez les vis à l'arrière du miroir et mettez-les en lieu sûr. Ôtez le miroir et rangez-le à plat en protégeant le dos.

2 Poncez toutes les surfaces du cadre en bois avec un papier de verre sec n° 600.

3 Avec le pinceau large, peignez en noir les deux côtés du cadre. Laissez sécher et poncez. Donnez une autre couche et laissez sécher.

4 Pour la bordure, collez côte à côte trois bandes de ruban-cache de 2 cm (¾ po) sur le bord des longs côtés droits. Ôtez la bande du milieu. Cet espace devient la bordure décorative du cadre.

5 Selon les instructions (p. 102), préparez deux pochoirs pour les bords incurvés : un pour les courbes supérieures, en allant du centre au long côté droit masqué de ruban ; un autre pour le bas. Sur chaque pochoir, ménagez une bordure de 2 cm (¾ po) à 2 cm (¾ po) du bord.

6 Peignez en rouge la bordure délimitée par les bandes de ruban avec le pinceau à pochoir. Fixez au ruban le pochoir du haut sur la moitié du cadre en le raccordant à la bordure latérale ; fixez le pochoir du bas. Peignez les vides en rouge avec le pinceau à pochoir. Quand c'est sec, ôtez les pochoirs, essuyez-les et mettez-les à l'envers sur l'autre moitié du cadre.

7 Quand la peinture est sèche, refaites les bordures avec la peinture couleur or. Attendez qu'elle soit bien sèche pour retirer le ruban.

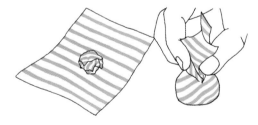

8 Dans un grand morceau d'étamine de coton, mettez une petite boule d'étamine et tortillez la pièce autour de la boule. Trempez ce tampon dans un peu de peinture rouge et badigeonnez la bordure biseautée du cadre (près du miroir),

Pour respecter l'unité du décor, vous pourriez photocopier en couleur des motifs apparaissant sur le tissu de vos meubles et les appliquer sur le cadre du miroir.

la tablette (s'il y a lieu) et l'épaisseur du cadre en périphérie. Laissez sécher. Avec un autre tampon, refaites l'opération en couleur or.

9 Rectifiez les imperfections avec le pinceau ligneur et la peinture noire. Quand c'est sec, appliquez le scellant avec le petit pinceau.

Découpage et collage

1 Mettez du scellant sur le papier avec un pinceau de mousse ; protégez le dessous d'une feuille de plastique. Laissez sécher au moins 1 heure. Si le papier est très mince, appliquez aussi du scellant sur l'envers.

2 Quand le papier est sec, choisissez les motifs à utiliser. Mettez le papier sur une plaque de coupe et découpez au couteau les parties du motif difficiles à atteindre avec des ciseaux. En périphérie, découpez les motifs grossièrement au couteau et terminez avec les ciseaux. Tenez ceux-ci un peu à l'oblique pour couper en biseau : de la sorte, l'épaisseur blanche du papier sera invisible.

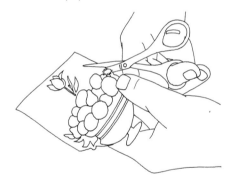

3 Disposez les motifs sur le cadre et fixez-les avec le crayon colleur. Reculez de quelques pas et vérifiez l'équilibre de l'ensemble.

4 Délayez 1 volume de colle blanche dans 3 volumes de pâte de papier.

5 Collez un seul motif à la fois. Badigeonnez le dos du papier de colle ; mettez-en sur le cadre, là où ira le motif. Quand il est en position, mettez-un peu de colle dans le haut de façon à pouvoir éliminer l'excès de colle et les bulles d'air en glissant les doigts sur le papier. Passez le rouleau en caoutchouc sur le motif en le nettoyant après chaque passage.

6 Avec un linge humide et propre, épongez la colle en excès. Nettoyez le pourtour du motif en prenant garde d'abîmer les bords.

7 Collez les autres motifs de la même façon. Épongez tout le cadre avec un chiffon imbibé de vinaigre pour qu'il soit bien propre.

8 Quand tout est sec, crevez les bulles d'air avec un couteau et mettez un peu de colle.

9 Avec le pinceau ligneur et de la peinture noire, retouchez les bords blancs des motifs, visibles sur le fond noir. Laissez sécher.

10 Enduisez le cadre de scellant au pinceau.

Vernissage et ponçage

1 Plongez aux trois quarts les soies du pinceau à vernir dans le vernis à l'eau ; appliquez-en une couche en travaillant de haut en bas. Laissez sécher. Appliquez une deuxième couche, cette fois-ci de gauche à droite. Laissez sécher. Répétez ces deux opérations 20 fois dans chaque sens. Attendez 30 minutes entre les couches.

2 Quand tout est bien sec, poncez avec du papier de verre humide n° 1200 et beaucoup d'eau. Essuyez les particules de vernis avec un chiffon à épousseter.

3 De nouveau, vernissez l'ouvrage comme ci-dessus ; donnez cinq ou six couches, poncez et essuyez. Répétez l'opération jusqu'à ce que la surface soit bien lisse.

4 Après le dernier ponçage, essuyez et appliquez deux couches de vernis à l'huile. (Assurez-vous que le pinceau est bien sec avant de le plonger dans le vernis.) La première couche doit sécher 24 heures avant que la seconde soit appliquée. Laissez l'ouvrage durcir pendant deux semaines avant de poser le miroir.

TRUCS ET ASTUCES
GAGES DE SUCCÈS

Employez seulement les motifs non marqués par les plis du papier : ces plis se verraient à travers le vernis. Enroulez et gardez les papiers que vous voulez utiliser sur des cylindres de carton.

Ne vernissez pas par temps chaud et humide : le vernis sera laiteux. Prenez un bon pinceau, portez un masque, travaillez dans un lieu propre et aéré.

Ne poncez pas en rond ; travaillez alternativement de haut en bas et de gauche à droite.

◆ Rayons en vedette ◆

Deux rayons construits avec goût peuvent avoir en soi une grande valeur décorative. Ils ont aussi un intérêt bien pratique puisqu'ils vous permettent d'exposer en beauté des bibelots de toute provenance, des photographies qui vous tiennent à cœur ou des œuvres d'art variées.

Ces rayons en pin sont terminés par une bande en bois d'érable sans nœuds. Ils ont 3 m (10 pi) de long, mais vous pouvez les adapter à vos besoins. Néanmoins, respectez la largeur et l'épaisseur nominales indiquées ci-dessous. Le bois rétrécit durant le séchage de sorte que les pièces ont en réalité 1,3 cm x 23,5 cm x 3 m (½ po x 9 ¼ po x 10 pi). Rappelez-vous que les valeurs nominales, exprimées en pouces et en pieds, s'appliquent à la planche brute, tandis que les valeurs métriques reflètent les mesures réelles des planches. Vous pouvez faire couper celles-ci chez le marchand ou les couper à la maison, à l'aide d'une équerre en T.

- **supports en acier : 4 de 7,5 x 7,5 cm (3 x 3 po) et 4 de 15 x 15 cm (6 x 6 po) avec leurs vis**
- **détecteur de montant**
- **1 planche en pin de 25 cm x 2,5 cm x 3 m (10 po x 1 po x 10 pi)**
- **1 planche en pin de 10 cm x 2 cm x 3 m (4 po x ⅝ po x 10 pi)**
- **2 planches en érable de 10 cm x 2 cm x 3 m (4 po x ⅝ po x 10 pi)**
- **crayon et règle**
- **scie circulaire, accessoire à tenon**
- **ciseau (2 cm/ ¾ po ou moins)**
- **tournevis, marteau**
- **colle blanche**
- **clous à finir de 3 cm (1 ¼ po)**
- **chasse-clou**
- **mastic ou pâte de bois**
- **papier à poncer (n° 120)**
- **pinceau de 5 cm (2 po)**
- **bouche-pores au latex**
- **émail acrylique satiné**
- **boulons adaptés au mur**
- **perceuse, forets adaptés aux vis et aux boulons**
- **niveau**

1 Repérez les montants du mur avec le détecteur. Indiquez sur les planches la place des supports selon l'écartement des montants (40,5 cm/16 po ou 61 cm/24 po). Au crayon, faites aussi pour chaque support une rainure égale à la largeur et à la profondeur du support à l'arrière des rayons (voir ci-dessous). Avec l'accessoire à tenon, sciez les côtés des rainures à la scie circulaire et évidez-les avec le ciseau. Vérifiez que les supports y entrent bien : les rayons seront montés à fleur de mur. Vissez les supports sur les rayons.

2 Appliquez un peu de colle blanche sur le devant d'un rayon. Clouez-y une des moulures en érable avec des clous à finir espacés de 30 cm (12 po) (voir ci-dessous). Vérifiez sa position : elle doit être bien centrée sur l'épaisseur du rayon (diagramme ci-dessus, à droite). Répétez pour l'autre rayon.

3 Noyez les clous avec le chasse-clou ; masquez les trous avec du mastic ou de la pâte de bois. Quand c'est sec, poncez la surface au papier de verre fin.

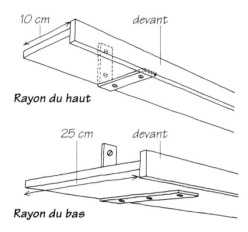

Rayon du haut

Rayon du bas

4 Poncez les bords et les faces de chaque rayon et appliquez une couche de bouche-pores au latex. Laissez sécher 2 heures.

5 Poncez légèrement les endroits rugueux et appliquez deux couches d'émail acrylique satiné ; laissez la première sécher parfaitement avant de mettre la seconde.

6 Avec le niveau, marquez les endroits où iront les vis et les boulons des supports sur les

CONSTRUCTION DES RAYONS

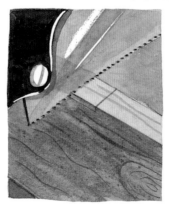

1 *Marquez la place des supports sur les rayons et tracez une petite rainure à l'arrière. Sciez les côtés des rainures ; évidez-les au ciseau.*

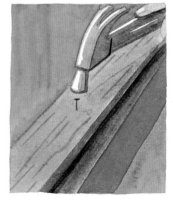

2 *Collez la moulure (en érable) sur le rayon (en pin) et enfoncez des clous aux 30 cm (12 po). Noyez-les, masquez-les de pâte et poncez.*

3 *Appliquez du bouche-pores et deux couches de peinture sur le bois. Peignez la partie murale des supports comme le mur.*

montants du mur. Percez des trous pour les boulons. Si le mur est en plâtre, utilisez des chevilles appropriées pour donner de la solidité aux vis (demandez l'avis du quincaillier).

7 Vissez les supports des deux rayons dans le mur.

8 Peignez de la couleur du mur la partie du support qui se trouve dessus. Bien que la peinture sèche d'ordinaire en quelques heures, il est préférable d'attendre 12 heures avant de déposer des objets sur les rayons.

TRUCS ET ASTUCES

RAYONS ET PLACARD

Si les rayons jouxtent un placard, ils ne doivent pas gêner l'ouverture de ses portes. Retirez, par exemple, une pièce triangulaire à l'extrémité des rayons. Marquez-la et coupez-la avant de monter le rayon. Aussi, modifiez la longueur du devant.

Il est étonnant de voir à quel point une paire de rayons tout simples peut donner de l'attrait à une pièce, surtout quand ils sont décalés en profondeur, l'un par rapport à l'autre. Le rayon du haut, plus étroit, est idéal pour recevoir les petits objets, comme des cadres, tandis que sur celui du bas, plus large, on logera des articles décoratifs (qui masqueront les supports). Avec ce projet, vous pouvez poser des rayons où vous voulez.

◆ Moisson de carreaux ◆

Ces ravissants carreaux de céramique vous permettent d'identifier avec art les principales fines herbes de votre jardin potager, tandis que de grands tournesols sur fond blanc font de ces céramiques carrées de superbes ornements muraux et même de beaux dessous-de-plat si vous les doublez de feutre.

Carreaux à fines herbes

Ces carreaux identifient vos fines herbes. Décorés à la main, ils sont si beaux que vous pouvez les suspendre au mur. Achetez les fournitures dans les boutiques pour artisanat. Un flacon de 60 ml (2 oz) suffit à faire plusieurs carreaux. Le blanc sert à rehausser les dessins.

Les dessins illustrent les fleurs et les feuilles de six herbes fines choisies parmi les plus populaires. Si vous les agrandissez à la photocopieuse, vous pouvez utiliser la mention sous les dessins pour inscrire le nom de l'herbe fine sur le carreau de céramique.

menthe poivrée

sauge

romarin

basilic

ciboulette

thym

- **6 carreaux de bordure de 15 x 5 cm (6 x 2 po) vert sauge pâle**
- **papier carbone noir, crayon**
- **apprêt à céramique agissant aussi comme enduit protecteur**
- **peintures acryliques en flacons de 60 ml (2 oz) dans les coloris suivants : vert tendre et bleu mauve (feuilles); orchidée et rose (ciboulette); lavande et bleu prune (menthe poivrée); vert pâle et bleu clair (romarin); vert pâle et bleu prune (sauge); jaune clair (basilic); rose (thym); blanc (pour les accents)**
- **pinceaux 00, 0, 1 et 2**
- **palette ou planche à découper en plastique propre**
- **6 marqueurs de jardin en aluminium ou en bois traité**
- **pistolet et crayon colleurs**

1 Agrandissez les dessins à la photocopieuse ou à la main (suivez les directives données p. 276) selon les dimensions des carreaux de céramique.

2 Enduisez les carreaux d'apprêt : ils deviendront ternes. Placez le carbone contre le carreau et décalquez les dessins en les mettant soigneusement au centre de chaque carreau.

3 Avec un crayon, écrivez le nom de l'herbe fine soit à la main, soit en le reproduisant à partir du dessin; peignez ensuite les lettres en vert foncé avec le pinceau le plus large.

4 Prenez un vert très pâle pour les feuilles, un vert plus foncé pour les ombres et les nervures; faites la nervure du romarin en blanc.

5 Prenez une teinte claire pour les pétales des fleurs, une teinte foncée pour les traits légers et les ombres. Posez une nouvelle couche d'apprêt scellant quand la peinture est bien sèche.

6 Avec le pistolet colleur, fixez un marqueur derrière le carreau de céramique. Laissez sécher avant de ficher les carreaux en terre.

Ce petit jardin de fines herbes peut se flatter d'avoir les plus jolis marqueurs qui soient.

Carreaux tournesol

Insérez ces carreaux dans un mur garni de carreaux blancs de 5 ou 7,5 cm (2 ou 3 po) de côté. Ou composez une bordure pour le mur de la salle à petit déjeuner ou de la véranda.

- carreaux blancs de 15 cm (6 po)
- papier carbone noir, crayon
- apprêt à céramique agissant aussi comme enduit protecteur
- peintures acryliques en flacons de 60 ml (2 oz) dans les coloris suivants : vert foncé, vert moyen et vert lime (feuilles) ; jaune vif, jaune moyen et caramel (pétales) ; brun muscade, brun sirop et brun cassonade (cœur des fleurs)
- pinceaux 0, 4 et 5
- palette ou planche à découper en plastique propre

1 Agrandissez le tournesol ci-dessous à la photocopieuse ou à la main selon les directives déjà données à la page 276.

Motif du tournesol

2 Enduisez les carreaux d'apprêt : ils deviendront ternes. Placez le carbone contre le carreau et décalquez le tournesol en le plaçant soigneusement au centre de chaque carreau (voir ci-dessous).

3 Appliquez la peinture dans l'ordre illustré ci-dessous. Lavez le pinceau à l'eau froide savonneuse quand vous passez d'une couleur à

Ces tournesols sont beaux à faire tourner toutes les têtes — aussi bien leur reproduction sur céramique que les vrais tournesols, frais cueillis du jardin.

l'autre. Épongez-le parfaitement sur de l'essuie-tout pour ne pas délayer la peinture.

4 Quand la peinture est sèche, posez une autre couche d'apprêt.

DÉCOR DE TOURNESOL SUR CÉRAMIQUE

1 *Appliquez une couche d'apprêt. Posez le papier carbone contre le carreau et décalquez le motif après l'avoir placé bien au centre du carreau.*

2 *Peignez les feuilles en vert foncé ; posez des touches de vert moyen ici et là et gardez le vert lime pour les nervures centrales et leurs ramifications.*

3 *Peignez d'abord les pétales avec le jaune le plus clair et laissez sécher. Avec les deux jaunes plus foncés, donnez-leur du relief et du réalisme.*

4 *Faites le cœur en brun clair. Ajoutez nuances et reflets avec les deux bruns plus foncés et, pour finir, tachetez-le de points brun foncé et jaunes.*

◆ Tableau noir de cuisine ◆

Un tableau noir est d'une grande commodité dans la cuisine, aussi bien pour y laisser des messages que
pour inscrire les produits d'épicerie qui manquent. Joignez l'utile à l'agréable : faites-lui un cadre approprié
avec des motifs reproduits au pochoir dont les couleurs rappelleront celles de la cuisine.

Prenez un cadre vide – neuf ou usagé – et décorez-le d'un joli motif.

- **Cadre à panneau en fibres de densité moyenne, bords de 10 cm (4 po)**
- **papier de verre (nᵒ 120), chiffon**
- **scellant tout usage**
- **peinture à tableau noir**
- **2 pinceaux de nylon de 3,5 à 5 cm (1 ½ -2 po)**
- **peintures acryliques d'artiste : gris perle fumé, bleu tempête, jaune oxyde, vert pin, écarlate, terre de Sienne brûlée**
- **palette**
- **acétate, pour les pochoirs**
- **marqueur permanent à pointe fine**
- **plaque de coupe**
- **couteau d'artiste**
- **pinceau à mine dure**
- **ruban-cache**
- **6 pinceaux à pochoir de 1 à 2 cm (⅜ - ¾ po)**
- **vernis à l'eau et pinceau à vernis**

1 Séparez le panneau du cadre ; poncez-les tous les deux et essuyez-les avec un chiffon absorbant.

2 Enduisez-les de scellant tout usage que vous appliquerez avec un pinceau plat.

3 Sur le panneau qui servira de tableau noir, appliquez au pinceau plat deux ou trois couches de peinture à tableau noir. Laissez sécher pendant que vous préparez le cadre.

4 Mélangez des quantités égales de gris perle fumé et de bleu tempête : il vous en faut pour deux couches pour le cadre. Appliquez la première couche. Quand elle est complètement sèche, appliquez la seconde.

5 Avec le motif illustré page ci-contre, préparez un pochoir (voir ci-dessous).

6 Dessinez les poires sur le cadre (voir ci-dessous). Pour inverser le motif (voir l'illustration de la page ci-contre), mettez tout simplement le pochoir à l'envers.

7 Déposez les peintures séparément sur la palette. Travaillez une poire à la fois (voir ci-dessous). Mouillez à peine le pinceau pour éviter que la peinture ne s'infiltre sous le

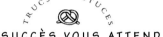

LE SUCCÈS VOUS ATTEND

Nettoyez bien le pochoir, surtout avant de l'utiliser à l'envers pour obtenir une image inversée du motif ; vous risquez autrement de barbouiller le contour du dessin.

Si vous prenez de la peinture à pochoir pour tissus, vous pouvez orner de poires les coussins des sièges, le linge de table ou le bord d'un rideau. N'oubliez pas : il y a des poires autres que jaunes !

Le motif du pochoir peut être assorti au décor de votre cuisine ; par exemple aux fleurs de la porcelaine ou à la bordure de papier peint qui décore le haut des murs.

pochoir. Comme ce type de peinture sèche très vite, vous pourrez en donner une deuxième et une troisième couche assez rapidement.

POIRES AU POCHOIR

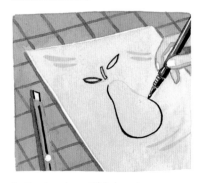

1 *Dessinez le motif de la poire sur une feuille d'acétate avec un marqueur permanent à pointe fine. Posez l'acétate sur la plaque de coupe et découpez la poire avec le couteau d'artiste.*

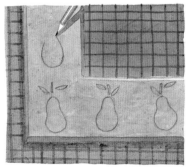

2 *Avec le crayon, indiquez au trait léger l'emplacement des poires sur le cadre. Leur nombre et leur espacement dépendent des dimensions du cadre.*

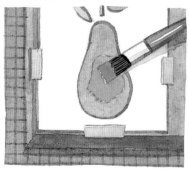

3 *Déposez le pochoir sur une des poires esquissées. Faites-le tenir avec du ruban. Plongez le pinceau dans la peinture jaune sans trop le charger. Peignez la poire à petits traits légers.*

4 *Changez de pinceau chaque fois que vous changez de couleur. Mettez un peu de vert et d'écarlate sur chaque poire pour lui donner du naturel. Peignez ainsi toutes les poires du cadre.*

La cuisine est souvent le centre de la vie familiale. Rendez-la chaleureuse et accueillante par un décor coloré dans lequel notre tableau noir et son cadre fantaisie seront tout à fait à leur place.

8 Laissez-vous inspirer par la photographie à gauche et suivez les instructions détaillées données à la page précédente. Appliquez du vert sur les feuilles et prenez la peinture terre de Sienne brûlée pour faire les tiges.

9 Déplacez le pochoir le long du cadre en respectant les dessins au crayon. Pour aller plus vite, faites toutes les poires qui vont dans un sens ; puis nettoyez le pochoir et faites les poires inversées.

10 Quand le cadre est bien sec, appliquez une couche de vernis. Attendez qu'elle soit sèche avant d'appliquer la seconde. Laissez passer au moins 24 heures pour que tout soit bien sec avant de replacer le tableau noir dans son cadre.

11 Suspendez-le là où il est facile d'y inscrire un message. Laissez des bâtons de craie sur le cadre ou dans un panier tout près.

Poire pour pochoir

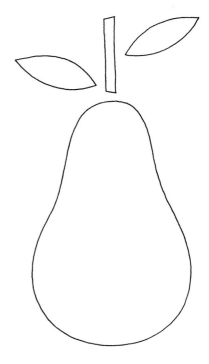

161

◆ Propre comme un sou neuf ◆

Il n'est pas nécessaire que les produits de nettoyage, les désodorisants et les désinfectants contiennent des produits abrasifs et toxiques pour faire du bon travail. Ceux que vous fabriquez vous-même sont efficaces et économiques et ils respectent l'environnement.

Pâte nettoyante tout usage

Cette pâte donne d'excellents résultats et ne contient pas d'abrasif dur. Semblable à du mastic gris mais un peu plus molle, sa surface est constellée de bulles. La craie ou la terre diatomée font doucement briller les surfaces. La terre diatomée se vend dans les jardineries, les quincailleries et chez les marchands de piscines. Achetez du savon pur à l'épicerie – du Ivory par exemple – ou râpez un pain de savon pur.

- ½ **tasse de flocons de savon**
- 1 **tasse de craie ou de terre diatomée (diatomite)**
- ½ **tasse de bicarbonate de soude**
- 3 **c. à soupe de glycérine**

1 Dans un petit bol, réduisez les flocons de savon en poudre avec le dos d'une cuiller (ou au mélangeur). Incorporez parfaitement la craie ou la terre diatomée et le bicarbonate de soude.
2 Ajoutez assez de glycérine pour obtenir une pâte épaisse. Transférez-la à la cuiller dans un bocal à col large ou dans tout autre contenant.
3 Gardez le bocal fermé quand vous ne vous servez pas de la pâte pour l'empêcher de sécher.

Poli à meubles au citron

Ce poli protège la surface des meubles et la fait briller. Préparez-le au moment de vous en servir.

- 1 **tasse d'huile à salade**
- 1 **c. à thé d'huile essentielle de citron (boutiques d'aliments santé et d'aromathérapie)**

Mélangez les deux huiles parfaitement. Appliquez parcimonieusement avec un chiffon doux. Polissez avec un linge propre et doux.

Lave-vitre sans traces

Préférez du papier journal froissé aux serviettes de papier qui laissent de la mousse.

- ¼ **tasse de vinaigre blanc**
- 1 **c. à soupe de fécule de maïs**
- 2 **tasses d'eau chaude**

Mettez les ingrédients dans un vaporisateur ; agitez-le pour dissoudre la fécule de maïs. Vaporisez généreusement ; essuyez et polissez avec du papier journal ou un linge propre.

Lave-céramique à l'eucalyptus

Cette poudre odorante nettoie et fait briller les carreaux de la salle de bains et de la cuisine.

- ½ **tasse de flocons de savon**
- 1 **tasse de craie ou de terre diatomée**
- 1 **tasse de bicarbonate de soude**
- 1 **c. à thé d'huile essentielle d'eucalyptus (boutiques d'aliments santé et d'aromathérapie)**

1 Dans un petit bol, pulvérisez les flocons de savon avec le dos d'une cuiller (ou au mélangeur). Ajoutez la craie ou la terre diatomée et le bicarbonate de soude et mélangez en écrasant les grumeaux.
2 Aspergez d'huile essentielle et mélangez à la cuiller pendant quelques minutes. Transférez le mélange dans un bocal à col large et à couvercle vissant ou dans tout autre contenant ; perforez le couvercle de plusieurs petits trous.
3 Couvrez les trous de ruban-cache pour que la poudre demeure sèche. Laissez le mélange vieillir une semaine avant de l'utiliser pour que l'eucalyptus parfume bien les ingrédients.

Lave-parquets à odeur de pin

Le carbonate de soude, vendu en épicerie, est un agent nettoyant efficace et peu cher qui enlève la graisse et les taches opiniâtres. Avec du savon et du sel, il est idéal pour les parquets de bois dur.

- ½ **tasse de flocons de savon**
- ¼ **tasse de cristaux de soude (carbonate de soude)**
- 1 **tasse de sel**
- 2 **tasses d'eau**
- 2 **c. à thé d'huile essentielle au pin (boutiques d'aliments santé et d'aromathérapie)**

1 Mettez le savon, les cristaux de soude, le sel et l'eau dans une casserole ; réchauffez doucement en remuant jusqu'à ce que le savon, les cristaux et le sel soient fondus.
2 Laissez tiédir. Ajoutez l'huile essentielle, remuez et versez dans un bocal.
3 Utilisation : versez 2 ou 3 c. à soupe de la préparation dans un demi-seau d'eau chaude et mélangez. Si la pièce est grande, il faudra peut-être doubler les quantités.
4 Rincez avec un demi-seau d'eau propre additionnée d'une tasse de vinaigre blanc.

Lave-cuvettes de cabinet

Nettoie et désinfecte les cuvettes de cabinet sans chlore toxique. Pour ne pas avoir à frotter, mettez-en la veille et laissez en place toute la nuit.

- 1 **tasse de borax**
- ½ **tasse de vinaigre blanc**

1 Actionnez la chasse d'eau pour mouiller la cuvette.
2 Saupoudrez les parois de borax et aspergez de vinaigre. Laissez en place plusieurs heures avant de frotter avec une brosse.

Nettoie-four

Il est souvent plus facile de prévenir les dégâts que de les réparer. Si vous pensez qu'un plat va déborder, enfournez-le sur une plaque. Voici comment nettoyer les dépôts graisseux calcinés.

- ◆ **1 boîte de bicarbonate de soude (500 g/16 oz)**
- ◆ **¼ tasse de cristaux de soude**

1 Mélangez parfaitement les ingrédients.
2 Mouillez la sole et les parois du four avec un linge ou des serviettes de papier et saupoudrez-les généreusement de poudre. Répétez et laissez en place toute la nuit.
3 Le lendemain matin, essuyez l'intérieur du four et rincez parfaitement pour enlever tout résidu de graisse.
4 Frottez avec du sel et un tampon abrasif les taches opiniâtres ou calcinées.

Gel à laver les tissus

L'ancienne méthode qui consistait à laver le linge avec du savon pur est encore imbattable. Additionné d'adoucisseur d'eau, ce gel est particulièrement recommandé là où l'eau est dure.

- ◆ **2 tasses de flocons de savon**
- ◆ **1½ tasse de borax**
- ◆ **6 tasses d'eau**
- ◆ **½ tasse de glycérine**
- ◆ **2 c. à thé d'huile essentielle d'eucalyptus, de citron ou de lavande (boutiques d'aliments santé et d'aromathérapie)**

1 Mélangez les flocons de savon, le borax et l'eau dans une casserole. Réchauffez doucement en remuant jusqu'à ce que les ingrédients soient fondus et que le mélange soit transparent. Ajoutez la glycérine et laissez tiédir.
2 Ajoutez l'huile essentielle et remuez bien.
3 Gardez le gel dans un bocal à col large qui ferme ou dans tout autre contenant. Versez-en une tasse dans la machine à laver : assurez-vous que le savon est fondu avant d'ajouter le linge. Les résultats sont meilleurs si vous utilisez de l'eau tiède ou chaude.

DÉTACHANTS NATURELS

Les taches opiniâtres réclament des soins attentifs. Cela ne signifie pas que vous deviez dépenser une fortune en produits spéciaux. Vous avez à la maison tout ce qu'il faut pour en venir à bout.

SANG, CHOCOLAT, CAFÉ. Faites tremper l'article toute la nuit dans une solution de ¼ tasse de borax et 2 tasses d'eau froide. Lavez normalement.

GRAISSE. Délayez en pâte de la fécule de maïs et de l'eau. Appliquez, laissez sécher et brossez.

VIN ROUGE. Saupoudrez la tache de sel et attendez plusieurs heures. Brossez et lavez. Ou lavez tout de suite la tache à l'eau gazeuse non sucrée.

GAZON. Faites tremper la tache dans une solution de peroxyde d'oxygène à 3 p. 100 avant de laver.

ENCRE SUR CHEMISE BLANCHE. Mouillez d'eau froide ; une heure avant de laver, appliquez de la crème de tartre délayée dans du jus de citron.

BRÛLURES. Frottez les marques avec un oignon cru. Quand le jus d'oignon a été absorbé, faites tremper la tache quelques heures dans l'eau.

Assouplisseur de tissus

Ce traitement tout simple rend les tissus souples et légers.

- ◆ **¼ tasse de bicarbonate de soude**
- ◆ **½ tasse de vinaigre blanc**

1 Remplissez d'eau la machine à laver.
2 Ajoutez le bicarbonate de soude, puis le linge.
3 Durant le dernier cycle de rinçage, ajoutez le vinaigre (mettez-le dans le distributeur d'adoucisseur, s'il y en a un).

VARIANTES Vous pouvez également assouplir le linge en ajoutant ½ tasse de bicarbonate de soude à l'eau durant le lavage ou en mettant 1 volume de flocons de savon et 1 volume de borax dans l'eau avant d'y jeter le linge.

Nettoyant-désinfectant tout usage

Ce produit fait des merveilles dans la cuisine et la salle de bains puisqu'il enlève la saleté et la graisse tout en désinfectant.

- ◆ **1 c. à thé de borax**
- ◆ **½ c. à thé de cristaux de soude**
- ◆ **1 tasse d'eau très chaude**
- ◆ **2 c. à soupe de jus de citron**

1 Mettez tous les ingrédients dans un vaporisateur et secouez pour faire fondre le borax et les cristaux.
2 Utilisation : vaporisez les surfaces à nettoyer et essuyez avec une éponge ou un linge. Cette solution se conserve indéfiniment.

Nettoyant fongicide

Les taches de moisissure s'enlèvent mal sur un vêtement. Ce nettoyant les élimine mais il est déconseillé pour les tissus de couleur.

- ◆ **2 volumes de sel**
- ◆ **1 volume de jus de citron**

1 Lavez l'article dans de l'eau chaude et savonneuse. Mélangez le sel et le jus de citron et mettez-en sur la tache.
2 Déposez l'article en plein soleil. Rincez après plusieurs heures. En cas d'échec, recommencez.

Pâte à récurer

Elle désinfecte et aide à éliminer la moisissure sans être abrasive.

- ◆ **¼ tasse de borax**
- ◆ **savon liquide à base d'huile végétale (boutiques d'aliments santé)**
- ◆ **½ c. à thé d'huile essentielle de citron (boutiques d'aliments santé et d'aromathérapie)**

Dans un petit bol, délayez le borax avec du savon liquide. Ajoutez l'huile de citron et mélangez. Mettez un peu de cette pâte sur une éponge, lavez la surface souillée et rincez bien.

Nettoyant à moisissure

Le borax a la propriété de lutter contre la moisissure. Si vous habitez une région très humide, ajoutez-en une pleine tasse dans de l'eau savonneuse pour laver les murs.

- ½ tasse de borax
- ½ tasse de vinaigre
- 1 tasse d'eau

Mettez les ingrédients dans un vaporisateur. Vaporisez les surfaces atteintes de moisissure. Essuyez avec une éponge humide.

Activateur de fosse septique

Quand la fosse septique manque de bactéries, elle dégage de mauvaises odeurs. Mettez ce mélange dans la toilette et déclenchez la chasse d'eau.

- 4 tasses d'eau chaude (40-46 °C/105-115 °F)
- 450 g (1 lb) de cassonade
- 2 c. à thé de levure sèche

Faites fondre la cassonade dans l'eau chaude et laissez tiédir. Ajoutez la levure et versez tout de suite la préparation dans la toilette. Déclenchez la chasse d'eau.

Désodorisant de pièces

Ce produit ayant une odeur forte, il doit être utilisé avec discernement. Les huiles essentielles se vendent dans les boutiques d'aliments santé.

- ¼ tasse d'alcool isopropylique
- 25 gouttes d'huile de bergamote
- 8 gouttes d'huile de clou de girofle
- 5 gouttes d'huile de citron
- 1 tasse d'eau distillée

1 Mettez l'alcool et les huiles essentielles dans un vaporisateur et agitez vigoureusement. Ajoutez l'eau distillée et agitez encore pendant quelques minutes.
2 Laissez reposer pendant quelques jours pour que les arômes s'amalgament. Un jet suffit habituellement à rafraîchir l'air d'une pièce.

Désodorisant pour les tapis

Plusieurs produits vendus dans le commerce masquent les mauvaises odeurs en anesthésiant les nerfs olfactifs. Ce produit s'en prend à leur cause.

- 1 tasse de bicarbonate de soude
- ½ tasse de fleurs de lavande

1 Broyez les fleurs de lavande pour qu'elles dégagent leur parfum.
2 Mélangez-les au bicarbonate de soude et saupoudrez-en les tapis.
3 Après 30 minutes, passez l'aspirateur.

Shampoing à capitonnage

Servez-vous-en fréquemment pour rafraîchir les meubles que vous utilisez souvent.

- 6 c. à soupe de flocons de savon
- 2 c. à soupe de borax
- 2 tasses d'eau bouillante

1 Dans un grand bol, mélangez les flocons de savon et le borax. Ajoutez lentement l'eau bouillante. Remuez jusqu'à dissolution complète des ingrédients secs.
2 Laissez refroidir. Fouettez avec un batteur à œufs pour obtenir une mousse.
3 Brossez les capitonnages avec la mousse sèche en insistant sur les parties souillées. Essuyez sans attendre avec une éponge humide.

Nettoyant à argenterie

Nettoyez l'argenterie avec votre pâte dentifrice ! Vous pouvez même utiliser celle dont on donne la recette (p. 182), en supprimant le colorant alimentaire et l'arôme de menthe.

- pâte dentifrice blanche (n'utilisez pas un gel)
- vieille brosse à dents à soies souples

1 Appliquez la pâte dentifrice sur l'article d'argenterie avec une vieille brosse à dents à soies souples et frottez doucement.
2 Rincez à l'eau tiède, séchez avec un chiffon.

Déboucheur de renvois d'eau

Utilisez ce produit une fois par semaine : les renvois d'eau fonctionneront à merveille.

- ½ tasse de bicarbonate de soude
- 1 tasse de vinaigre blanc
- 4 litres (16 tasses) d'eau chaude

Jetez le bicarbonate de soude dans le renvoi d'eau. Versez le vinaigre et laissez mousser quelques minutes. Ajoutez l'eau.

Désodorisant à broyeur

Le broyeur à ordures aura une odeur fraîche si vous avez régulièrement recours à cette astuce.

- demi-citron déjà pressé

Jetez le demi-citron dans le broyeur de l'évier et mettez-le en marche. Le citron sera pulvérisé et expulsé par le renvoi d'eau.

Savon en gel pour la vaisselle

Pourquoi acheter des produits coûteux pour laver la vaisselle ? Utilisé avec de l'eau chaude, ce gel nettoie les assiettes à merveille sans excès de mousse. Ne l'employez pas dans le lave-vaisselle.

- ◆ ¼ **tasse de flocons de savon**
- ◆ **2 tasses d'eau chaude**
- ◆ ¼ **tasse de glycérine**
- ◆ ½ **c. à thé d'huile essentielle de citron (boutiques d'aliments santé et d'aromathérapie)**

1 Mélangez les flocons de savon et l'eau. Remuez pour que les flocons fondent. Laissez tiédir.
2 Incorporez la glycérine et l'huile essentielle. Laissez refroidir : le liquide se transforme en gel. Remuez à la fourchette pour briser le gel et, avec un entonnoir, versez la préparation dans un flacon à goulot étroit (comme un flacon à shampoing vide).
3 Utilisation : versez 2 ou 3 c. à thé sous l'eau courante dans l'évier.

Savon à lave-vaisselle

Si vous habitez une région où l'eau est dure, pour ne pas avoir de taches sur la vaisselle, ajoutez la lotion de rinçage ci-dessous avant le lavage.

- ◆ **2 tasses de borax**
- ◆ **2 tasses de cristaux de soude**

Mélangez le borax et les cristaux de soude ; gardez-les dans un contenant de plastique fermé. Utilisation : mettez-en 2 c. à soupe dans le distributeur de détersif du lave-vaisselle.

Lotion de rinçage pour lave-vaisselle

Vous aurez une vaisselle impeccable sans recourir à des agents chimiques.

- ◆ **1 à 1½ tasse de vinaigre blanc**

Mettez le vinaigre dans le compartiment distributeur d'agent de rinçage de votre lave-vaisselle, en veillant à ce qu'il ne déborde pas.

Un lave-auto à la maison

Vous avez peut-être l'habitude de faire laver votre voiture dans un lave-auto commercial ; vous en connaissez alors le prix : c'est cher et peu efficace. Ce qui plus est, ces dispositifs utilisent jusqu'à 10 fois plus d'eau que vous n'en consommerez en lavant votre voiture à la maison. Voici quelques produits pour faire briller toute votre voiture.

Lave-auto

Il ménage la carrosserie et déloge la saleté.

- ◆ **1 c. à soupe de savon liquide à base d'huile végétale (boutiques d'aliments santé)**
- ◆ **8 litres (32 tasses) d'eau chaude**

1 Mélangez le savon et l'eau dans un seau.
2 Appliquez la solution avec une grosse éponge en insistant sur les zones très sales. Rincez immédiatement. Nettoyez la voiture section par section.
3 Pour ne pas laisser de taches, séchez la voiture avec un chamois ou une flanelle.

Nettoyant pour l'intérieur

Ce produit est aussi bon pour le vinyle que pour le cuir. (Voir Shampoing à capitonnage, p. 164.)

- ◆ **2 c. à soupe de savon liquide à base d'huile végétale**
- ◆ ¼ **tasse d'huile d'olive**
- ◆ **1 c. à thé d'huile essentielle de citron (boutiques d'aliments santé et d'aromathérapie)**

Mélangez les ingrédients et appliquez avec une éponge. Essuyez les glaces avec une serviette en coton éponge ou de la flanelle.

Lave-glaces

Lavez toujours vos glaces à l'ombre : cela évite qu'il y reste des marques.

- ◆ ½ **tasse de fécule de maïs**
- ◆ **2 litres (8 tasses) d'eau chaude**

Mélangez les ingrédients et appliquez avec une éponge. Essuyez avec une serviette en coton éponge ou une flanelle douce.

Cire à automobile

Les cires commerciales renferment souvent des produits pétrochimiques. Essayez la nôtre : elle est naturelle. Attention : la térébenthine est inflammable, et toxique si elle est ingérée. Gardez au frais et hors de portée des enfants.

- ◆ **7 c. à soupe de cire d'abeille**
- ◆ **12 c. à soupe de cire carnauba**
- ◆ **2 tasses d'huile minérale**
- ◆ **4 c. à soupe de térébenthine**
- ◆ **1 c. à soupe d'huile de pin**

1 Faites fondre les cires au bain-marie.
2 Retirez du feu et laissez refroidir légèrement avant d'ajouter la térébenthine et les huiles. Mélangez bien.
3 Versez le produit dans une boîte métallique pourvue d'un couvercle (les boîtes de café à couvercle de plastique font très bien l'affaire). Laissez-le refroidir sans le couvrir. Quand il est froid, fermez-le bien.
4 Utilisation : mettez un peu de cette cire sur un chiffon doux. Frottez la carrosserie de la voiture avec un mouvement circulaire. Laissez reposer plusieurs minutes avant de polir.

VARIANTE Ne jetez pas vos vieilles chaussettes de coton. Elles sont idéales pour appliquer la cire et pour la polir par la suite. Alors seulement, vous pourrez les jeter !

Poli à chrome

Un peu de papier aluminium et quelques efforts : il n'en faut pas plus pour que les garnitures en chrome de votre voiture brillent de mille feux.

- ◆ **papier aluminium**

Pour enlever la rouille qui apparaît souvent sur les pare-chocs chromés, chiffonnez en tampon du papier aluminium et frottez les taches de rouille vigoureusement.

Beauté et santé

Les produits de beauté et d'hygiène corporelle à base d'extraits végétaux gagnent en popularité aux dépens de ceux qui renferment des substances synthétiques. Comme vous l'avez peut-être constaté, les produits naturels sont parfois coûteux. Heureusement, vous pouvez préparer des produits maison tout aussi efficaces que leurs pendants commerciaux — les ingrédients sont faciles à trouver et relativement abordables.

Préparations pour femmes, hommes et enfants, huiles pour le bain, lotions et parfums sont au cœur du compendium de formules traditionnelles que nous vous présentons. Élaborés à partir d'extraits d'herbes et d'infusions, ces produits maison sont souvent moins irritants que les spécialités offertes dans le commerce.

Le présent chapitre comporte également huit pages consacrées à des remèdes maison servant à traiter divers maux courants: congestion nasale, durillons, petites brûlures, etc. À vous donc de choisir, parmi celles qui sont proposées ici, les recettes traditionnelles qui aideront toute votre famille à vivre en beauté et en bonne santé!

AVANT DE COMMENCER...

La préparation de cosmétiques et de remèdes maison procure bien des satisfactions. Toutes nos recettes sont rapides, faciles et peu coûteuses. Comme vous décidez du contenu de votre régime santé et beauté, vous avez l'assurance d'utiliser des produits purs, naturels et adaptés à vos besoins.

LA PLUPART des ingrédients de nos recettes sont faciles à trouver. Vous pouvez vous les procurer dans les pharmacies, les magasins d'aliments naturels et les pépinières ou par l'entremise des sociétés de vente par correspondance recommandées par les magasins d'aliments naturels. Achetez des ingrédients de qualité supérieure. On peut cultiver certaines herbes; pour plus de détails à ce sujet, reportez-vous au chapitre 5.

Lisez et suivez soigneusement les recettes. Ne dépassez pas les quantités recommandées. Ne confondez pas les «huiles» et les «huiles essentielles», ou «essences». Les huiles (d'amande, d'olive, etc.) proviennent surtout de graines. Non volatiles, elles sont souvent appelées «huiles fixes». Les huiles essentielles, obtenues par distillation de substances végétales, sont volatiles et inflammables; elles s'évaporent à basse température et peuvent être toxiques si on les utilise mal. On doit généralement les diluer dans une huile fixe avant de les appliquer sur la peau.

Matériel
La préparation de produits de beauté et de soin de la peau ne requiert que des ustensiles de cuisine courants. Pour éviter tout risque de contamination des aliments, mieux vaut ne pas utiliser les ustensiles de tous les jours. Si possible, achetez du matériel usagé et rangez-le à part. Autrement, lavez les ustensiles de cuisine à fond avant et après usage. Les ustensiles en bois ou en matériaux poreux doivent être achetés neufs et servir uniquement à préparer les produits pour le soin de la peau. Rangez-les à l'écart des ustensiles qui vous servent à cuisiner.

Évitez d'utiliser des casseroles d'aluminium, de fonte ou de cuivre sans revêtement pour chauffer et faire bouillir les ingrédients. Une réaction chimique entre ces métaux et les ingrédients pourrait altérer la couleur et l'odeur des préparations. L'inox, le verre, l'aluminium avec revêtement et la fonte émaillée ou à revêtement antiadhésif sont des matériaux sûrs. Les surfaces émaillées ou antiadhésives doivent être en bon état.

Les cuillères doivent aussi être faites d'un matériau non réactif. Utilisez une cuillère en inox pour mesurer les ingrédients et une cuillère en bois ou en inox pour remuer les préparations.

Les flacons et les bocaux servant à conserver les ingrédients et les produits doivent être lavés et stérilisés avant usage. Utilisez des couvercles non poreux pour prévenir toute évaporation – les couvercles filetés en métal ou en plastique, les bouchons de verre et les couvercles-pression en plastique bien ajustés conviennent. Si vous décidez d'utiliser un bouchon de liège, recouvrez-le de pellimoulante avant de le mettre en place pour empêcher toute infiltration d'air.

Un entonnoir en inox est idéal pour filtrer et transvider les liquides. Attention, les huiles essentielles concentrées endommagent certains plastiques. Lavez bien l'entonnoir tout de suite après l'avoir utilisé.

Stérilisation et étiquetage
Suivez la méthode illustrée ici pour stériliser les récipients qui contiendront des cosmétiques ou des conserves. Récipients et couvercles de plastique qui ne résistent pas à une très forte chaleur doivent être lavés dans de l'eau chaude savonneuse, séchés complètement et recouverts d'un chiffon avant usage. Lavez et séchez aussi bols, casseroles et autres ustensiles avant usage. Il est plus aisé de garder les ustensiles parfaitement propres et exempts d'huile s'ils sont en métal ou en verre.

STÉRILISATION DES RÉCIPIENTS ET DES COUVERCLES

1 *Lavez les récipients et les couvercles à fond dans de l'eau chaude savonneuse. Utilisez un goupillon afin de frotter toutes les surfaces.*

2 *Rincez les récipients et les couvercles après les avoir lavés. Éliminez le savon résiduel pour éviter toute altération de goût ou quelque réaction chimique.*

3 *Placez les récipients et les couvercles propres dans une marmite remplie d'eau. Les récipients doivent être submergés. Amenez l'eau à ébullition.*

4 *Laissez bouillir 10 minutes (300 m d'altitude ou moins – au-delà, ajoutez 1 minute tous les 300 m), puis utilisez les récipients ou égouttez-les sur un linge.*

PRÉCAUTIONS

Vous pouvez mélanger les ingrédients avec un malaxeur électrique, mais nettoyez bien les fouets avant de les utiliser pour faire la cuisine.

Utilisez des flacons d'une contenance égale à la quantité de produit préparée afin de limiter le contact avec l'air. Transvidez le produit dans un plus petit flacon après en avoir utilisé une bonne portion.

Utilisez des flacons ambrés pour protéger les produits de la lumière. Rangez-les dans un endroit frais et à l'abri de la lumière — au frigo pour une conservation prolongée.

Notez les ingrédients sur l'étiquette de tout produit offert en cadeau. Si possible, déterminez si la personne qui recevra le cadeau est allergique à un des ingrédients.

La préparation de produits de beauté et de santé maison requiert très peu de matériel spécial. Tout ce qu'il vous faut, ce sont des ustensiles de cuisine courants, des récipients pouvant servir à conserver les produits, quelques herbes et fleurs communes provenant de votre jardin ou d'une pépinière et un certain nombre d'ingrédients vendus dans les magasins d'aliments naturels ou les pharmacies.

Étiquetez tous les produits que vous préparez. Indiquez leur nom et/ou les ingrédients et la date de préparation et de mise en conserve. L'étiquetage est important, car de nombreuses huiles et préparations sont fort semblables. Certains produits ont une date de péremption.

Conservation des produits naturels

La chaleur, l'humidité, la lumière et l'air peuvent altérer les produits naturels. Conservez ceux-ci dans un endroit frais et à l'abri de la lumière, un frigo par exemple ou un placard fermé, s'il vous faut plus d'espace.

Comme nos recettes n'incluent aucun agent de conservation, vous devrez examiner vos produits régulièrement. Une décoloration marquée ou une odeur inhabituelle sont des signes de dégradation. Le cas échéant, n'utilisez pas le produit et mettez-le à la poubelle sans tarder. En général, mieux vaut ne préparer qu'une petite quantité d'un produit dont la période de conservation est courte, à moins que celui-ci ne soit destiné à un usage familial plutôt qu'individuel.

Mises en garde

Les produits naturels ne causent généralement pas d'effets indésirables. Néanmoins, une réaction allergique se déclare parfois. Divers symptômes peuvent alors apparaître : éruptions, nausées, éternuements, irritation de la peau, dyspnée, etc. Le cas échéant, cessez d'utiliser le produit.

Lorsque vous préparez des produits pour la peau et les cheveux :
1 Respectez les quantités d'ingrédients recommandées.
2 Évitez d'ingérer ou même de goûter les huiles essentielles ; gardez les récipients fermés et conservez-les hors de la portée des enfants.
3 Si une personne ingère accidentellement une huile essentielle, ne la faites pas vomir ; donnez-lui un verre d'eau, communiquez avec le centre antipoison et/ou rendez-vous immédiatement à l'hôpital avec elle.
4 Consultez un professionnel de la santé avant d'utiliser des huiles essentielles si vous souffrez d'une affection chronique ou aiguë (cardiopathie, épilepsie, asthme, diabète, néphropathie, etc.) ; ces huiles sont contre-indiquées chez le jeune enfant et la femme enceinte.
5 Certaines herbes peuvent causer des réactions allergiques ; en cas de doute, vérifiez avant usage la sensibilité à chaque herbe ou produit en mettant une petite quantité d'herbe ou de produit sous le bras au-dessus du coude ou dans la saignée. Si, après avoir laissé passer plusieurs heures ou une nuit entière, vous remarquez une rougeur, un œdème ou de l'irritation, gardez-vous d'utiliser l'herbe ou le produit.

◆ Soins corporels complets ◆

Soignez votre peau et stimulez vos sens avec des crèmes et des lotions maison. Tout votre corps vous semblera doux et parfumé – grâce à des produits naturels.

Bain de pieds relaxant

En fin de journée, plongez les pieds dans une solution revigorante et relaxante.

- ◆ **1 c. à soupe de sel marin**
- ◆ **2 gouttes d'essence de lavande**
- ◆ **1 goutte d'essence de romarin**
- ◆ **1 goutte d'essence de laurier**
- ◆ **1 goutte d'essence de géranium**
- ◆ **Pétales de rose (facultatif)**

Il vous faut une bassine ou une cuvette à fond large et une serviette de bain.

1 Remplissez la bassine d'une quantité d'eau chaude suffisante pour immerger les pieds.

2 Versez le sel marin dans la bassine et remuez l'eau (avec les orteils si vous le désirez). Incorporez les essences à la solution. Des pétales de rose parfumés répandus sur l'eau ajouteront un peu de luxe et un parfum agréable.

3 Plongez les pieds dans la bassine durant 10 minutes ou jusqu'à ce que l'eau ait refroidi. Épongez les pieds avec la serviette. Pour finir, enduisez les pieds de lotion à l'eucalyptus (voir la recette à droite) et massez-les.

POUR 1 BAIN DE PIEDS

Crème de massage pour les jambes

Cette crème tonifiante et hydratante préserve la douceur et la souplesse de la peau. Appliquez-la sur les pieds, les chevilles et les jambes, puis massez fermement de bas en haut.

- ◆ **3 c. à soupe de lanoline anhydre (sans eau)**
- ◆ **45 ml (1 ½ oz) d'huile d'olive**
- ◆ **2 c. à soupe d'essence d'abricot**

Il vous faut un bain-marie en verre ou en inox, une cuiller en bois et un bocal de 120 ml (4 oz) stérilisé et étanche.

1 Chauffez tous les ingrédients ensemble à feu doux au bain-marie jusqu'à ce que la lanoline se soit liquéfiée. Remuez pendant plusieurs minutes avec la cuiller en bois.

2 Versez le mélange dans le bocal. Conservez-le au frais et à l'abri de la lumière.

DONNE ENVIRON 120 ML (4 OZ) DE CRÈME

Lotion à l'eucalyptus pour les pieds

On néglige très souvent d'hydrater la peau des pieds. Celle-ci peut alors gercer facilement. Appliquez régulièrement cette lotion sur les talons et les pieds pour adoucir la peau.

- ◆ **1 c. à soupe d'huile d'amande**
- ◆ **1 c. à thé d'huile d'avocat**
- ◆ **1 c. à thé d'huile de germe de blé**
- ◆ **10 gouttes d'essence d'eucalyptus**

Mettez tous les ingrédients dans un flacon de verre stérilisé et étanche. Agitez bien le flacon avant usage. Conservez la lotion au frais et à l'abri de la lumière.

DONNE ENVIRON 30 ML (1 OZ) DE LOTION

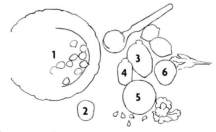

Utilisez ces produits naturels pour soigner votre peau: **1** *Bain de pieds relaxant* **2** *Crème au citron pour les mains* **3** *Lotion minute pour les mains* **4** *Lotion à l'eucalyptus pour les pieds* **5** *Crème de massage pour les jambes* **6** *Crème pour les mains du jardinier*

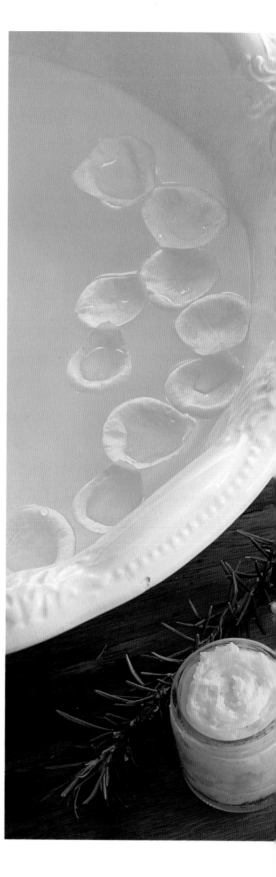

Crème au citron pour les mains

Crème qui protège et aide à régénérer la peau.

- ◆ 1 à 2 c. à soupe de lemon-grass frais (1-2 c. à thé si séché)
- ◆ 1 ¼ tasse d'eau bouillante
- ◆ 2 c. à soupe d'huile d'abricot
- ◆ 4 c. à thé d'huile d'avocat
- ◆ 1 c. à thé d'huile de germe de blé
- ◆ 15 g (½ oz) de cire d'abeille
- ◆ 2 c. à thé de jus de citron

Il vous faut un bol en céramique ou en verre résistant à la chaleur, une passoire fine, deux casseroles et un bain-marie en verre ou en inox, une cuiller en bois et deux bocaux en verre de 175 à 240 ml (6-8 oz) stérilisés et étanches.

1 Mettez le lemon-grass dans le bol en céramique et ajoutez l'eau bouillante. Couvrez et laissez infuser durant 15 minutes.

2 Passez l'infusion dans une casserole ; chauffez-la jusqu'à ce qu'elle soit tiède. Chauffez les huiles dans l'autre casserole de la même façon.

3 Faites fondre la cire d'abeille à feu doux au bain-marie. Ajoutez les huiles tièdes, puis 4 c. à thé d'infusion tiède (une goutte à la fois), en remuant le mélange avec la cuiller en bois.

4 Retirez du feu. Ajoutez le jus de citron. Fouettez en crème épaisse et homogène.

5 Versez la crème dans les bocaux. Conservez au réfrigérateur la crème inutilisée.

DONNE ENVIRON 450 ML (15 OZ) DE CRÈME

Lotion hydratante pour le corps

Pour la peau sèche qui desquame.

- ◆ 3 c. à soupe de glycérine
- ◆ 3 c. à soupe d'eau de rose
- ◆ 1 c. à soupe d'huile d'amande
- ◆ 1 c. à thé d'huile de germe de blé
- ◆ 1 c. à thé d'huile de jojoba

Mettez tous les ingrédients dans un bocal de 120 ml (4 oz) stérilisé. Agitez-les avant usage. Conservez au frais et à l'abri de la lumière.

DONNE ENVIRON 120 ML (4 OZ) DE LOTION

SOINS DES PIEDS

L A PRÉSENCE de callosités autour des talons et les odeurs causées par la transpiration des pieds sont des problèmes courants. Vous pouvez atténuer facilement leurs effets.

Pour désodoriser les chaussures, saupoudrez-en l'intérieur d'un peu de camomille en poudre tous les jours. Il suffit d'enlever la poudre avant de porter les chaussures. Vous pouvez aussi remplir une paire de bas d'un mélange d'herbes et d'épices séchées grossièrement hachées – toute combinaison de romarin, de laurier, de cannelle, de girofle, d'écorce d'orange, d'écorce de citron, de thym, de lavande et d'aiguilles de pin. Attachez les bas dans le haut et laissez-les dans les chaussures que vous ne portez pas.

Pour assouplir les callosités sur la plante des pieds ou derrière les talons, utilisez un mélange d'huile d'olive et de vinaigre de cidre (1:1). Appliquez le mélange sur la peau en massant.

Traitez une mycose siégeant entre les orteils avec du vinaigre de cidre dilué dans de l'eau (1:1). Vous pouvez aussi utiliser un fongicide composé de 2 gouttes d'essence de melaleuca diluées dans ½ c. à thé d'eau.

Si vous n'avez pas le temps de prendre un bain de pieds, frottez ceux-ci d'un mélange de vinaigre de cidre et d'eau (1:1). Vous pouvez aussi diluer 1 à 2 gouttes d'essence de romarin dans 1 c. à thé d'huile végétale et appliquer la préparation en massant les pieds durant 5 minutes avant de prendre un bain.

Crème pour les mains du jardinier

Appliquez cette crème sur les mains au coucher après une journée passée au jardin. Elle agira pendant la nuit. Pour plus de protection, appliquez-en toujours sur les mains avant de jardiner.

- ◆ 2 c. à soupe d'huile d'avocat
- ◆ 1 c. à soupe de miel
- ◆ 2 c. à thé de glycérine
- ◆ 1 ½ tasse d'amandes finement moulues ou de flocons d'avoine

Il vous faut un bol en céramique, une cuiller et des gants de coton lavables.

1 Mélangez l'huile d'avocat, le miel et la glycérine dans le bol. Ajoutez assez d'amandes ou d'avoine pour obtenir une pâte peu épaisse.

2 Appliquez la pâte sur les mains, puis mettez les gants et portez-les toute une nuit. Conservez la pâte dans un petit bocal étanche.

POUR QUELQUES APPLICATIONS

Lotion rose et miel pour le corps

Appliquez régulièrement cette lotion sur la peau pour la protéger et remplacer les huiles naturelles perdues dans l'eau et sous le soleil.

- ◆ ¼ à ½ tasse de pétales de rose frais (1-2 c. à thé si séchés)
- ◆ 1 ¼ tasse d'eau bouillante
- ◆ 1 tasse d'eau distillée ou bouillie
- ◆ 1 c. à thé de pépins de coing
- ◆ ⅓ tasse d'huile d'amande
- ◆ 2 c. à thé d'huile d'avocat
- ◆ 2 c. à thé d'huile de germe de blé
- ◆ 1 c. à thé de miel
- ◆ 5 gouttes d'essence de géranium

Il vous faut un bol en céramique ou en verre de dimension moyenne résistant à la chaleur, une passoire fine, une tasse, une casserole en verre ou en inox, une cuiller en inox, un bol à dessert et un bocal de 240 ml (8 oz) en verre stérilisé et étanche.

1 Mettez les pétales de rose dans le bol et ajoutez l'eau bouillante. Couvrez et laissez infuser pendant 15 à 20 minutes.

2 Passez l'infusion dans la tasse.

3 Dans la casserole, à feu moyen, amenez à ébullition l'eau distillée additionnée de pépins de coing. Chauffez à feu doux durant 15 minutes, en remuant le mélange pour empêcher les pépins de coller au fond de la casserole. Le tout se transformera en gel. Passez le gel dans le bol à dessert, en le poussant à travers les mailles de la passoire avec le dos de la cuiller. Les pépins peuvent être séchés et réutilisés.

4 Dans la casserole, combinez l'infusion et les huiles d'amande, d'avocat et de germe de blé. Chauffez à feu doux, puis incorporez le miel au mélange en remuant le tout. Retirez la casserole du feu et laissez refroidir le mélange.

5 Ajoutez 75 ml (2 ½ oz) de gel de coing, puis l'essence de géranium (une goutte à la fois). Remuez le mélange pour le rendre homogène.

6 Versez la lotion dans le bocal. Conservez-la au frais et à l'abri de la lumière.

DONNE ENVIRON 240 ML (8 OZ) DE LOTION

Huile de massage contre la cellulite

Une saine alimentation et l'exercice physique sont les premières formes de défense contre la cellulite. L'utilisation régulière d'une huile de massage efficace peut aussi être bienfaisante.

- **2 c. à soupe d'huile d'amande**
- **½ c. à thé d'huile de jojoba**
- **½ c. à thé d'huile de carotte**
- **14 gouttes d'essence de géranium**
- **6 gouttes d'essence de lemon-grass**
- **4 gouttes d'essence de cyprès**

Il vous faut un bocal de 30 ml (1 oz) en verre stérilisé et étanche.

1 Mettez tous les ingrédients dans le bocal. Agitez le bocal pour combiner les ingrédients.

2 Après le bain ou la douche, épongez la peau, puis appliquez un peu d'huile sur les régions touchées par la cellulite ; pour ce faire, massez-les en décrivant des cercles. Utilisez de ¼ à ½ c. à thé d'huile, selon la surface de la région traitée. N'effectuez qu'une seule application par jour et respectez bien la quantité d'huile recommandée.

DONNE ENVIRON 30 ML (1 OZ) D'HUILE

Désodorisant aux herbes

Il empêche la croissance de microorganismes qui prolifèrent dans la sueur. Mélangez, au choix : romarin, thym, lavande, sauge, menthe verte, feuilles d'eucalyptus, marjolaine, pétales de rose.

- **⅓ tasse de vinaigre de cidre**
- **⅓ tasse d'eau distillée ou bouillie**
- **3 c. à soupe d'herbes ou de pétales séchés, au choix**
- **⅓ tasse d'eau de rose**

Il vous faut une casserole en inox, un bol en céramique ou en verre résistant à la chaleur et un flacon de 300 ml (10 oz) stérilisé.

1 Chauffez le vinaigre de cidre et l'eau dans la casserole. La température désirée se situe juste sous le point d'ébullition.

2 Placez les herbes ou les pétales dans le bol, puis ajoutez le liquide chaud. Couvrez et laissez infuser durant 15 à 20 minutes.

3 Passez le liquide dans le flacon, puis ajoutez l'eau de rose. Agitez le flacon. Se conserve quelques jours au frais et à l'abri de la lumière. Variez chaque fois le mélange d'herbes pour prévenir la résistance bactérienne.

DONNE ENVIRON 300 ML (10 OZ) DE DÉSODORISANT

Eau rafraîchissante d'été

Une eau revigorante conçue pour la belle saison.

- **⅓ tasse de vodka**
- **10 gouttes d'essence de lavande**
- **10 gouttes d'essence de lime**
- **5 gouttes d'essence de citron**
- **5 gouttes d'essence de lemon-grass**
- **2 tasses d'eau distillée ou bouillie**

Il vous faut un flacon de 600 ml (20 oz) stérilisé et étanche, un bol en céramique ou en verre, une passoire et un filtre à café en papier.

1 Versez la vodka et les essences dans le flacon. Bouchez le flacon, puis agitez-le durant plusieurs minutes.

2 Ajoutez-y l'eau et agitez durant plusieurs minutes. Laissez reposer au moins 48 heures (3 semaines pour un meilleur parfum).

3 Placez la passoire dans le bol, le filtre à café dans la passoire, et passez le liquide. Reversez ensuite le liquide dans le flacon (ou dans quelques petits flacons stérilisés). Conservez la préparation au frais et à l'abri de la lumière.

DONNE ENVIRON 600 ML (20 OZ) D'EAU RAFRAÎCHISSANTE

Lotion minute pour les mains

Lotion classique utilisée par des générations de femmes bien avant la venue des fabricants de cosmétiques et des crèmes commerciales. Appliquez-la régulièrement sur les mains.

- **⅔ tasse d'eau de rose**
- **⅓ tasse de glycérine**

Versez les ingrédients dans un flacon de 240 ml (8 oz) stérilisé et étanche. Agitez vigoureusement le flacon pour bien combiner les ingrédients. Conservez la lotion au frais et à l'abri de la lumière.

DONNE 240 ML (8 OZ) DE LOTION

TRUCS ET ASTUCES

SOINS DES MAINS

Frottez de la pulpe de citron sur les mains pour éclaircir les taches cutanées. Frictionnez le dos des mains de jus du citron additionné de sucre granulé pour éliminer les cellules mortes.

Hydratez les mains avec de la pulpe d'avocat.

Portez des gants de coton sous vos gants de travail en caoutchouc : les mains restent au sec.

Pour polir les ongles, saupoudrez-les d'amidon de maïs, puis frottez-les avec une chamoisine.

Enduisez les cuticules de crème au citron pour les mains (p. 172), puis repoussez-les délicatement.

Mangez beaucoup de fruits de mer, de noix, de viande maigre et de fruits et légumes crus pour avoir des ongles en bonne santé.

Limez les ongles de l'extérieur vers le centre et dans un seul sens avec une lime en papier émeri.

❖ Petites douceurs pour le bain ❖

Offrez-vous quelques instants de volupté en utilisant les produits pour le bain délicieusement parfumés qui sont présentés ici. Vous serez assuré de leur pureté puisque vous les aurez préparés vous-même. N'importe lequel de ces produits s'offre fort bien en cadeau dans un joli flacon.

Exfoliant aux amandes et à l'avoine
Pour améliorer le teint et la texture de la peau.

- ❖ **2 à 3 feuilles d'aloès**
- ❖ **2 c. à soupe de miel**
- ❖ **2 gouttes d'essence de géranium**
- ❖ **2 gouttes d'essence de Palmarosa**
- ❖ **1 tasse d'amandes moulues**
- ❖ **1 tasse de flocons d'avoine moulus**

Il vous faut deux bols en céramique ou en verre, une cuiller en inox et un flacon ou un bocal de 240 ml (8 oz) stérilisé et étanche.

1 Coupez les feuilles d'aloès en deux dans la longueur et retirez-en 1 à 2 c. à soupe de gel clair avec la cuiller. Mettez le gel dans un bol et mélangez-le avec le miel et les essences.

2 Mettez les amandes et l'avoine dans l'autre bol. Ajoutez le liquide en remuant ; au besoin, ajoutez de l'eau pour obtenir une pâte épaisse.

3 Appliquez la moitié de la pâte sur le corps, en portant une attention spéciale aux régions où la peau est sèche. Rincez la peau sous la douche. Appliquez une huile aromatique sur le corps (voir l'encadré, page ci-contre).

4 Conservez le reste de la pâte au réfrigérateur dans un bocal stérilisé.

POUR 2 APPLICATIONS

Poudre parfumée
Pour appliquer après le bain.

- ❖ **⅓ tasse de farine de riz**
- ❖ **⅓ tasse d'amidon de maïs**
- ❖ **5 à 10 gouttes d'essence (au choix)**

Il vous faut un robot culinaire et une cuiller.

1 Mélangez tous les ingrédients dans le robot pendant 1 minute (ou agitez-les pendant plusieurs minutes dans un bocal propre fermé).

2 Laissez la poudre se déposer. Transvidez-la ensuite à la cuiller dans un récipient propre et sec. Attendez deux semaines avant de l'utiliser.

DONNE ENVIRON ⅔ DE TASSE DE POUDRE

Bain moussant au parfum de rose
Préparation qui nourrit et adoucit la peau. Agitez-la bien, ajoutez-en 1 c. à thé dans la baignoire qui se remplit, puis allongez-vous dans l'eau.

- ❖ **1 à 2 c. à soupe de pétales de rose séchés**
- ❖ **4 tasses d'eau bouillante**
- ❖ **1 tasse de savon pur en paillettes**
- ❖ **45 ml (1 ½ oz) de glycérine**
- ❖ **2 c. à thé d'huile d'amande**
- ❖ **1 c. à thé d'huile de germe de blé**
- ❖ **1 c. à thé d'essence de géranium**
- ❖ **2 c. à soupe de lotion à l'hamamélis**

Il vous faut un grand bol en céramique ou en verre résistant à la chaleur, une passoire fine, une casserole en inox ou en verre, une cuiller en inox et des petits flacons en plastique propres et étanches.

1 Déposez les pétales dans le bol et versez l'eau bouillante dessus. Couvrez, infusez durant 15 à 20 minutes, puis passez dans la casserole.

2 Chauffez l'eau à feu moyen ; ajoutez le savon et remuez jusqu'à ce qu'il soit dissous.

3 Mettez le reste des ingrédients dans le bol. Mélangez-les bien, ajoutez l'eau savonneuse et remuez.

4 Versez la préparation dans les flacons. Gardez-en un dans la salle de bains ; conservez les autres au frais et à l'abri de la lumière.

DONNE ENVIRON 1 LITRE (32 OZ) DE BAIN MOUSSANT

Bain moussant pour les enfants
L'heure du bain sera synonyme de plaisir. Ajoutez 3 c. à soupe de la préparation dans la baignoire.

- ❖ **2 c. à soupe de pétales de rose séchés**
- ❖ **2 c. à soupe de fleurs de lavande séchées**
- ❖ **1 ¼ tasse d'eau bouillante**
- ❖ **1 ¼ tasse de shampoing naturel pour bébé**
- ❖ **12 gouttes d'essence de lavande**

Il vous faut deux bols, une passoire fine et des flacons en plastique propres et étanches.

1 Placez les pétales de rose et les fleurs de lavande dans un bol, puis ajoutez l'eau bouillante. Couvrez ; infusez durant 15 à 20 minutes.

2 Passez l'eau dans l'autre bol, en exprimant tout le liquide des pétales et des fleurs. Ajoutez le shampoing et l'essence de lavande.

3 Versez la préparation dans les flacons et agitez-la durant plusieurs minutes. Gardez un flacon près de la baignoire. Conservez les autres au frais et à l'abri de la lumière.

DONNE ENVIRON 600 ML (20 OZ) DE BAIN MOUSSANT

Gel au romarin pour la douche
C'est un gel nettoyant et adoucissant.

- ❖ **4 à 6 c. à thé de fleurs de lavande séchées**
- ❖ **4 à 6 c. à thé de romarin séché**
- ❖ **4 à 6 c. à thé de camomille séchée**
- ❖ **4 tasses d'eau bouillante**
- ❖ **1 ¼ tasse de savon pur en paillettes**
- ❖ **10 à 20 gouttes d'essence de lavande**

Il vous faut une casserole en verre ou en inox, deux bols en céramique ou en verre résistant à la chaleur, une passoire fine, une cuiller en bois, un presse-purée et deux ou trois flacons en plastique propres et étanches à large ouverture.

1 Mettez les trois premiers ingrédients et la moitié de l'eau bouillante dans un bol. Couvrez et infusez 15 à 20 minutes. Passez l'eau dans l'autre bol ; exprimez tout le liquide des herbes.

2 Placez le savon dans la casserole et versez le reste de l'eau dessus. Chauffez à feu doux en remuant constamment pour dissoudre le savon (utilisez le presse-purée au besoin) ; l'eau ne doit pas bouillir. Incorporez l'infusion à l'eau savonneuse. Retirez la casserole du feu.

3 Parfumez le mélange avec l'essence de lavande (une goutte à la fois) quand il commence à refroidir. Versez la préparation dans les flacons et laissez-la prendre en gel. Conservez le gel au frais et à l'abri de la lumière.

DONNE ENVIRON 1 ½ TASSE DE GEL

Savon aux amandes et à la rose
Ce savon exfoliant nettoie la peau en douceur et enlève les cellules mortes.

- **2 c. à soupe de pétales de roses rouges séchés**
- **240 g (8 oz) de savon en flocons**
- **⅔ tasse d'eau bouillante**
- **½ tasse d'eau de rose**
- **2 c. à soupe d'amandes broyées**
- **9 gouttes d'essence de géranium**

Il vous faut un mortier et un pilon, un bol en métal, une cuiller en bois et du papier ciré.

1 Pilez les pétales dans le mortier.

2 Dans le bol, mélangez le savon, les pétales et l'eau ; remuez le tout pour obtenir un mélange homogène (si le savon commence à prendre, placez le bol au-dessus d'une eau quasi bouillante). Incorporez l'eau de rose et les amandes en poudre ; laissez refroidir.

3 Incorporez l'huile essentielle. Façonnez six boules ; aplatissez-les un peu. Laissez durcir entre des feuilles de papier ciré.

DONNE 6 PAINS DE SAVON

Sels de bain relaxants
Mettez-en deux poignées dans l'eau du bain.

- **450 g (1 lb) de bicarbonate de soude**
- **1 c. à soupe de pétales de lavande ou de rose séchés**
- **8 gouttes d'essence de lavande**
- **8 gouttes d'essence de géranium**

Il vous faut un bol en céramique ou en verre, une cuiller en bois et un grand bocal en verre.

1 Mettez les deux premiers ingrédients dans le bol, ajoutez les huiles essentielles et mélangez bien le tout avec une cuiller en bois.

2 Versez les sels dans le bocal et conservez-les au frais et à l'abri de la lumière.

POUR 5 BAINS ENVIRON

Sels de bain revigorants
Un effet bienfaisant pour le corps et l'esprit.

- **450 g (1 lb) de bicarbonate de soude**
- **8 gouttes d'essence de romarin**
- **4 gouttes d'essence de bois de rose**
- **4 gouttes d'essence de tangerine**

Préparez et conservez ces sels de bain comme les sels de bain relaxants (gauche).

POUR 5 BAINS ENVIRON

HUILES AROMATIQUES POUR LE CORPS

UTILISÉES régulièrement après le bain ou la douche, les huiles pour le corps hydratent la peau tout en lui conférant une douceur de soie et une belle apparence.

Mettez les ingrédients dans un flacon de verre stérilisé et remuez bien. Versez un peu d'huile dans la paume de la main, puis frottez-vous les mains et appliquez l'huile sur le reste du corps, sauf autour des yeux. Frictionnez la poitrine, le ventre et les fesses en décrivant des ronds, et les bras et les jambes de bas en haut. Conservez les huiles au frais et à l'abri de la lumière. Mélangez les essences convenant à votre type de peau avec 4 c. à thé d'huile d'amande douce.

POUR 4 APPLICATIONS

PEAU NORMALE
8 gouttes de lavande
6 gouttes de géranium
2 gouttes de camomille

PEAU SÈCHE
8 gouttes de patchouli
4 gouttes de géranium
2 gouttes de carotte

PEAU GRASSE
10 gouttes de citron
6 gouttes de géranium
4 gouttes de santal blanc

PEAU SENSIBLE
3 gouttes de géranium
2 gouttes de patchouli

◆ Soins du visage ◆

L'éventail des produits naturels semble infini en matière de soins du visage. Quel que soit votre type de peau, vous trouverez ici une recette répondant à vos besoins – et exempte de produits chimiques et d'agents de conservation susceptibles d'aggraver les allergies.

Crème hydratante au parfum de rose

Cet hydratant d'usage quotidien est particulièrement indiqué pour les peaux sèches ou sensibles.

- ◆ **2 c. à soupe d'eau de rose**
- ◆ **½ tasse d'huile d'amande**
- ◆ **10 g (⅓ oz) de cire d'abeille**
- ◆ **2 c. à soupe de lanoline**
- ◆ **1 capsule de vitamine E (400 UI)**
- ◆ **4 gouttes d'essence de géranium**
- ◆ **2 gouttes de colorant alimentaire rouge (facultatif)**

Il vous faut une casserole en inox, un bain-marie, une cuiller en bois et un bocal de 175 ml (6 oz) étanche à large ouverture.
1 Chauffez l'eau de rose dans la casserole.
2 Chauffez l'huile d'amande au bain-marie. Incorporez-y la cire d'abeille hachée fin et la lanoline. Retirez le bain-marie du feu.
3 Ajoutez l'eau de rose, une goutte à la fois; fouettez jusqu'à refroidissement.
4 Ajoutez la vitamine E et l'essence de géranium (et le colorant si désiré). Remuez bien.
5 Transvasez la crème dans le bocal stérilisé. Conservez-la au frais et à l'abri de la lumière.
DONNE ENVIRON 175 ML (6 OZ) DE CRÈME

ATTENTION S.V.P.

HYDRATATION DE LA PEAU

Massez légèrement la peau quand vous appliquez un hydratant – ne l'étirez pas. Après environ 15 minutes, épongez tout surplus d'hydratant.

Enlevez tout surplus d'hydratant au moyen d'un tissu doux stérile ou d'une boule d'ouate. Pour cela, tamponnez la peau; ne tirez pas dessus.

Lait nettoyant

Ce nettoyant doux se prête à un usage régulier.

- ◆ **⅔ tasse de babeurre**
- ◆ **1 c. à soupe de fleurs de sureau séchées et autant de fleurs de tilleul séchées**
- ◆ **1 c. à thé de camomille séchée**
- ◆ **1 c. à soupe de miel**

Il vous faut une casserole en inox ou en verre, une cuiller, une passoire fine et un flacon de 60 ml (2 oz) en verre stérilisé et étanche.
1 Mettez le babeurre et les ingrédients séchés dans la casserole. Faites bouillir à feu doux durant 30 minutes.
2 Retirez la casserole du feu. Incorporez le miel, puis laissez refroidir.
3 Passez le liquide dans le flacon. Conservez celui-ci au frais et à l'abri de la lumière, sept jours tout au plus. Agitez bien avant usage.
DONNE ENVIRON 45 ML (1 ½ OZ) DE LAIT NETTOYANT

Hydratant pour le visage

Utilisez autant de gouttes qu'il faut d'essences convenant à votre type de peau – normale : 6 de lavande, 2 de citron; sèche : 6 de santal blanc, 4 de géranium; grasse : 16 de géranium, 4 de genièvre; sensible : 6 de lavande.

- ◆ **2 c. à soupe d'huile de noyau d'abricot**
- ◆ **1 c. à thé d'huile de jojoba**
- ◆ **1 c. à thé d'huile de germe de blé**
- ◆ **Essences (au choix)**

Agitez les ingrédients dans un bocal en verre stérilisé et étanche. Conservez le bocal au frais et à l'abri de la lumière, deux mois tout au plus.
DONNE ENVIRON 45 ML (1 ½ OZ) D'HYDRATANT

Crème de beauté de Galien

On attribue la recette originale de la crème de beauté à Claude Galien, médecin et philosophe grec qui vécut au second siècle de notre ère.

- ◆ **30 g (1 oz) de cire d'abeille**
- ◆ **⅓ tasse d'huile d'olive légère**
- ◆ **2 c. à soupe d'eau distillée ou d'eau de rose**
- ◆ **3 gouttes d'essence de géranium**

Il vous faut un bain-marie en inox, une casserole en inox, une cuiller en bois et un bocal de 150 ml (5 oz) étanche à large ouverture.
1 Fondez la cire au bain-marie. Chauffez l'huile (à peine) dans la casserole, puis versez-la dans la cire fondue. Fouettez pour combiner le tout.
2 Chauffez l'eau ou l'eau de rose dans la casserole. Ajoutez-la ensuite au mélange d'huile et de cire, une goutte à la fois, en remuant le tout. Retirez le mélange du feu. Remuez-le jusqu'à ce qu'il soit refroidi et épais. Incorporez-y l'huile essentielle.
3 Transvasez la crème dans le bocal. Conservez-la au frais et à l'abri de la lumière.
DONNE ENVIRON 150 ML (5 OZ) DE CRÈME

Nettoyant idéal pour le visage

Produit bienfaisant pour tous les types de peau.

- ◆ **¼ tasse d'huile d'amande**
- ◆ **2 c. à soupe d'huile de sésame**
- ◆ **2 c. à thé d'huile de germe de blé**
- ◆ **4 gouttes d'essence de lavande**
- ◆ **1 goutte d'essence de géranium**

Placez tous les ingrédients dans un flacon de verre de 120 ml (4 oz). Agitez durant plusieurs minutes. Conservez au frais, loin de la lumière.
DONNE ENVIRON 100 ML (3 ⅓ OZ) DE NETTOYANT

SOINS NATURELS DU VISAGE

Si la peau est grasse, ajoutez quelques gouttes de jus de citron aux crèmes et lotions nettoyantes.

Cultivez un aloès à la maison. Appliquez le gel de ses feuilles sur le visage pour rafraîchir la peau.

Pour obtenir un nettoyant doux, infusez durant 1 heure 2 c. à soupe de racine de saponaire broyée dans 4 tasses d'eau. Passez l'infusion.

Broyez des pétales de souci de façon à les rendre juteux, puis frottez-les sur la peau irritée.

Si vous utilisez un savon pour vous laver la figure, veillez à ce qu'il soit doux et renferme des huiles naturelles. Utilisez un tonifiant aux herbes pour éliminer les résidus de savon après le lavage.

Brossez régulièrement la peau du visage avec une brosse conçue expressément pour stimuler la circulation et enlever les peaux mortes.

Si vos yeux sont sensibles au mascara, appliquez un petit peu de vaseline sur les cils avec le bout du doigt afin de les épaissir.

Pour atténuer les poches sous les yeux, infusez deux sachets de thé, laissez-les refroidir, puis placez-en un sur chaque œil 10 à 15 minutes.

Tout pour un visage frais et radieux : **1** *Crème de beauté de Galien* **2** *Crème hydratante au parfum de rose* **3** *Crème antirides pour les yeux* **4** *Hydratant à la menthe poivrée* **5** *Tonifiant de base* **6** *Lait nettoyant*

Crème antirides pour les yeux

Appliquez cette crème autour des yeux.

- ◆ **2 c. à soupe d'eau de fleurs de sureau**
- ◆ **¼ tasse d'huile d'avocat**
- ◆ **2 c. à soupe d'huile d'amande**
- ◆ **4 c. à thé d'huile de germe de blé**
- ◆ **2 c. à soupe de lanoline**
- ◆ **2 c. à thé de glycérine**
- ◆ **2 gouttes d'essence de géranium**
- ◆ **1 capsule de vitamine E (400 UI)**

Il vous faut une casserole en inox, un bain-marie en inox, une cuiller en bois et un bocal en verre de 175 ml (6 oz) stérilisé et étanche.

1 Chauffez l'eau de fleurs de sureau dans la casserole, à feu doux.

2 Chauffez les huiles au bain-marie, à feu doux. Faites fondre la lanoline dans les huiles en les remuant, puis retirez le bain-marie du feu. Ajoutez peu à peu l'eau de fleurs de sureau chaude au mélange en fouettant le tout.

3 Ajoutez la glycérine, l'essence de géranium et la vitamine E. Versez la crème dans le bocal. Conservez-la au frais et à l'abri de la lumière.

DONNE ENVIRON 175 ML (6 OZ) DE CRÈME

Infusion astringente pour les pores

Lavez-vous le visage matin et soir, puis utilisez cette infusion pour resserrer les pores au besoin.

- ◆ **1 c. à thé de feuilles de sauge séchées**
- ◆ **1 c. à thé de feuilles de mille-feuille séchées**
- ◆ **1 c. à thé d'hamamélis séché**
- ◆ **1¼ tasse d'eau bouillante**

Il vous faut un petit bol, une passoire fine et un flacon en verre de 300 ml (10 oz).

1 Placez les ingrédients dans le bol, couvrez et laissez infuser durant 15 minutes.

2 Passez l'infusion dans le flacon. Conservez-la au frais et à l'abri de la lumière, sept jours tout au plus. Il faut qu'elle reste claire.

DONNE ENVIRON 300 ML (10 OZ) D'INFUSION

Hydratant à la menthe poivrée

Les lotions hydratantes sont plus facilement absorbées que les crèmes parce qu'elles contiennent plus d'eau. Celle-ci a un parfum frais.

- ◆ **1 c. à thé de menthe poivrée séchée**
- ◆ **1⅛ tasse d'eau bouillante**
- ◆ **⅓ tasse d'huile d'amande ou d'huile végétale**
- ◆ **30 g (1 oz) de cire d'abeille râpée**
- ◆ **2 gouttes d'essence de menthe poivrée**
- ◆ **1 goutte de colorant alimentaire vert (facultatif)**

Il vous faut deux tasses, une passoire fine, un bain-marie en verre ou en inox, une cuiller en bois et un bocal en verre de 175 ml (6 oz) stérilisé et étanche à large ouverture.

1 Mettez la menthe séchée et l'eau bouillante dans une tasse; couvrez et infusez durant 15 minutes. Passez l'infusion dans l'autre tasse.

2 Chauffez l'huile à feu doux au bain-marie. Fondez la cire dans l'huile en la remuant.

3 Retirez le mélange du feu. Incorporez-y peu à peu environ 60 ml (2 oz) d'infusion, en fouettant sans arrêt. Ajoutez l'essence et le colorant.

4 Versez la lotion dans le bocal. Conservez-la au frais et à l'abri de la lumière.

DONNE ENVIRON 175 ML (6 OZ) DE LOTION

Riche hydratant pour le cou

Appliquez cet hydratant depuis la base du cou jusqu'au menton au moins une fois par jour. Il assouplit la peau.

- ◆ **1 c. à thé de camomille séchée**
- ◆ **1⅛ tasse d'eau bouillante**
- ◆ **3 c. à soupe d'huile d'avocat**
- ◆ **3 c. à soupe d'huile d'amande**
- ◆ **2 c. à thé d'huile de jojoba**
- ◆ **30 g (1 oz) de cire d'abeille**
- ◆ **2 c. à thé de glycérine**
- ◆ **20 gouttes d'essence de citron**

Il vous faut deux tasses, une passoire fine, un bain-marie en verre ou en inox, une cuiller en bois et un bocal de 175 ml (6 oz) en verre stérilisé et étanche à large ouverture.

1 Mettez la camomille et l'eau bouillante dans une tasse; couvrez et infusez durant 15 minutes. Passez l'infusion dans l'autre tasse.

2 Chauffez les huiles à feu doux au bain-marie. Fondez la cire dans les huiles en remuant.

3 Retirez le mélange du feu. Incorporez-y 30 ml (1 oz) d'infusion chaude (une goutte à la fois) en fouettant jusqu'à ce que le mélange épaississe et devienne froid. Incorporez la glycérine et l'essence de citron.

4 Versez l'hydratant dans le bocal à l'aide de la cuiller. Conservez au frais, à l'abri de la lumière.

DONNE ENVIRON 175 ML (6 OZ) D'HYDRATANT

APPLICATION DE CRÈME SUR LE VISAGE

1 *Appuyez les doigts au centre du front et glissez-les lentement vers l'extérieur pour étaler la crème. Tapotez la peau autour des yeux.*

2 *Appliquez la crème uniformément au niveau de la mâchoire, du menton et des joues et autour de la bouche, en décrivant des ronds.*

3 *Appliquez la crème sur la gorge en massant celle-ci de bas en haut, depuis les clavicules jusqu'au menton.*

Tonifiant de base

Ce tonifiant stimule la circulation, rend la peau moins grasse et resserre les pores. Essences à utiliser selon la peau – normale : néroli, géranium ou lavande ; sèche : néroli, patchouli, santal blanc ou géranium ; grasse : romarin, lavande, citron ou géranium ; sensible : néroli ou lavande.

- ◆ **1 c. à thé de camomille séchée**
- ◆ **⅓ tasse d'eau bouillante**
- ◆ **2 gouttes d'essence**

Il vous faut une tasse, une passoire fine, un flacon de 120 ml (4 oz) en verre stérilisé et étanche et un filtre à café en papier.

1 Mettez la camomille et l'eau bouillante dans la tasse ; couvrez et infusez durant 15 minutes.
2 Passez l'infusion dans le flacon, laissez-la refroidir, puis ajoutez-y l'essence et agitez bien le flacon. Laissez reposer le mélange durant 48 heures (agitez le flacon périodiquement).
3 Passez le mélange dans la tasse à l'aide du filtre. Stérilisez de nouveau le flacon, puis remplissez-le de tonifiant, bouchez-le et conservez-le au frais et à l'abri de la lumière.
DONNE ENVIRON ⅓ DE TASSE DE TONIFIANT

Tonifiant parfumé au vinaigre

Le vinaigre dilué est un tonifiant efficace qui aide à protéger la peau contre les infections. Utilisez les herbes ou les pétales convenant à votre type de peau – normale : camomille, mélisse, menthe verte ou rose ; sèche : violette, rose, jasmin ou bourrache ; grasse : lavande, menthe poivrée, romarin ou souci ; sensible : bourrache, violette, persil ou pimprenelle.

- ◆ **1 c. à thé d'herbes et de pétales séchés ou 1 c. à soupe d'herbes et de pétales frais**
- ◆ **⅓ tasse de vinaigre de cidre**

Il vous faut deux flacons stérilisés étanches, une passoire fine et un bol.

1 Mettez les herbes ou les pétales dans un flacon et couvrez-les de vinaigre. Bouchez le flacon et laissez macérer durant 10 jours.
2 Passez le vinaigre dans le bol, puis versez-le dans l'autre flacon. (Pour un parfum plus capi-

teux, ajoutez des herbes ou des pétales frais, laissez macérer 10 jours de plus, puis passez la macération.) Conservez le flacon au frais et à l'abri de la lumière.

3 Avant d'utiliser le tonifiant, diluez-le (1 c. à soupe) dans de l'eau distillée ou bouillie (½ tasse).
DONNE ENVIRON ⅓ DE TASSE DE TONIFIANT

Brillant à lèvres en tube

Le brillant à lèvres empêche les lèvres de gercer et de se dessécher. On peut l'appliquer directement sur les lèvres ou par-dessus un rouge à lèvres. La recette suivante permet de recycler un tube de rouge à lèvres usagé.

- ◆ **2 c. à thé de cire d'abeille hachée ou râpée fin**
- ◆ **1 c. à thé d'huile de jojoba**
- ◆ **1 c. à thé de vaseline liquide**
- ◆ **3 gouttes d'essence de géranium**
- ◆ **1 capsule de vitamine E (400 UI)**

Il vous faut un tube de rouge à lèvres usagé, de l'essuie-tout, du papier sulfurisé, une petite tasse, une casserole et une brochette fine (pour remuer les ingrédients).

1 Enlevez tout résidu de rouge à lèvres présent dans le tube – conservez le résidu au besoin (voir Variations plus loin). Nettoyez le tube avec un essuie-tout.
2 Tournez la molette de façon que le logement de plastique du rouge à lèvres bute contre le fond du tube. Façonnez un manchon avec un carré de papier sulfurisé de 6,5 cm (2 ½ po) ; insérez-le dans le tube, jusqu'au fond.
3 Placez la tasse dans la casserole. Versez de l'eau dans la casserole de façon à immerger une partie de la tasse. Mettez la cire d'abeille, l'huile de jojoba et la vaseline dans la tasse. Chauffez l'eau à feu doux pour fondre la cire. Retirez la tasse de l'eau et laissez le mélange refroidir un peu, en le remuant sans arrêt.
4 Incorporez l'essence et la vitamine E au mélange tout en remuant celui-ci.
5 Versez le mélange dans le tube. Conservez-le au frais jusqu'à ce qu'il ait pris.
6 Tournez la molette de façon à exposer le papier sulfurisé. Retirez le papier avec précau-

IDENTIFIEZ VOTRE TYPE DE PEAU

IL IMPORTE de connaître son type de peau et les soins qui lui conviennent. On compte quatre grands types de peau : normale, sèche, grasse et sensible. Une combinaison de types de peau existe chez la plupart des gens – ainsi, une peau normale peut être grasse en certains points sur le front, autour du nez et sur le menton.

La peau normale est claire, souple et douce, ni trop sèche ni trop grasse. Elle n'est pas trop sensible au soleil, aux éléments ou à l'environnement.

La peau sèche est terne et devient tendue après avoir été lavée. On doit constamment la protéger et l'hydrater pour l'empêcher de se desquamer.

La peau grasse peut sembler douce et souple, mais elle est brillante et on doit la laver plusieurs fois par jour. Ses pores sont plus larges que ceux d'une peau normale ou sèche. Ce type de peau est souvent sujet aux poussées d'acné.

La peau sensible réagit mal à la lumière solaire ou aux irritants et brûle facilement. Des éruptions ou des taches peuvent apparaître si on l'expose à de nouvelles substances, chimiques notamment.

tion (si le bâton de brillant vient avec le papier, versez un peu de brillant fondu dans le logement et remettez rapidement le brillant en place). Si le brillant est trop mou, refondez-le en ajoutant de la cire. S'il est trop dur, refondez-le en ajoutant de l'huile. Reprenez alors l'étape 2.

VARIATIONS Pour colorer le brillant, ajoutez environ deux pois de résidu de rouge à lèvres à la cire d'abeille fondue (étape 3). Remuez les ingrédients jusqu'à ce que le rouge soit fondu et que la couleur du mélange soit uniforme.

Pour parfumer le brillant, substituez 1 goutte d'essence de girofle ou de cannelle aux 3 gouttes d'essence de géranium à la fin de l'étape 4.

Pour obtenir un brillant minute, faites fondre 2 c. à thé de cire d'abeille râpée au bain-marie, incorporez 1 c. à thé d'huile de jojoba, puis laissez tiédir et versez dans un petit récipient.

Bain de vapeur aux herbes

Selon le type de peau – normale : mélisse, menthe verte, camomille ; sèche : persil, violette, pétales de rose ; grasse : menthe poivrée, sauge, lavande.

- **2 poignées d'herbes ou de fleurs**
- **6 tasses d'eau bouillante**

Il vous faut un bol et une serviette.

1 Mettez les herbes ou les fleurs hachées grossièrement et l'eau bouillante dans le bol.

2 Placez le visage au-dessus du bol ; couvrez votre tête et le bol avec la serviette. Fermez les yeux ; restez sous la serviette 10 minutes.

3 Pour finir, aspergez-vous le visage d'eau tiède, puis fraîche. Évitez le soleil durant 1 heure environ.

Exfoliant au miel et aux amandes

Cet exfoliant donne aussi de bons résultats au niveau des coudes, des jambes et des mains.

- **1 c. à soupe de miel**
- **2 c. à soupe d'amandes moulues**
- **1 goutte d'essence de géranium**

Il vous faut une tasse, une casserole, un bol et une petite cuiller en inox.

1 Placez la tasse dans la casserole remplie d'eau chaude. Chauffez le miel dans la tasse. (Vous pouvez aussi mettre le miel dans la tasse et le chauffer au micro-ondes.)

2 Mettez les amandes dans le bol, ajoutez le miel tiédi et mélangez de façon à obtenir une pâte étalable. Ajoutez l'essence.

3 Rincez-vous le visage à l'eau tiède. Appliquez l'exfoliant en massant le visage. Portez attention aux régions où la peau se desquame. Conservez ce qui reste de l'exfoliant au réfrigérateur, sous pellimoulante.

POUR 1 OU 2 APPLICATIONS

Baume pour les lèvres

Ce baume hydrate et adoucit les lèvres desséchées par le soleil, un vent sec ou le froid.

- **Feuilles d'aloès**
- **2 c. à thé d'eau distillée**
- **2 c. à soupe d'huile de noisette**
- **1 c. à thé d'huile de jojoba**
- **1 c. à thé d'huile de germe de blé**
- **1 c. à thé de cire d'abeille rapée**
- **½ c. à thé de lanoline anhydre (sans eau)**
- **2 gouttes d'essence de lavande**
- **2 gouttes d'essence de santal blanc**

Il vous faut deux casseroles en verre ou en inox, un bol en céramique ou en verre résistant à la chaleur, une cuiller en inox et un bocal de 60 ml (2 oz) en verre stérilisé et étanche.

1 Coupez les feuilles d'aloès en deux dans le sens de la longueur et retirez-en 2 c. à thé de gel clair avec la cuiller. Chauffez le gel, l'eau et les huiles à feu doux dans une même casserole.

2 Chauffez la cire d'abeille et la lanoline dans un bol placé dans une casserole contenant de l'eau chaude. Remuez jusqu'à ce que la cire soit liquéfiée. Incorporez le mélange à base d'aloès.

3 Retirez le bol de l'eau et laissez le mélange refroidir un peu. Ajoutez les essences de lavande et de santal blanc, puis fouettez le mélange jusqu'à ce qu'il soit refroidi.

4 Versez le baume dans le bocal à l'aide de la cuiller. Conservez-le au frais.

DONNE ENVIRON 60 ML (2 OZ) DE BAUME

DANS LE RÉFRIGÉRATEUR...

ON PEUT TROUVER certains des meilleurs cosmétiques dans son réfrigérateur. Par exemple, vous pouvez rouler un noyau d'avocat dans vos mains, puis appliquer le résidu de pulpe sur votre visage et vos mains pour assouplir la peau. Une cuillerée à thé de mayonnaise aura le même effet lubrifiant.

Utilisez le jus de quelques feuilles de chou hachées au robot culinaire pour nettoyer une peau grasse et en resserrer les pores. Ou réduisez des poires très mûres en purée, que vous appliquerez sur le visage pour rendre la peau moins grasse.

Le jus de pastèque est un nettoyant et un astringent efficace. Appliquez-le sur tout le visage.

Passez au robot des grains de maïs frais avec la soie de l'épi pour obtenir une bouillie laiteuse qui adoucit la peau. Les fraises ont aussi cet effet – réduisez-en deux en purée et appliquez celle-ci sur le visage.

Frottez des morceaux de concombre ou des moitiés de grains de raisin sur votre visage pour rafraîchir la peau. Ou encore réduisez un concombre en purée et utilisez son jus comme nettoyant tonifiant.

Pour adoucir la peau, appliquez de la purée de papaye sur le visage ; laissez-la agir quelques minutes, puis lavez la peau. (Procédé non recommandé si la peau est sensible ou pose des problèmes.)

• Masques de beauté •

Que vous vouliez resserrer les pores ou simplement améliorer l'apparence de votre peau, vous trouverez ici un produit naturel qui fera des merveilles pour vous. Suivez nos instructions, et ces masques finiront par vous procurer un teint éclatant. Chaque recette permet de préparer un masque.

Masque au yogourt aux fraises

Les fraises et le yogourt sont utilisés depuis longtemps pour blanchir et affiner la peau.

- ♦ **1 poignée de fraises mûres**
- ♦ **1 c. à soupe d'amandes**
- ♦ **2 c. à soupe de yogourt nature**

Réduisez les fraises en purée et broyez les amandes dans un bol : mélangez-les bien. Ajoutez le yogourt pour obtenir une pâte étalable. Appliquez immédiatement le masque ou conservez-le au réfrigérateur un jour au plus.

Masque aux herbes fraîches

Ce masque convient bien aux peaux grasses.

- ♦ **1 c. à soupe de menthe poivrée fraîchement hachée**
- ♦ **1 c. à soupe de feuille de chou fraîchement hachée**
- ♦ **1 c. à soupe d'amandes moulues**
- ♦ **1 blanc d'œuf**

Il vous faut un mortier et un pilon, une passoire fine, une tasse et une cuiller.
1 Pilez la menthe poivrée et le chou dans le mortier de façon à obtenir une pâte. Passez le surplus de jus dans la tasse ; réservez-le.
2 Incorporez les amandes moulues et le blanc d'œuf à la pâte et fouettez le tout. Appliquez immédiatement le masque.
3 Une fois le masque enlevé, tonifiez la peau avec le jus, dilué dans un peu d'eau bouillante. Vous pouvez aussi réfrigérer le jus et l'utiliser dans un délai de un ou deux jours.

VARIATION Des masques semblables conviennent à d'autres types de peau. Ainsi, à la menthe poivrée et au chou, substituez, pour

une peau normale, de la mélisse et du concombre ; et pour une peau sèche, des fleurs de souci et de la carotte râpée fin, sans compter un jaune d'œuf au blanc d'œuf.

Masque à l'aloès et au miel

Ce masque adoucit et nourrit la peau sèche.

- ♦ **Feuilles d'aloès**
- ♦ **1 jaune d'œuf**
- ♦ **1 c. à thé de miel chaud**
- ♦ **1 c. à soupe de lait en poudre**

Coupez les feuilles d'aloès dans la longueur et retirez-en 1 c. à thé de gel avec la cuiller. Mettez le gel dans une tasse. Incorporez le jaune d'œuf et le miel en fouettant avec la cuiller. Ajoutez assez de lait pour obtenir une pâte étalable. Appliquez immédiatement le masque ou réfrigérez-le et utilisez-le dans la journée.

Masque à l'argile verte (kaolin)

Les masques à l'argile tonifient et adoucissent la peau. Pour une peau grasse, prenez de l'argile brune et remplacez le miel par 1 c. à thé de blanc d'œuf. Ne faites qu'une application par semaine.

- ♦ **1 c. à thé de miel**
- ♦ **2 c. à soupe d'argile verte en poudre**
- ♦ **1 à 2 c. à soupe d'eau chaude**

Mélangez le miel et l'argile dans un bol avec une cuiller, puis ajoutez suffisamment d'eau pour obtenir une pâte étalable. Appliquez le masque de la façon décrite ci-dessous.

APPLICATION

On RECOURT aux masques de beauté depuis des siècles pour nettoyer et tonifier la peau. Utilisés régulièrement, ils donnent une peau rayonnante de vitalité.

Couvrez-vous les épaules d'une serviette propre. Ayez une serviette ou une débarbouillette humides sous la main pour essuyer les coulures.

Utilisez une boule d'ouate ou les doigts pour étaler le masque. Recouvrez la peau depuis la naissance des cheveux jusqu'au menton, mais pas près des yeux. Laissez le masque en place durant 15 minutes (au fil des applications ultérieures, vous pourrez graduellement faire passer la durée du traitement à 30 minutes, selon la sensibilité de la peau et l'efficacité du masque). Allongez-vous et détendez-vous pendant ce temps.

Retirez ensuite le gros du masque avec les doigts. Si le matériau est sec, aspergez-le d'eau tiède au préalable. Utilisez au besoin une débarbouillette mouillée pour essuyer les résidus. Pour finir, aspergez-vous le visage d'eau courante et appliquez un tonifiant sur la peau.

◆ Un sourire irrésistible ◆

*Pour avoir la bouche fraîche et des dents blanches qui ont
l'air saines, utilisez les préparations présentées ici.
Tous les ingrédients nécessaires sont naturels.*

Poudre dentifrice cannelle-menthe

*Les essences de menthe poivrée et de cannelle
que contient ce dentifrice contribuent à diminuer
la sensibilité des dents. Plongez la brosse dans la
poudre, mouillez-la un peu et brossez les dents.*

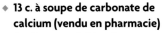

- **13 c. à soupe de carbonate de
  calcium (vendu en pharmacie)**
- **4 c. à soupe de bicarbonate
  de soude**
- **1 c. à thé de sel**
- **25 gouttes d'essence de menthe
  poivrée**
- **12 gouttes d'essence de cannelle**

Il vous faut un robot culinaire ou un mélangeur,
une cuiller et un bocal en verre de 300 ml
(10 oz) à large ouverture, stérilisé et étanche.
1 Mélangez tous les ingrédients dans le robot
ou le mélangeur durant 1 minute. Laissez-les
reposer le temps que la poudre se dépose.
2 Mettez la poudre dans le bocal avec la
cuiller. Conservez-la dans la pharmacie. Remettez toujours le couvercle en place après usage.
DONNE ENVIRON 300 ML (10 OZ) DE POUDRE DENTIFRICE

Rince-bouche au goût d'agrumes

*Ce rince-bouche rafraîchissant aide à combattre
les bactéries. Diluez-le et utilisez-le après le
brossage des dents. Ne l'avalez pas.*

- **¾ tasse de vodka**
- **30 gouttes d'essence de citron**
- **25 gouttes d'essence de
  bergamote**
- **1¼ tasse d'eau distillée**

Il vous faut un flacon en verre de 500 ml (16 oz)
stérilisé et étanche.
1 Mettez la vodka et les deux huiles essentielles dans le flacon. Agitez vigoureusement le
flacon pour bien combiner les ingrédients.
2 Ajoutez l'eau distillée et agitez le mélange.
Laissez macérer durant une semaine (agitez le
flacon de temps en temps).
3 Avant d'utiliser le rince-bouche, agitez-le et
coupez-le avec de l'eau distillée tiède (1:3) dans
un petit gobelet.
DONNE ENVIRON 500 ML (16 OZ) DE RINCE-BOUCHE

Dentifrice à la menthe fraîche

*Les adultes comme les enfants apprécieront ce
dentifrice naturel facile à préparer. Pour que le
produit ait à la fois le goût et la couleur de la
menthe, ajoutez-y 1 ou 2 gouttes de colorant
alimentaire vert.*

- **100 g (3⅓ oz) de carbonate de
  calcium (vendu en pharmacie)**
- **45 g (1½ oz) de bicarbonate de
  soude**
- **1 c. à thé de sel**
- **7 c. à soupe de glycérine**
- **3 à 4 gouttes d'essence de
  menthe poivrée**
- **2 gouttes de colorant alimentaire vert (facultatif)**

Il vous faut un bol en céramique ou en verre,
une cuiller et un bocal en verre de 150 ml (5 oz)
à large ouverture stérilisé et étanche.
1 Mélangez le carbonate de calcium, le bicarbonate de soude et le sel dans le bol. Incorporez de la glycérine pour obtenir une pâte.
2 Remuez bien la pâte et ajoutez l'essence de
menthe poivrée, au goût (une goutte à la fois).
Ajoutez 2 gouttes de colorant alimentaire vert
si vous le désirez.
3 Mettez la pâte dans le bocal avec la cuiller.
Conservez-la dans la pharmacie. Remettez toujours le couvercle en place après usage.
DONNE ENVIRON 150 ML (5 OZ) DE DENTIFRICE

Rince-bouche aux herbes

L'haleine et la bouche restent fraîches. Le produit peut également servir de gargarisme.

- **1 c. à thé de sauge séchée**
- **1 c. à thé de romarin séché**
- **1 c. à thé de menthe séchée**
- **1 tasse d'eau bouillante**
- **¼ tasse de vinaigre de cidre**

Il vous faut deux bols, une passoire fine, un entonnoir, un filtre à café en papier et un flacon en verre de 300 ml (10 oz) stérilisé.

1 Mettez les herbes et l'eau bouillante dans un bol, couvrez et infusez 15 à 20 minutes.

2 Passez l'infusion dans l'autre bol. Jetez les herbes.

3 Placez le filtre à café dans l'entonnoir, le tube de l'entonnoir dans le flacon et passez l'infusion dans celui-ci. Ajoutez le vinaigre; agitez. Conservez le rince-bouche au frais et à l'abri de la lumière, quelques jours tout au plus. Agitez bien le flacon avant usage.

DONNE ENVIRON 300 ML (10 OZ) DE RINCE-BOUCHE

TRUCS ET ASTUCES

UNE BOUCHE FRAÎCHE

Frottez deux ou trois feuilles de sauge fraîches sur les dents pour les blanchir et les nettoyer.

L'huile de cajou combat la carie. Mâchez des noix de cajou après les repas pour prévenir la production des acides de la plaque dentaire.

Grâce à ces produits maison, il est facile d'avoir des dents propres et une haleine fraîche: **1** *Poudre dentifrice cannelle-menthe* **2** *Rince-bouche au goût d'agrumes* **3** *Baume pour les lèvres (p. 180)* **4** *Dentifrice à la menthe fraîche* **5** *Rince-bouche aux herbes*

◆ Spécialement pour vous, messieurs ◆

Les produits maison peuvent répondre remarquablement aux besoins particuliers des hommes en matière de soins de la peau. Les vertus adoucissantes de certains ingrédients végétaux conviennent parfaitement à des usages comme le traitement de la peau avant et après le rasage.

Eau de Cologne piquante

Voici une lotion revigorante et rafraîchissante.

- ◆ **1 tasse de vodka**
- ◆ **10 gouttes d'essence de lime**
- ◆ **10 gouttes d'essence de lavande**
- ◆ **5 gouttes d'essence de citron**
- ◆ **3 gouttes d'essence de lemon-grass**
- ◆ **1 tasse d'eau distillée**

Il vous faut un flacon en verre de 500 ml (16 oz) stérilisé et étanche.

1 Versez la vodka et les essences dans le flacon : agitez bien celui-ci. Laissez vieillir le mélange durant quatre semaines.

2 Ajoutez-y l'eau distillée et agitez le flacon plusieurs minutes. Laissez vieillir durant deux autres semaines (en agitant souvent le flacon).

3 Conservez l'eau de Cologne au frais et à l'abri de la lumière. Agitez le flacon avant usage.

DONNE ENVIRON 2 TASSES D'EAU DE COLOGNE

Savon à barbe parfumé

Rincez-vous la figure, puis utilisez ce savon doux.

- ◆ **⅔ tasse d'eau de rose**
- ◆ **120 g (4 oz) de savon pur en paillettes**
- ◆ **4 gouttes d'essence de romarin**
- ◆ **3 gouttes d'essence de citron**
- ◆ **2 gouttes d'essence de laurier**
- ◆ **1 goutte d'essence de sauge**

Il vous faut une casserole en inox, un bain-marie en inox, une cuiller en bois, un presse-purée (facultatif) et un bocal en verre de 200 ml (7 oz) peu profond, stérilisé et étanche.

1 Chauffez l'eau de rose dans la casserole à feu doux.

2 Mouillez le savon d'eau de rose chaude dans le bain-marie, à feu doux. Remuez le mélange jusqu'à obtention d'un gel homogène (au

Pour protéger la peau et faciliter le rasage, utilisez ces préparations simples : exfoliant à l'avoine pour le corps (à gauche), savon à barbe parfumé (au centre), lotion après-rasage (à droite).

besoin, utilisez un presse-purée pour dissoudre les grumeaux de savon). Retirez la casserole du feu et laissez tiédir le mélange.

3 Incorporez les essences au mélange. Mettez le savon dans le bocal avec la cuiller. Laissez-le durcir durant 3 à 5 jours. Conservez-le au frais et à l'abri de la lumière.

DONNE ENVIRON 185 G (6 ½ OZ) DE SAVON

Lotion après-rasage

Voici une lotion parfumée légèrement antiseptique qu'on peut appliquer sur la peau après le rasage ou avant d'utiliser un rasoir électrique.

- ◆ **5 c. à soupe d'eau de fleur d'oranger**
- ◆ **5 c. à soupe de vinaigre de cidre**
- ◆ **3 c. à soupe de lotion à l'hamamélis**
- ◆ **18 gouttes d'essence de bergamote**
- ◆ **18 gouttes d'essence de citron**
- ◆ **6 gouttes d'essence de néroli**

Mettez tous les ingrédients dans un flacon en verre de 200 ml (7 oz) stérilisé et étanche. Agitez bien. Laissez vieillir plusieurs jours (en agitant tous les jours). Conservez au frais et à l'abri de la lumière. Agitez le flacon avant usage.

DONNE ENVIRON 185 ML (6 ½ OZ) DE LOTION

Exfoliant à l'avoine pour le corps

Pour une peau douce d'aspect naturel.

- ◆ **1 poignée de lentilles brunes**
- ◆ **1 poignée de flocons d'avoine**
- ◆ **½ c. à thé d'huile de carotte**
- ◆ **½ c. à thé d'huile de jojoba**
- ◆ **eau**

Il vous faut un mélangeur électrique, une cuiller et un petit bol.

1 Réduisez les lentilles en une poudre grossière au mélangeur. Ajoutez l'avoine et réduisez-la en poudre ; ajoutez les huiles et mélangez les ingrédients. Incorporez l'eau au mélange, une cuillerée à thé à la fois, jusqu'à ce que vous obteniez une pâte épaisse.

2 Mettez l'exfoliant dans le bol avec la cuiller. Utilisez-le avant la douche ou le bain.

POUR 1 APPLICATION

Lotion hémostatique

Appliquez une goutte de cette lotion sur les petites coupures pour arrêter le saignement et prévenir l'infection.

- ◆ **4 c. à thé de lotion à l'hamamélis**
- ◆ **13 gouttes d'essence de lavande**
- ◆ **7 gouttes d'essence de géranium**

Mettez tous les ingrédients dans un flacon en verre de 30 ml (1 oz) stérilisé et étanche. Agitez le flacon. Conservez la lotion au frais et à l'abri de la lumière. Agitez le flacon avant usage.

DONNE ENVIRON 4 C. À THÉ DE LOTION

Hydratant avant-rasage

Il assouplit les poils, réduit le risque de coupures.

- ◆ **3 c. à soupe d'eau de fleur d'oranger**
- ◆ **2 c. à thé de cire d'abeille**
- ◆ **1 c. à thé de lanoline anhydre (sans eau)**
- ◆ **¼ tasse d'huile d'amande**
- ◆ **1 c. à thé d'huile de germe de blé**
- ◆ **12 gouttes de jus de citron**
- ◆ **6 gouttes d'essence de bergamote**

Il vous faut une tasse, un bain-marie en inox, une cuiller en bois et un bocal de 120 ml (4 oz).

1 Placez la tasse dans de l'eau chaude : réchauffez-y l'eau de fleur d'oranger.

2 Chauffez la cire d'abeille, la lanoline, l'huile d'amande et l'huile de germe de blé au bain-marie jusqu'à ce que la cire soit fondue. Incorporez l'eau de fleur d'oranger chaude. Retirez le bain-marie du feu et remuez le mélange.

3 Incorporez le jus de citron et l'essence au mélange refroidi. Battez le tout en crème.

4 Versez l'hydratant dans le bocal.

DONNE ENVIRON 120 ML (4 OZ) D'HYDRATANT

◆ Les secrets d'une belle chevelure ◆

*Rien ne vaut les produits naturels comme le miel, la camomille, la lavande et le romarin quand
il s'agit d'avoir des cheveux lustrés et en bonne santé, sans pellicules ni fourches. Les produits présentés ici
conviennent à tous les types de cheveux. On peut les utiliser tous les jours sans aucun danger.*

Shampoing à la camomille

Ce shampoing à la camomille est doux et peu coûteux. Il n'en faut qu'une cuillerée à soupe par shampoing. Utilisez des restes de savon pur au lieu du savon en paillettes si vous le désirez.

- ◆ **1 poignée de fleurs de camomille fraîches ou séchées**
- ◆ **1¼ tasse d'eau bouillante**
- ◆ **3 c. à soupe de savon pur en paillettes**
- ◆ **1 c. à soupe de glycérine**
- ◆ **5 gouttes de colorant alimentaire jaune**

Il vous faut deux bols résistant à la chaleur, une passoire, une cuiller en bois et un flacon de 400 ml (14 oz) propre et étanche.
1 Mettez les fleurs et l'eau bouillante dans un bol. Laissez infuser durant 15 minutes, puis passez l'infusion dans l'autre bol.
2 Nettoyez le premier bol. Combinez le savon et l'infusion chaude dans ce bol. Laissez le savon se ramollir. Ajoutez ensuite la glycérine et le colorant tout en fouettant le mélange.
3 Versez le shampoing dans le flacon.
DONNE ENVIRON 400 ML (14 OZ) DE SHAMPOING

Shampoing sec instantané

Un produit parfait quand vous n'avez pas le temps de vous laver les cheveux ou quand vous n'avez pas accès à des installations sanitaires.

- ◆ **1 c. à soupe d'amidon de maïs ou de gruau moulu fin**

1 Saupoudrez-vous les cheveux d'un peu d'amidon de maïs ou de gruau ; soulevez-les par touffes pour que la poudre atteigne le cuir chevelu. Frottez votre cuir chevelu pour que la poudre absorbe le sébum.

2 Peignez-vous les cheveux pour les démêler ; brossez-les ensuite durant 5 à 10 minutes pour éliminer les résidus de poudre qu'on pourrait confondre avec des pellicules. Secouez la brosse et soufflez dessus pour la nettoyer durant le brossage.
POUR 1 SHAMPOING SEC

Lotion antipelliculaire

Appliquez cette lotion en massant le cuir chevelu après avoir lavé et rincé les cheveux, et entre les shampoings (avant d'aller au lit).

- ◆ **2 c. à thé de romarin séché**
- ◆ **2 c. à thé de thym séché**
- ◆ **⅔ tasse d'eau bouillante**
- ◆ **⅔ tasse de vinaigre de cidre**

Il vous faut un bol en céramique résistant à la chaleur, une passoire fine et un flacon de 300 ml (10 oz) en plastique propre et étanche.
1 Mettez les herbes et l'eau bouillante dans le bol ; couvrez. Infusez durant 15 à 20 minutes.
2 Passez l'infusion dans le flacon ; ajoutez le vinaigre et agitez le flacon. Conservez la lotion au frais et à l'abri de la lumière.
DONNE ENVIRON 300 ML (10 OZ) DE LOTION

Shampoing à la saponaire

La racine de saponaire peut soulager le prurit et la dermatite. De 3 à 4 c. à soupe de shampoing suffisent. Utilisez une ou plusieurs des herbes mentionnées dans l'encadré de la page ci-contre.

- ◆ **1½ c. à soupe de racine de saponaire séchée et hachée**
- ◆ **2 tasses d'eau**
- ◆ **2 c. à thé d'herbes séchées**

Il vous faut une casserole en verre ou en inox munie d'un couvercle, une passoire fine et un flacon de 500 ml (16 oz) étanche.
1 Mettez la racine de saponaire et l'eau dans la casserole ; amenez l'eau à ébullition. Couvrez et laissez bouillir à feu doux durant 20 minutes.
2 Retirez la casserole du feu ; ajoutez les herbes séchées. Couvrez et laissez refroidir.
3 Passez le mélange dans le flacon. Conservez le shampoing au frais et à l'abri de la lumière, près de la douche. Utilisez-le dans un délai de 7 à 10 jours. Assurez-vous régulièrement qu'il ne s'est pas altéré.
POUR 6 À 8 SHAMPOINGS

Après-shampoing aux herbes

Vos cheveux sentiront bon longtemps grâce à cet après-shampoing. Si votre cuir chevelu vous démange, doublez la quantité d'herbes et appliquez le produit tous les jours. Utilisez les herbes mentionnées dans l'encadré, page ci-contre.

- ◆ **1 c. à soupe d'herbes séchées**
- ◆ **4 tasses d'eau bouillante**
- ◆ **2 c. à soupe de vinaigre de cidre**
- ◆ **1 goutte de colorant alimentaire vert (facultatif)**

Il vous faut deux bols en céramique ou en verre résistant à la chaleur et une passoire fine.
1 Mettez les herbes et l'eau bouillante dans un bol, couvrez et infusez 15 à 20 minutes.
2 Passez l'infusion dans l'autre bol. Ajoutez le vinaigre et, facultativement, le colorant.
3 Lavez et rincez les cheveux comme d'habitude. Placez ensuite la tête au-dessus du bol et versez l'après-shampoing aux herbes sur les cheveux avec un gobelet ou une tasse.
POUR 1 APPLICATION

Les cheveux peuvent perdre leur lustre naturel à force d'être lavés. Aux produits du commerce contenant des substances chimiques irritantes, substituez des préparations maison douces : shampoing à la camomille (à gauche), revitalisant au miel (au centre) et après-shampoing aux herbes (à droite).

QUELQUES HERBES

BAIE DE SUREAU	Donne des reflets colorés aux cheveux grisonnants.
CAMOMILLE	Contribue à la santé du cuir chevelu et des follicules pileux et donc à une bonne repousse.
GRANDE CONSOUDE	Peut calmer et guérir l'irritation du cuir chevelu.
HERBE AUX CHATS	Ferait pousser les cheveux selon une croyance ancienne.
LEMON-GRASS	Exerce un effet astringent et peut tonifier le cuir chevelu.
MÉLISSE	Laisse dans les cheveux une fraîche odeur d'agrumes.
MILLE-FEUILLE	Sert de tonique capillaire.
ORTIE	Est astringente et sert à traiter l'irritation et le prurit.
PERSIL	Peut soulager l'irritation.
ROMARIN	Rehausserait la couleur des cheveux foncés et aiderait à lutter contre les pellicules.
SAUGE	Astringent qui convient aux cheveux gras. Peut aussi être bienfaisante pour les cheveux abîmés ou fragiles.
THYM	Possède des vertus antiseptiques, toniques et astringentes.
VERVEINE ODORANTE	Laisse une fraîche odeur d'agrumes dans les cheveux.

Revitalisant au miel

L'exposition au soleil ou à des produits chimiques peut abîmer les cheveux. Utilisez ce revitalisant spécial avant le shampoing pour traiter le cuir chevelu et réparer les cheveux.

◆ **2 c. à soupe d'huile d'olive**
◆ **2 c. à thé de miel**
◆ **5 gouttes d'essence de romarin, de lavande ou de géranium**

Il vous faut une petite tasse, un bonnet de douche en plastique et une serviette chaude (sans être brûlante).

1 Placez la tasse dans de l'eau chaude. Chauffez-y l'huile d'olive et le miel. (Vous pouvez aussi chauffer ces ingrédients au micro-ondes.) Ajoutez une essence (au choix) et mélangez bien le tout.

2 Appliquez le mélange sur les cheveux pendant qu'il est chaud, en massant bien le cuir chevelu. Couvrez les cheveux du bonnet de douche, enroulez la serviette autour de la tête et laissez le produit agir durant 10 à 15 minutes.

3 Retirez la serviette et le bonnet, puis lavez les cheveux avec un shampoing doux, comme le shampoing à la camomille présenté à la page 186 ou un shampoing pour bébé.

POUR 1 APPLICATION

◆ Une note parfumée ◆

De nos jours, vu le prix élevé des eaux de Cologne, c'est un véritable luxe que de porter un parfum conçu expressément pour soi. En préparant des produits de parfumerie maison, vous pourrez varier les ingrédients et ainsi créer des parfums subtils adaptés à vos humeurs et à vos goûts personnels.

Eau de Cologne essentielle

L'eau de Cologne avait la faveur de Napoléon. Il en aurait utilisé plus de 50 flacons par mois !

- ⅔ **tasse de vodka**
- 60 **gouttes d'essence d'orange**
- 30 **gouttes d'essence de bergamote**
- 30 **gouttes d'essence de citron**
- 6 **gouttes d'essence de néroli**
- 6 **gouttes d'essence de romarin**
- 3 **c. à soupe d'eau distillée ou bouillie**

Il vous faut un flacon en verre de 250 ml (8 oz), un bol et un filtre à café en papier.
1 Versez la vodka et les essences dans le flacon. Laissez reposer la préparation durant 1 semaine (agitez le flacon chaque jour).
2 Ajoutez l'eau, agitez le flacon et laissez reposer la préparation durant 4 à 6 semaines.
3 Passez la préparation dans le bol à l'aide du filtre, puis reversez-la dans le flacon. Conservez-la au frais et à l'abri de la lumière.
DONNE ENVIRON 210 ML (7 OZ) D'EAU DE COLOGNE

Eau de toilette à la lavande

Un classique très recherché, un cadeau parfait.

- ¾ **tasse de vodka**
- 25 **gouttes d'essence de lavande**
- 5 **gouttes d'essence de bergamote**
- 3 **c. à soupe d'eau distillée**
- 2 **gouttes de colorant alimentaire bleu et 1 goutte de rouge**

Versez la vodka et les essences dans un flacon en verre stérilisé et étanche. Agitez. Ajoutez eau et colorants. Laissez reposer 2 semaines.
DONNE ENVIRON 1 TASSE D'EAU DE TOILETTE

Eau rafraîchissante aux fruits

Idéal si vous aimez l'odeur des agrumes !

- 1 **c. à soupe d'écorce de citron hachée fin**
- 1 **c. à soupe d'écorce d'orange hachée fin**
- 3 **c. à soupe de vodka**
- 10 **gouttes d'essence de mandarine**
- 10 **gouttes d'essence d'orange**
- 5 **gouttes d'essence de citron**
- 5 **gouttes d'essence de pamplemousse**
- 3 **c. à soupe de vinaigre de vin blanc**
- 2 **tasses d'eau distillée ou bouillie**

Il vous faut un flacon en verre de 600 ml (20 oz) stérilisé et étanche et une passoire fine.
1 Mettez les écorces et la vodka dans le flacon. Bouchez hermétiquement celui-ci et laissez reposer le tout durant 1 semaine.
2 Passez la préparation ; pressez les écorces dans la passoire pour en exprimer le liquide.
3 Restérilisez le flacon et versez-y la préparation. Ajoutez le reste des ingrédients. Laissez reposer durant 2 semaines (agitez souvent le flacon). Conservez au frais et à l'obscurité.
DONNE 600 ML (20 OZ) D'EAU RAFRAÎCHISSANTE

Parfum à l'eau de rose

Quelques gouttes sur un mouchoir : un tiroir, votre sac à main, un vêtement embaumeront.

- 2 **c. à soupe de vodka**
- 2 **c. à soupe d'eau de rose**
- 8 **gouttes d'essence de bergamote**
- 4 **gouttes d'essence de géranium**
- 2 **gouttes d'essence de patchouli**

Il vous faut un flacon en verre de 60 ml (2 oz) stérilisé et étanche, un bol et un filtre à café en papier.
1 Mettez tous les ingrédients dans le flacon. Agitez-le. Laissez reposer durant 2 semaines.
2 Passez la préparation dans le bol à l'aide du filtre, puis reversez-la dans le flacon. Conservez-la au frais et à l'abri de la lumière.
DONNE ENVIRON 60 ML (2 OZ) DE PARFUM

Eau de carmélite

Un des parfums les plus anciens a été inventé au XIVe siècle en France par les carmélites. On l'utilise pur ou dilué dans de l'eau distillée.

- 2 **c. à soupe de feuilles de mélisse**
- 1 **c. à soupe d'écorce de citron hachée fin**
- 1 **brin de marjolaine**
- ½ **bâtonnet de cannelle**
- 5 **clous de girofle entiers**
- 1 **c. à thé de muscade râpée**
- 1 **tige d'angélique (2 cm/ ¾ po)**
- 1 ¼ **tasse de vodka**

Il vous faut un mortier et un pilon, deux flacons en verre de 300 ml (10 oz) stérilisés, une passoire fine, un bol et un filtre à café en papier.
1 Broyez les ingrédients secs. Mettez-les dans un flacon ; ajoutez la vodka. Laissez reposer le tout durant 10 jours (agitez chaque jour).
2 Passez le tout dans le bol. Puis passez-le dans l'autre flacon à l'aide du filtre à café. Laissez reposer au moins 2 semaines. Conservez au frais et à l'abri de la lumière.
DONNE 300 ML (10 OZ) D'EAU DE CARMÉLITE

De gauche à droite, à partir du fond : Eau de carmélite, Parfum à l'eau de rose et Eau de toilette à la lavande – trois produits de parfumerie à faire vous-même.

❧ Remèdes maison naturels ❧

Les ingrédients de base des premiers remèdes étaient des herbes. Pendant des siècles, les guérisseurs y ont eu recours. De nos jours, on constate de nouveau que bien des affections sont soulagées par les produits de phytothérapie, lesquels peuvent causer moins d'effets indésirables que les préparations du commerce.

Acné et boutons

Bain de vapeur aux herbes. Mettez une poignée de thym frais et une de fleurs de souci dans un bol. Ajoutez 6 tasses d'eau bouillante. Inclinez votre tête sur le bol. Couvrez-la ainsi que le bol d'une serviette épaisse ; fermez les yeux et restez sous la serviette 10 minutes. Aspergez-vous ensuite le visage d'eau tiède, épongez.

Bain de vapeur médicamenteux. Mettez 2 gouttes d'essence (citron, melaleuca, lavande, romarin, géranium ou bois de cèdre) dans un bol et ajoutez 4 tasses d'eau bouillante. Effectuez ensuite le traitement comme ci-dessus.

Traitement aux huiles essentielles. Appliquez 1 à 2 gouttes d'essence de melaleuca ou de lavande dans la région touchée. Sur une zone étendue, diluez l'essence dans 20 à 40 gouttes d'huile d'olive. À appliquer 1 ou 2 fois par jour.

Gel d'aloès. Coupez une feuille d'aloès fraîche et retirez-en le gel. À faire 2 fois par jour.

Infusion de feuilles d'hamamélis. Appliquez l'infusion sur la peau 3 fois par jour (p. 191).

Pied d'athlète

Traitement rapide. Appliquez 2 gouttes d'essence de melaleuca sur la peau avec un coton-tige. Sur une zone étendue, mélangez 3 gouttes d'essence et 1 ½ c. à thé d'huile d'olive légère.

Onguent. Chauffez 3 c. à soupe d'huile végétale dans une tasse placée dans de l'eau chaude. Ajoutez 10 g (⅓ oz) de cire d'abeille râpée à l'huile chaude et remuez jusqu'à ce que la cire fonde. Retirez la tasse de l'eau chaude ; remuez le mélange jusqu'à ce qu'il soit refroidi. Ajoutez 50 gouttes d'essence de melaleuca, de

Une multitude d'herbes, de fleurs et d'essences naturelles peuvent servir à préparer des remèdes sûrs et efficaces destinés à soulager nombre de maux courants.

géranium, de lavande, de pin ou de menthe poivrée, ou combinez l'essence de melaleuca avec une de ces essences (pas plus de 50 gouttes en tout). Conservez l'onguent au frais et à l'abri de la lumière dans un bocal stérilisé et étanche. Appliquez-le 2 fois par jour en massant la région touchée.

Mauvaise haleine

Herbes rafraîchissantes. Mâchez 1 ou 2 feuilles de menthe verte, de menthe poivrée, de fenouil ou de persil frais durant 1 ou 2 minutes, ou mâchez des graines de carvi, de cardamome ou de fenouil. Vous pouvez aussi infuser ces herbes et ces graines (pour les graines, infusez-en 1 c. à thé durant 30 minutes). Gargarisez-vous avec de l'infusion froide souvent.

Piqûre d'abeille et morsure d'insecte

Retirez le dard en le saisissant près de sa base avec des brucelles ou en le grattant avec l'ongle. Utilisez ensuite une des préparations suivantes pour calmer la douleur. Toute personne sujette à une grave réaction allergique doit suivre le traitement recommandé par son médecin.

Soulagement immédiat. Appliquez quelques feuilles ou fleurs de camomille broyées sur la blessure pour soulager la douleur et prévenir l'enflure. L'application de glace procurera aussi un soulagement rapide de la douleur.

Pâte de bicarbonate de soude. Ajoutez un peu d'eau à ¼ c. à thé de bicarbonate de soude et faites une pâte que vous appliquerez sur la blessure pour calmer la démangeaison.

Essence calmante. Mettez suffisamment d'eau froide dans un bol pour humecter une débarbouillette ou un tampon de coton. Versez-y 1 goutte d'essence de lavande, d'eucalyptus ou de melaleuca. Plongez la débarbouillette ou le tampon dans le bol. Essorez et appliquez la compresse sur la peau. Maintenez-la en place avec la main le plus longtemps possible ou couvrez-la de pellimoulante et laissez-la sur la peau durant environ 1 heure.

MISE EN GARDE

LES REMÈDES présentés ne peuvent servir à traiter des affections aiguës ou chroniques. Si un remède maison ne fait pas effet, consultez immédiatement votre médecin.

INFUSION D'HERBES

UNE INFUSION d'herbes se prépare à peu près comme une tasse de thé. Dans une tasse, mettez 3 c. à thé (15 g) combles d'herbes fraîches ou 1 c. à thé comble d'herbes séchées. Versez ½ tasse d'eau bouillante sur les herbes, couvrez et laissez infuser durant 5 à 10 minutes. Passez l'infusion à l'aide d'une passoire fine ou d'un morceau d'étamine plié en deux, puis jetez les herbes. Buvez l'infusion alors qu'elle est chaude ou bien laissez-la refroidir si elle doit servir de lotion ou de gargarisme. La plupart des infusions se conservent jusqu'à 24 heures au réfrigérateur et peuvent être réchauffées au besoin.

Ampoule

Application d'huile essentielle. Mettez 1 goutte d'essence de melaleuca ou de lavande sur l'ampoule en la massant, sans la rompre. Ce traitement ne convient pas si l'ampoule est percée.

Infusion de fleurs de souci. Elle peut servir à traiter une ampoule percée. Appliquez-la et laissez-la sécher. Si l'ampoule siège sur un pied, mettez un peu d'onguent simple au souci (encadré, p. 193) sur un morceau de gaze propre et appliquez la gaze sur l'ampoule. Retirez la gaze quand vous ne portez pas de chaussures.

Odeur corporelle

Bain aux herbes fraîches. Mettez une grosse poignée d'herbe (romarin, livèche, lavande, lemon-grass, sauge, persil ou menthe poivrée – mélangés ou non) dans un morceau d'étamine plié en deux. Attachez ensemble les coins du morceau d'étamine. Jetez la pochette dans la baignoire. Frottez-la sur la peau, surtout dans les régions où l'odeur corporelle est forte.

Huile de massage à l'amande. Mélangez 2 c. à soupe d'huile d'amande, 10 gouttes d'essence de lavande, 10 gouttes d'essence d'eucalyptus, 5 gouttes d'essence de menthe poivrée et 5 gouttes d'essence de pin dans un petit bol. Appliquez l'huile et massez le corps une ou deux fois par semaine.

Furoncle

Compresse. Mettez 4 c. à thé d'eau chaude dans un bol. Ajoutez 2 gouttes d'essence de lavande, de citron, de melaleuca ou de muscade. Plongez un tampon d'ouate ou de gaze dans le bol. Essorez le tampon et appliquez-le sur le furoncle. Recouvrez-le de pellimoulante et fixez-le sur la peau avec un bandage ou du ruban. Laissez la compresse en place durant au moins 1 heure. À effectuer 2 fois par jour.

Ecchymose

Stimulant de la circulation. Diluez 3 ou 4 gouttes d'essence de melaleuca, de lavande, de géranium ou de romarin dans un bol d'eau froide, et 3 ou 4 gouttes d'une de ces essences dans un bol d'eau chaude. Plongez dans chaque bol une débarbouillette, un tampon de coton ou un morceau d'étamine assez large pour couvrir l'ecchymose. Essorez chacune des compresses. Appliquez-les successivement sur l'ecchymose 2 à 3 minutes, en commençant par la chaude. Recommencez plusieurs fois.

Huile de massage parfumée. Incorporez 5 gouttes d'essence de lavande, de géranium, de romarin ou de melaleuca (mélangées ou non) à 1 c. à thé d'huile végétale. Appliquez sur l'ecchymose en massant la peau.

Brûlure et coup de soleil

Les traitements suggérés conviennent aux brûlures légères. En cas de brûlure grave, consultez un médecin sans tarder. Avant tout traitement, immergez la brûlure dans de l'eau froide (pas glacée). Autrement, plongez un chiffon propre dans l'eau froide et appliquez-le sur la brûlure pour diminuer la sensation de chaleur; épongez ensuite la peau avec une serviette.

Jus de souci. Appliquez le jus de pétales de souci broyés sur la brûlure plusieurs fois par jour. Broyez les pétales avec les doigts ou à l'aide d'un mortier et d'un pilon.

Gel d'aloès. Coupez une feuille d'aloès. Retirez-en le gel clair et appliquez-le directement sur la brûlure.

Pâte lénifiante. Mélangez un peu de bicarbonate de soude avec de l'eau de façon à obtenir une pâte épaisse. Appliquez la pâte sur la brûlure si la peau n'est pas fendue.

Liniment minute. Mettez 1 goutte d'essence de melaleuca ou de lavande sur la brûlure et massez la peau. Si la brûlure couvre une grande surface, diluez 1 goutte d'essence dans ¼ c. à thé d'huile d'olive. Utilisez la préparation alors que la peau est fraîche. Procédez ainsi plusieurs fois par jour. N'appliquez pas plus de 10 gouttes d'essence sur la peau en 24 heures.

Infusion pour peau fendue. Appliquez sur la peau une infusion froide de fleurs de souci, de feuilles de framboisier ou de feuilles de thé.

Brûlure due au chili

Traitement naturel. Lavez d'abord la brûlure avec du lait ou de la crème. Couvrez-la ensuite de purée d'avocats ou de bananes. Laissez la purée sur la brûlure jusqu'à ce que la douleur disparaisse. Après avoir mangé du chili, buvez du lait ou mangez un morceau d'avocat ou de banane pour calmer la sensation de brûlure dans la bouche. *Ne buvez pas d'eau.*

Rhume

Bain parfumé. Remplissez la baignoire d'eau chaude (mais pas brûlante). Versez-y 6 à 8 gouttes d'essence de lavande ou de menthe poivrée. Détendez-vous dans l'eau durant 10 minutes. Épongez la peau après le bain.

Boisson à la cannelle. Mettez 1 c. à thé de cannelle en poudre et 1 c. à thé de jus de citron dans 1 tasse d'eau chaude. Sirotez lentement.

Remède traditionnel aux herbes. Mélangez des feuilles de menthe poivrée, de mélisse et de millefeuille séchées (2:2:1); conservez le mélange dans un contenant hermétique. Au besoin, préparez une infusion avec le mélange 3 fois par jour.

Bouton de fièvre

Collutoire aux herbes. Préparez une infusion de feuilles de thym ou de sauge, de fleurs de souci ou de feuilles de thym et de fleurs de souci (1:1). Ajoutez ¼ de tasse de vinaigre de cidre. Rincez-vous la bouche 3 fois par jour.

Colique

Tisane de fenouil. Infusez (voir l'encadré, p. 191) 1 c. à thé de graines de fenouil broyées. Utilisez une cuiller ou un biberon pour la faire boire à un bébé. Les huiles que contiennent les graines de fenouil aident à libérer les gaz, soulageant ainsi les crampes abdominales.

Tisane de thym. Infusez 1 c. à thé de feuilles de thym broyées dans 1 tasse d'eau bouillante. Utilisez une cuiller ou un biberon pour la faire boire à un bébé.

Constipation

Fruits et fibres. Macérez 5 pruneaux dans du jus d'orange ou de l'eau toute une nuit. Mangez les pruneaux et buvez le liquide avant de déjeuner.

Boisson aux graines de lin. Mettez 1 à 2 c. à thé de graines de lin entières dans un verre d'eau. Remuez et buvez. Buvez ensuite un verre d'eau (absorbez toujours au moins 2 tasses de liquide quand vous ingérez des graines de lin entières). Prenez ce laxatif doux 3 fois par jour.

Cor

Kératolytique naturel. Broyez une feuille de pissenlit ou une gousse d'ail. Épulpez une pelure de banane ou de figue (1 c. à thé), ou un citron pressé. Appliquez la pulpe sur le cor; maintenez-la en place avec un pansement adhésif. Enlevez la couche superficielle du cor amollie avec une lime émeri. Procédez ainsi chaque jour jusqu'à ce que le cor ait disparu. Massez ensuite la peau avec de l'onguent simple au souci (p. 193) durant plusieurs jours.

Toux

Sirop antitussif à la violette. Mettez 75 g (2 ½ oz) de fleurs de violette fraîches et 2 tasses d'eau bouillante dans un bol. Couvrez et laissez refroidir. Passez l'infusion dans une casserole à l'aide d'une passoire fine. Incorporez 1 ½ tasse de sucre; chauffez à feu doux en tournant jusqu'à ce que le sucre soit dissous. Faites bouillir le mélange à feu doux sans le remuer 10 à 15 minutes de façon à obtenir un liquide sirupeux: versez-le dans un flacon de

500 ml (16 oz) stérilisé (il se conserve un an au réfrigérateur). Prenez-en 1 c. à thé au besoin.

Miel et herbe. Mettez 1 c. à soupe de romarin, de thym, de graines d'anis ou de marrube blanc séchés dans un bocal en verre stérilisé. Chauffez 400 ml (14 oz) de miel dans un bol placé dans de l'eau chaude et versez-le dans le bocal. Laissez reposer au chaud durant une semaine. Passez le miel dans un bocal stérilisé. Prenez-en 1 c. à thé au besoin.

Coupure et éraflure

Antiseptique. Infusez des fleurs de souci, des gousses d'ail ou des feuilles de thym, de sarriette des montagnes, de mûrier sauvage ou de sauge. Laissez refroidir l'infusion. Conservez-la dans une tasse ou un flacon. Appliquez-la sur la coupure ou l'éraflure plusieurs fois par jour.

Onguent traditionnel au souci. Pour favoriser la cicatrisation, appliquez sur la peau un peu d'onguent simple au souci 2 fois par jour.

Onguent doux au melaleuca. Chauffez 100 ml (3 ⅓ oz) d'huile d'olive au bain-marie. Ajoutez 20 g (¾ oz) de cire d'abeille ; remuez jusqu'à ce que la cire soit fondue. Retirez le mélange du feu et continuez de le remuer jusqu'à ce qu'il refroidisse et devienne épais. Ajoutez 1 c. à thé d'essence de melaleuca ; fouettez jusqu'à ce que le tout soit froid. Conservez l'onguent dans un petit bocal.

Diarrhée

Tisane. Infusez des feuilles de framboisier ou de mûrier sauvage séchées. Prenez une petite tasse d'infusion 3 fois par jour. Buvez aussi beaucoup d'autres liquides. Si la diarrhée persiste plus de 24 heures, consultez un médecin.

Eczéma et dermatite

Lotion aux fleurs de souci. Broyez des pétales de souci avec les doigts (ou à l'aide d'un pilon et d'un mortier) de façon qu'ils rendent leur jus. Frottez les pétales et le jus sur la peau.

Huile lénifiante pour le bain. Faites couler de l'eau chaude dans la baignoire. Ajoutez-y 6 à 8 gouttes d'essence de pin, de géranium ou de lavande. Remuez l'eau pour disperser l'essence. Détendez-vous dans la baignoire 10 minutes. Massez ensuite la peau pour y faire pénétrer ce qui reste d'essence. Ne prenez pas ce genre de bain plus d'une fois en 24 heures.

Onguent antiprurigineux. Appliquez de l'onguent simple au souci sur la peau 2 fois par jour ou au besoin pour soulager les démangeaisons.

Infusion florale. Appliquez plusieurs fois par jour sur la peau irritée une infusion froide de fleurs de souci fraîches ou séchées.

Céphalée et tension

Eau de lavande. Pour soulager la tension après une dure journée, plongez une débarbouillette dans de l'eau de toilette à la lavande (p. 188), puis essorez-la ; allongez-vous, placez-la sur le front et détendez-vous au moins 15 minutes.

Tisane. Infusez des feuilles de camomille ou de mélisse. Asseyez-vous dans un endroit calme pour boire lentement une tasse d'infusion chaude. Vous pouvez sucrer la tisane avec du miel (1 c. à thé) si vous le désirez.

ONGUENT SIMPLE AU SOUCI (CALENDULA)

L E SOUCI est une herbe lénifiante et cicatrisante qui entre dans la préparation de nombreux produits du commerce destinés aux soins de la peau. Pour les besoins de notre recette, n'utilisez que la variété *Calendula officinalis*. Les cultivars modernes et les soucis d'Afrique, de France ou du Mexique *(Tagetes* spp.) ne conviennent pas.

Mettez 3 c. à soupe de pétales de souci frais dans un bain-marie et broyez-les légèrement avec le dos d'une cuiller. Ajoutez ⅓ de tasse d'huile d'olive légère et chauffez le tout à feu doux durant 2 heures. (Autrement, vous pouvez mettre les pétales broyés et l'huile dans un bocal en verre stérilisé, puis fermer le bocal et le conserver dans une pièce chaude durant deux semaines.)

Passez l'huile dans un bol ; pressez les pétales avec le dos d'une cuiller pour en exprimer toute l'huile. Chauffez le bol d'huile au bain-marie à feu moyen. Faites fondre 2 c. à soupe de cire d'abeille râpée dans l'huile en tournant. Retirez le bol du bain-marie ; fouettez le mélange jusqu'à ce qu'il refroidisse et ait la consistance d'une crème épaisse. Ajoutez-y alors le contenu d'une capsule de vitamine E (400 UI).

À l'aide d'une cuiller, mettez l'onguent dans un bocal de 125 ml (4 ½ oz) stérilisé. Fermez et conservez au frais et à l'abri de la lumière. Cette recette donne 125 ml (4 ½ oz) d'onguent.

VARIANTE AU MOURON BLANC. Le mouron blanc possède des vertus anti-inflammatoires bien connues. Pour préparer un onguent au mouron blanc, remplacez les pétales de souci de la recette par 4 c. à soupe de feuilles de cette herbe.

Grande camomille. Vous pourriez soulager la céphalée et la tension en mâchant une feuille de grande camomille.

Tonique. Mettez 2 gouttes d'essence de lavande, de menthe poivrée ou de géranium dans un petit bol d'eau tiède. Remuez l'eau. Plongez une débarbouillette dans le bol pour l'imbiber d'eau, puis essorez-la ; allongez-vous, la débarbouillette sur le front, et détendez-vous aussi longtemps que possible.

Fringale

Trompe-la-faim. Pour calmer la fringale et les borborygmes, mâchez quelques graines de fenouil ou un petit morceau de fenouil pris sur le bulbe. Le goût du fenouil rappelle celui de la réglisse et plaît souvent aux enfants.

Indigestion et flatulence

Remède à base de graines. Mâchez 1 c. à thé de graines d'anis, d'aneth ou de carvi 1 minute 3 fois par jour. N'avalez pas les graines.

Tisane de menthe poivrée. Une tasse de tisane de menthe poivrée est un remède traditionnel contre la douleur causée par les gaz intestinaux. Infusez des feuilles de menthe poivrée, passez l'infusion et buvez-la, chaude, au besoin. Buvez-en 3 fois par jour durant 2 à 3 jours en cas de flatulence persistante.

Eupeptique. Mettez 1 c. à thé de graines d'aneth, d'anis ou de carvi dans une tasse, broyez-les avec le dos d'une cuiller, ajoutez 100 ml (3 ⅓ oz) d'eau bouillante, couvrez et laissez infuser durant 30 minutes. Passez l'infusion. Buvez-en 3 fois par jour.

Insomnie

Boisson calmante. Avant d'aller au lit, sirotez une infusion de camomille ou de mélisse. Quand le sommeil vient plus facilement, réduisez la concentration d'herbe de moitié (un usage continu à forte concentration peut provoquer le retour de l'insomnie). Cessez de boire la tisane durant une semaine au bout de trois semaines d'utilisation continue.

Friction à l'essence de lavande. Mettez 1 goutte d'essence de lavande sur un doigt et massez-vous les tempes avant d'aller au lit.

Taie d'oreiller parfumée. Faites sécher de la lavande fraîche dans une taie d'oreiller placée dans un placard chaud. Retirez la lavande au moment d'utiliser la taie (placez la lavande dans une autre taie – elle peut être réutilisée ainsi jusqu'à 12 mois de suite). Les vertus sédatives de cette herbe vous aideront à bien dormir et persisteront jusqu'à ce que vous laviez la taie. Vous pouvez aussi mettre chaque soir 1 goutte d'essence de lavande sur un coin de votre taie d'oreiller.

Prurit

Infusion. Trempez la région touchée dans une infusion de fleurs de souci froide. Ce remède est particulièrement efficace pour soulager les démangeaisons associées aux maladies de l'enfance comme la varicelle. Une infusion de camomille ou de mouron blanc froide soulagera aussi les démangeaisons.

Bain. Si le prurit s'étend à une grande partie du corps, prenez un bain antiprurigineux. Mélangez 2 tasses d'amidon de maïs avec un peu d'eau de façon à obtenir une pâte. Mettez cette pâte et 1 tasse de bicarbonate de soude dans un bain d'eau tiède. Remuez bien l'eau, puis allongez-vous dans la baignoire.

MASSAGE DU DOS

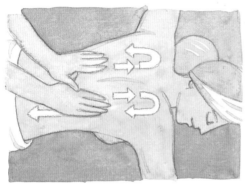

1 *Versez un peu d'huile de massage dans la paume. Frottez-vous les mains, puis glissez-les sur le dos de bas en haut et de haut en bas, à deux reprises, de façon que l'huile soit étalée uniformément sur la peau.*

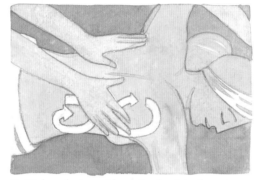

2 *Déplacez lentement les mains depuis les fesses jusqu'au cou en décrivant de petits cercles et en exerçant une pression assez ferme. Répétez durant 5 à 10 minutes, en exerçant une pression de plus en plus ferme.*

3 *Placez les mains de chaque côté du dos. Déplacez-les d'un bord à l'autre du dos en décrivant de petits cercles à l'aller et au retour. Répétez deux fois. Passez à l'étape 4, puis recommencez le massage plusieurs fois.*

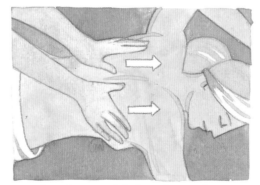

4 *Déplacez les mains de la façon décrite à l'étape 2. Répétez le mouvement plusieurs fois, en exerçant une pression de plus en plus légère. Pour finir, effleurez le dos avec les mains de bas en haut et de haut en bas.*

Spleen et états de tristesse

Huile pour le bain. Remplissez la baignoire d'eau chaude (mais pas brûlante). Ajoutez 6 gouttes d'huiles essentielles en tout : combinez deux ou trois des essences suivantes, lavande, géranium, pin, santal blanc, bergamote, selon vos goûts et remuez l'eau. Détendez-vous dans la baignoire durant environ 10 minutes en respirant les vapeurs parfumées.

Dysménorrhée

Tisane de gingembre. Infusez ½ c. à thé de gingembre frais haché dans une 1 tasse d'eau bouillante. Buvez la tisane juste avant les règles (le gingembre inhibe la sécrétion de prostaglandines, des hormones associées à la dysménorrhée) et au besoin par la suite.

Tisane de menthe poivrée. Infusez 1 c. à soupe de feuilles de menthe fraîches hachées dans 1 tasse d'eau bouillante. Sirotez la tisane. La menthe poivrée est un antispasmodique.

Nausées matinales de la grossesse

Tisane de gingembre. Infusez ½ c. à thé de gingembre frais haché dans 1 tasse d'eau bouillante. Sirotez la tisane le matin au réveil. Le gingembre calme l'estomac et diminue la nausée sans causer de somnolence.

Endolorissement

Huile de massage aux herbes. Mettez une grosse poignée de lavande ou de romarin frais dans un bocal à large ouverture. Ajoutez 500 ml (16 oz) d'huile végétale ; couvrez et laissez reposer durant 10 jours. Passez l'huile dans un flacon en verre stérilisé. Elle devrait se conserver jusqu'à 6 mois au réfrigérateur.

Huile de massage minute. Dans un bol en verre ou en céramique, mélangez 5 gouttes d'essence de romarin, de melaleuca ou d'eucalyptus et 10 ml (¼ oz) d'huile végétale.

Crème de massage. Versez 45 ml (1 ½ oz) d'huile végétale dans une tasse et placez celle-ci dans de l'eau chaude. Hachez finement 10 g (⅓ oz) de cire d'abeille et faites-la fondre dans l'huile en remuant. Retirez la tasse de l'eau chaude et remuez la préparation jusqu'à ce qu'elle soit froide. Ajoutez 50 gouttes d'essence de melaleuca, de romarin ou d'eucalyptus (ou un mélange de ces essences, sans dépasser les 50 gouttes) en fouettant la préparation. Mettez la crème dans un bocal à large ouverture. Utilisez-la 2 fois par jour au besoin.

Huile de massage pour le cou. Versez 30 ml (1 oz) d'huile végétale dans un petit bocal. Ajoutez 30 gouttes d'essence de romarin, de citron, de gingembre ou de menthe poivrée (ou un mélange de ces essences, sans dépasser les 30 gouttes). Agitez le bocal plusieurs minutes. Conservez au frais. Utilisez au besoin.

Huile de massage pour le dos. Versez 30 ml (1 oz) d'huile végétale dans un petit bocal. Ajoutez 30 gouttes d'essence de menthe poivrée, d'eucalyptus, de citron ou de romarin (ou un mélange de ces essences, sans dépasser les 30 gouttes). Agitez le mélange durant plusieurs minutes. Conservez l'huile au frais et à l'abri de la lumière. Utilisez-la au besoin.

Massage des pieds. Versez 30 ml (1 oz) d'huile végétale dans un bocal et ajoutez 30 gouttes d'essence de romarin, de genièvre, de menthe poivrée ou de lavande (ou un mélange de ces essences, sans dépasser les 30 gouttes). Agitez durant plusieurs minutes avant usage.

Traitement des crampes. Mélangez 10 ml (⅓ oz) d'huile végétale et 10 gouttes d'essence de lavande ou de romarin (ou un mélange de ces essences, sans dépasser les 10 gouttes). Utilisez cette huile pour diminuer la douleur immédiate. Pour soulager la douleur consécutive aux crampes, utilisez un cataplasme à base de chili ou de moutarde en poudre (2 c. à thé) et d'amidon de maïs ou de farine de riz (1 c. à soupe). Il suffit de mélanger les ingrédients dans un peu d'eau chaude de façon à obtenir une pâte épaisse. Vous pouvez aussi mélanger le chili ou la moutarde en poudre avec un reste de légumes en purée. Placez le cataplasme dans un chiffon et pliez celui-ci. Utilisez le cataplasme alors qu'il est chaud (mais pas brûlant). Laissez-le en place durant 1 heure au plus.

MASSAGE DU COU ET DES ÉPAULES

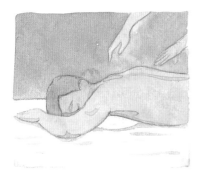

1 *Placez un oreiller sous la poitrine de la personne qui se fait masser. Versez un peu d'huile de massage dans une paume. Frottez-vous les mains, puis glissez-les sur les épaules et le cou, à deux reprises, de façon à étaler uniformément l'huile.*

2 *Posez les mains sur les épaules (illustration). Pétrissez les épaules depuis le bord extérieur jusqu'au centre. Répétez ce mouvement durant 5 à 10 minutes, au besoin, en exerçant une pression plus ferme à mesure que les muscles se relâchent.*

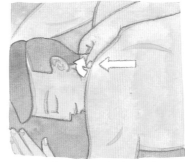

3 *Massez le côté gauche du cou depuis sa base avec la main droite, en décrivant de petits cercles avec le pouce. Continuez le massage 3 à 4 minutes, en exerçant une pression de plus en plus ferme. Faites de même du côté droit avec l'autre main.*

4 *Posez les mains sur le bord des épaules et massez celles-ci jusqu'à la base du cou. Remontez de chaque côté du cou, en décrivant des cercles avec les pouces. Recommencez plusieurs fois, en exerçant une pression de plus en plus légère.*

L'inhalation des vapeurs d'une infusion de thym peut décongestionner les voies nasales. Les bains de vapeur aux herbes sont efficaces contre l'acné et les boutons.

Congestion nasale

Inhalation de vapeur. Dans un bol résistant à la chaleur, versez de l'eau bouillante sur 3 c. à thé de sauge, de menthe poivrée, d'aiguilles de pin ou de thym frais hachés. Placez le visage au-dessus du bol. Couvrez votre tête et le bol d'une serviette; inhalez les vapeurs durant 10 minutes. À faire 2 ou 3 fois par jour.

Traitement de la sinusite. Mettez 2 gouttes d'essence de melaleuca, d'eucalyptus ou de pin et 4 tasses d'eau bouillante dans un bol résistant à la chaleur. Placez le visage au-dessus du bol. Couvrez votre tête et le bol d'une ser-viette épaisse; inhalez les vapeurs durant 10 minutes, moins longtemps si vous éprouvez un malaise. Pour diminuer la difficulté à respi-rer, étalez 2 gouttes d'essence de melaleuca dans les paumes, couvrez le nez avec les mains et inhalez profondément les vapeurs par le nez.

Décongestif. Mettez 1 goutte d'essence de melaleuca, de menthe poivrée ou de romarin sur un mouchoir. Inhalez les vapeurs au besoin.

Épistaxis (saignement de nez)

Traitement hémostatique. Penchez la tête vers l'avant et pincez la base des narines durant 5 minutes ou plus, le temps que le saignement cesse. Plongez ensuite un tampon d'ouate dans une infusion de feuilles d'hamamélis ou de fleurs de souci et insérez-le délicatement dans la narine par laquelle le sang s'écoulait.

Éruption cutanée

Huile cicatrisante. Appliquez délicatement 1 goutte d'essence de lavande ou de melaleuca sur l'éruption. Si l'éruption couvre une grande surface, utilisez un mélange composé de 3 gouttes d'une des huiles essentielle recom-mandées et de 7 ml (¼ oz) d'huile d'olive légère.

Traitement de l'érythème fessier. Lavez les fesses du bébé avec une infusion de fleurs de souci ou de camomille. Épongez la peau, puis appliquez un peu d'onguent simple au souci (p. 193). Vous pouvez aussi mélanger 10 ml (⅓ oz) d'huile d'amande, 15 gouttes d'huile de germe de blé, 5 gouttes d'huile de bourrache et 1 goutte d'essence de lavande, puis appliquer cette préparation sur la peau. Mettez le moins de couches possible au bébé.

Rhumatisme et arthrite

Compresse. Remplissez un petit bol d'eau chaude. Versez 2 gouttes d'essence de citron, de lavande, de romarin ou d'eucalyptus dans l'eau. Plongez-y un tampon d'ouate; essorez et appliquez directement sur l'articulation dou-loureuse. Recouvrez de pellimoulante ou d'un bandage et laissez en place 1 heure au moins.

Bain antalgique. Pour soulager la douleur, prenez un bain chaud dans une eau addition-née de 4 gouttes d'essence de romarin, de lavande ou d'eucalyptus. Après, massez la peau.

Enveloppement. Amollissez une feuille de chou au rouleau à pâtisserie. Fixez-la autour de l'articulation douloureuse avec un bandage.

Huile de massage. Broyez ensemble 1 c. à soupe de feuilles de romarin, 3 c. à thé de graines de céleri et 1 c. à thé de chili frais au pilon et au mortier. Mettez le broyat dans un bocal étanche, ajoutez 250 ml (8 oz) d'huile végétale et agitez le bocal. Laissez reposer 10 jours (agitez le bocal périodiquement). Pas-sez l'huile à travers un filtre à café en papier dans un flacon en verre stérilisé. Conservez-la au frais et à l'abri de la lumière. Appliquez-en 1 à 2 gouttes sur la peau et voyez si elle pro-voque une réaction indésirable. En l'absence de réaction, appliquez l'huile sur l'articulation douloureuse 2 fois par jour en massant.

Mal de gorge

Gargarisme. Infusez des feuilles de sauge ou de thym. Gargarisez-vous avec l'infusion, chaude, au besoin. Une simple solution d'eau chaude (1 tasse) et de sel (½ c. à thé) fait aussi un bon gargarisme.

Entorse

Faites d'abord tremper le membre touché dans un seau ou un évier rempli d'eau glacée ou appliquez une vessie de glace sur l'articulation durant 15 à 20 minutes. Procédez ainsi plusieurs fois au cours des quatre premières heures ; ayez ensuite recours à un des traitements suivants.

Compresse froide. Remplissez un bol d'eau. Ajoutez 3 ou 4 gouttes d'essence de lavande, de romarin, d'eucalyptus, de muscade ou de pin. Remuez. Plongez une débarbouillette ou de la gaze dans l'eau, essorez-la, appliquez-la sur l'articulation et couvrez-la de pellimoulante, puis d'un bandage. Laissez-la en place 1 heure. Faites ce traitement 2 fois par jour.

Huile de massage. Versez 30 ml (1 oz) d'huile d'olive légère dans un petit bocal. Ajoutez de l'essence de romarin (15 gouttes), de muscade (10 gouttes) et d'eucalyptus (5 gouttes). Agitez le bocal durant plusieurs minutes, puis utilisez l'huile pour masser l'articulation.

Cataplasme de feuilles fraîches. Aplatissez des feuilles de grande consoude, de chou et de plantain fraîches au rouleau à pâtisserie. Placez-les dans un chiffon propre et pliez celui-ci. Plongez le chiffon dans de l'eau chaude (pas brûlante), essorez-le, appliquez-le sur l'articulation et fixez-le avec un bandage. Replongez le chiffon dans l'eau chaude lorsqu'il est refroidi.

Fatigue

Huile pour le bain. Mettez 6 à 8 gouttes d'essence (lavande, géranium ou feuilles de cannelle pour la détente ; menthe poivrée ou romarin pour un regain d'énergie) dans une baignoire remplie d'eau chaude (mais pas brûlante). Allongez-vous dans le bain.

Romarin et ginseng. Buvez lentement une tasse d'infusion de racine de ginseng séchée (½ c. à thé) et de feuilles de romarin séchées (½ c. à thé), sucrée d'un peu de miel.

Fatigue et douleur oculaires

Rondelles de concombre. Appliquez une rondelle de concombre frais sur chaque œil et laissez-la en place plusieurs minutes.

Collyre. Infusez des fleurs de souci, de camomille ou de bourrache. Filtrez l'infusion à deux reprises, laissez-la tiédir, puis placez-la dans un compte-gouttes en verre stérile. Vous pouvez aussi plonger un tampon d'ouate dans l'infusion et mouiller les yeux ou bien placer deux tampons d'ouate imbibés d'infusion sur les yeux et les laisser en place 10 minutes.

Mal de dent

Rince-bouche au clou de girofle. Rincez-vous la bouche avec une infusion de clous de girofle entiers (7 g / ¼ oz).

Préparation topique simple. Mettez 1 goutte d'essence de girofle sur un coton-tige ; plongez la ouate dans de l'eau, puis frottez-la sur la dent qui fait mal et la partie de la gencive qui la jouxte. Voyez un dentiste dès que possible.

Mal des transports

Remède simple au gingembre. Quand le mal des transports se fait sentir, mâchez un morceau de gingembre cristallisé (ayez-en toujours en réserve dans la voiture). Ce remède est particulièrement efficace chez les enfants.

Antinauséeux au citron. Versez le jus de 1 citron dans 1 tasse d'eau chaude sucrée de miel (1 c. à thé). Sirotez cette boisson au besoin. Conservez-la dans un thermos durant les voyages.

Verrue

Traitement à base de latex. Appliquez du latex de pissenlit ou de feuille de figue sur la verrue 1 ou 2 fois par jour, durant plusieurs jours ou jusqu'à ce que la verrue se détache. N'en mettez pas sur la peau saine ni dans une région sensible (près des yeux notamment). Si vous traitez un enfant, couvrez la verrue d'un bandage pour éviter que le latex n'entre en contact avec la peau saine.

UTILISATION DES HERBES

VEILLEZ toujours à utiliser les espèces d'herbes recommandées. Un nom commun peut servir à désigner plusieurs plantes : ne vous y fiez donc pas. En cas de doute, trouvez le nom botanique ou latin et consultez un pépiniériste. Voici la liste des herbes mentionnées dans le présent chapitre, accompagnées de leur(s) nom(s) botanique(s).

ALOÈS *Aloe vera*

ANETH *Anethum graveolens*

ANIS *Pimpinella anisum*

BOURRACHE *Borago officinalis*

CAMOMILLE *Chamaemelum nobile* ou *Matricaria recutita*

CANNELLE *Cinnamomum zeylanicum*

CARDAMOME *Elettaria cardamomum*

CARVI *Carum carvi*

FENOUIL *Foeniculum vulgare*

FIGUE *Ficus carica*

FRAMBOISE *Rubus idaeus*

GRANDE CAMOMILLE *Chrysanthemum parthenium*

GRANDE CONSOUDE *Symphytum officinale*

HAMAMÉLIS *Hamamelis virginiana*

LAVANDE *Lavandula angustifolia*

MARRUBE BLANC *Marrubium vulgare*

MÉLISSE *Melissa officinalis*

MENTHE POIVRÉE *Mentha piperita*

MENTHE VERTE *Mentha spicata*

MILLEFEUILLE *Achillea millefolium*

MOURON BLANC *Stellaria media*

MÛRE SAUVAGE *Rubus* spp.

PERSIL *Petroselinum crispum*

PIN *Pinus sylvestris, P. palustris, P. pinaster, P. radiata*

PISSENLIT *Taraxacum officinale*

PLANTAIN *Plantago major, P. lanceolata*

ROMARIN *Rosmarinus officinalis*

ROSE *Rosa* spp.

SARRIETTE DES MONTAGNES *Satureja montana*

SAUGE *Salvia officinalis*

SOUCI *Calendula officinalis*

THYM *Thymus vulgaris*

VIOLETTE *Viola odorata*

Chiens, chats et compagnie

Que vous soyez le propriétaire d'un chien ou d'un chat, un passionné d'ornithologie ou simplement un jardinier qui recherche de nouveaux moyens écologiques de conserver un sain équilibre dans ses plates-bandes, vous trouverez plein d'idées pratiques dans ce chapitre.

Si votre meilleur ami est un chien de campagne, vous pouvez bâtir une niche isolée où il sera au chaud l'hiver, au frais l'été et à l'abri des intempéries en toutes saisons. Si c'est un chien de ville, vous pouvez fabriquer un coussin de coin confortable qui ne dégagera pas d'odeur. Nous vous proposons en outre de confectionner pour votre chien un manteau d'hiver élégant, chaud et lavable. Les propriétaires de chats n'ont pas été oubliés. Nous leur expliquons comment construire un hamac, de même qu'une plate-forme de fenêtre d'où leur félin pourra surveiller le monde extérieur. Les colliers pour chiens et chats ainsi que la préparation d'aliments et de produits santé font également partie des sujets abordés.

Les ornithophiles consulteront sûrement avec plaisir les pages consacrées aux plans de maisons, de mangeoires et de vasques pour oiseaux. Les jardiniers pourront attirer les chauves-souris et les papillons grâce aux abris décrits à la fin du chapitre (les chauves-souris sont des insectivores voraces et les papillons, des insectes pollinisateurs).

AVANT DE COMMENCER...

Une foule de connaissances – couture, menuiserie, cuisine – sont utiles quand il s'agit d'assurer le confort et le bien-être des animaux. Si certains projets de menuiserie demandent du savoir-faire, bon nombre des travaux présentés ici sont suffisamment simples pour qu'un enfant puisse les réaliser.

Outillage

La fabrication des objets présentés dans ce chapitre nécessite des outils courants : perceuse électrique, marteau, scie à chantourner, égoïne, scie passe-partout, boîte à onglets, pinceau, pince ordinaire, pince à bec long, tournevis, agrafeuse, couteau universel, pince coupante, ciseau à bois, étau de menuisier. Vous pourrez effectuer certains travaux plus facilement et plus vite si vous disposez d'une scie électrique, d'un étau de mécanicien et d'une toupie, mais ces outils ne sont pas indispensables. Vous aurez toutefois besoin d'une toupie pour fabriquer une des vasques.

Simplification des travaux

Certains travaux de menuiserie sont exécutés d'après un plan élaboré et comportent des coupes obliques. Il est quand même possible de fabriquer une maison d'oiseaux parfaitement fonctionnelle avec des éléments sciés et assemblés à angle droit. Si vous ne disposez pas d'une toupie, laissez tomber le biseautage des chants, purement décoratif. Aboutez les moulures si vous n'avez pas les outils qu'il faut pour façonner des onglets.

Achat des matériaux

Si vous avez aménagé un atelier à la maison, vous disposez fort probablement de chutes qui pourront servir à fabriquer de petites structures comme les maisons et les mangeoires d'oiseaux. Autrement, rendez-vous chez un marchand de bois avec la liste des matériaux dont vous avez besoin (présentée au début de chaque section). Dans bien des cas, vous pourrez faire effectuer certaines coupes de base sur place.

Sciage du bois

Sciez le bois de façon que le fil soit toujours parallèle au plus long côté. Sauf indication contraire, le fil du bois doit toujours être orienté dans le sens de la longueur. Cette technique occasionne parfois des pertes, mais elle permet d'augmenter la solidité des structures en bois.

Préparation des surfaces qui doivent être peintes

Utilisez une cale de ponçage et du papier abrasif fin (120) pour poncer légèrement toutes les faces des pièces de bois que vous voulez peindre. Effectuez le ponçage dans le sens du fil. Vous pouvez utiliser une toile d'émeri ou une lime émeri pour poncer les surfaces d'accès difficile. Le ponçage rend les surfaces lisses et élimine la saleté et les empreintes digitales qui pourraient diminuer l'adhérence de la peinture. Poncez les bords aigus pour les arrondir juste un peu : la peinture tiendra mieux.

Si un objet doit être placé à l'extérieur, appliquez sur les nœuds un apprêt d'extérieur conçu pour cet usage ; en l'absence d'apprêt, les nœuds pourraient suinter et décolorer le feuil de finition. Laissez sécher la couche d'apprêt, puis appliquez un apprêt d'extérieur pour bois (un produit à base d'eau est moins nocif pour les animaux) sur toutes les faces de l'objet, y compris les chants. Laissez sécher l'apprêt jusqu'au lendemain. Dans le cas d'une maison d'oiseaux, appliquez une couche d'apprêt sur le pourtour intérieur du trou d'entrée ; laissez toutefois le bois nu à l'intérieur de la maison (les oiseaux risqueraient autrement d'ingérer de la peinture). Assurez-vous que l'apprêt n'obstrue pas les fentes de drainage ménagées dans le plancher.

INSTALLATION D'UN POTEAU

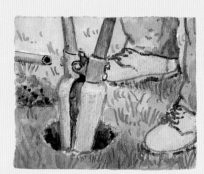

1 Creusez un trou de 60 cm (24 po) de profondeur à l'aide d'une bêche-tarière ou d'une pelle. Déposez une grosse pierre plate au fond du trou.

2 Étalez de 12 à 15 cm (5-6 po) de gravier dans le trou avant d'y placer le poteau. La couche de gravier assurera un drainage adéquat autour du poteau.

3 Placez le poteau dans le trou ; vérifiez sa verticalité. Damez des couches de gravier (7,5 cm/3 po) et de terre (10 cm/ 4 po) jusqu'à 15 cm (6 po) du bord du trou.

4 Revérifiez la verticalité du poteau. Achevez de combler le trou avec du béton. Faites déborder le béton et donnez-lui une pente à partir du poteau.

L'outillage dont vous aurez besoin pour fabriquer les objets décrits dans ce chapitre est d'usage courant. Assurément, des outils comme la perceuse électrique et la machine à coudre servent à réaliser bien des travaux ménagers.

Biseautage des chants à la toupie

Pour réaliser une finition digne des spécialistes, vous pouvez biseauter les chants des maisons et des mangeoires d'oiseaux à l'aide d'une toupie. Assemblez les pièces sans les coller et frottez la mine d'un crayon sur les chants qui doivent être biseautés. Calez dans le mandrin de la toupie un couteau à biseauter doté d'un guide et faites quelques passes d'essai sur du bois de rebut. Bloquez les pièces sur un établi avant de les biseauter. Au besoin, retouchez les chants biseautés avec du papier abrasif (100).

Sécurité des animaux

Les plus beaux abris pour animaux sont faits de bois résistant aux intempéries, comme le cèdre, le cyprès ou le séquoia, qui vieillissent bien sans même avoir été traités avec un produit de préservation toxique. On peut finir sans risque l'extérieur d'un abri avec de la peinture d'extérieur au latex si on laisse l'intérieur nu. Les structures décrites dans ce chapitre sont conçues de façon qu'on puisse aisément les ouvrir pour les nettoyer. Nettoyez les abris une fois par année. Les mangeoires et les vasques pour oiseaux doivent être nettoyées, et leur contenu sera souvent renouvelé.

Nourriture pour oiseaux

Le contenu d'une mangeoire d'oiseaux doit être adapté aux espèces que vous voulez attirer dans votre jardin. Beaucoup d'oiseaux sont des granivores. Essayez différentes graines (tournesol, chardon, carthame, millet blanc, etc.). Les pics adorent le suif ; offrez-leur-en dans un sac-filet suspendu. Les mésanges et les sittelles raffolent des arachides. Les orioles aiment les pommes, les raisins et les oranges. Les colibris apprécient l'eau sucrée (½ tasse de sucre granulé dissous dans 2 tasses d'eau) ; mettez-en dans un abreuvoir à ouverture rouge.

Une niche qui s'écarte du modèle classique

Quoique la niche classique se caractérise par un toit à pignon, nous avons choisi un toit plat pour plusieurs raisons. Beaucoup de chiens aiment monter sur le toit de leur niche pour avoir une bonne vue sur les environs. De plus, le volume intérieur d'une niche à toit plat est moins grand, d'où une plus grande efficacité thermique par temps froid. Le toit et le plancher ont une solidité exceptionnelle, ce qui fait qu'on peut déplacer la niche sans l'endommager. Le toit peut supporter le poids d'un enfant qui aurait l'idée d'y grimper. L'avant-toit protège contre la pluie et le soleil. Les surfaces intérieures lisses sont faciles à nettoyer. Les ouvertures sous le toit assurent l'aération de la niche durant l'été. On peut poser un portillon à l'entrée quand arrive la saison froide.

◆ Quelle belle vie... de chien ! ◆

Nous vous proposons ici de fabriquer une niche toutes saisons très résistante, adaptée aux besoins du chien d'extérieur, de même qu'un élégant coussin de coin et un beau manteau d'hiver chaud et lavable qui ajouteront au confort du chien d'intérieur habitué au chauffage central.

Niche

Cette niche convient à un chien de taille moyenne, mais on peut aisément augmenter ses dimensions pour y loger un gros chien.

- 3 solives (2 x 3) de 75 cm (30 po)
- 2 chevêtres (2 x 3) de 67,5 cm (27 po)
- 2 contreplaqués G1S de 13 mm x 67,5 cm x 82,5 cm (½ x 27 x 33 po) (plancher et sous-plancher)
- 4 lisses et 4 sablières (2 x 3) de 82,5 cm (33 po) (avant et arrière)
- 4 lisses et 4 sablières (2 x 3) de 53,75 cm (21 ½ po) (murs latéraux)
- 7 poteaux muraux (2 x 3) de 32,5 cm (13 po)
- 4 poteaux muraux (2 x 3) de 37,5 cm (15 po)
- linteau de porte (2 x 3) de 28,75 cm (11 ½ po)
- contreplaqué de lauan de 6 mm x 45 cm x 82,5 cm (¼ x 18 x 33 po) (intérieur, mur avant)
- contreplaqué de lauan de 6 mm x 40 cm x 82,5 cm (¼ x 16 x 33 po) (intérieur, mur arrière)
- 2 contreplaqués de lauan de 6 mm x 40 cm x 53,75 cm (¼ x 16 x 21 ½ po) (intérieur, côtés)
- 4 chevrons (2 x 3) de 90 cm (36 po)
- 2 avant-toits (2 x 3) de 95 cm (38 po)
- contreplaqué G1S de 13 mm x 95 cm x 97,5 cm (½ x 38 x 39 po) (support de couverture)
- 3 panneaux d'isolant R-5 extrudé de 0,60 x 2,40 m (2 x 8 pi) et 2,5 cm (1 po) d'épaisseur
- adhésif de construction
- contreplaqué de lauan de 6 mm x

95 cm x 97,5 cm (¼ x 38 x 39 po) (plafond)
- clous à tête fraisée (8d et 10d), ordinaires galvanisés (6d), à finir galvanisés (4d), à toiture de 2,5 cm (1 po)
- planches de parement en pin à rainure et à languette (1 x 5) : 8 planches de 67,5 cm (27 po), 9 planches de 86,25 cm (34 ½ po)
- baguette d'angle de 2,10 m (7 pi)

- équerres de 3,75 cm (1 ½ po) et vis
- moulure de toit en pin de 6 mm x 3,90 m (¼ po x 13 pi)
- apprêt et peinture d'extérieur au latex, pinceau
- larmier en aluminium de 1,95 m (6 ½ pi)
- feutre surfacé et mastic d'asphalte

Votre chien pourra toujours s'abriter du mauvais temps – même quand personne n'est là pour le mettre à l'abri – s'il dispose d'une niche confortable.

Construction du plancher

1 La charpente est en 2 x 3. Débitez trois solives de plancher de 75 cm (30 po) et deux chevêtres de 67,5 cm (27 po). Fixez les chevêtres aux solives avec des clous 8d ; centrez une solive entre les chevêtres.

2 Découpez deux morceaux de contreplaqué G1S de 67,5 x 82,5 cm (27 x 33 po). Appliquez de l'adhésif de construction sur un côté de la charpente de plancher. Fixez un morceau de contreplaqué sur ce côté avec des clous 8d.

3 Retournez le plancher. Découpez des morceaux d'isolant à mettre entre les solives ; enfoncez quelques clous 8d dans les côtés des solives pour assujettir l'isolant. Fixez le second morceau de contreplaqué sur la face exposée de la charpente avec des clous et de l'adhésif.

Construction des murs

1 Débitez dans des 2 x 3 les lisses et les sablières de 82,5 cm (33 po) des murs avant et arrière, les lisses et les sablières de 53,75 cm (21 ½ po) des murs latéraux, les sept poteaux de 32,5 cm (13 po) des murs latéraux et arrière, les quatre poteaux de 37,5 cm (15 po) du mur avant et le linteau de porte de 28,75 cm (11 ½ po).

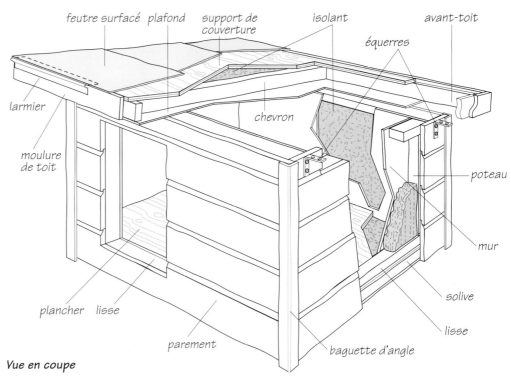

feutre surfacé · *plafond* · *support de couverture* · *isolant* · *avant-toit* · *équerres* · *larmier* · *chevron* · *poteau* · *moulure de toit* · *mur* · *plancher* · *lisse* · *solive* · *parement* · *lisse* · *baguette d'angle*

Vue en coupe

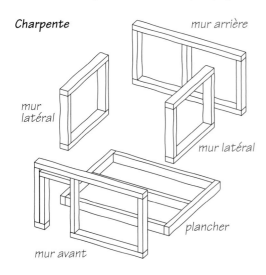

Charpente

mur arrière · *mur latéral* · *mur latéral* · *mur avant* · *plancher*

Fixez lisses et sablières sur les poteaux avec des clous 8d. Le mur arrière intègre un poteau central. Formez l'embrasure de la porte avec deux poteaux dans le coin et un autre poteau de 28,75 cm (11 ½ po) plus loin. Fixez le linteau entre les poteaux, 2,5 cm (1 po) sous la sablière.

2 Finissez les murs intérieurs. Tracez l'embrasure sur le contreplaqué de lauan du mur avant ; découpez-la. Mettez de l'adhésif de construction sur la charpente avant d'y fixer les contreplaqués avec des clous à finir galvanisés.

3 Fixez le mur avant au plancher avec des clous 10d. Clouez les murs latéraux au plancher ; les poteaux doivent être appuyés contre le mur avant. Clouez le mur arrière au plancher. Clouez chaque mur au mur voisin. Arasez le « seuil » de porte à l'égoïne.

4 Taillez l'isolant aux dimensions des murs.

Installation du toit et du parement

1 Fixez les avant-toits sur les chevrons avec des clous 8d. Placez un chevron à chaque extrémité des avant-toits et centrez les autres à 27,5 cm (11 po) des extrémités. Découpez un morceau de contreplaqué G1S et un morceau de lauan ayant 95 x 97,5 cm (38 x 39 po) chacun. Fixez le premier sur le toit avec de l'adhésif et des clous ordinaires. Mettez de l'isolant entre les chevrons. Fixez le lauan du côté du plafond avec de l'adhésif et des clous à finir galvanisés.

2 Le parement se compose de quatre planches de chaque côté, d'une planche de 5 cm (2 po) de large au sommet du mur avant et de deux petits morceaux de planche aux bouts de la sablière avant. Posez la première planche à la base de chaque mur, languette vers le haut. Enfoncez un clou à finir galvanisé à chaque extrémité des planches, à 3,75 cm (1 ½ po) du chant inférieur. Arasez la dernière planche de chaque mur au niveau des sablières.

3 Débitez deux baguettes d'angle de 54,38 cm (21 ¾ po) et deux autres de 48,75 cm (19 ½ po). Clouez-les aux coins avant et arrière.

4 Fixez le toit avec des équerres de façon à former un avant-toit de 20 cm (8 po) à l'avant. Percez des avant-trous dans le plafond et le parement, puis logez-y les vis des équerres.

5 Débitez la moulure de toit : il en faut deux de 99,38 cm (39 ¾ po) sur les côtés, une de 95 cm (38 po) à l'arrière et une de 98,75 cm (39 ½ po) à l'avant. Fixez-la au ras du toit.

Finition

1 Mettez une couche d'apprêt et deux couches de peinture de finition.

2 Clouez le larmier sur les avant-toits. Installez trois lés de feutre surfacé doublé sur le toit avec du mastic d'asphalte.

Coin repos

Vous pouvez adapter ce coussin de coin à la taille de votre chien et aussi l'assortir à votre décor. La doublure, qui contient la bourre, et la housse sont confectionnées de la même façon.

DOUBLURE

- **mousseline : 1,80 m (2 vg) de long en 115 cm (45 po) de large ou plus**
- **ruban velcro : 60 cm (24 po) de long et 18 mm (¾ po) de large**
- **1 sac de copeaux de cèdre**

HOUSSE

- **tissu : 1,80 m (2 vg) de long en 115 cm (45 po) de large ou plus**
- **ruban velcro : 60 cm (24 po) de long et 18 mm (¾ po) de large**

Mesurage

Mesurez votre chien de la truffe à la queue ; ajoutez 25 cm (10 po). Le coussin décrit ici convient à un chien de 85 cm (34 po) ; les côtés font 1,10 m (44 po). Adaptez les dimensions du coussin à la taille de votre chien.

Commencez par la doublure.

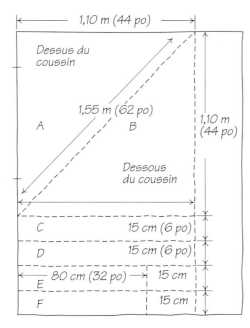

Patron du coussin de coin

Le chien de la famille peut se blottir sur ce beau coussin à carreaux placé dans un coin du salon.

Coupe

1 Dessus et dessous du coussin : taillez un carré de 1,10 m (44 po) dans le tissu. Pliez-le en diagonale ; coupez-le dans le pli (A et B sur le patron).

2 Côté court : taillez deux pièces de 15 cm (6 po) de large et de 1,10 m (44 po) de long ou une pièce aussi grande que le côté (C et D sur le patron).

3 Côté long : mesurez le côté long ; ajoutez 2 po (5 cm) pour pouvoir faire des rentrés. Taillez deux pièces ayant la longueur utile et 15 cm (6 po) de largeur. Ici, les deux pièces (E et F sur le patron) ont 80 cm (32 po) de longueur.

Fermeture et assemblage

1 Formez un ourlet de 6 mm (¼ po) sur l'envers de la pièce A, le long d'un côté court. Piquez et repassez.

2 L'endroit du tissu vers vous, centrez un ruban à crochets velcro sur l'ourlet (couvrez le bord vif). Épinglez, puis piquez les quatre côtés.

3 Prenez la pièce C. Répétez l'étape 1.

4 Sur l'endroit de la pièce C, centrez un ruban à boucles velcro sur l'ourlet. Épinglez, puis piquez les quatre côtés.

5 Placez l'endroit de la pièce A contre l'endroit de la pièce C. Unissez les rubans velcro (ils formeront l'intérieur du rentré). Complétez la couture de chaque côté des rubans velcro ; laissez une ouverture de 13 mm (½ po) sur les bords extérieurs.

6 Côtés du coussin : épinglez et cousez les pièces E et F endroit contre endroit à l'une de leurs extrémités ; ouvrez la couture au fer à repasser.

7 Épinglez et cousez un bout de la pièce D sur la pièce E-F, endroit contre endroit ; ouvrez la couture au fer. Cousez le bout opposé de la pièce D sur la pièce C, en raccordant les bords inférieurs ; ouvrez la couture au fer. Cousez le bout opposé de la pièce C sur la pièce E-F ; ouvrez la couture au fer.

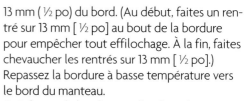

8 Épinglez et cousez les côtés sur la pièce A (la pièce C est déjà cousue), endroit contre endroit. Crantez les coins; repassez les coutures vers les côtés.

9 Épinglez et cousez la pièce B sur les côtés, endroit contre endroit. Crantez les coins; repassez les coutures vers les côtés.

10 Mettez la doublure à l'endroit. Répétez ces étapes pour confectionner la housse.

11 Rembourrez la doublure avec des copeaux de cèdre; fermez-la et glissez-la dans la housse.

Manteau en polar

Votre chien peut avoir froid quand vous le promenez l'hiver. Ce manteau le tiendra au chaud.

- ◆ **polar – 90 cm (1 vg)**
- ◆ **bordure – 5,40 m (6 vg) de long et 2,5 cm (1 po) de large**
- ◆ **4 boutons décoratifs**
- ◆ **ruban velcro – 20 cm (8 po) de long et 15 mm (⅝ po) de large**

Confection du manteau

1 Mesurez le tour de cou, le tour de poitrine et la longueur (du cou à la croupe) du chien. Le manteau décrit ici va à un chien ayant 42,5 cm (17 po) de tour de cou, 67,5 cm (27 po) de tour de poitrine et 67,5 cm (27 po) de long.

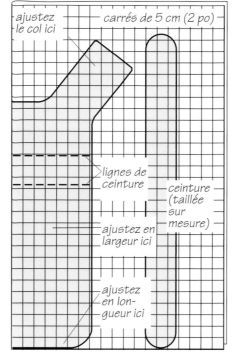

ajustez le col ici

carrés de 5 cm (2 po)

lignes de ceinture

ceinture (taillée sur mesure)

ajustez en largeur ici

ajustez en longueur ici

DIAGRAMME 1

2 Agrandissez le patron (diagramme 1) sur du papier quadrillé. Coupez le tissu en suivant le patron, en fonction de la taille de votre chien.

3 À partir de la ligne de ceinture sur l'envers du tissu, épinglez la bordure, endroit dessous, à 13 mm (½ po) du bord. (Au début, faites un rentré sur 13 mm [½ po] au bout de la bordure pour empêcher tout effilochage. À la fin, faites chevaucher les rentrés sur 13 mm [½ po].) Repassez la bordure à basse température vers le bord du manteau.

4 Rabattez la bordure sur l'endroit du tissu. Épinglez-la; cousez-la; repassez-la.

5 Épinglez sur l'envers de la patte gauche du col deux rubans à crochets velcro de 7,5 cm (3 po) de long. Épinglez deux rubans à boucles velcro de 7,5 cm (3 po) de long sur l'endroit de la patte droite du col (diagramme 2). Cousez les rubans sur leur pourtour.

ruban à crochets velcro sur l'endroit du tissu

ruban à boucles velcro sur l'envers du tissu

DIAGRAMME 2

6 L'endroit du tissu vers vous, cousez les boutons sur la patte gauche du col, au-dessus les bandes velcro (diagramme 3).

7 Répétez les étapes 3 et 4 pour border la ceinture.

8 Épinglez la ceinture sur le manteau (laissez pendre le bout libre à gauche). Piquez-la le long des côtés de sa bordure sur le manteau.

9 Mettez un ruban à crochets velcro de 5 cm (2 po) de long sur le bout de la ceinture cousu sur le manteau. Taillez-le en suivant la courbe; cousez-le sur la ceinture.

10 Ajustez la ceinture; cousez un ruban à boucles velcro sur l'envers du bout libre pour qu'il coïncide avec l'autre par la forme.

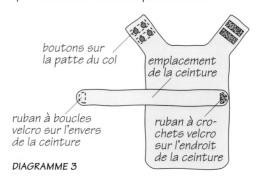

boutons sur la patte du col

emplacement de la ceinture

ruban à boucles velcro sur l'envers de la ceinture

ruban à crochets velcro sur l'endroit de la ceinture

DIAGRAMME 3

Aussi chaud qu'élégant, ce manteau en polar est plus qu'un simple vêtement à la mode.

❖ Le chat choyé ❖

Soucieux d'offrir un certain confort à leur animal, et peut-être aussi de protéger leurs meubles rembourrés, les propriétaires de chats peuvent fabriquer un hamac confortable pour leur félin. Et, à défaut de siège avec vue sur l'extérieur, minet se satisfera sûrement de notre plate-forme de fenêtre.

Hamac

Vous pouvez fabriquer ce hamac même si vous avez peu d'expérience.

CADRE
- **4 balustres d'escalier en chêne**
- **3 goujons en bois de 13 mm (½ po) de diamètre et 1,20 m (4 pi) de long**
- **papier abrasif (120)**
- **colle jaune pour le bois**
- **apprêt étanche à l'uréthane**
- **4 patins autoadhésifs**

TOILE
- **90 cm (1 vg) de polar**
- **45 cm (½ vg) de bande élastique de 2,5 cm (1 po)**
- **1,80 m (2 vg) de biais assorti à pli double**

Fabrication du cadre

1 Retranchez le tenon des balustres. Sciez chaque balustre à une longueur de 40 cm (16 po). La partie carrée formera la base du pied ; elle doit avoir au moins 17,5 cm (7 po) de long.

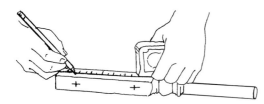

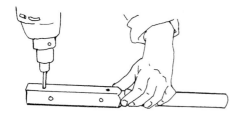

2 À l'aide d'une perceuse et d'une mèche plate de 13 mm (½ po), percez deux trous centrés de 15 mm (⅝ po) de profondeur sur un côté plat de chaque pied, à 5 cm (2 po) et 15 cm (6 po) de la base respectivement. Sur un côté adjacent, percez deux trous centrés de 15 mm (⅝ po) de profondeur, à 3,75 cm (1 ½ po) et 16,25 cm (6 ½ po) de la base respectivement.

3 Débitez le goujon en huit tronçons de 39,7 cm (15 ⅞ po). Poncez les bouts.

4 Poncez les arêtes vives et arrondissez le dessus des pieds avec du papier abrasif.

5 Logez un goujon dans chaque trou après y avoir mis un peu de colle. Calez les goujons à l'aide d'un marteau et d'un bloc de bois. Laissez sécher la colle. Appliquez deux couches d'apprêt étanche à l'uréthane (laissez sécher entre les applications). Fixez les patins sous les pieds.

Confection de la toile

1 Taillez un carré de 42,5 cm (17 po) et quatre carrés de 20 cm (8 po) dans le polar. Pliez les carrés de 20 cm (8 po) diagonalement en deux pour former les poches de soutien de la toile.

2 Débitez la bande élastique en quatre tronçons d'une longueur excédant de 13 mm (½ po) le diamètre du sommet des pieds. Formez avec chaque tronçon un anneau dans lequel le pied tiendra sans jeu. Cousez un anneau sur le côté long de chaque triangle-poche (voir l'illustration).

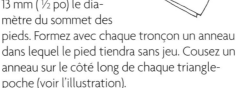

3 Épinglez et piquez les triangles à chaque coin de la toile, anneau vers le bas et l'intérieur. Arrondissez et crantez les coins.

4 Bordez la toile avec le biais. À ce sujet, reportez-vous aux étapes 3 et 4 de la page 205.

5 Glissez le sommet de chaque pied dans un anneau élastique. Laissez la toile soutenue par les poches pendre entre les pieds.

Plate-forme de fenêtre

Cette plate-forme peut être installée devant une fenêtre qui a au moins 61 cm (24 ½ po) de large.

- **base en contreplaqué de 18 mm x 25 cm x 55 cm (¾ x 10 x 22 po)**
- **2 bordures de 2,5 x 5 x 58,75 cm (1 x 2 x 23 ½ po)**
- **2 pattes de 10 cm (4 po)**
- **2 bordures de 2,5 x 5 x 25 cm (1 x 2 x 10 po)**
- **moulure décorative de 62,5 cm (25 po) de long (devant)**
- **2 moulures décoratives de 30 cm (12 po) de long (côtés)**
- **colle jaune pour bois**
- **clous à finir 4d**
- **papier abrasif (120)**
- **semences de 2,5 cm (1 po) (facultatif)**
- **console de 2,5 x 10 x 30 cm (1 x 4 x 12 po)**
- **2 vis à bois de 4 cm (1 ⅝ po)**
- **coupe-bise de 15 cm (6 po)**

1 Découpez la base dans du contreplaqué. Mesurez la profondeur du rebord de fenêtre. Pliez un bout de chaque patte pour l'accrocher sur le bord extérieur du rebord de fenêtre.

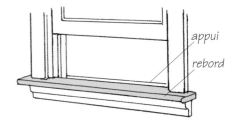

appui

rebord

2 Le rebord de la plate-forme se compose de 1 x 2 en pin coupés en onglet. Placez les 1 x 2 contre la base et marquez l'intérieur des onglets. Effectuez les coupes dans une boîte à onglets. Fixez la bordure sur la plate-forme

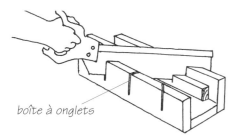

boîte à onglets

avec de la colle et des clous à finir 4d ; faites affleurer le 1 x 2 et le dessous du contreplaqué.

3 Centrez les pattes sous la plate-forme à 11,25 cm (4 ½ po) des extrémités ; tracez leur contour. Bloquez le contreplaqué sur le plan de travail et ménagez-y deux entailles de 3 mm (⅛ po) de profondeur au ciseau à bois.

4 Vissez les pattes dans les entailles et accrochez la plate-forme à la fenêtre pour voir si elle tient bien. Faites des marques là où

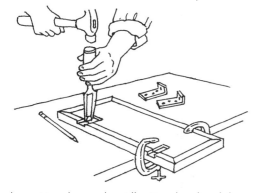

les pattes chevauchent l'arrière du rebord de fenêtre ; ménagez des entailles peu profondes dans le rebord de fenêtre au niveau des marques avec un ciseau à bois. Logées dans ces entailles, les pattes ne vous empêcheront pas de bien fermer la fenêtre.

5 La plate-forme illustrée ici est garnie d'une moulure décorative sur le devant et les côtés. Placez un tronçon de moulure contre le devant de la plate-forme et marquez l'intérieur des onglets. Effectuez les coupes en onglet et fixez la moulure à ras de la base de la plate-forme avec de la colle et des semences de 2,5 cm (1 po). Sciez les moulures latérales en onglet à une extrémité. Posez-les (colle et semences), puis arasez-les à l'arrière de la plate-forme.

6 La console est un 1 x 4 de 30 cm (12 po) de long taillé à 45° aux deux extrémités. Façonnez-la, puis tracez une ligne de centre sous la plate-forme, de l'avant à l'arrière. Positionnez la

plate-forme sur le rebord de fenêtre, placez la console sur la ligne de centre et marquez la position du nez de la console sous la plate-forme. Si la console dépasse, raccourcissez-la.

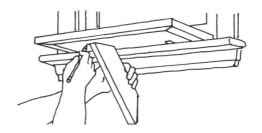

Un hamac et une plate-forme de fenêtre contribuent au confort des chats de maison.

7 Percez deux avant-trous fraisés dans la plate-forme ; prolongez-les dans la console. Logez-y des vis de 4 cm (1 ⅝ po). Fixez un coupe-bise en mousse autocollant sur le bout libre de la console pour protéger le mur.

8 Vissez les pattes sur le bord arrière du rebord de fenêtre.

9 Garnissez la plate-forme d'un coussin de mousse recouvert de tissu.

◆ Petits soins et gâteries ◆

*En tant que membre de la famille, votre chat ou votre chien mérite quelques petites attentions.
Faites-lui porter un collier confectionné sur mesure, offrez-lui un jouet fabriqué à la main, préparez-lui
un bon repas maison ou une fournée de biscuits. Votre animal appréciera d'être dorloté ainsi.*

Colliers de chat

Amusants et faciles à confectionner, ces colliers soulignent des occasions spéciales comme la Saint-Valentin, l'anniversaire de l'animal, un mariage ou Noël.

CŒURS OU ÉTOILES
- **collier en tissu**
- **applications**
- **fil assorti**

ROSETTES OU BOUTONS
- **collier en tissu**
- **rosettes ou boutons**
- **fil assorti**

Collier de cœurs ou d'étoiles

1 Épinglez les applications sur le collier à votre fantaisie. Disposez les épingles horizontalement le long des bords du collier pour laisser le centre des applications dégagé.

2 Piquez les applications au centre du collier.

Collier de rosettes ou de boutons

1 Disposez les rosettes ou les boutons le long du collier comme bon vous semble.

2 Cousez chaque ornement à la main.

Outre le collier garni d'étoiles qu'il porte ici, minet peut arborer un collier orné de cœurs, de rosettes victoriennes ou encore d'un père Noël, de sapins et de houx.

TRUCS ET ASTUCES
JEUX DE CHAT

Le prix d'un jouet n'influe nullement sur l'attrait qu'il a pour un chat. Tout objet avec lequel l'animal pourra s'amuser fera l'affaire. Vous devriez toutefois surveiller votre chat si vous le laissez jouer avec une ficelle ou un fil (il ne doit pas l'ingérer). Cachez les petits articles qu'il pourrait avaler ou inhaler (aiguilles, épingles, etc.).

JOUETS FAVORIS DES FÉLINS
Canne à pêche sans hameçon à laquelle on a accroché des pompons, des plumes ou une balle.

Boîtes ou sacs de Noël vides ; laissez le papier de soie à l'intérieur pour plus de plaisir !

Flacons de pilules en plastique (avec bouchon de sécurité) contenant un grelot ou du riz sec.

Colliers de chien

Votre toutou aura sa part dans les compliments de vos invités grâce à ces colliers pleins d'imagination qui s'harmonisent avec l'esprit de diverses festivités.

Collier de noce à nœud papillon

Votre chien aussi sera tiré à quatre épingles grâce à cet ingénieux collier en tissu.

- **collier de 2,5 cm (1 po) de large**
- **lé de tissu de 45 cm (½ vg) de long en 115 cm (45 po) de large**
- **fil assorti**

Nœud papillon

1 Ailes : découpez une pièce de 37,5 x 75 cm (15 x 30 po) (pièce A, diagramme 1). Pliez-la en deux dans la longueur, endroit contre endroit.

DIAGRAMME 1

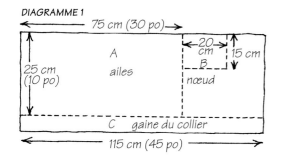

2 Faites une couture à 13 mm (½ po) du bord long. Tournez l'ouvrage à l'endroit ; repassez. Faites un rentré de 13 mm (½ po) dans les bouts ouverts ; cousez les bouts ensemble pour former un cercle (illustration, ci-dessous).

3 Aplatissez le cercle. Passez un fil au centre et froncez-le pour donner 3,75 cm (1 ½ po).

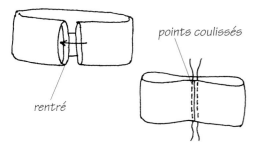

points coulissés

rentré

4 Nœud : découpez une pièce de 15 x 20 cm (6 x 8 po) dans le tissu (pièce B, diagramme 1). Pliez-la en deux dans le sens de la longueur, endroit contre endroit. Faites une couture de 13 mm (½ po) le long du bord long. Retournez à l'endroit ; repassez.

5 Enroulez la pièce entre les ailes du nœud, bien à plat sur les fronces. Faufilez les bouts derrière.

6 Gaine du collier : découpez une pièce de 7,5 x 115 cm (3 x 45 po) dans le tissu (pièce C, diagramme 1). Pliez-la en deux dans la longueur, endroit sur endroit. Faites une couture de 6 mm (¼ po) le long du bord long. Retournez à l'endroit ; repassez. Faites un double rentré de 6 mm (¼ po), puis de 13 mm (½ po) aux deux bouts ; cousez autour de l'ourlet ; repassez.

7 Faites passer la gaine dans le nœud, par-derrière. Faufilez le nœud papillon sur la gaine de façon que les points ne la ferment pas.

8 Passez le collier du chien dans la gaine. Mettez-le à votre chien, uniformisez les fronces et faites bouffer le tissu.

Collier de cow-boy

Un bal estival est l'occasion rêvée de faire arborer ce foulard à franges à votre chien.

- ◆ **lé de tissu de 45 cm (½ vg) de long en 90 cm (36 po) de large**
- ◆ **fil assorti**
- ◆ **1 m (1 vg et 2 po) de frange de 5 cm (2 po) lavable**
- ◆ **ruban velcro**

1 Découpez un carré de 45 cm (18 po) dans le tissu. Pliez-le en diagonale, endroit contre endroit. Cousez les côtés à 13 mm (½ po) des bords, en laissant une ouverture de 7,5 cm

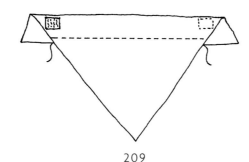

Colliers de chien pour occasions spéciales (de gauche à droite) : collier de noce à nœud papillon, collier de Saint-Valentin, collier de Noël et collier de cow-boy.

(3 po). Sortez l'endroit par l'ouverture ; repassez. Piquez l'ouverture pour la fermer.

2 Gaine : faites un pli de 5 cm (2 po) le long du bord long du foulard. Piquez le bord.

3 Épinglez, puis cousez la frange. Cousez le ruban velcro sur la gaine (voir l'illustration).

4 Enfilez le foulard sur le collier du chien.

Collier de Noël

Une fleur de poinsettia égaie joliment ce collier.

- ◆ **lé de tissu de 22,5 cm (¼ vg) de long en 115 cm (45 po) de large**
- ◆ **fil assorti**
- ◆ **2,70 m (3 vg) de galon de 6 mm (¼ po)**
- ◆ **fleur de poinsettia en tissu de 12,5 cm (5 po) de diamètre**

1 Découpez une pièce de 17,5 x 115 cm (7 x 45 po) dans le tissu. Pliez-la en deux dans le sens de la longueur, endroit contre endroit. Faites une couture de 13 mm (½ po) le long du bord long. Taillez un bout en biais. Faites une couture de 13 mm (½ po); enlevez l'excédent.
2 Retournez à l'endroit; repassez. Taillez le bout opposé en biais, faites un rentré de 13 mm (½ po) sur les bords vifs; cousez, repassez.
3 Épinglez et cousez le galon autour des bords du collier. Faufilez la fleur, sans tige, au centre.

Collier de Saint-Valentin

Pour un chien qui a 47,5 cm (19 po) de tour de cou.

- ◆ **lé de tissu de 22,5 cm (¼ vg) de long en 115 cm (45 po) de large**
- ◆ **fil assorti**
- ◆ **élastique de 50 cm (20 po) de long et 19 mm (¾ po) de large**
- ◆ **ruban velcro de 5 cm (2 po) de long et 19 mm (¾ po) de large**

1 Pliez le tissu en deux dans le sens de la longueur, endroit contre endroit. Faites une couture de 13 mm (½ po) le long du bord long. Faites-en une autre parallèle à 19 mm (¾ po). Retournez à l'endroit; repassez la couture.
2 Enfilez l'élastique dans l'ourlet et faites un rentré de 13 mm (½ po) à chaque bout. Cousez les bouts de l'élastique sur la couture. Faites un rentré de 13 mm (½ po) à chaque bout au niveau des bords vifs du tissu; repassez.
3 Centrez et cousez le ruban velcro sur la couture aux bouts du collier (côtés opposés).
4 Passez le collier du chien dans la gaine. Attachez celle-ci derrière la boucle.

Nourriture maison pour chien

- ◆ **450 g (1 lb) de bœuf haché**
- ◆ **2 œufs durs**
- ◆ **4 tasses de riz cuit**
- ◆ **6 tranches de pain blanc émietté**
- ◆ **2 c. à thé d'huile végétale**
- ◆ **1 c. à soupe de poudre d'os**
- ◆ **1 comprimé de vitamine broyé**

ATTENTION S.V.P.

MIAM !

Il est souvent malaisé de faire avaler une pilule à un animal. Utilisez un de ses aliments préférés.

Chat. Écrasez 16 pilules dans du *beurre* fondu (½ bâtonnet). Réfrigérez. (Comptez 1 ½ c. à thé de beurre par pilule.) Réduisez des *foies de poulet* en purée. Congelez. Servez en tranches. Dissimulez la pilule dans 1 cuillerée de *fromage frais à tartiner*.

Chien. Dissimulez la pilule dans une cuillerée de *beurre d'arachide* ou bien dans une tranche ou une cuillerée de *fromage*.

1 Faites revenir la viande à feu moyen.
2 Tout en remuant, ajoutez les autres ingrédients, et un peu d'eau au besoin. La ration quotidienne est fonction du poids du chien : 2 kg (5 lb), ½ tasse; 4,50 kg (10 lb), 1 tasse; 9 kg (20 lb), 1 ½ tasse; 18 kg (40 lb), 3 tasses; 27 kg (60 lb), 4 tasses; 36 kg (80 lb) ou plus, 4 ½ tasses.
DONNE 6 TASSES

Biscuits maison pour chien

- ◆ **1 ¾ tasse de nourriture maison pour chien ou 2 boîtes de nourriture pour chien (450 g / 16 oz)**
- ◆ **1 tasse de son nature**
- ◆ **1 tasse de flocons d'avoine à l'ancienne**
- ◆ **½ tasse d'huile végétale**

1 Préchauffez le four à 120 °C (250 °F). Réduisez la nourriture en purée. Incorporez-y le son et les flocons d'avoine. Ajoutez lentement l'huile; le mélange doit avoir une consistance permettant d'en faire des rondelles ou de le rouler et de le découper en forme d'os.
2 Placez les biscuits sur une tôle non graissée. Faites-les cuire 3 h 30 ou jusqu'à ce qu'ils soient durs. Laissez-les refroidir; conservez-les dans une boîte fermée. (Se gardent un mois au frigo.)
DONNE 16 BISCUITS DE GROSSEUR MOYENNE

Poudre santé du Dr Pitcairn

Richard Pitcairn, un vétérinaire, a mis au point ce supplément en poudre nutritif. Les ingrédients se trouvent dans les boutiques d'aliments naturels. Voici les doses quotidiennes qu'il faut utiliser pour enrichir la nourriture du commerce : chat ou petit chien, 1 à 2 c. à thé; chien de taille moyenne, 2 à 3 c. à thé; gros chien, 1 à 2 c. à soupe.

- ◆ **2 tasses de levure de bière**
- ◆ **1 tasse de lécithine granulée**
- ◆ **¼ tasse de poudre de varech**
- ◆ **¼ tasse de poudre d'os**
- ◆ **1 000 mg de vitamine C broyée ou ¼ c. à thé d'ascorbate de sodium (facultatif)**

Mélangez tous les ingrédients. Conservez la poudre au réfrigérateur. Ajoutez-la à la nourriture de votre animal à l'heure des repas.
DONNE 1 LITRE (1 PTE) DE POUDRE

Désodorisant pour litière

La litière de votre chat doit demeurer exempte de mauvaises odeurs, autrement elle sera peu invitante pour votre animal. Renouvelez-la souvent.

- ◆ **bicarbonate de sodium**
- ◆ **litière**

Mélangez le bicarbonate de sodium et la litière dans une proportion de 1 : 3. Couvrez le fond du plat à litière de bicarbonate de sodium. Versez ensuite le mélange dans le plat.

Shampoing sec pour animaux

Votre animal n'aime pas être mouillé ?

- ◆ **½ à 1 tasse de son**
- ◆ **½ à 1 tasse de flocons d'avoine ou de semoule de maïs**

1 Préchauffez le four à 100 °C (200 °F). Combinez les ingrédients sur une tôle à biscuits. Réchauffez-les au four pendant 5 minutes.
2 Appliquez le shampoing chaud sur le pelage et frottez avec une serviette. Puis brossez les poils pour éliminer le shampoing et les saletés.

◆ Maisons d'oiseaux sur mesure ◆

Une bonne façon d'attirer vos oiseaux favoris consiste à fabriquer des maisons adaptées à leurs besoins. Chez les oiseaux comme chez les êtres humains, l'emplacement du logis a une importance primordiale. Pour trouver des locataires, situez vos maisons près d'une source d'eau et de nourriture.

Nichoir pour merles

Certains oiseaux, comme le merle, l'hirondelle des granges, le carouge et le moucherolle, préfèrent nicher dans une maison ouverte sur le devant.

- **mur arrière de 2 x 25 x 40 cm (⅞ x 10 x 16 po) en cèdre**
- **toit de 2 x 21 x 25 cm (⅞ x 8 ½ x 10 po) en cèdre**
- **plancher de 2 x 12,5 x 12,5 cm (⅞ x 5 x 5 po) en cèdre**
- **murs latéraux de 2 x 18,75 x 26 cm (⅞ x 7 ½ x 10 ½ po) en cèdre**
- **bordure de 13 mm x 19 mm x 17,5 cm (½ x ¾ x 7 po) en cèdre**
- **8 vis à bois nº 10 en laiton de 3,75 cm (1 ½ po), 2 pointes de 2,5 cm (1 po) en laiton, 4 clous à finir galvanisés 6d**

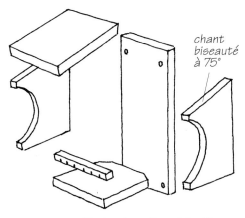

chant
biseauté
à 75°

- ◆ **calfeutrant acrylique à la silicone**
- ◆ **vis à bois de 5 cm (2 po) en laiton ou fil de fer**

Trois maisons conçues pour attirer certains oiseaux dans le jardin. De haut en bas : maison à toit bleu pour mésanges ; nichoir pour merles ; maison à toit de bardeaux pour troglodytes.

Coupe

1 Découpez les pièces décrites dans la liste des matériaux ; utilisez du cèdre lisse d'un seul côté. Biseautez un chant du toit à 75 degrés, de façon que le côté lisse soit orienté vers le haut pour faciliter l'écoulement de l'eau de pluie. Biseautez un chant de chaque mur latéral à 75 degrés (vue éclatée, p. 211). Sciez les murs latéraux de façon que le côté lisse soit orienté vers l'intérieur. Rognez les coins arrière du plancher pour permettre l'écoulement de l'eau de pluie.

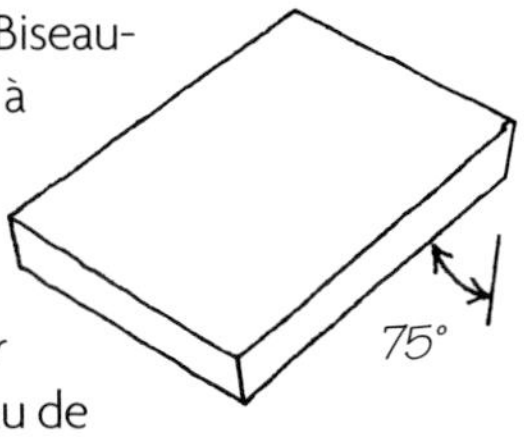

2 Les courbes latérales sont facultatives. Utilisez un pot de café en guise de gabarit. Effectuez les coupes avec une scie sauteuse ou à chantourner.

3 Certains chants de la maison (photo, p. 211) sont arrondis à la toupie. Vous pouvez les arrondir avec du papier abrasif ou les laisser droits.

4 Sciez la bordure aux dimensions utiles. Sur un côté, faites une série d'entailles de 19 mm (¾ po) à l'aide d'une scie à table ou d'une égoïne.

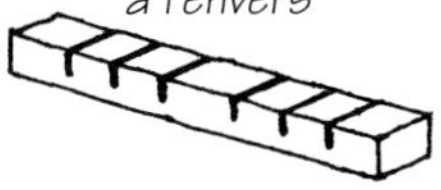

pièce présentée à l'envers

5 Percez des trous de fixation de 6 mm (¼ po) de diamètre dans chaque coin arrière.

Assemblage

1 Assemblez les murs arrière et latéraux. Percez des avant-trous dans le mur arrière ; prolongez-les dans les chants des murs latéraux. Fraisez chaque avant-trou à l'arrière ; logez-y ensuite une vis de laiton pour solidariser les pièces. Clouez le plancher ; noyez légèrement les têtes de clous.

2 Appliquez du calfeutrant sur le chant arrière du toit. Fixez le toit avec quatre clous à finir.

3 Fixez la bordure avec les pointes.

Installation

1 Pour fixer la maison sur un haut poteau de clôture ou sous un avant-toit de grange, utilisez des vis à bois de 5 cm (2 po). Logez les vis dans les trous de fixation.

2 Pour fixer la maison sur un arbre, faites passer un fil de fer dans les trous de fixation et autour du tronc. Arrêtez le fil avec une pince.

Maison pour mésanges

Cette maison attire aussi la sittelle et le pic. Placez-la dans un endroit semi-ombragé.

- ◆ **planche de pin de 19 mm x 10 x 40 cm (¾ x 4 x 16 po) pour le plancher et les murs latéraux**
- ◆ **planche de pin de 2,5 x 25 x 40 cm (1 x 10 x 16 po) pour les murs avant et arrière**
- ◆ **planche de pin de 19 mm x 17,5 x 18,75 cm (¾ x 7 x 7 ½ po) pour le versant court du toit**
- ◆ **planche de pin de 19 mm x 17,5 x 20,6 cm (¾ x 7 x 8 ¼ po) pour le versant long du toit**
- ◆ **baguette d'angle de 2,8 x 2,8 x 18,75 cm (1 ⅛ x 1 ⅛ x 7 ½ po)**
- ◆ **clous à finir galvanisés 6d**
- ◆ **4 vis à bois n° 10 en laiton de 3,75 cm (1 ½ po)**
- ◆ **tuyau galvanisé de 19 mm (¾ po) de diamètre et 1,80 m (6 pi) de long, fileté à un bout, et bride de sol galvanisée s'y adaptant**
- ◆ **4 vis à tôle n° 10 de 2,5 cm (1 po)**

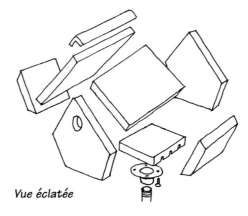

Vue éclatée

1 Découpez un plancher de 10 x 10 cm (4 x 4 po). À l'aide d'une égoïne, faites-y trois entailles sur deux chants opposés.

2 Découpez des murs latéraux de 10 x 10 cm (4 x 4 po). Biseautez-les à 120 degrés à la base, à 105 degrés au sommet.

entailles

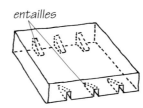

3 Découpez deux pièces de 18 cm (7 ⅜ po) de long dans le 1 x 10. Ce seront les murs avant et

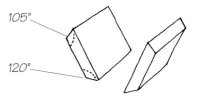

arrière. Percez un trou de 2,8 cm (1 ⅛ po) de diamètre dans le mur avant, à 11,6 cm (4 ⅝ po) d'un mur latéral et à 5,3 cm (2 ⅛ po) du faîte. Clouez les murs avant et arrière au plancher et aux murs latéraux avec les clous à finir.

4 Découpez les versants du toit. Le versant court mesure 19 mm x 17,5 x 18,75 cm (¾ x 7 x 7 ½ po) ; le versant long, 19 mm x 17,5 x 20,6 cm (¾ x 7 x 8 ¼ po). Appuyez le bout du versant

trou de 2,8 cm (1 ⅛ po) de diamètre (avant)

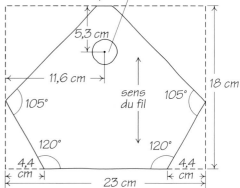

Vue avant et arrière

court sous le versant long. Clouez les versants. La maison illustrée présente un biseau de 6 mm (¼ po) le long du sommet et de la base du toit et sur les chants extérieurs au bas des murs avant et arrière. Pour ajouter ce détail, effectuez le toupillage à cette étape-ci. Sciez la baguette d'angle à la longueur utile et collez-la sur le faîte du toit ; elle doit dépasser de 6 mm (¼ po) à l'avant et à l'arrière.

5 Mettez le toit en place ; centrez-le d'avant en arrière. Percez quatre avant-trous fraisés traversants dans le toit. Logez-y les vis à bois en laiton. Vous pourrez ainsi retirer le toit pour nettoyer l'intérieur de la maison.

6 Appliquez un apprêt et deux couches de finition sur l'extérieur de la maison.

7 Percez sous la maison des avant-trous borgnes où vous logerez les vis de la bride de plancher. Fixez la bride avec les vis à tôle. Fichez le tuyau galvanisé dans du ciment (p. 200). Vissez la maison au bout du tuyau.

Maison pour troglodytes
Placez-la où le soleil brille une partie du jour.

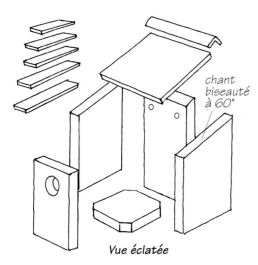

- **plancher de 2 x 10 x 10 cm (⁷⁄₈ x 4 x 4 po) en cèdre**
- **mur arrière de 2 x 10 x 23,75 cm (⁷⁄₈ x 4 x 9 ½ po) en cèdre**
- **mur avant de 2 x 10 x 15,6 cm (⁷⁄₈ x 4 x 6 ¼ po) en cèdre**
- **murs latéraux de 2 x 14 x 23,75 cm (⁷⁄₈ x 5 ¼ x 9 ½ po) en cèdre**
- **bardeau de cèdre de 16,25 x 18,75 cm (6 ½ x 7 ½ po)**
- **chutes de bardeaux de cèdre**
- **baguette d'angle de 2,5 x 2,5 x 16,25 cm (1 x 1 x 6 ½ po)**
- **clous ordinaires galvanisés 6d**
- **clous à finir galvanisés 6d**
- **colle à bois d'extérieur**
- **calfeutrant à la silicone**

chant biseauté à 60°

Vue éclatée

Murs et plancher

1 Cette maison est faite de cèdre lisse d'un seul côté. Découpez les pièces aux dimensions utiles, de façon à orienter le côté lisse vers l'intérieur : cela facilitera le nettoyage. Rognez

les coins du plancher pour assurer l'écoulement de l'eau de pluie. Biseautez le chant supérieur du mur arrière. Sciez le haut des murs latéraux à 60 degrés.

2 À l'aide d'une perceuse et d'une mèche plate de 3 cm (1 ¼ po), percez un trou centré dans le mur avant, à 5 cm (2 po) du chant supérieur. Percez des trous de fixation dans le mur arrière.

3 Fixez les murs latéraux au mur arrière avec les clous à finir. Clouez ensuite le plancher. Positionnez le mur avant. Percez obliquement deux trous de 3 mm (⅛ po) de diamètre dans chaque mur latéral, en prenant soin de les prolonger dans les chants du mur avant. Logez un clou dans chaque trou. (L'inclinaison des trous fait en sorte que les clous restent bien en place.)

Toit

1 Découpez à partir du bout épais d'un bardeau de cèdre une pièce de 16,25 cm (6 ½ po) de large et d'environ 18,75 cm (7 ½ po) de long.

Clouez-la au sommet des murs latéraux ; utilisez trois clous à finir de chaque côté.

2 Façonnez les bardeaux miniatures dans des chutes de bardeaux de cèdre. Effectuez le sciage à partir du bout mince. Il vous faut cinq bardeaux de 16,25 cm (6 ½ po) de large, ayant respectivement 18,75, 16,25, 13, 9 et 5,6 cm (7 ½ , 6 ½ , 5 ¼ , 3 ¾ et 2 ¼ po) de long. Découpez-les avec un couteau universel pour obtenir des pièces de diverses largeurs, variant de 1,5 à 2,8 cm (⅝ -1 ⅛ po) environ.

3 Inclinez la maison vers l'arrière pour mettre le toit de niveau ; calez-la dans cette position en vue de la pose et du collage des bardeaux.

4 Positionnez le premier rang de bardeaux. Les bardeaux doivent être légèrement espacés ; modifiez leur largeur au besoin. Retirez les bardeaux quand l'ajustement est bon. Encollez

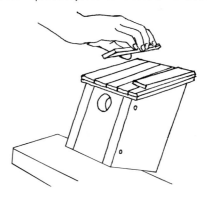

tout le toit, hormis le bas du versant sur 2,5 cm (1 po). Posez ensuite les bardeaux.

5 Ajustez et posez le reste des bardeaux ; orientez-les de façon que leur chant supérieur soit parallèle au faîte du toit. Décalez-les d'un rang à l'autre.

6 Pendant que la colle sèche, lestez les bardeaux d'un sac de riz, de fèves ou de sable.

7 Utilisez une baguette d'angle en guise de faîtière. Sciez-la à la longueur utile et fixez-la avec du calfeutrant à la silicone. Le toit de la maison devra demeurer à peu près de niveau pendant au moins deux jours avant que vous n'installiez la maison à l'extérieur.

8 Installez la maison sur un arbre en faisant passer un fil de fer dans les trous de fixation ou bien fixez-la sur un tuyau par une bride de sol (voir Maison pour mésanges, étape 7).

Nourrir la faune ailée

Invitez la nature dans votre jardin en y installant une mangeoire que vous approvisionnerez toute l'année à l'intention des oiseaux de votre région et de ceux qui y passent au cours de leurs migrations annuelles. Une fois qu'ils auront repéré votre mangeoire, les oiseaux y reviendront.

Mangeoire classique

Vous pouvez suspendre cette mangeoire ou bien l'installer au bout d'un tuyau (p. 200).

- **2 murs de 2 x 18,75 x 22,5 cm (⅞ x 7 ½ x 9 po) en cèdre**
- **base de 2 x 18,75 x 25 cm (⅞ x 7 ½ x 10 po) en cèdre**
- **2 versants de toit de 2 x 12,5 x 32,5 cm (⅞ x 5 x 13 po) en cèdre**
- **2 rebords de réservoir de 2 x 3,75 x 29,4 cm (⅞ x 1 ½ x 11 ¾ po) en cèdre**
- **2 supports de perchoir de 2 x 3,75 x 31 cm (⅞ x 1 ½ x 12po) en cèdre**
- **goujon en bois de 65 cm (26 po) de long et 13 mm (½ po) de diamètre (pour les perchoirs)**
- **2 plaques de plexiglas de 13,75 x 24,70 cm (5 ½ x 9 ⅞ po)**
- **1 quart-de-rond de 9 mm (⅜ po)**
- **20 clous à tête ovale laitonnés**
- **clous à finir galvanisés 6d**
- **broquettes tranchées en aluminium**
- **chambre à air de bicyclette**
- **1 clou ordinaire galvanisé 6d**
- **papier abrasif (80)**

1 Découpez les murs, la base et le toit ; utilisez du cèdre lisse d'un seul côté.

2 Fixez les murs à la base avec les clous à finir. Orientez le côté rugueux de la base vers le bas et le côté lisse des murs vers l'extérieur. Utilisez trois clous de chaque côté ; noyez leur tête.

3 Taillez le plexiglas aux dimensions utiles. Laissez la pellicule protectrice en place et entaillez le matériau profondément avec un couteau universel ; utilisez une règle de métal

Vue éclatée

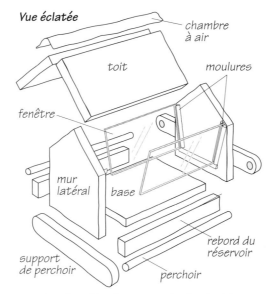

chambre à air
toit
moulures
fenêtre
mur latéral
base
support de perchoir
perchoir
rebord du réservoir

en guise de guide. Cassez ensuite le plexiglas d'un coup sec au niveau de l'entaille.

4 Débitez le quart-de-rond en 10 pièces de 13,4 cm (5 ⅜ po) de long. Fixez chaque pièce sur les murs avec deux clous à tête ovale. Utilisez une chute de la moulure en guise de cale d'espacement pour maintenir la base des pièces intérieures à 9 mm (⅜ po) du plancher. Centrez la pièce du bas et fixez-la sur le mur. Alignez les pièces extérieures sur les bouts de la pièce du bas et les coins supérieurs des murs. Posez-les. Utilisez une chute de plexiglas en guise de cale d'espacement pour position-ner les pièces intérieures. Laissez d'un côté un espace suffisamment large pour vous per-mettre de retirer le plexiglas quand il faudra réapprovisionner la mangeoire. L'autre panneau de plexiglas sera fixe. Détachez la pellicule pro-tectrice et posez les panneaux de plexiglas.

5 Positionnez un versant de toit, côté rugueux vers le bas, du côté de la fenêtre fixe. Alignez son sommet sur le faîte, uniformisez ses avancées et fixez-le avec quatre clous à finir.

6 Découpez les rebords du réservoir. Poncez les chants supérieurs. Fixez les rebords à ras de la base avec deux clous à finir de chaque côté.

7 Façonnez les supports des perchoirs. Percez un trou de 6 mm (¼ po) de profondeur à cha-que extrémité avec une mèche plate de 13 mm (½ po), à 19 mm (¾ po) de chaque chant et du bout du support. Coupez les coins à 45 degrés, puis arrondissez-les avec du papier abrasif. Posez un des supports avec des clous à finir.

8 Débitez le goujon en deux tronçons de 32,5 cm (13 po). Vérifiez l'ajustement et taillez les goujons de façon que le second support bute contre le mur. Logez les goujons dans les trous et clouez le second support.

9 Découpez une pièce de 32,5 cm (13 po) de long dans la chambre à air ; attachez-la au côté fixe du toit avec les broquettes. Positionnez le second versant et attachez-y la chambre à air. Percez un trou de 3 mm (⅛ po) dans le chant d'un mur depuis le second versant ; logez-y le clou ordinaire 6d. Il suffira de retirer ce clou à la main pour réapprovisionner la mangeoire.

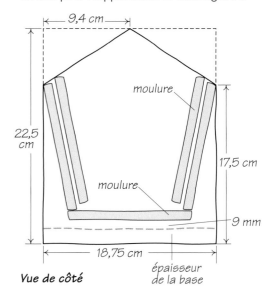

9,4 cm
moulure
22,5 cm
17,5 cm
moulure
9 mm
18,75 cm
épaisseur de la base

Vue de côté

Ces deux mangeoires – l'une fabriquée à partir d'un tuyau de plastique, l'autre plus classique en bois – peuvent être suspendues par une chaîne à un crochet fixé dans un avant-toit ou à la charpente d'un porche.

(1 ½ po) au-dessus de chaque trou de perchoir.

3 Découpez un regard de 3,75 cm (1 ½ po) de largeur et de 6,25 cm (2 ½ po) de hauteur au bas du tuyau. Percez d'abord un trou avec une mèche plate. Achevez le travail avec une scie sauteuse ou passe-partout. Taillez ensuite une pièce de plastique transparent de 7,5 x 10 cm (3 x 4 po) dans un contenant alimentaire. Fixez la pièce de plastique derrière le regard avec du papier-cache ; percez quatre trous de 1,5 mm (¹⁄₁₆ po) dans les coins de la pièce, à travers le tuyau. Logez les boulons mécaniques dans les trous ; posez les rondelles éventails et les écrous. Retirez le papier-cache.

4 Découpez un capuchon de 6,25 cm (2 ½ po) dans le seau avec des cisailles.

5 Renversez le seau sur le tuyau et centrez-le. Percez deux trous opposés de 5 mm (³⁄₁₆ po) dans le fond du seau, tout près de la paroi extérieure du tuyau. Percez deux trous à 13 mm (½ po) sous le sommet du tuyau. Retirez l'anse du seau ; elle servira à suspendre la mangeoire.

6 Sciez trois perchoirs de 23 cm (9 ¼ po) de long dans un goujon de bois. Arrondissez les bouts avec du papier abrasif. Logez un perchoir dans les trous du haut ; veillez à ce qu'il dépasse également des deux côtés. Faites deux marques sur le perchoir contre la paroi interne du tuyau. Retirez le perchoir et percez un trou dans chaque marque. Remettez le perchoir en place et logez une pointe de 2,5 cm (1 po) dans chaque trou à l'aide d'une pince à bec long. Percez et posez tous les perchoirs ainsi. Faites-les ensuite pivoter d'un quart de tour pour que les pointes exercent une pression contre la paroi. Mettez du calfeutrant à la silicone sur les pointes pour obturer les trous des perchoirs.

7 Collez le bouchon en ABS au bas du tuyau.

8 Posez le capuchon : logez les bouts de l'anse dans les trous du capuchon et du tuyau ; pliez-les avec une pince. Pour remplir la mangeoire, glissez le capuchon vers le haut de l'anse.

9 Suspendez la mangeoire à une branche ou à la charpente d'un porche à l'aide d'une chaîne.

Mangeoire à suspendre

Cette mangeoire est très facile à fabriquer.

- **tuyau de plastique léger de 10 cm (4 po) de diamètre et 45 cm (18 po) de long**
- **bouchon de tuyau de plastique de 4 po (10 cm) de diamètre**
- **4 boulons mécaniques nº 6 de ½ po (13 mm) de long avec rondelles éventails et écrous**
- **seau en plastique (2 litres/80 oz)**
- **3 goujons en bois de 9 mm x 23 cm (³⁄₈ x 9 ¼ po)**
- **colle pour ABS, papier abrasif (80)**
- **6 pointes de 1 po (2,5 cm)**
- **calfeutrant à la silicone**

1 Sciez le tuyau à une longueur de 45 cm (18 po). Ébarbez-le avec le papier abrasif.

2 Marquez l'emplacement de trois trous de perchoir équidistants. Percez les trous lentement avec une mèche plate de 9 mm (³⁄₈ po). Logez un goujon dans les trous et marquez l'emplacement des trous correspondants du côté opposé. Percez les trous. Percez un trou avec un foret de 5 mm (³⁄₁₆ po) à 3,75 cm

215

◆ Bains d'oiseaux ◆

Pour attirer les oiseaux sur vos mangeoires ou dans vos nichoirs, vous devez aussi leur offrir une source d'eau facilement accessible. Après avoir vu certains oiseaux batifoler dans une vasque, vous jurerez qu'ils y viennent seulement pour s'amuser !

Vasque sur souche

Toute souche peut servir à créer une vasque de ce type. Celle qui est illustrée sur la photo ci-contre est en érable. Renouvelez l'eau chaque jour pour empêcher la prolifération des moustiques. Si la souche a été sciée obliquement, creusez le sol dessous afin que la soucoupe se retrouve bien de niveau.

- **souche de 35 cm (14 po) de diamètre ou plus**
- **soucoupe de pot à fleurs en céramique ou en plastique de 30 cm (12 po) de diamètre**
- **crayon gras ou marqueur**
- **toupie et couteau à rainurer**

1 Tracez au centre du sommet de la souche un cercle du diamètre de la soucoupe à l'aide d'un crayon gras ou d'un marqueur. Si le fond de la soucoupe est évasé, retournez celle-ci et tracez le contour du rebord. Tracez ensuite un second cercle à l'intérieur du premier.

2 Munissez la toupie du couteau à rainurer.

3 N'essayez pas d'évider la souche en une seule passe – vous devrez en effectuer au moins trois ou quatre, selon la puissance de la toupie, en augmentant la profondeur de passe de l'une à l'autre. Faites d'abord un trou centré de 10 cm (4 po) de diamètre et évidez la souche jusqu'à atteindre la profondeur utile.

4 Ajustez la saillie du mandrin pour effectuer une coupe peu profonde et commencez à élargir le trou vers l'extérieur. Grâce à cette technique, la semelle de la toupie demeure solidement appuyée sur la souche.

5 Placez la soucoupe dans l'évidement pour vérifier l'ajustement. Retravaillez l'évidement au besoin. Pour empêcher l'accumulation d'eau sous la soucoupe, appliquez du calfeutrant à la silicone incolore sous le rebord de la soucoupe avant de placer celle-ci dans l'évidement.

6 Appliquez un produit de préservation du bois sous la souche. Installez la vasque.

Vasque à suspendre

Cette vasque est facile à fabriquer, mais le travail du fil de fer demande une certaine habitude. Placez la vasque dans un lieu abrité ; elle attirera plus d'oiseaux et sera moins secouée par le vent. Rentrez-la les jours de grand vent.

- **corde à linge gainée**
- **60 cm (2 pi) de fil galvanisé de calibre 14**
- **2,40 m (8 pi) de chaînette**
- **4 crochets en S de 19 mm (¾ po)**
- **soucoupe en céramique émaillée ou en plastique de 30 cm (12 po) de diamètre**
- **anneau à clés en métal**

1 Coupez un tronçon de corde à linge d'une longueur égale au diamètre de la soucoupe (mesuré juste sous le rebord), majorée de 10 cm (4 po). Formez un anneau, puis ligaturez les bouts de la corde à linge qui se chevauchent avec du fil de fer galvanisé (ci-dessous) ; tournez le fil cinq fois autour de la corde à linge et

retranchez le surplus de fil. Rabattez chaque bout de la corde à linge sur la ligature (en bas).

FABRICATION DE LA VASQUE SUR SOUCHE

1 *Tracez un cercle du diamètre de la soucoupe à peu près au centre de la souche. Si la soucoupe est évasée, l'évidement devra être assez grand pour recevoir sa partie la plus large.*

2 *Faites un trou de 10 cm (4 po) de diamètre au centre de la souche, en trois ou quatre passes au moins, en augmentant la profondeur de passe de l'une à l'autre. Élargissez ensuite le trou vers l'extérieur.*

3 *Vérifiez l'ajustement. Retravaillez l'évidement au besoin. Pour protéger le bois, appliquez du calfeutrant à la silicone incolore sous le rebord de la soucoupe avant de placer celle-ci dans l'évidement.*

2 Débitez trois tronçons de fil de fer galvanisé de 12,5 cm (5 po) de long. Bouclez un bout de chaque tronçon avec une pince à bec long. Accrochez les boucles à l'anneau en les espaçant également, puis pincez-les solidement (ci-dessous). Pliez les bouts des tronçons de fil de fer de façon qu'ils épousent le profil de la soucoupe si celle-ci est en céramique. Si vous utilisez une soucoupe en plastique, laissez les bouts droits à cette étape-ci.

3 À mi-chemin des tronçons de fil de fer, glis-

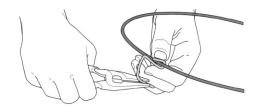

sez trois crochets en S sur l'anneau en prenant soin de les espacer également. Orientez l'ouverture supérieure du S vers l'extérieur. Fermez les crochets en S sur l'anneau avec une pince.

4 Placez la soucoupe de céramique dans l'anneau. Glissez le bout plié des tronçons de fil de fer par-dessus le rebord ; ainsi, la soucoupe ne glissera pas hors de l'anneau quand les oiseaux s'y poseront ou quand le vent la secouera. Coupez les tronçons de fil de fer tout près de la base de la soucoupe. Si vous utilisez une soucoupe de plastique, percez des trous dans le rebord de la soucoupe directement au-dessus de chaque tronçon de fil de fer. Logez le bout droit des tronçons de fil de fer dans les trous et repliez-le sur le rebord.

5 Débitez trois tronçons de chaîne de 60 cm (2 pi) de long. Glissez un bout de chaque chaîne dans l'ouverture d'un crochet en S. Fermez les crochets de façon qu'ils retiennent les chaînes.

6 Unissez les bouts libres des chaînes dans l'anneau à clés (ou un gros crochet en S). Suspendez la vasque à une branche, par une corde résistant aux intempéries passée dans l'anneau. Remplissez la vasque d'eau fraîche chaque jour.

Une vasque d'oiseaux sur souche (en avant-plan) et une vasque d'oiseaux suspendue (en arrière-plan) se fondent ici dans le décor d'un jardin. Des soucoupes en céramique peu profondes servent à contenir l'eau.

◆ Abris de chauves-souris et de papillons ◆

Parfois, le meilleur moyen d'attirer des animaux utiles dans un jardin est de leur offrir de bons abris.
Les chauves-souris, qu'on n'associait naguère qu'aux films d'horreur et à l'Halloween, sont maintenant
appréciées en tant qu'insectivores voraces. Outre qu'ils sont jolis, les papillons pollinisent les plantes.

Les chauves-souris entrent dans cet abri par le bas et s'accrochent aux cloisons pour se reposer.

Abri de chauves-souris
Cet abri peut loger jusqu'à 50 chauves-souris.

- **murs latéraux de 19 mm x 17 cm x 60 cm (¾ x 6 ¾ x 24 po)**
- **mur arrière de 19 mm x 18,75 cm x 65 cm (¾ x 7 ½ x 26 po)**
- **mur avant de 19 mm x 18,75 cm x 50,6 cm (¾ x 7 ½ x 20 ¼ po)**
- **toit de 19 mm x 18,75 cm x 25 cm (¾ x 7 ½ x 10 po)**
- **contreplaqué de lauan de 6 mm (¼ po)**
- **moulure en pin de 13 x 19 mm x 3,60 m (½ x ¾ po x 12 pi)**
- **grillage métallique galvanisé de 60 cm (24 po) de large, de calibre 19, à mailles de 13 mm (½ po)**
- **agrafes, colle à bois d'extérieur**
- **clous à finir galvanisés de 3,8 cm (1 ½ po)**
- **apprêt et peinture d'extérieur**

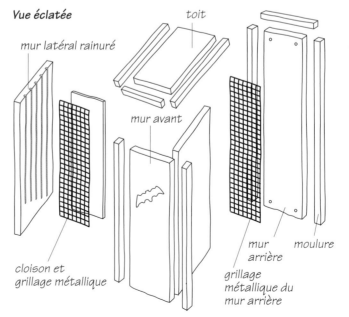

Vue éclatée

mur latéral rainuré

toit

mur avant

cloison et grillage métallique

mur arrière

grillage métallique du mur arrière

moulure

1 Découpez les murs et le toit dans du contreplaqué ou des planches de pin. Coupez un côté court du toit à 30 degrés.

2 Percez quatre trous de fixation de 6 mm (¼ po) de diamètre dans le mur arrière, à 2,5 cm (1 po) du chant supérieur ou inférieur et des chants latéraux.

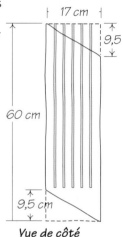

Vue de côté

17 cm

9,5 cm

60 cm

9,5 cm

3 Chaque mur latéral présente cinq rainures étagées où se logent des cloisons. Il est plus simple de rainurer les murs avant de scier ceux-ci obliquement. Laissez 2,5 cm (1 po) entre le bord gauche d'une rainure et le bord gauche de la rainure suivante. Utilisez une toupie munie d'un couteau droit de 6 mm (¼ po) de diamètre pour rainurer les murs à 6 mm (¼ po) de profondeur.

4 Sciez le sommet et la base des murs latéraux de la façon décrite dans la vue de côté.

5 Découpez cinq cloisons dans du contreplaqué de lauan. Chaque cloison doit avoir 16,25 cm (6 ½ po) de large et être aussi longue que la rainure où elle sera logée.

6 Découpez six pièces de grillage métallique aux dimensions des cloisons, à 2,5 cm (1 po) près. Agrafez-les sur les cloisons. Les chauves-souris s'y accrocheront.

7 Logez les cloisons dans les rainures. Positionnez le sommet des murs latéraux à 5 cm

(2 po) du sommet du mur arrière. Fixez les murs avant et arrière ainsi que le toit aux murs latéraux avec les clous à finir et la colle.

8 Poncez l'extérieur de l'abri. Appliquez-y ensuite un apprêt d'extérieur, puis deux couches de peinture d'extérieur.

9 Débitez la moulure aux dimensions utiles. Fixez-la avec de la colle et des clous à finir.

10 Installez l'abri sur un arbre ou un édifice, à au moins 6 m (20 pi) du sol.

11 L'ornement en forme de chauve-souris fixé sur le mur avant de l'abri est facultatif. Utilisez une scie sauteuse ou une scie à chantourner pour le découper dans du contreplaqué de lauan de 6 mm (¼ po) d'épaisseur.

Abri de papillons

Cet abri est un refuge pour les papillons qui ne migrent pas. C'est aussi un lieu de fraîcheur en été.

- **base de 2,19 x 8,75 x 8,75 cm (⅞ x 3 ½ x 3 ½ po) en cèdre**
- **murs latéraux de 2,19 x 8,75 x 45 cm (⅞ x 3 ½ x 18 po) en cèdre**
- **murs avant et arrière de 2,19 x 8,75 x 51,25 cm (⅞ x 3 ½ x 20 ½ po)**
- **chutes de bardeaux de cèdre**
- **baguette d'angle de 19 mm x 2,5 x 16,9 cm (¾ x 1 x 6 ¾ po)**
- **clous à finir galvanisés 6d**
- **bouton (ou poignée) de placard avec boulon de fixation**
- **pointes en aluminium de 2,5 cm (1 po) de long**
- **bouton à vis en zinc**
- **patte de 2,5 x 25 cm (1 x 10 po)**
- **vis galvanisées n° 10 de 2,5 cm (1 po)**

1 Découpez la base et les murs (utilisez du cèdre lisse d'un seul côté ; assemblez les pièces de façon à orienter le côté lisse vers l'extérieur). Rognez les coins de la base à 45 degrés pour permettre l'écoulement de l'eau de pluie.

2 Tracez les lignes de coupe sur les murs avant et arrière. Les fentes du mur avant sont mesurées entre les centres de trous qui seront percés. Percez un trou dans chaque marque avec une mèche plate de 13 mm (½ po). Sciez

le bois entre chaque paire de trous avec une scie sauteuse. Poncez le devant du mur avant et le pourtour des trous.

3 Assemblez l'abri. Fixez les murs avant et arrière à un mur latéral avec des clous à finir galvanisés 6d.

4 Installez la base en enfonçant deux clous dans le mur avant, deux clous dans le mur arrière et un clou dans chaque mur latéral.

5 Positionnez le mur latéral mobile avec des serre-joints. Percez un trou traversant de 3 mm (⅛ po) dans les murs avant et arrière, à 2,5 cm (1 po) sous le chant supérieur, et prolongez-le dans le chant du mur latéral. Les trous doivent être parfaitement alignés et avoir 5,3 cm (2 ⅛ po) de profondeur. Retirez les serre-joints. Mettez un peu de silicone dans les trous des murs avant et arrière pour y fixer deux clous à finir galvanisés 6d qui serviront de pivots.

6 Un bouton à vis en zinc sert à garder le mur latéral mobile fermé. Percez un trou où vous logerez la vis du bouton. Posez le bouton.

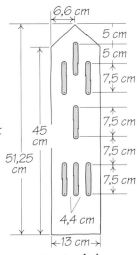

Vue de côté

6,6 cm
5 cm
5 cm
7,5 cm
45 cm
7,5 cm
51,25 cm
7,5 cm
7,5 cm
4,4 cm
13 cm

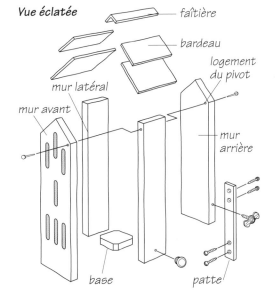

Vue éclatée

faîtière
bardeau
logement du pivot
mur latéral
mur avant
mur arrière
base
patte

Installez votre abri de papillons à moins de 1,50 m (5 pi) du sol, près des fleurs dont se nourrissent ces insectes.

7 Posez le bouton de placard au bas du mur latéral mobile. Pour y arriver, nous avons percé un trou fraisé de 13 mm (½ po) de diamètre et un trou traversant de 5 mm (³⁄₁₆ po).

8 Quatre pièces taillées dans des chutes de bardeaux forment le toit. Fixez-les sur les murs avec des pointes en aluminium de 2,5 cm (1 po). Fixez la faîtière avec du calfeutrant à la silicone.

9 Fixez des bandes d'écorce à la verticale dans l'abri. Les papillons s'y accrocheront.

10 Mieux vaut installer l'abri dans un jardin, au sommet d'un tuyau ou d'un poteau de clôture court. Pour installer l'abri sur un poteau, fixez une patte de 2,5 x 25 cm (1 x 10 po) sur le mur arrière avec des vis galvanisées. Vissez ensuite la patte sur un côté du poteau.

Jardin et potager

Un potager regorgeant d'herbes et de légumes frais destinés à des repas santé pris en famille, un massif de fleurs multicolores qui sauront égayer toutes les pièces de la maison, une jardinière de patio débordant de fraises rouges et mûres à souhait – voilà quelques-uns des plaisirs que le présent chapitre met à votre portée.

Les nombreuses idées d'aménagement que nous vous proposons vous permettront d'utiliser au mieux le précieux espace dont vous disposez autour de la maison, non seulement pour jardiner, mais aussi pour vous reposer. En suivant nos instructions, vous pourrez notamment intégrer différentes structures artificielles dans un environnement naturel, transformer une moitié de tonneau en un minuscule bassin, bâtir une tonnelle pour vos rosiers grimpants, créer une clôture rustique, pratiquer l'art topiaire sur des arbustes communs, aménager une allée courbe de briques ou de graviers ou encore installer des treillages aux lignes fuyantes qui, comme par magie, modifieront la perspective et élargiront l'horizon de votre jardin.

Des techniques d'entretien à la fois faciles et écologiques – compostage, lutte contre les insectes et les animaux nuisibles sans produits chimiques toxiques, etc. – figurent également parmi les sujets abordés.

AVANT DE COMMENCER...

Il est possible de transformer un jardin ordinaire en un havre de tranquillité. Tout en prenant soin de vos plantes,
vous pouvez modifier l'apparence d'un paysage en y intégrant des bancs, des tonnelles, des bassins
et des jardinières de votre cru. Dans le présent chapitre, nous décrivons les étapes à suivre pour y parvenir.

TRANSFORMEZ votre jardin en un espace extérieur aussi invitant qu'une pièce de votre maison. Vous pouvez façonner et unifier un paysage naturel en y intégrant des allées, des jardinières, des ornements, des meubles et diverses structures. Une allée de pierres, par exemple, crée une impression de mouvement fluide le long d'une bordure de fleurs. Un treillage où s'épanouit une abondante floraison devient un centre d'intérêt majestueux. Une tonnelle rustique invite le visiteur à la rêverie. En fabriquant ces éléments vous-même, vous faites de votre jardin une création toute personnelle. La plupart des idées décrites dans le présent chapitre peuvent être adaptées aux caractéristiques de votre jardin, à vos besoins et à vos préférences.

Planification

Au moment de planifier l'aménagement de votre jardin, songez que les clôtures, les allées, les treillages – même la maison – peuvent servir d'arrière-plan à vos plantes. Plantez des haies autour d'un banc pour créer un coin lecture abrité. Creusez un bassin pour cultiver de délicates plantes aquatiques. Construisez des formes pour pratiquer l'art topiaire. Vous pourriez même faire fond sur des éléments naturels pour agrémenter votre jardin. Pourquoi ne pas substituer des haies taillées aux clôtures, des vignes aux treillages, des plantes tapissantes aux bordures de jardin?

Un plan, même sommaire, vous guidera dans l'agencement des divers éléments que vous désirez inclure dans votre jardin. Dessinez d'abord les éléments fixes (murs, clôtures, escaliers, allées). Notez les rénovations nécessaires, comme l'aménagement d'une nouvelle allée. Une allée rectiligne en béton sera moins coûteuse et plus facile à créer que toute autre, mais une allée courbe de briques ou de pierres s'avérera beaucoup plus invitante. Il importe d'aborder ce genre de détail à l'étape de la planification.

Ensoleillement

En connaissant la position du soleil au cours des différentes saisons, vous serez en mesure de choisir le meilleur emplacement pour la terrasse, la piscine, le barbecue, le potager, un coin lecture, etc. De ce fait, vous pourrez profiter au mieux de toutes les possibilités qu'offre votre jardin.

Durant la plus grande partie de l'année, le soleil brille au sud-est le matin et au sud-ouest l'après-midi; l'ombre des arbres plantés à l'est et à l'ouest peut donc contribuer à rafraîchir la maison durant l'été. Comme le soleil est bas en hiver, ses rayons passent sous les branches inférieures, créant aussi des ombres plus longues. En été, la position du soleil est à son zénith et donc plus verticale par rapport à la surface de la terre.

Rappelez-vous toujours que le côté nord d'une maison est moins éclairé que le côté sud et que les vents du nord sont généralement plus froids que ceux du sud. Les plantes exposées au nord doivent par conséquent être rustiques et tolérer l'ombre et le vent.

AMÉNAGEMENT D'UNE ALLÉE DE BRIQUES OU DE PIERRES

1 *Délimitez temporairement l'allée à l'aide d'une bordure en bois. Utilisez des bandes de contreplaqué ou de bois de rebut de 15 cm (6 po) de largeur et de 19 mm (¾ po) d'épaisseur. Choisissez du bois traité pour une bordure permanente.*

2 *Délimitez une allée courbe à l'aide d'un cordeau et de piquets plantés à 45 cm (18 po) d'intervalle. Sciez une série de traits à mi-bois dans la bordure avant de la clouer aux piquets pour la rendre plus souple et plus facile à cintrer.*

3 *Creusez le sol entre les bordures de façon que les briques affleurent leur sommet une fois posées sur une couche de sable de 6 cm (2½ po) d'épaisseur. Étalez le sable au râteau. Vérifiez l'horizontalité de l'assise avec un niveau avant de damer.*

4 *À partir d'un coin et agenouillé sur une planche, positionnez les briques en fonction du motif choisi. Une fois le travail achevé, comblez les joints avec du sable fin à l'aide d'un balai et mouillez l'allée d'un fin jet d'eau.*

TRAVAIL DU FIL DE FER

LA CONFECTION des objets en fil de fer dont il est question dans le présent chapitre nécessite du fil de calibre 10 à 22, en vente dans les quincailleries. Vous aurez aussi besoin de gants de travail et d'une pince à bec long; un étau peut être utile au moment de plier le fil.

Pour former un anneau, utilisez une casserole renversée du diamètre voulu. Appuyez le pied sur la poignée de la casserole pendant que vous cintrez le fil. Formez un crochet à chaque bout de l'anneau en pliant le fil sur 1 cm (½ po) avec une pince. Pour finir, enlacez les crochets.

Effectuez l'empotage ou le dépotage des plantes sur une table qui vous arrive à la ceinture, dans un lieu se prêtant à ce travail salissant (cuisine, garage, véranda).

Zone de rusticité

Le secret de la culture de plantes réussie consiste à travailler *avec* la nature. Identifiez d'abord votre zone de rusticité (carte ci-contre), déterminée par les températures minimales moyennes d'hiver, la couverture de neige, les périodes sans gel, les taux de précipitation, l'humidité et la vitesse du vent. Choisissez des plantes indigènes dans votre région ou adaptées à votre zone de rusticité; des détails à ce sujet figurent généralement dans les catalogues de vente par correspondance. Les zones de rusticité mentionnées dans les documents publiés aux États-Unis diffèrent de celles du Canada. Consultez votre pépiniériste pour faire des choix avisés.

Entretien du sol

Une terre saine et fertile est garante de la réussite en jardinage. L'apport de matière organique lors de l'aménagement d'une planche de culture vous évitera bien des tracas par la suite. Les engrais organiques d'origine animale, minérale et végétale amendent la terre. Avant la plantation, étalez sur le sol une couche de compost additionné de fumier bien composté de 10 cm (4 po) d'épaisseur et incorporez-la à la terre. Recommencez ce travail au moins deux fois par année. Après tout apport de compost, paillez le sol avec du gazon, des feuilles ou même des journaux.

223

◆ Potager ◆

Quoi de plus facile que de sortir derrière la maison pour cueillir des tomates-cerises bien fraîches ou encore la ciboulette qui relèvera le goût de l'omelette du déjeuner ? Un peu de préparation et un entretien régulier vous permettront de disposer durant tout l'été des ingrédients essentiels à de bons repas.

Un jardin en pots

Même si vous disposez de peu d'espace ou de peu de temps pour jardiner, vous pouvez cultiver quelques herbes et légumes dans un coin ensoleillé derrière la maison et ainsi disposer d'ingrédients frais durant tout l'été. Vous pouvez regrouper plusieurs jardinières de différentes tailles ou encore en superposer trois au moyen d'un support facile à fabriquer (p. 225). Les récipients en terre cuite sont beaux mais parfois coûteux ; les pots en plastique couleur de terre cuite sont plus légers et relativement bon marché.

◆ **3 jardinières hémisphériques de 38 à 60 cm (15-24 po)**
◆ **2 petits pots à fleurs d'au moins 12 cm (5 po) de hauteur**
◆ **moustiquaire en fibre de verre**
◆ **cisaille**
◆ **petit sac de gravier**
◆ **grand sac de terreau**
◆ **plants (herbes et légumes)**

1 Commencez par la jardinière la plus large. Couvrez le trou de drainage d'un morceau de moustiquaire et de 1 cm (½ po) de gravier. Placez un pot à fleurs renversé au centre.

2 Remplissez la jardinière de terreau jusqu'à 5 cm (2 po) du bord ; le pot renversé doit rester centré. Quelques poignées de fumier composté et un peu d'engrais à libération lente favoriseront la croissance des végétaux.

3 Placez la jardinière de taille moyenne au centre de la grande et répétez les étapes précédentes. Placez la plus petite jardinière au sommet des deux autres et remplissez-la de terreau. Vous voilà prêts à semer.

4 Réservez la jardinière du haut à une seule plante de grande taille ; placez des plantes basses ou aux tiges tombantes dans les autres jardinières. Appliquez de l'engrais liquide deux fois par mois. Éliminez les feuilles mortes.

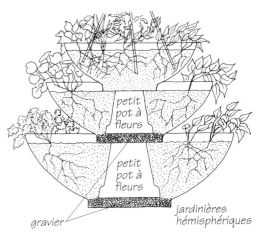

petit pot à fleurs

petit pot à fleurs

gravier

jardinières hémisphériques

Nos semis principaux se composent d'un mélange de légumes verts à salade, comprenant cresson, roquette, endive et laitue frisée, et d'herbes fréquemment utilisées, comme le basilic, le persil et la ciboulette. Des plantes à fleurs comestibles (capucine, souci et violette) tranchent sur le vert. Vous pourriez aussi planter des variétés naines de légumes comme le concombre, la carotte, la tomate, la courge, le poivron et l'aubergine.

FINES HERBES DU POTAGER

LE POTAGER MODERNE remonte aux clos des monastères médiévaux. Au Moyen Âge, les potagers prenaient la forme de plantations en rangs. Des allées couraient entre les alignements d'arbres fruitiers palissés, d'herbes et de légumes. De nos jours, cela constitue encore un aménagement de base valable.

Il est bon de commencer par les fines herbes quand on planifie un potager. Importantes dans la cuisine, elles sont également très utiles dans le potager, où on peut les planter pour délimiter les planches de culture, chasser les insectes et favoriser la croissance d'autres plantes. Beaucoup d'herbes occupent peu d'espace et conviennent parfaitement à la plantation en pots ou dans une petite planche. Certaines peuvent même remplacer le gazon dans les endroits peu passants.

En général, les fines herbes sont décoratives ; dotées de petites feuilles aromatiques et de minuscules fleurs, elles tranchent agréablement avec les plantes ornementales. Plantées sur le bord des planches, elles atténuent l'austérité des potagers géométriques. En les plaçant derrière des haies basses, on pourra facilement contenir leur tendance à devenir envahissantes.

La plupart des herbes aromatiques sont des plantes de plein soleil (au moins six heures d'ensoleillement par jour) qui ont besoin d'un sol bien drainé. Beaucoup, comme l'origan, le romarin et le thym, sont peu exigeantes quant à la fertilité du sol ; néanmoins, il convient d'étaler 5 cm (2 po) de fumier ou de feuilles bien compostés sur les planches de culture avant la plantation.

L'apport d'engrais complet et le paillage sont avantageux en été. Durant les étés pluvieux, il est possible de réduire l'humidité autour des fines herbes en paillant le sol avec du gravier. Une autre solution consiste à planter les fines herbes dans des pots et des planches surélevées.

Les jardinières superposées sont attrayantes. Tournez-les périodiquement pour que les plantes héliophiles reçoivent assez de lumière. Autrement, cultivez des plantes d'ombre du côté le moins ensoleillé.

Plate-bande d'herbes

Avec un peu de préparation, vous pourrez cueillir vos herbes au potager. Le rêve de tout cuisinier !

- ◆ **ruban à mesurer**
- ◆ **cordeau et piquets en bois**
- ◆ **équerre de menuisier**
- ◆ **bordure en cèdre (2 x 6)**
- ◆ **boulons ou pattes de fixation galvanisés ou en plastique**

1 Utilisez un ruban à mesurer, un cordeau et des piquets pour délimiter une plate-bande rectangulaire. Repérez les coins à l'aide des piquets ; tendez le cordeau entre les piquets. Assurez-vous que les coins sont d'équerre.

2 Posez la bordure. Boulonnez les coins des 2 x 6 ou joignez-les avec des pattes de fixation galvanisées ou en plastique.

3 Incorporez 5 cm (2 po) de fumier ou de feuilles compostés à la terre en bêchant toute la plate-bande sur une profondeur au moins égale à la longueur du fer de bêche.

4 Plantez des herbes hautes au centre et des herbes tapissantes sur les bords.

Tirez profit des qualités décoratives des herbes : la marjolaine, le thym et l'origan font un bel effet dans une plate-bande surélevée (ci-dessus). La cataire, la lavande, le fenouil bronze, l'aneth et le souci se marient bien (ci-contre). La plate-bande du haut doit son caractère ornemental à la diversité des formes et des feuillages et aux couleurs de la sauge et des capucines.

Plate-bande surélevée

La culture des légumes et des herbes nécessite un sol bien drainé. La plate-bande surélevée répond le plus efficacement à cet impératif. Elle offre assez d'espace pour incorporer fumier et compost à la terre et ainsi favoriser la croissance rapide de plantes saines. Ci-dessous, des bardeaux en bois servent à diviser une grande plate-bande. N'importe quel beau matériau naturel peut être utilisé à cette fin, notamment des ardoises, des pavés, des blocs de bois ou des pierres lisses.

- ◆ **papier quadrillé, crayon et règle**
- ◆ **cordeau, piquets en bois et marteau**
- ◆ **bordure en cèdre (2 x 6)**
- ◆ **boulons ou pattes de fixation galvanisés**
- ◆ **bardeaux de cèdre**

1 Dessinez le plan détaillé de votre potager, à l'échelle, sur du papier quadrillé.

2 Délimitez la plate-bande sur le terrain avec un cordeau et des piquets, selon le plan. Enfon-cez un piquet à chaque coin ; creusez entre les quatre coins une rigole où la bordure sera solidement assise. Si la terre est lourde, étalez 5 cm (2 po) de sable grossier ou de gravier dans la rigole.

3 Si le sol est pentu, placez les premiers éléments de la bordure sur une surface de

Des bardeaux de cèdre fichés côte à côte dans le sol forment des séparations belles et solides retenant bien la terre. Leur durée de vie devrait être d'environ 10 ans. Le plan de cette plate-bande se trouve à la page 228.

Une bordure surélevée permet d'incorporer facilement à la terre la riche matière organique nécessaire à la pousse des cultures (piments, endives et origan dans le jardin illustré). Des divisions intégrées dans la plate-bande permettent de planter, de nourrir et d'arroser chaque plante en fonction de ses besoins propres.

niveau. Installez les éléments suivants en gradins ou en terrasses pour suivre la pente naturelle du sol. Boulonnez les coins de la bordure ou joignez-les avec des pattes de fixation.

4 Aménagez des carrés dans la plate-bande en fichant des bardeaux dans le sol. Ne laissez aucun jeu entre les bardeaux.

5 Bêchez la terre sur une profondeur égale à la longueur du fer de bêche. Ajoutez-y beaucoup de matière organique compostée.

6 Pour être en mesure de varier facilement la largeur des plates-bandes au besoin, aménagez entre elles des passe-pieds de terre. Vous pouvez aussi créer de petites plates-bandes dotées d'une bordure en cèdre (voir à droite) et séparées par des passe-pieds gazonnés.

Plate-bande bordée et divisée

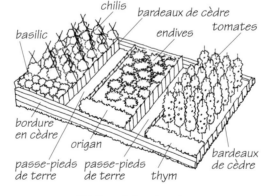

chilis
bardeaux de cèdre
basilic
endives
tomates
bordure en cèdre
origan
passe-pieds de terre
passe-pieds de terre
thym
bardeaux de cèdre

Petites plates-bandes

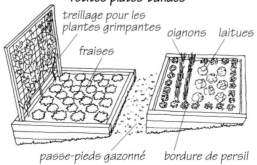

treillage pour les plantes grimpantes
oignons
laitues
fraises
passe-pieds gazonné
bordure de persil

FINES HERBES ET LÉGUMES COMMUNS

BASILIC Il diffère de bien des herbes communes par le fait qu'il préfère une terre riche et humide. C'est une annuelle d'été sensible au gel.

CONCOMBRE Il peut envahir tout le jardin si on le laisse pousser librement. On peut toutefois faire pousser les variétés coureuses sur un treillage; les variétés plus arbustives peuvent être plantées dans des plates-bandes surélevées ou dans de grands bacs.

CORIANDRE C'est une herbe âcre originaire d'Asie qui s'apparente au persil. Elle a besoin de chaleur et de beaucoup d'eau en été. Optez pour une variété qui ne monte pas en graine.

COURGE Elle peut être cultivée sur un treillage s'il y a peu d'espace. Pour un maximum de douceur, cueillez la courge d'été jeune et petite.

HARICOT Productif, il demande peu de soins. Le haricot grimpant a besoin d'un support, alors que le haricot nain pousse bien sans support. Le haricot d'Espagne est très décoratif.

LAITUE C'est un légume dont il existe beaucoup de variétés. En général, un climat frais lui convient le mieux. Néanmoins, elle a besoin d'au moins six heures d'ensoleillement par jour.

MENTHE Il existe de nombreuses variétés, aux goûts et aux odeurs variés, de cette herbe aromatique. Comme elle est envahissante, on doit la cultiver dans un espace bien délimité.

ORIGAN et **MARJOLAINE** sont des herbes très semblables que l'on confond souvent: la marjolaine est plus douce au goût que l'origan. On les utilise pour relever les farces et les mets méditerranéens. Les variétés dorées et panachées sont des plantes tapissantes utiles.

PIMENT Il aime la chaleur. Il est facile de cultiver le piment rouge dans une jardinière de patio si on lui offre beaucoup de soleil et de chaleur. Pour que les piments verts restent doux, cultivez-les loin des piments au goût piquant.

SAUGE C'est une herbe importante en cuisine, particulièrement la sauge officinale; la plupart des autres variétés sont ornementales.

TOMATE Elle est un incontournable dans le potager domestique. Cultivez la tomate-cerise ou de patio dans des jardinières si l'espace est limité.

VARIANTE Beaucoup de fleurs et d'herbes sont de bonnes plantes compagnes parce qu'elles améliorent la croissance des plantes voisines ou protègent celles-ci contre des insectes nuisibles et diverses maladies. Plantez des œillets d'Inde avec la plupart des légumes pour repousser les nématodes ; des plantes alliacées (ail, oignon, etc.) près des roses pour favoriser une croissance vigoureuse ; le basilic à côté des tomates pour chasser la mouche blanche.

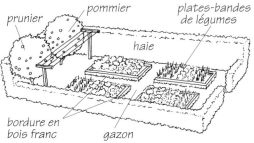

Une bordure en bois délimite les plates-bandes (ci-contre) et retient la terre. Des poutres disposées en gradins conviennent aux sols pentus (en bas). Les herbes pousseront bien dans le bas de la pente, mieux drainé.

TRUCS POUR OBTENIR
DE MEILLEURES RÉCOLTES

Situez le potager dans un lieu ouvert mais abrité, offrant au moins six heures d'ensoleillement par jour. Une exposition sud ou sud-est est préférable.

Le terreau idéal retient l'humidité, mais assure un drainage libre. On peut le préparer en ajoutant suffisamment de matière organique compostée à une terre sablonneuse ou argileuse.

Arrosez vos plates-bandes régulièrement et en profondeur alors que la température est fraîche, surtout l'été. Paillez-les pour retenir l'humidité.

Désherbez régulièrement vos plates-bandes.

Aménagez vos plates-bandes loin des arbres. Les arbres filtrent les rayons du soleil et concurrencent les cultures en puisant eux aussi dans les réserves d'eau et de nutriments du sol.

• Verger domestique •

Peu de plaisirs sont comparables à celui que procure la cueillette de fraises fraîches cultivées dans une jardinière qu'on a fabriquée soi-même. Le verger domestique peut aussi intégrer des haies pour plus d'intimité, un banc rustique pour plus de confort et des citrus en jardinières pour plus de beauté.

Citrus en jardinières

La culture en jardinières convient à de nombreux citrus, dont le kumquat, le citronnier 'Meyer' et le mandarinier. Placez les plantes à l'extérieur en été et à l'intérieur durant les périodes froides.

- **1 pot ou un bac d'au moins 30 cm (12 po) de diamètre**
- **moustiquaire en fibre de verre**
- **grand sac de terreau**
- **fumier de vache granulé ; engrais pour citrus**
- **arbres : kumquat, limettier, mandarinier ou citronnier 'Meyer'**

1 Choisissez une jardinière dont la largeur et la profondeur sont à peu près égales. Un pot ou un bac trapu d'au moins 30 cm (12 po) de diamètre sont plus stables qu'un récipient conique profond. Songez à munir la jardinière de roulettes pour faciliter le transport. Autrement, vous aurez besoin d'une brouette ou d'un diable pour la déplacer.

2 Placez la jardinière dans un lieu abrité offrant au moins six heures d'ensoleillement par jour. Déposez-la sur des supports afin de laisser entre elle et le sol un petit espace qui assurera un drainage libre.

3 Couvrez le trou de drainage d'un morceau de moustiquaire. Mettez suffisamment de terreau dans la jardinière pour placer la motte au niveau voulu ; installez la base du tronc à environ 5 cm (2 po) sous le rebord de la jardinière. Démêlez légèrement les racines. Centrez la plante et comblez les vides entre les racines avec du terreau additionné d'un peu d'engrais.

4 Tassez délicatement le terreau pour éliminer les poches d'air. Effectuez un arrosage en profondeur. Paillez jusqu'au rebord de la jardinière. Arrosez ensuite le citrus tous les trois ou quatre jours.

Clôture végétale

Certains arbustes touffus peuvent fort bien servir de clôture végétale entre des parcelles voisines, qu'ils soient taillés ou non (photo ci-dessus). Plusieurs espèces de troènes (Ligustrum) font d'excellentes haies. Le seringa (Philadelphus), le chèvrefeuille (Lonicera) et la potentille sont des arbustes de choix en raison de leurs belles fleurs. Consultez un pépiniériste pour connaître les arbustes qui poussent bien dans votre région.

Plantés assez près les uns des autres pour que leurs branches s'entrelacent et taillés à une hauteur assurant l'intimité des terrains qu'ils bordent, les arbustes forment une barrière végétale quasi impénétrable.

- **bêche**
- **cordeau**
- **marteau ou maillet**
- **piquets**
- **jeunes arbustes**

1 Délimitez le périmètre de la plate-bande avec un cordeau et des piquets. Si la haie doit couvrir une grande surface, bornoyez régulièrement à mesure que vous enfoncez les piquets.
2 Plantez les arbustes en laissant entre eux un espace au moins égal à la moitié de la somme de leur largeur à maturité. Par exemple, on plantera à environ 1,50 m (5 pi) d'intervalle deux arbustes qui sont censés atteindre respectivement 1,20 m et 1,80 m (4 et 6 pi) de largeur à maturité. L'espacement des arbustes dépend de leur vigueur, du type de porte-greffe utilisé et des conditions de culture locale. Marquez l'emplacement de chaque arbuste avec un petit piquet.
3 À l'aide de la bêche, creusez un trou de plantation d'une profondeur excédant d'environ 10 cm (4 po) la hauteur de la motte. Ameublissez le sol au fond du trou de façon que les racines puissent s'étaler facilement. Centrez la plante dans le trou. Démêlez délicatement les racines et comblez les vides entre elles avec de la terre. Le collet de l'arbuste doit se trouver au niveau du sol.

BANC RUSTIQUE POUR LE VERGER

Découvrez le plaisir d'ouvrer le vieux bois pour fabriquer des bancs de jardin. Un banc bien situé est essentiel quand vient le temps de contempler les fruits de votre travail. Aucun meuble de jardin offert dans le commerce n'a le charme d'un banc rustique fait à la main.

Emplacement. Avant d'amorcer la fabrication de votre banc, évaluez l'emplacement choisi. Offre-t-il une bonne vue sur le verger ? Optez pour un endroit qui permet d'avoir une vue agréable sur les arbres et les plates-bandes de fleurs.

Fabrication. Vous devez utiliser une planche relativement plane en guise de siège. Des bûches solides peuvent servir de pieds. Voyez si le sol est de niveau. Le banc est-il bancal si les pieds reposent directement sur le sol ? Logez alors les pieds dans des trous creusés à une profondeur suffisante pour rendre le banc stable. Mettez une couche de gros gravier, puis 5 cm (2 po) de sable dans les trous, puis comblez ceux-ci avec de la terre. Pour finir, clouez le siège sur les pieds.

Taillez les branches basses des kumquats et des citronniers afin qu'ils prennent des formes élégantes, évoquant celles des arbustes des jardins méditerranéens.

Une haie taillée à hauteur de ceinture crée une séparation élégante entre une pelouse et le verger composé d'arbustes baccifères et d'arbres fruitiers qu'elle enserre.

la largeur de la tranchée de plantation. Tendez le cordeau près du sol entre les piquets extérieurs. Creusez la tranchée pour que sa profondeur dépasse de 20 à 30 cm (8-12 po) celle des pots. Augmentez la profondeur pour les arbustes de grande taille. Mettez une poignée d'engrais dans chaque mètre carré de terre enlevée.

4 Tendez un cordeau entre les piquets centraux en guise de guide de plantation. Avant de planter les arbustes, plongez les pots dans un seau d'eau. Plantez les arbustes de façon que le collet se trouve au niveau du sol.

5 Comblez la tranchée. Tassez légèrement la terre autour des racines avec les mains pour éliminer les poches d'air. Arrosez. Paillez le sol au-dessus des racines, mais pas près des troncs.

6 À mesure que les arbustes croissent, taillez légèrement les nouvelles pousses avec des cisailles à haie, au cordeau. La base de la haie doit être plus large que son sommet. Autrement, les feuilles des branches inférieures mourront d'un manque de lumière.

Choix des arbustes

Optez pour des arbustes à pousse basse pouvant être taillés régulièrement et dotés d'un système racinaire peu étendu, qui ne concurrencera pas celui des arbres fruitiers.

Beaucoup d'arbustes polyvalents peuvent composer une haie. De nombreux jardiniers préfèrent une haie composée de persistants, qui conserve sa couleur toute l'année et est agréable à l'œil. Les arbustes caducs offrent toutefois une plus grande variété de feuillages. Leur aspect changeant fait magnifiquement écho au passage des saisons.

Haie d'enceinte

La création d'une haie d'enceinte permet de transformer un verger en salle verte.

- ◆ **ruban à mesurer**
- ◆ **cisailles à haie**
- ◆ **bêche**
- ◆ **compost ou fumier décomposé**
- ◆ **piquets courts**
- ◆ **cordeau**
- ◆ **marteau ou maillet**
- ◆ **arbustes**

1 Choisissez un emplacement offrant au moins six heures d'ensoleillement par jour. Vérifiez le drainage en creusant un trou d'environ 30 cm (12 po) de profondeur et en le remplissant d'eau. S'il reste de l'eau dans le trou au bout de 30 minutes, vous aurez avantage à pla-

cer un drain dans le sol ou à aménager une plate-bande surélevée.

2 Calculez le nombre d'arbustes nécessaire en divisant le périmètre du verger par l'intervalle de plantation (au moins 30 cm/12 po pour des arbustes de petite taille ou de taille moyenne).

3 Délimitez l'emplacement de la haie avec un cordeau. Enfoncez trois piquets courts dans le sol à chaque coin, à environ 20 cm (8 po) d'intervalle. Les deux piquets extérieurs indiquent

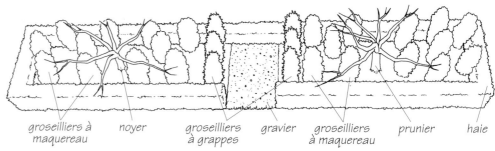

groseilliers à maquereau   noyer   groseilliers à grappes   gravier   groseilliers à maquereau   prunier   haie

Fraises en pots

Les pots et les boîtes de conserve sont des récipients compacts qui conviennent parfaitement à la culture des fraises. L'empotage des fraisiers est assez simple et ne demande que quelques minutes. Un apport d'engrais et un arrosage réguliers vous permettront de cueillir des fraises juteuses tout l'été. Vous pouvez transformer les boîtes de conserve en jardinières à suspendre (voir p. 234).

- ◆ **fraisiers (certifiés sans maladies)**
- ◆ **pots ou boîtes de conserve**
- ◆ **sac de terreau**
- ◆ **moustiquaire en fibre de verre**
- ◆ **engrais à libération lente**

1 Si vous utilisez des boîtes de conserve, percez trois gros trous au fond de chacune à l'aide d'un clou et d'un marteau; couvrez les trous d'un morceau de moustiquaire. Si vous utilisez un pot à alvéoles, remplissez-le de terre jusqu'à l'alvéole du bas; remplissez les boîtes de conserve à 4 cm (1 ½ po) près du rebord.

2 Plantez les fraisiers dans l'alvéole et faites passer les tiges de l'intérieur à l'extérieur par l'ouverture. Le collet des fraisiers doit à peine saillir du terreau.

3 Remplissez le pot jusqu'à l'alvéole suivant et répétez l'étape 2. Plantez deux ou trois fraisiers au sommet du pot.

4 Placez les récipients au soleil. Faites-les pivoter sur 180 degrés deux fois par semaine pour exposer uniformément les fraisiers au soleil.

5 En été, effectuez un apport d'engrais liquide riche en phosphore toutes les deux semaines pour favoriser la floraison. Arrosez quand le terreau est sec sur 1,5 cm (½ po) de profondeur; si les fraisiers se trouvent dans un pot à alvéoles, versez de l'eau dans chacun des alvéoles.

L'ABC DE LA CULTURE DES FRAISES

LES FRAISIERS conviennent parfaitement au verger domestique: leur fruit est délicieux, peu d'insectes les attaquent et ils offrent le meilleur rendement. Pour un résultat optimal:

1 Bêchez la terre sur une profondeur égale à la longueur du fer de bêche et ajoutez-y du fumier bien décomposé et du compost.

2 Couvrez la terre d'un film en plastique noir pour la réchauffer et empêcher la pousse de mauvaises herbes. Incisez le film pour planter les fraisiers.

3 Plantez les fraisiers à 30 cm (12 po) d'intervalle dans une plate-bande un peu surélevée. Couvrez les racines de terre; tassez la terre délicatement. Le collet ne doit pas être en contact avec la terre.

4 Pincez les stolons à mesure qu'ils se forment pour favoriser la pousse de fraisiers vigoureux.

Les fraises font partie des délices de l'été. Il est facile de déplacer les fraisiers en pots pour suivre le soleil — et il est tout aussi facile de cueillir leurs fruits bien charnus!

Suspensions

Plantez vos fraisiers dans des boîtes de conserve que vous déposerez ensuite dans les belles suspensions en fil de fer présentées ici (lisez l'encadré sur le travail du fil de fer [p. 223] avant de les fabriquer). Peignez-les si vous le désirez.

- **grosses boîtes de conserve vides**
- **fil de fer : calibres 14 (ou 16 ou 18) et 22**
- **règle ou ruban à mesurer**
- **feutre**
- **pince, marteau, gants**
- **casseroles de taille variée**
- **étau**
- **tuyau en fer galvanisé de 5 cm (2 po) de diamètre**
- **perceuse**
- **facultatif : peinture lustrée en aérosol ou petite boîte de peinture émail et pinceau**

Suspension simple – coupe du fil

1 Anneaux : cintrez trois tronçons de fil de calibre 14 autour d'une casserole dont le diamètre dépasse de 1,5 à 2,5 cm (½ -1 po) celui de la boîte de conserve. Majorez la longueur utile de 7,5 cm (3 po) en vue des ligatures. Coupez le fil. Formez les anneaux, puis ligaturez-les avec deux tronçons de fil de calibre 22. Faites quatre marques sur chaque anneau de façon à le diviser également.

2 Base : coupez deux tronçons de fil de calibre 14, d'une longueur dépassant de 2,5 cm (1 po) le diamètre de l'anneau.

3 Tiges latérales : coupez quatre tronçons de fil de calibre 14 d'une longueur égale à la hauteur de la boîte de conserve. Marquez le centre.

4 Tiges diagonales : coupez quatre tronçons de fil de calibre 14 de 40 cm (16 po). Pliez les bouts de chaque tige sur 1,5 cm (½ po) pour former des crochets ; laissez les crochets ouverts à un bout.

Assemblage de la suspension simple

1 Croisez les fils de base au centre de l'anneau et ligaturez-les avec du fil de calibre 22. Pliez-les sur 1,5 cm (½ po) pour les accrocher sur l'anneau au niveau des marques ; fermez les crochets.

2 Accrochez un bout de chaque tige latérale à l'anneau de base, à côté des crochets des tiges croisées. Fermez les crochets des tiges latérales à l'intérieur de la suspension.

3 Accrochez le haut des tiges latérales à ce qui sera l'anneau supérieur de la suspension.

4 Glissez le troisième anneau entre les deux autres et fixez-le au centre des tiges latérales

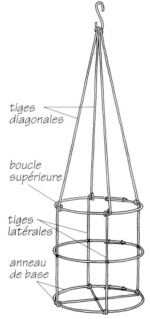

tiges diagonales

boucle supérieure

tiges latérales

anneau de base

avec du fil de calibre 22 (marques et tiges doivent coïncider).

5 Fixez les tiges diagonales sur l'anneau supérieur ; fermez les crochets. Peignez si désiré.

6 Le sommet d'une boîte de conserve contenant des fraises dépassera l'anneau supérieur de 2,5 cm (1 po). Pliez le haut des tiges diagonales pour former de gros crochets ; faites une ligature sous les crochets avec du fil de calibre 22. Vous devrez enlever ce fil au moment de retirer la boîte de la suspension.

VARIANTE Suspension à collerette

1 Fabriquez la suspension simple, mais munissez-la de tiges diagonales de 60 cm (24 po) de long. Pliez le haut des tiges de façon à former des volutes de 5 cm (2 po) de diamètre (p. 233).

2 Percez un trou dans le tuyau de fer galvanisé, à 12 cm (5 po) d'un des bouts. Bloquez dans un étau l'extrémité d'un tronçon de fil de fer de calibre 16 ou 18 d'une longueur de 3,60 m (12 pi). Étirez le fil jusqu'à sa pleine longueur et logez son autre extrémité dans le trou percé dans le tuyau. Tenez le tuyau par les deux bouts tout en gardant le fil tendu et marchez lentement vers l'étau en enroulant le fil autour du tuyau à mesure que vous avancez. Une fois le fil enroulé, sectionnez-le au-dessus du trou et détendez-le ; desserrez les mors de l'étau

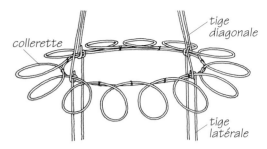

collerette

tige diagonale

tige latérale

pour dégager l'autre extrémité du fil. Retirez le tuyau et aplatissez le fil à mesure qu'il se déroule de façon à obtenir une série de boucles formant une collerette (ci-dessus).

3 Utilisez du fil de calibre 22 pour fixer la collerette sur l'anneau supérieur à intervalles réguliers.

4 Fixez les tiges diagonales à l'anneau supérieur. Ligaturez-les dans le haut avec du fil.

VARIANTE Suspension à plateau

1 Coupez les tiges latérales comme celles de la suspension simple, mais en majorant la longueur de 25 cm (10 po). Marquez le point où commence cette majoration. Bloquez ensuite chaque tige dans un étau au niveau de la marque et pliez-la à 90 degrés (portez des gants) ; parfaites la pliure au marteau. Formez une volute de 5 cm (2 po) de diamètre au bout.

2 Fabriquez trois anneaux comme pour la suspension simple, en majorant le diamètre de 1,5 cm (½ po). Fixez-les aux tiges latérales.

3 Fabriquez deux autres anneaux, l'un de 25 cm (10 po) et l'autre de 30 cm (12 po) de diamètre.

4 Fixez ces anneaux au segment horizontal des tiges ouvrées avec du fil de calibre 22.

5 Installez les tiges diagonales de la façon décrite sous « Suspension simple ».

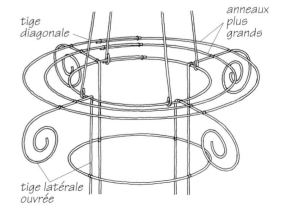

tige diagonale

anneaux plus grands

tige latérale ouvrée

◆ Des fleurs pour égayer la maison ◆

Rien n'égaie une maison autant qu'un vase débordant de fleurs colorées que l'on a cultivées soi-même – et bien peu de choses procurent autant de satisfaction au jardinier. Qui mieux est, on peut cultiver toutes les plantes nécessaires pour créer des compositions florales à longueur d'année et ce, sans être forcément passé maître en jardinage.

La composition florale classique comporte trois éléments : fleurs principales, fleurs secondaires, feuillage. Votre jardin fleuriste devrait intégrer un mélange d'arbustes, de vivaces, et de plantes annuelles et bulbeuses saisonnières. La culture des annuelles à partir de semis est facile.

- **bêche**
- **compost et fumier**
- **sable ou chaux**
- **4 ou 5 sachets de graines d'annuelles à fleurs (à longues tiges de préférence)**
- **bulbes de jonquilles et de tulipes (fleurs printanières)**
- **engrais organique**

Pour obtenir un résultat optimal, réservez une partie du jardin à la culture des fleurs à couper. Une parcelle de 2 x 3 m (6 x 10 pi) produira suffisamment de fleurs pour embellir toutes les pièces de votre maison.

Au moins six heures d'ensoleillement sont nécessaires pour que les plantes aient une croissance vigoureuse et développent des tiges solides. Dans un jardin peu ensoleillé, cultivez des plantes d'ombre comme l'astilbe, la digitale, la violette ou l'impatiente.

1 Deux semaines environ avant la plantation, bêchez la terre sur une profondeur égale à la longueur du fer de bêche. Ajoutez une couche (10 cm/4 po) de compost et de fumier. Laissez la terre se tasser avant la plantation.

2 Délimitez l'aire de culture de chaque variété avec une mince traînée de sable ou de chaux. Effectuez ensuite la plantation.

3 Arrosez légèrement avec un tuyau (jet fin).

4 Une fois les plantes établies, donnez-leur régulièrement de l'engrais organique (respectez le mode d'emploi).

Une grande plate-bande d'annuelles densément cultivées peut facilement supporter une coupe régulière visant à fleurir la maison. En fait, la cueillette des fleurs favorise généralement la floraison. Pour que les fleurs abondent dans votre maison et votre jardin, réservez une plate-bande rectangulaire toute simple (comme celle de gauche) à la culture des variétés que vous préférez – couleurs au choix !

◆ Roseraie ◆

Peu de fleurs sont aussi recherchées que la rose – et peu de rosiers possèdent une beauté aussi extraordinaire que celle d'un rosier grimpant en pleine floraison. Sur une tonnelle toute simple faite de métal ou de bois, un rosier grimpant peut épanouir toute sa splendeur de façon spectaculaire.

Cette tonnelle sobre et classique, peu coûteuse, s'efface pour mettre en valeur les rosiers qui constituent le principal point d'intérêt d'un jardin.

- ◆ **treillis d'armature (6 m/20 pi)**
- ◆ **coupe-boulons**
- ◆ **ciment**

1 Le treillis d'armature a généralement 3 m (10 pi) de long ; il vous en faudra deux. Un rosier est d'autant plus imposant que la tonnelle est haute. La largeur standard du treillis d'armature est de 1,50 m (5 pi) ; elle convient parfaitement à la construction d'une tonnelle autoportante.

2 Placez les deux treillis sur le sol et pliez-les de façon à obtenir deux arcs (voir la photo). Façonnez un premier treillis, puis utilisez-le en guise de forme pour façonner l'autre. (Vous pouvez créer des arcs sobres ou recherchés, pour autant qu'ils soient symétriques.)

3 Le premier arc naît à 2,10 m (7 pi) du sol ; son inclinaison est d'environ 30 degrés.

4 Le second arc fait suite au premier à un angle de 100 à 110 degrés. Il se fond dans une dernière arcure, 45 cm (1 ½ pi) plus haut, selon un angle de 30 à 40 degrés.

5 Ornez la tonnelle d'un faîteau en détachant la dernière tige transversale de chaque arceau et en pliant les tiges verticales vers l'extérieur autour d'un tuyau de façon à former un cercle presque fermé. Attachez les deux arceaux par le sommet avec du fil de fer.

6 Enfouissez la base des arceaux à au moins 50 cm (20 po) de profondeur et cimentez-la sur place (voir p. 200). La tonnelle sera ainsi suffisamment stable pour supporter un gros rosier grimpant.

Des rosiers aux fleurs abondantes ('Climbing Iceberg', 'Isle Krohn Superior', 'Sympathy') grimpant sur une jolie tonnelle seront un point d'intérêt dans votre jardin.

VARIANTES Arches, tonnelles et pergolas ont beaucoup de points communs; on les distingue principalement d'après la forme de leur sommet. Le sommet d'une arche est courbe, tandis que celui d'une tonnelle peut être plat ou courbe. Une pergola a généralement un toit en pente. Ces trois structures peuvent être disposées en enfilade pour créer un effet de tunnel ou mettre en valeur une entrée. On peut obtenir un effet spectaculaire en attachant lâchement de grosses cordes ou de grosses

Fichez de solides poteaux dans du ciment (voir p. 200) pour créer une arche ou une pergola qui supportera un vigoureux rosier grimpant ou sarmenteux.

chaînes au sommet de grands poteaux ou le long d'un mur de façon à former une série de boucles qui supporteront des rosiers. Cette technique est particulièrement efficace pour faire ressortir un sentier ou un coin de jardin.

ENROULER OU ATTACHER ?

Certains rosiéristes enroulent les pousses des rosiers grimpants autour du support, tandis que d'autres préfèrent les lier à plat sur celui-ci. Alors que faire? À tout prendre, la seconde méthode est plus pratique, car une tige droite est plus facile à tailler qu'une tige spiralée.

Art topiaire : des sculptures vivantes

L'art topiaire consiste à tailler certains arbres et arbustes de façon à leur donner des formes ornementales.
Étonnamment facile à pratiquer, il permet de «sculpter» un jardin d'une élégance originale.
Cet art auquel on s'adonnait déjà au temps des Romains est aussi fascinant de nos jours qu'il l'était jadis.

Sphère encadrée de buis

Prenez part au renouveau de la topiaire. Cet art ancien s'avère facile à pratiquer, surtout si vous l'abordez par le biais de formes simples – pyramide, sphère, cône, etc. La sphère encadrée de buis décrite ici constitue un ornement classique.

- ◆ **40 à 60 buis touffus bien établis**
- ◆ **1 gros buis (ou arbuste contrastant) taillé en sphère**
- ◆ **petits piquets ou goujons en bois ou minces tiges de métal**
- ◆ **sécateur**
- ◆ **cisailles à haie**
- ◆ **cordeau et piquets**
- ◆ **bêche**

1 Délimitez un rectangle de 3,50 x 5,50 m (12 x 18 pi). Enfoncez un piquet à chaque coin. Tendez un cordeau en diagonale entre les piquets afin de trouver le centre du rectangle. Pour obtenir un rectangle parfait, assurez-vous que tous les coins sont à égale distance du centre.

2 Creusez une tranchée sur les côtés du rectangle et un trou au centre de celui-ci. La tranchée recevra les buis de la haie ; le trou, l'arbuste taillé en sphère (buis, if, troène ou fusain, par exemple). Des instructions sur la préparation de la tranchée figurent à la page 232.

3 Plantez les buis de la haie à environ 30 cm (12 po) d'intervalle. (Aménagez un sentier donnant accès à l'arbuste taillé en sphère si la haie doit atteindre une hauteur considérable.) Pour créer une haie dont le sommet sera parfaitement horizontal, taillez les arbustes en suivant un cordeau tendu à la hauteur utile entre deux piquets. Effectuez ce travail à l'aide de cisailles à haie.

4 Plantez l'arbuste taillé en sphère. Commencez à lui donner la forme voulue en taillant son sommet et en coupant les tiges qui dépassent. Taillez-le régulièrement tout au long de l'année.

5 Effectuez un apport d'engrais organique au printemps et en été (suivez le mode d'emploi).

TAILLE D'UN ARBUSTE EN POT

1 *Pour obtenir un résultat optimal, donnez à l'arbuste une forme simple et classique. Jugez à l'œil du résultat de la première taille.*

2 *Au bout de 12 mois, utilisez un guide de taille (fabriqué avec des cannes et des anneaux en métal ici). Coupez les tiges qui dépassent.*

3 *Une fois que l'arbuste a la forme souhaitée, taillez-le au moins une fois par année avec un sécateur pour que sa silhouette reste bien définie.*

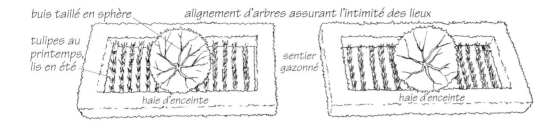

buis taillé en sphère   alignement d'arbres assurant l'intimité des lieux

tulipes au printemps, lis en été

sentier gazonné

haie d'enceinte   haie d'enceinte

Dans la terre fraîche des plates-bandes encadrées de haies d'enceinte jumelles (photo centrale et plan), des bulbeuses s'épanouissent. Les haies sont reliées par un sentier gazonné et un alignement d'arbres. Dans la photographie ci-dessous, la base d'un camélia taillée en socle est surmontée d'une forme encore rudimentaire que des tailles répétées rendront plus complexe.

MATIÈRE PREMIÈRE DE L'ART TOPIAIRE

POUR OBTENIR de bons résultats, pratiquez l'art topiaire sur des persistants touffus dotés de petites feuilles. De nouvelles pousses doivent apparaître assez rapidement après la taille.

Le buis, très utilisé pour créer des haies, et l'if, surtout l'if commun, conviennent parfaitement parce qu'on peut modifier leur forme et les tailler régulièrement sans qu'ils en souffrent. La rusticité de ces deux arbustes varie selon l'espèce; choisissez donc une variété adaptée à votre zone de rusticité (voir p. 223). Le troène peut pousser en zone 5; certains fusains et chèvrefeuilles, jusqu'en zone 2.

L'art topiaire ne doit pas nécessairement se limiter à l'ornementation du jardin. On peut aussi tailler et charpenter des plantes grimpantes et des herbes cultivées sur un appui de fenêtre — lierre, glycine, laurier, thym, romarin, géranium, etc. — de façon à leur donner des formes variées.

Mettez une touche de gaieté dans votre jardin topiaire en taillant certains arbustes de façon à leur donner des formes fantaisistes. Dans le jardin photographié ici, des poussins voisinent avec un dinosaure (en arrière-plan).

TRUCS ET ASTUCES

ENTRETIEN DES PLANTES

Taillez les plantes de haut en bas et du centre vers l'extérieur. Les arrondis sont plus faciles à tailler que les formes anguleuses. Un grillage métallique placé par-dessus les plantes et lié à des piquets peut servir de guide de taille.

Durant la saison de croissance, il peut être nécessaire de tailler les plantes toutes les quatre à six semaines. N'effectuez aucune taille après le début de l'automne.

Pincez les pousses toutes les deux semaines lorsque la croissance de la plante est vigoureuse.

Éclaircissez les racines des plantes en pot une fois par année, en les dépotant.

Donnez de l'engrais à vos plantes au printemps et en été seulement : de l'engrais liquide tous les mois, et de l'engrais granulé à libération lente au début du printemps et à la fin de l'été.

Oiseaux

Pour créer des formes topiaires amusantes ou pleines d'imagination, faites pousser des arbustes sur des squelettes en fil de fer.

- ◆ **arbustes**
- ◆ **grillage métallique**
- ◆ **cisailles**
- ◆ **sécateur**
- ◆ **tuteurs en bois et marteau**
- ◆ **blocs de bois mou**
- ◆ **lime ou rabot**
- ◆ **peinture et pinceau**
- ◆ **fil de fer de petit calibre**

1 Choisissez un jeune arbuste touffu doté de deux branches maîtresses. Rien ne vaut les variétés à petites feuilles et à tiges résistantes mais souples, comme le buis, l'if et le troène.

2 Creusez un trou de plantation. Enfoncez un tuteur dans le sol à côté du trou. Plantez l'arbuste et attachez-le lâchement au tuteur.
3 Éliminez les feuilles du bas de façon que le tronc évoque les pattes d'un oiseau.

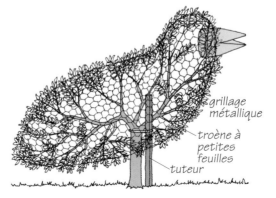

grillage
métallique

troène à
petites
feuilles

tuteur

4 Découpez le grillage métallique aux dimensions utiles, positionnez-le par-dessus l'arbuste et donnez-lui la forme arrondie d'un corps d'oiseau. Le grillage vous servira de guide de taille (voir à gauche). Liez-le au tuteur par plusieurs mailles afin de le stabiliser.
5 Desserrez les liens de l'arbuste à mesure qu'il pousse. Pincez les tiges qui saillent du grillage pour stimuler la densification du feuillage.
6 Une fois que l'arbuste a atteint la taille voulue, installez le bec. Taillez celui-ci dans un petit bloc de bois mou ; arrondissez les bords à la lime ou au rabot. Appliquez de la peinture émail. Percez ensuite de petits trous de chaque côté du bec. Faites passer un fil de fer de petit calibre par les trous et utilisez-le pour attacher le bec à la portion du grillage qui forme la tête de l'oiseau.

❖ Bassin de plantes aquatiques ❖

*Imaginez un chaleureux jardin d'été où un bassin ornemental miroite au soleil
tout près d'un arbre d'ombrage ou d'un banc rustique. Le bassin de plantes aquatiques, aménagé
de façon que l'eau reste claire, transforme le jardin en un lieu de beauté et de tranquillité.*

Bassin ornemental

Peu d'éléments d'un jardin possèdent le charme et la couleur d'un bassin.

- ◆ tuyau d'arrosage
- ◆ toile en PVC (20 mils)
- ◆ bêche
- ◆ planche
- ◆ niveau à bulle
- ◆ pierres ou briques (margelle)
- ◆ sable et ciment
- ◆ plantes aquatiques

Dimension de la toile

La pose d'une toile légère s'avère rapide et facile. Pour calculer la dimension utile, multipliez d'abord la profondeur du bassin par deux. Additionnez ensuite: le produit et la longueur du bassin d'une part; le produit et la largeur du bassin d'autre part. Par exemple, dans un bassin de 60 cm (2 pi) de profondeur, 1,80 m (6 pi) de longueur et 90 cm (3 pi) de largeur, vous devrez poser une toile de 3 x 2,10 m (1,20 + 1,80 ; 1,20 + 0,90) [10 x 7 pi (4 + 6 ; 4 + 3)].

Choix du meilleur emplacement

Situez le bassin là où le soleil brille durant au moins la moitié de la journée, loin des hauts arbres qui créent trop d'ombre et peuvent souiller l'eau de leurs feuilles ou percer la toile avec leurs racines. Les plantes aquatiques doivent créer une ombre suffisante pour inhiber le développement d'algues; la présence de poissons contribue à l'équilibre écologique.

Faites que le bassin soit visible de la maison; vous ajouterez non seulement à votre plaisir, mais aussi à la sécurité de vos enfants, que vous pourrez surveiller quand ils joueront dans le jardin. Selon la loi, vous devez prendre certaines précautions pour protéger les enfants, même s'il s'agit d'intrus. Renseignez-vous.

Aménagement du bassin

Grâce aux toiles de piscine et aux bassins préfabriqués, on peut créer facilement une pièce d'eau en un week-end à relativement peu de frais. Les toiles doivent être en PVC et avoir au moins 20 mils d'épaisseur.

Pour qu'il y ait équilibre écologique, votre bassin doit faire au moins 2,50 m^2 (3 vg^2). Autrement dit, il doit mesurer environ 90 cm x 2,75 m (3 x 9 pi) et avoir au moins 45 cm (18 po) de profondeur. La pente des côtés ne doit pas excéder 60 degrés.

1 Délimitez l'emplacement du bassin avec un tuyau d'arrosage ou une corde. Excavez le sol; retirez les racines et les pierres qui pourraient percer la toile. Ménagez plusieurs paliers sur les côtés, à environ 25 cm (10 po) de la surface du sol; vous y déposerez les plantes en pot.

2 Vérifiez que les bords opposés sont au même niveau en déposant un niveau à bulle sur une planche placée au-dessus du trou dans le sens de la longueur, puis dans le sens de la largeur. Étalez ensuite 7,5 cm (3 po) de sable humide au fond du trou pour protéger la toile.

3 Étendez uniformément la toile dans le trou; lestez-la sur les bords (avec des pierres, des briques, etc.) pour l'empêcher de glisser. Taillez-la en laissant un débord de 20 cm (8 po) tout autour du trou. Éliminez les faux plis et délestez la toile peu à peu à mesure que le bassin se remplit d'eau.

4 Cimentez des pierres ou des pavés par-dessus le débord en guise de margelle.

Aménagement d'un jardin sous-marin

Les plantes rendent le bassin plus attrayant, créent un milieu naturel où peuvent vivre des poissons, oxygènent l'eau et limitent la croissance des algues.

Les nénuphars et les autres plantes aquatiques poussent mieux dans des contenants submergés. Dans le cas des nénuphars, on doit prévoir 85 cm^2 (1 vg^2) par plante et placer les pots au fond du bassin; on disposera les autres plantes sur les paliers du bassin.

À défaut de paniers faits pour cultiver des plantes aquatiques, on peut utiliser des pots en terre cuite ou en plastique fendus à quelques reprises sur le côté. Le terreau doit être un mélange de terre végétale et de fumier de vache composté (7 : 3). Comme les nénuphars épuisent rapidement le terreau, vous devrez peut-être le changer régulièrement. Pour leur fournir des nutriments sans renouveler le terreau, enveloppez une poignée d'engrais organique dans une feuille de journal et glissez celle-ci entre les racines de la plante.

Ensemencement du bassin

Les poissons rouges sont les préférés des amateurs de bassin. Évitez toute surpopulation, autrement l'eau deviendra polluée. Prévoyez environ 10 poissons rouges de 7,5 cm (3 po) par mètre carré. Les poissons se nourrissent seuls dans un grand bassin aménagé depuis un certain temps, mais un supplément de nourriture est recommandé. Vous pouvez placer les poissons dans des aquariums intérieurs durant l'hiver.

AMÉNAGEMENT D'UN BASSIN

1 Délimitez l'emplacement du bassin avec un tuyau d'arrosage. Excavez le sol; enlevez les racines et les pierres qui pourraient percer la toile. Étalez 7,5 cm (3 po) de sable humide au fond du trou.

2 Étendez uniformément la toile dans le trou et lestez-la sur les bords pour l'empêcher de glisser. Taillez-la; laissez un débord de 20 cm (8 po). Cimentez des pierres ou des briques par-dessus pour faire une margelle.

3 Remplissez le bassin d'eau, puis placez les plantes que vous y mettrez dans des pots à claire-voie. Disposez ensuite les pots au fond du bassin (nénuphars) ou sur les paliers (ménagés sur les côtés).

Bassin dans un tonneau

La présence rafraîchissante d'un bassin dans le jardin ou le plaisir de cultiver des plantes aquatiques vous fait très envie ? Vous ne disposez pas de suffisamment d'espace pour aménager un bassin classique ? Qu'à cela ne tienne : aménagez un minibassin dans un demi-tonneau !

- **demi-tonneau**
- **enduit étanche ou toile (facultatif)**
- **plantes aquatiques**
- **terreau**
- **petit poisson**
- **gros gravier**
- **pompe (facultatif)**

1 Déposez le demi-tonneau à l'endroit voulu – une fois rempli d'eau, il sera très difficile à déplacer. Comme vous pourriez avoir à le siphonner après un certain temps, positionnez-le près d'une plate-bande ou d'un drain.

2 Pour vérifier son étanchéité, remplissez le demi-tonneau d'eau et laissez passer plusieurs jours. Si le niveau d'eau baisse ou si la paroi extérieure devient humide, videz le demi-tonneau, laissez-le sécher et appliquez un enduit étanche bitumineux à l'intérieur.

3 Remplissez le demi-tonneau, puis laissez passer une semaine, le temps que l'eau se réchauffe et se déchlore. Placez-y ensuite des plantes submergées et des plantes flottantes pour préserver la qualité de l'eau. Les plantes submergées poussent au fond du bassin. Elles inhibent la croissance des algues en oxygénant l'eau. Les plantes flottantes plongent leurs racines dans du terreau, mais leurs feuilles flottent sur l'eau et créent une ombre qui inhibe aussi la croissance des algues.

4 Cultivez les plantes aquatiques dans des paniers conçus à cette fin ou dans des pots de plastique noir fendus à quelques reprises sur le côté. Pour empoter une plante, tenez-la par le collet de façon que les racines pendent dans le panier ou le pot, puis remplissez le récipient d'un terreau composé d'environ un tiers de fumier de vache composté. Le collet doit demeurer hors du terreau, autrement la plante pourrira. Recouvrez le terreau de gros gravier.

5 Immergez lentement les pots afin que l'air s'échappe sans déplacer le terreau. Si les feuilles des plantes flottantes sont submergées une fois que les pots reposent au fond du bassin, placez une ou deux briques sous les pots pour corriger la situation.

6 Les plantes cultivées dans un demi-tonneau aiment une eau chaude stagnante. Laissez le milieu se stabiliser avant d'y introduire un poisson (que vous placerez dans un aquarium intérieur en hiver).

Les plantes aquatiques comme ces nénuphars poussent bien dans un demi-tonneau rempli d'eau. Recouvrez le terreau de gravier afin que l'eau reste limpide.

7 Pour vidanger le demi-tonneau au besoin, utilisez un siphon à poire en plastique. On trouve ce type de siphon dans les magasins qui vendent des aquariums. Le bassin n'est en réalité qu'un gros aquarium, et le personnel de ces magasins peut vous aider à choisir les plantes et le poisson les mieux adaptés.

◆ Aménagement d'allées et de bordures ◆

Les allées et les bordures encadrent joliment les divers éléments d'un jardin.
Avec un peu de planification et en effectuant les travaux vous-même, vous pourrez créer
à très peu de frais des aménagements originaux qui mettront vos plates-bandes en valeur.

Allée pavée de grès

Tirez profit des qualités sculpturales de dalles de grès irrégulières en combinant celles-ci avec du gravillon pour créer une allée rectiligne.

- **cordeau, piquets de bois et marteau**
- **pelle**
- **dalles de grès**
- **sable grossier de maçonnerie**
- **ciment**
- **gravillon**
- **râteau, dame, règle à araser, niveau, maillet de caoutchouc**

Notions de base: voir page 222.

1 Voyez quel tracé et quel motif répondent le mieux à vos besoins en plaçant les dalles sur le sol. Bornez le début et la fin de l'allée à gauche et à droite. Tendez un cordeau entre les piquets pour délimiter les côtés de l'allée.

2 Excavez le sol entre les cordeaux sur une profondeur égale à l'épaisseur des dalles, majorée de 5 à 10 cm (2-4 po). Mélangez du sable humide et du ciment sec (6:1); étalez de 5 à 10 cm (2-4 po) du mélange sur le sol en guise d'assise. Si le sol est mou, excavez-le sur 5 cm (2 po) de plus et recouvrez-le de 5 cm (2 po) de gravillon. Damez le gravillon, puis étalez le mélange de sable et de ciment dessus.

3 Nivelez l'assise au râteau, damez-la, puis régalez-la avec une règle à araser. Pour faciliter le régalage, vous pouvez border l'assise de planches étroites. Le sommet des planches doit alors affleurer la surface de l'assise.

4 Tendez un troisième cordeau entre les deux autres de façon à repérer le centre.

Avec le temps, les oxydes de la pierre et de minuscules lichens se fondent dans des motifs qui donnent plus de caractère à une allée pavée de grès.

5 Placez les dalles sur l'assise; vérifiez leur horizontalité à l'aide d'un niveau à bulle. Alignez un bord sur le cordeau du centre pour conférer une certaine symétrie au sentier; vous pouvez rompre la symétrie si vous le souhaitez en plaçant des dalles de chaque côté du cordeau. Assoyez chaque dalle en la frappant délicatement avec un maillet de caoutchouc tout de suite après l'avoir mise en place. Une fois le pavage terminé, faites pénétrer un mélange sec de sable et de ciment (10:1) entre les dalles avec un balai, puis mouillez l'allée d'un fin jet d'eau à l'aide d'un tuyau d'arrosage.

Dans un jardin irrégulier ou naturel, créez le sentier le plus simple qui soit à l'aide de matériaux organiques comme de l'écorce déchiquetée ou des copeaux de bois. Grâce à ces matériaux, le sentier restera relativement sec et, si la couche d'écorce ou de copeaux a au moins 2,5 cm (1 po) d'épaisseur, exempt de mauvaises herbes. Faites en sorte qu'un sentier naturel serpente (à gauche) au lieu de s'étendre en ligne droite. Optez pour des bordures non structurées que les plantes tapissantes envahiront avec naturel.

L'écorce déchiquetée et les copeaux de bois peuvent remplacer le gravillon sur les paliers droits d'un sentier en escalier. La construction de marches en brique qui modifient la perspective est abordée à la page 248.

Utilisez des matériaux naturels pour créer de la variété. Ici, de vieilles traverses de chemin de fer disposées à plat constituent un centre d'intérêt dans une allée gravillonnée. Laissez les plantes de bordure déborder dans l'allée; cela atténue la rigidité des bordures en dur. Dalles et gravillon vont généralement bien ensemble. À droite, des paliers gravillonnés s'harmonisent avec des marches en pierre. La même approche conviendrait à des marches de brique.

Allée bordée de blocs

La bordure en blocs de pavage empêche la terre des plates-bandes de se répandre sur l'allée.

- ◆ cordeau et piquets
- ◆ niveau à bulle, ruban à mesurer
- ◆ pelle
- ◆ béton sec prémélangé (facultatif)
- ◆ blocs de pavage carrés
- ◆ gravillon
- ◆ bandes de contreplaqué ou de bois de rebut d'environ 12 cm (5 po) de largeur (facultatif)
- ◆ dame en bois (facultatif)

1 Tendez deux cordeaux pour délimiter les côtés de l'allée (voir p. 244). Tendez un cordeau au-delà des deux premiers pour délimiter les bordures de chaque côté. La distance entre les cordeaux doit être égale à la largeur des blocs.

2 Creusez entre chaque paire de cordeaux une tranchée d'une profondeur égale à l'épaisseur des blocs. Coulez une assise en béton au besoin (voir « Variante », ci-après).

3 Le long des cordeaux extérieurs, placez les blocs debout dans la tranchée ; laissez un petit espace entre les blocs. Le long des cordeaux intérieurs, placez les blocs à plat pour former un caniveau.

4 Excavez le sol entre les cordeaux intérieurs jusqu'à 2,5 cm (1 po) sous la surface du caniveau. Tassez le sol avec une dame en bois pour créer une assise stable qui recevra le gravillon (étape 5). Donnez une légère pente transversale au sol pour assurer le ruissellement de l'eau de pluie dans les caniveaux.

5 Gravillonnez le sol. Pour stabiliser le gravillon, arrosez-le, puis tassez-le avec un rouleau ou une plaque vibrante (facultatif).

VARIANTE Creusez une tranchée dont la profondeur vous permettra d'aménager une assise de béton stable. Coulez le béton dans la tranchée, puis assoyez les blocs dans le béton frais. Au besoin, construisez un coffrage le long des cordeaux avec des bandes de contreplaqué ou de bois de rebut (le pavage d'une allée est décrit point par point à la page 222).

Les gros blocs de pavage conviennent parfaitement à l'aménagement d'une bordure régulière dans un jardin. Ci-dessus, la bordure et le caniveau créent une séparation bien nette entre la plate-bande et l'allée. De plus, ils canalisent l'eau de pluie durant les orages. Une haie de buis plantée du côté opposé ajoute à la régularité de l'ensemble. On peut choisir d'asphalter une allée si le prix des blocs de pavage et du gravillon semble prohibitif (ci-contre). Des briques aboutées faisant saillie sur environ la moitié de leur largeur peuvent former une belle bordure franche le long d'une allée asphaltée.

◆ Impression d'espace ◆

*De subtiles illusions d'optique peuvent donner l'impression qu'un jardin est plus grand
qu'il ne l'est en réalité. À l'aide de quelques outils simples, vous pouvez repousser les limites de votre
jardin — et ce, pour une fraction du prix qu'un spécialiste demanderait pour effectuer les travaux.*

La disposition irrégulière de matériaux comme ces
dalles de pierre détourne le regard du cadre rigide
d'une petite cour et donne l'illusion d'un grand espace.

Allée courbe

*L'aménagement de cette allée toute simple peut
être réalisé dans tout jardin de petite dimension.*

- ◆ **piquets et cordeau**
- ◆ **sable grossier**
- ◆ **40 à 50 dalles en pierre plates**
- ◆ **pelle, niveau à bulle**
- ◆ **dame en bois**
- ◆ **gravillon**

1 Pour délimiter l'extérieur du demi-cercle,
attachez un cordeau à un piquet enfoncé dans
le sol loin de l'emplacement de l'allée (près de
la clôture dans la photo de gauche). Attachez
le cordeau à un autre piquet à la distance utile.
Tendez le cordeau et tracez le demi-cercle sur
le sol avec le piquet. Pour délimiter le bord
intérieur du pavage, raccourcissez le cordeau
de 30 à 45 cm (1-1 ½ pi) et tracez le demi-cercle.
2 Calculez la profondeur de l'excavation ;
tenez compte de l'épaisseur de l'assise de sable
(4-5 cm/1 ½ -2 po) et des dalles. Excavez le sol
à la profondeur utile, nivelez-le avec une pelle,
puis tassez-le avec une dame en bois.
3 Étalez le sable de l'assise, damez-le, puis
régalez-le. Placez les dalles sur l'assise — le
dessus des dalles devra plus ou moins affleurer
la surface du gravillon ; ajustez la hauteur de
chaque dalle en conséquence. Un niveau à
bulle vous sera utile.
4 Gravillonnez le sol. La couche de gravillon
doit avoir de 2,5 à 4 cm (1-1 ½ po) d'épaisseur.
Pour créer un effet d'irrégularité, vous pouvez
étaler le gravillon de façon que les dalles
fassent légèrement saillie (photo de gauche).

Marches en brique

Ces marches donnent l'impression que le jardin se prolonge au-delà de ses limites apparentes.

- ◆ **cordeau et piquets**
- ◆ **briques, gros gravier**
- ◆ **mélange de sable et de ciment**
- ◆ **ruban à mesurer**
- ◆ **pelle**
- ◆ **truelle de cimentier**
- ◆ **brosse dure**
- ◆ **acide chlorhydrique**

1 Enfoncez un piquet au sommet et à la base d'une pente dans votre jardin. Tendez un cordeau entre les deux piquets.

2 En vous guidant sur le cordeau, excavez le sol de façon à dégager la forme rudimentaire de chaque marche. Les contremarches doivent avoir une hauteur égale à l'épaisseur de deux briques ; la profondeur des pas doit être au moins égale à la longueur de une brique et demie, selon la pente. La première marche doit avoir 1,80 m (6 pi) de largeur. Chacune des autres marches doit être moins large que la précédente (d'environ 9 cm/3 ½ po – la hauteur d'une brique) ; la dernière marche doit avoir environ 1,40 m (4 ½ pi) de largeur.

3 Excavez la première marche sur 10 cm (4 po) de profondeur. Étalez 5 cm (2 po) de gravier, puis 5 cm (2 po) de ciment humide dans l'excavation. Assoyez un premier rang de briques dans le ciment ; placez les briques du devant en panneresse. Posez un second rang de briques ; placez les briques du devant en boutisse ; utilisez le ciment en guise de mortier.

4 Excavez et briquetez les autres marches. Nettoyez ensuite les briques avec une brosse dure. Détachez-les avec de l'acide chlorhydrique au besoin (suivez le mode d'emploi).

Dans la photo du haut, une volée de marches en brique crée un effet spécial : chaque marche étant plus étroite que la précédente à partir du bas, l'escalier semble plus long qu'il ne l'est. Ci-contre, la présence d'une allée gazonnée fait que le jardin paraît plus vaste. Tout le gazon a d'abord été tondu à environ 5 cm (2 po) du sol. L'allée a ensuite été délimitée avec un tuyau d'arrosage. Pour finir, le gazon a été tondu plus court dans l'allée.

◆ Treillage ◆

*Utilisés pour mettre en valeur de jolies plantes grimpantes, les treillages vendus dans les jardineries
sont des accessoires de jardin peu coûteux et charmants. Le treillage à fabriquer soi-même qui vous
est présenté ici – dont le motif modifie la perspective – agrandira un petit jardin.*

La conception de ce treillage s'inspire du fait que l'on peut créer différents effets visuels en jouant avec la perspective. Les lattes ont 2,8 cm (1⅛ po) de largeur et 6 mm (¼ po) d'épaisseur; elles ont diverses longueurs.

- ◆ **85 m (280 pi) de lattes**
- ◆ **1 litre (1 pte) de teinture ou de peinture d'extérieur**
- ◆ **3 contreplaqués de 1,20 x 2,40 m x 6 mm (4 x 8 pi x ¼ po)**
- ◆ **clous à toiture de 19 mm (¾ po)**
- ◆ **11 vis à bois de 3,8 cm (1½ po)**
- ◆ **2,75 m (9 pi) de ficelle**
- ◆ **compas, crayon, ruban à mesurer, scie, perceuse, marteau, bloc d'acier, équerre en T, papier abrasif**

Préparatifs

1 Appliquez deux couches de peinture ou de teinture d'extérieur au latex sur les lattes.
2 Placez les panneaux de contreplaqué sur le sol (diagramme 1) comme épure.

Le treillage comporte deux panneaux latéraux et un panneau supérieur, destinés à border une fenêtre. Fabriquez d'abord les premiers.

Traçage du plan des panneaux latéraux

1 Mesurez la hauteur de la fenêtre (moulure supérieure comprise) à partir du sol. Au sommet de l'épure, tracez un rectangle dont les côtés longs ont une longueur égale à la hauteur de la fenêtre (2,10 m/7 pi, ici) et les côtés courts une longueur égale à sa largeur (75 cm/2 ½ pi, ici). Tracez le plan d'un panneau latéral dans le rectangle (diagramme 1). Tracez six bandes également espacées sur la longueur du rectangle, et une bande à chaque côté court.
2 Faites une marque aux ⅝ de la longueur de la base du rectangle. À l'aide d'une équerre en T, tracez une ligne perpendiculaire (« ligne médiane ») de 1,50 m (5 pi) de long depuis cette marque; enfoncez un clou au bout de la ligne.
3 Attachez la ficelle au clou; fixez-la au crayon à 90 cm (3 pi) du clou; tracez un arc (diagramme 1). Écartez les branches du compas de 7,5 cm (3 po); placez la pointe sèche sur le point A et tracez un repère sur l'arc; tracez huit repères sur l'arc vers le point B, cinq vers le point C (diagramme 2).

Fabrication des panneaux latéraux

1 Pour fabriquer le premier panneau latéral, sciez six lattes à une longueur égale à la hauteur de la fenêtre et trois lattes à une longueur égale

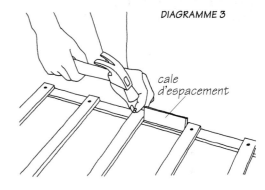

DIAGRAMME 3

cale d'espacement

à sa largeur. Formez un rectangle avec deux paires de lattes (sur le plan); placez les longues lattes sur les courtes. Percez ensuite des trous de 2 mm (¹⁄₁₆ po) dans les quatre coins. Enfoncez un clou dans chaque trou pour solidariser les lattes.
2 Percez et clouez les longues lattes restantes en vous guidant sur le plan. Pour effectuer un clouage précis, placez une cale d'espacement entre les lattes (diagramme 3) – une latte sciée à la largeur utile fera l'affaire.
3 Vous pouvez maintenant poser les lattes rayonnantes (diagrammes 4 et 5, p. 251). Tendez la ficelle sur la ligne médiane. Placez la troisième latte de 75 cm (2 ½ pi) sous la ficelle, en prenant soin de la centrer sur celle-ci. Clouez les lattes au sommet et à la base du cadre.

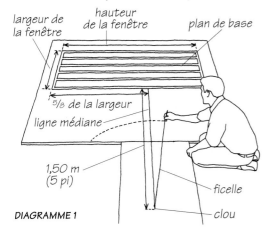

largeur de la fenêtre
hauteur de la fenêtre
plan de base
⅝ de la largeur
ligne médiane
1,50 m (5 pi)
ficelle
clou

DIAGRAMME 1

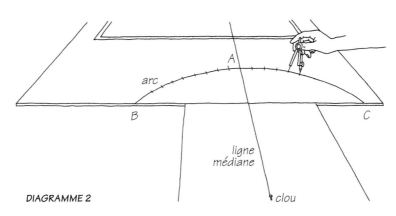

A
arc
B
C
ligne médiane
clou

DIAGRAMME 2

Ce treillage enjolive la face extérieure d'une fenêtre et élargit la perspective dans une cour adjacente. Les lattes rayonnantes créent une impression de profondeur et d'espace.

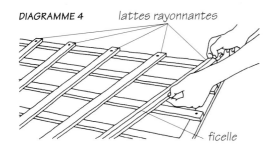

DIAGRAMME 4

lattes rayonnantes

ficelle

4 Tendez la ficelle en l'alignant sur la prochaine ligne tracée sur l'arc. Mesurez la longueur utile de la latte qui doit être fixée à cet endroit et majorez-la légèrement. Positionnez la latte de façon qu'elle soit centrée sous la ficelle (diagramme 4) et qu'elle chevauche le sommet et la base du cadre ; clouez-la ; arasez ses extrémités. Posez les autres lattes rayonnantes de la même manière (diagramme 5).

DIAGRAMME 5

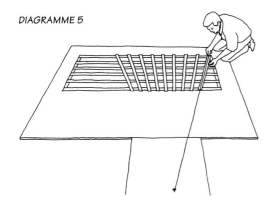

5 Percez les lattes rayonnantes et clouez-les sur les quatre autres longues lattes du cadre.
6 Pour gagner du temps ensuite, indiquez sur la planche d'épure la jonction des lattes rayonnantes au sommet et à la base du cadre.
7 Retournez le panneau. Placez-le sur le bloc d'acier (ou la tête d'un marteau) de façon que le bloc se trouve sous la tête d'un clou ; rivez le clou. Rivez ainsi tous les clous.
8 Le second panneau latéral est l'inverse du premier. Pour le fabriquer, percez, clouez et rivez le cadre rectangulaire (étapes 1 à 3) et positionnez-le – côtés longs dessous – sur le plan du premier panneau (les lattes longues vont dessous parce que le second panneau est la reproduction en miroir du premier). Reportez les repères des lattes rayonnantes

du premier panneau sur le sommet et la base du cadre. Retournez le cadre ; percez, clouez et rivez les lattes rayonnantes selon les repères.
9 Poncez toutes les extrémités sciées et peignez les lattes.

Fabrication du panneau supérieur
1 Pour fabriquer le cadre du panneau supérieur à pignon, sciez une latte à une longueur égale à la largeur de la fenêtre (moulure comprise), majorée de 1,50 m (5 pi). Sciez deux autres lattes à 1,80 m (6 pi) de longueur.
2 Formez un triangle avec les lattes sur le plan des panneaux latéraux (diagramme 6). Placez la

DIAGRAMME 6

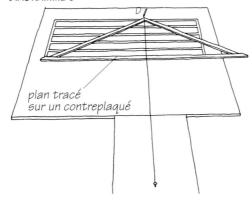

plan tracé
sur un contreplaqué

longue latte à la base du rectangle ; son centre et la ligne médiane doivent coïncider. Au niveau des coins inférieurs, la longue latte doit croiser les lattes courtes. Les petites lattes doivent se chevaucher légèrement au sommet du triangle (point D sur la ligne médiane).

DIAGRAMME 7

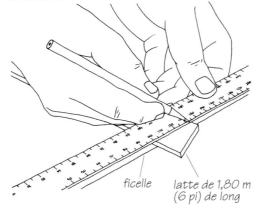

ficelle

latte de 1,80 m
(6 pi) de long

3 Tendez la ficelle et fixez-la au-dessus du point D. Utilisez-la pour guider la coupe des lattes de 1,80 m (6 pi) de longueur (diagramme 7). Une fois la coupe terminée, les lattes doivent se toucher sans chevauchement. Percez et clouez les coins inférieurs du triangle.
4 Placez une courte latte sur le coin supérieur, à 90 degrés par rapport à la ficelle (diagramme 8).

DIAGRAMME 8

cale d'espacement

cale d'espacement

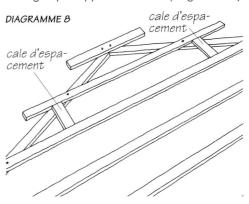

Percez et clouez l'assemblage. Disposez quatre lattes horizontalement et à intervalles égaux entre le sommet et la base du cadre ; guidez-vous sur le plan pour positionner les lattes. Sciez celles-ci de façon qu'elles dépassent légèrement les côtés. Au besoin, préparez des cales d'espacement en vue du clouage. Percez et clouez les lattes ; arasez leurs extrémités.
5 Les lattes rayonnantes du panneau supérieur se posent en gros comme celles des panneaux latéraux. La seule différence, c'est que le panneau supérieur a six lattes rayonnantes de chaque côté de la ligne médiane (alors qu'il y en a huit à gauche et cinq à droite sur les panneaux latéraux). Positionnez les lattes rayonnantes en utilisant la ficelle comme vous l'avez fait avant (vous gagnerez du temps si vous utilisez les repères qui se trouvent déjà sur le plan du rectangle).
6 Percez et clouez les lattes rayonnantes sur les côtés du cadre triangulaire. Percez et clouez ensuite les assemblages restants. Rivez les clous. Arasez les extrémités des lattes.
7 Peignez ou teignez toutes les extrémités sciées et les clous (des deux côtés). Vous pourrez ensuite fixer les panneaux au mur ; posez une vis dans chaque coin des panneaux. Logez les vis dans des chevilles si vous fixez les panneaux sur un mur en maçonnerie.

◆ Ornements de jardin ◆

Certains des matériaux qui présentent le plus d'intérêt sur le plan ornemental se trouvent au jardin.
Ainsi, les branches mortes, les jeunes arbres et les plantes grimpantes peuvent servir d'éléments de base
dans la fabrication de structures qui s'intégreront de façon harmonieuse au décor existant.

Tonnelle rustique

La tonnelle est un lieu paisible où il fait bon s'asseoir, surtout si elle est couverte de plantes grimpantes. Le modèle présenté ici est une structure à trois côtés faite de branches et de rondins. Ses dimensions peuvent varier en fonction des matériaux et de l'espace disponibles. Les instructions sont fournies à titre indicatif.

- **poteaux (voir « Sciage des poteaux », ci-après)**
- **produit de préservation du bois**
- **briques**
- **clous galvanisés de 5 à 7,5 cm (2-3 po)**
- **fil de fer de calibre 14**
- **fil de fer de calibre 10**
- **ruban à mesurer**
- **scie à chaîne ou à archet, bêche, pinceau large, agrafeuse, agrafes pour clôture, perceuse électrique, marteau**

Sciage des poteaux

Utilisez une scie à chaîne ou à archet pour couper les poteaux ; choisissez l'outil en fonction des matériaux que vous avez sous la main. Le bois peut être sec ou vert – mais rappelez-vous que le bois vert prend du retrait en séchant. Conservez ou enlevez l'écorce.

Si vous n'avez pas assez de poteaux pour finir le treillage des murs latéraux, posez un treillis métallique de gros calibre sur le haut des murs et au plafond ; il suffira d'y faire pousser des plantes grimpantes. Vous pouvez même bâtir une tonnelle sans murs.

Vous aurez besoin des matériaux suivants :

Poteaux d'angle : quatre – ici, ils ont 2,75 m (9 pi) de long, jusqu'à 20 cm (8 po) de diamètre à la base, et ils sont fourchus à un bout (diagramme 2) ; ils peuvent ne pas à être droits.

Poutres de toit : quatre branches droites de 10 cm (4 po) de diamètre ou plus, assez longues pour relier deux poteaux d'angle et saillir sur 40 cm (16 po) à chaque bout (diagramme 2).

Murs : prévoyez un nombre de rondins suffisant pour combler le vide entre les poteaux sur les trois côtés (diagramme 3). Les murs doivent avoir de 10 à 15 cm (4-6 po) d'épaisseur ; coupez donc des rondins d'un diamètre correspondant ou refendez des rondins d'un plus grand diamètre de façon à leur donner à peu près l'épaisseur voulue. Ici, la longueur des rondins du mur arrière est d'environ 90 cm (3 pi) ; celle des murs latéraux, d'environ 60 cm (2 pi) (diagramme 3). Sciez quelques rondins supplémentaires ; ils serviront à chaperonner les murs.

Toit : de 12 à 15 branches droites, de 5 cm (2 po) de diamètre environ et de diverses longueurs, qui seront placées dans tous les sens sur les poutres de toit.

Treillage des murs : 10 branches maîtresses (ou plus) ayant tout au plus 10 cm (4 po) de diamètre et 1,50 m (5 pi) de longueur, dont quelques-unes auxquelles il restera encore de longs rameaux (diagramme 4).

Préparatifs

1 Appliquez le produit protecteur à la base

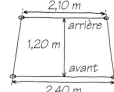

DIAGRAMME 1

des poteaux d'angle, en débordant de 10 cm (4 po) la portion (30-45 cm/ 12-18 po) qui sera enfouie. Laissez sécher.

2 Piquetez et préparez le terrain (diagramme 1).

Construction de la structure de base

1 Creusez des trous de 30 à 45 cm (12-18 po) de profondeur aux quatre coins.

2 Placez les quatre poteaux d'angle dans les trous. Comblez avec de la terre ; tassez la terre. Si les poteaux sont courbes, assurez-vous qu'ils s'inclinent vers l'extérieur.

3 Calez les poutres de toit dans les fourches des poteaux d'angle ; la disposition des poutres est présentée dans le diagramme 2. Si les poteaux ne sont pas fourchus, attachez les poutres. Enroulez à plusieurs reprises du fil de fer de calibre 10 autour des poutres et des poteaux pour réaliser chaque assemblage. Agrafez ensuite le bout du fil hors de vue.

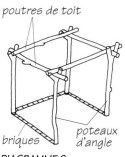

DIAGRAMME 2

Construction des murs

1 Creusez une tranchée entre les poteaux d'angle et placez-y un rang de briques en panneresses (diagramme 2) pour protéger le bois contre les dommages que l'eau pourrait causer. Vous devrez peut-être couper certaines briques afin de combler les vides. (Pour réaliser une coupe nette, placez la brique sur une autre dans le sens de la longueur de façon qu'elle saille au-dessus du sol sur la moitié de sa longueur ; posez le pied dessus et, avec un maillet, donnez un coup sec sur la partie en saillie.)

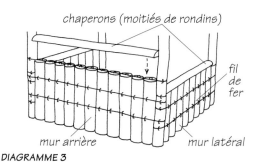

DIAGRAMME 3

2 Construisez d'abord le mur arrière. Ébranchez les rondins qui font 90 cm (3 pi) de long, puis accolez-les debout sur le rang de briques pour combler le vide entre les poteaux arrière (diagramme 3). Vous pouvez utiliser des rondins refendus plutôt que des rondins entiers ; orientez alors le côté plat vers l'extérieur et hors de vue.

3 Assujettissez chaque rondin par son sommet en y agrafant un fil de fer de calibre 10 ; agrafez le même fil sur tous les rondins, puis enroulez-le et agrafez-le sur chaque poteau d'angle. Agrafez deux autres fils au dos des rondins, puis sur les poteaux d'angle (diagramme 3).

4 Refendez un rondin d'une longueur égale à celle du mur. Utilisez-le pour chaperonner le

Situez la tonnelle là où vous pourrez vous détendre tout en ayant une bonne vue sur le jardin. Cet abri fait de matériaux naturels deviendra moins austère à mesure que les plantes grimpantes égaieront ses murs.

mur, côté plat dessous (diagramme 3). Percez-y des trous ; clouez-le sur le mur.

5 Construisez les murs latéraux comme le mur arrière (étapes 1 à 4), mais avec les rondins de 60 cm (2 pi) de long.

Treillage du toit et des murs

1 Disposez les branches droites du treillage du toit d'avant en arrière, d'un côté à l'autre et en diagonale. En vous arrangeant pour que les branches saillent des poutres avant sur 50 cm (20 po) ou plus, vous profiterez d'une meilleure protection contre le soleil et la pluie (une fois que la tonnelle sera recouverte de plantes grimpantes). Ligaturez les branches au niveau des points de jonction avec du fil de fer de calibre 14. Il est préférable de les clouer sur les poutres de toit en perçant des avant-trous.

2 Il n'y a aucune règle stricte fixant la façon de poser le treillage des murs latéraux ; le diagramme 4 présente un exemple de treillage. Ligaturez les branches au niveau des points de jonction avec du fil de fer comme à l'étape 1,

3 La construction de la tonnelle est terminée. Mettez un banc près du mur arrière. Placez des plantes grimpantes autour de la tonnelle de façon qu'elles poussent sur les treillages.

VARIANTE Clôture rustique

Grâce à certaines techniques de base servant à bâtir la tonnelle rustique, vous pouvez aménager une clôture rustique à la fois belle et pratique. Cette clôture peut servir à délimiter une parcelle de terrain ou encore à camoufler une clôture à mailles losangées existante.

Sciez autant de branches longues et droites de 5 cm (2 po) de diamètre qu'il vous faut de poteaux, de traverses et d'entretoises diagonales. Prévoyez un poteau tous les 1,80 m (6 pi).

Appliquez un produit protecteur sur la base des poteaux. Laissez-le sécher. Fichez les poteaux dans le sol à une profondeur de 30 à 45 cm (12-18 po) ; tassez le sol autour de chaque poteau (ci-dessous, des troncs d'arbres fichés dans le sol sont liés à des poteaux de métal déjà en place de façon à les cacher).

Tendez horizontalement entre les poteaux quatre ou cinq fils de fer de calibre 10 ; espacez les fils également depuis le sol jusqu'au sommet des poteaux. (Si vous dissimulez une clôture à mailles losangées, utilisez-la en guise de base.) Attachez les traverses au sommet des poteaux avec du fil de fer de calibre 14. Attachez ensuite les entretoises diagonales aux poteaux ; croisez-les entre les paires de poteaux. Passez des branches entre les fils de fer tendus horizontalement. Attachez un autre poteau au point de jonction des entretoises diagonales ; fichez-le dans le sol au besoin pour consolider la clôture.

Pour finir, créez un treillage entre les poteaux en glissant des branches de 2 cm (¾ po) de diamètre ou moins entre les fils de fer tendus horizontalement ; au besoin, ligaturez les branches avec du fil de fer de calibre 14.

Utilisez des matériaux naturels pour construire une clôture qui se fondra dans le décor existant. Ce type de clôture permet d'attirer la faune dans un jardin.

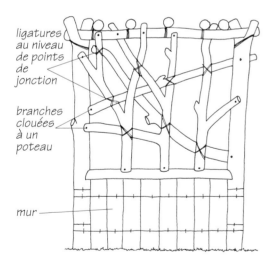

ligatures au niveau de points de jonction

branches clouées à un poteau

mur

DIAGRAMME 4

mais clouez-les au niveau des poutres de toit, des poteaux d'angle et des murs. À l'avant, des branches biaises ont été ajoutées pour encadrer l'entrée ; elles sont fixées à peu près au milieu de la poutre de toit et près du tiers supérieur de chaque poteau avant ; elles portent un treillage fait de petites branches.

Treillage pyramidal

Cette structure pyramidale à trois côtés forme un support étonnamment solide et peu coûteux qui convient à toutes les plantes.

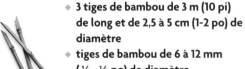

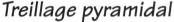

- **3 tiges de bambou de 3 m (10 pi) de long et de 2,5 à 5 cm (1-2 po) de diamètre**
- **tiges de bambou de 6 à 12 mm (¼ - ½ po) de diamètre**
- **ficelle verte de jardinage**
- **sécateur robuste ou scie**
- **gants de cuir, marqueur, ruban à mesurer, ciseaux**

Construction d'un côté de la pyramide

1 Placez deux tiges de bambou de 3 m (10 pi) de long sur le sol. Avec un ruban à mesurer et un marqueur, faites une marque aux points A, B

et C de chaque tige (diagramme). Les dimensions sont à titre indicatif ; si vous avez un bon sens des proportions, vous pouvez construire le treillage sans prendre de mesures précises.
2 Liez les tiges au point A. Enroulez solidement la ficelle autour des tiges, puis faites un nœud bloqué (un nœud de cabestan fera très bien l'affaire). Écartez les tiges afin de laisser environ 1,20 m (48 po) entre les points C.
3 À l'aide du sécateur, débitez une tige de bambou de petit diamètre à 1,40 à 1,60 m (56-64 po) : portez des gants. Attachez-la au niveau des points C du triangle de façon qu'elle saille de 10 à 20 cm (4-8 po) sur les côtés.
4 Mesurez la distance de B à B ; débitez une tige à la longueur utile – prévoyez une petite saillie. Attachez la tige au niveau des points B.
5 Débitez et attachez les quatre autres tiges (diagramme). Vous aurez avantage à commen-

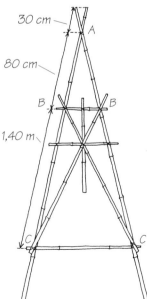

Le bambou peut servir à construire un treillage attrayant et peu coûteux qui se prête à la culture de petits rosiers grimpants ou de plantes hautes à tiges souples, comme les tomates et les haricots grimpants.

cer par les tiges diagonales ; passez ensuite aux tiges horizontales et à la tige verticale attachées à la jonction des tiges diagonales.

6 Une fois toutes les tiges attachées, consolidez les ligatures avec de la ficelle.

7 Au besoin, taillez les extrémités saillantes à 45 degrés de façon à les rendre à peu près égales.

Achèvement de la pyramide

1 Marquez la position des points A, B et C sur la troisième tige principale. Attachez cette tige aux deux autres au niveau du point A.

2 Placez les trois pieds de la pyramide sur le sol pour former un triangle équilatéral. Répétez les étapes 3 à 5 (plus haut) pour achever les deux autres côtés.

3 Après avoir attaché toutes les tiges, consolidez les ligatures principales avec de la ficelle.

Treillage adaptable

Ce treillage en bambou supportera des plantes ou pourra former une barrière temporaire autour du gazon endommagé ou fraîchement semé ou d'un sentier de béton qui vient d'être coulé. Comme tous les éléments sont identiques, vous pouvez en fabriquer autant qu'il vous en faut. Adaptez les dimensions à vos besoins.

- **tiges de bambou de 6 mm à 2 cm (¼ - ¾ po) de diamètre : 1 tige de 1,80 m (70 po) de long (traverse), 2 tiges de 1,65 m (65 po) de long (entretoises diagonales)**
- **2 tiges de bambou de 2 cm (¾ po) de diamètre et de 1,25 m (50 po) de long (poteaux)**
- **ficelle verte de jardinage**
- **gants de jardinage en cuir**
- **sécateur robuste**
- **ciseaux**
- **ruban à mesurer**

1 À l'aide du sécateur, débitez le bambou aux longueurs utiles (portez des gants).

2 Assemblez chaque élément à l'œil en vous guidant sur le diagramme ; les mesures n'ont pas à être très précises. Les tiges doivent saillir de 25 cm (10 po) au niveau des coins. Placez la traverse sur le sol, déposez les poteaux dessus et assemblez le tout ; enroulez solidement la ficelle autour des tiges, puis faites un nœud bloqué.

3 Mettez les entretoises diagonales en place ; attachez-les à la traverse et aux poteaux.

4 Taillez toutes les extrémités des tiges. Au besoin, coupez l'extrémité supérieure de chaque entretoise diagonale de façon qu'elle se trouve au niveau du sommet des poteaux.

Utilisez un treillage adaptable pour supporter vos annuelles. Ci-contre, des treillages disposés en V dans une plate-bande de pois de senteur mettent les plantes en valeur. Dans la photo du haut, des treillages placés en triangle encadrent un massif de pois de senteur.

◆ Épouvantail ◆

On utilise les épouvantails depuis longtemps pour faire peur aux oiseaux trop gourmands. Il est facile
d'en fabriquer un ; servez-vous simplement de votre imagination et des vieux vêtements que vous avez
sous la main. Même s'il n'effraie pas les oiseaux, votre épouvantail fera sûrement sourire vos voisins !

Pour obtenir un effet amusant, décorez les vête-
ments que portera votre épouvantail.

- ◆ **tuteur de 1,80 m (6 pi) : partie verticale**
- ◆ **tuteur de 1,50 à 4,20 m (5-14 pi), vieux râteau ou vieille bêche : bras**
- ◆ **vis (pour traverser les tuteurs)**
- ◆ **sac de jute**
- ◆ **paille**
- ◆ **fil de fer (calibre 20 ou 18)**
- ◆ **vêtements et accessoires divers**
- ◆ **colle pour tissu**
- ◆ **aiguille et fil**
- ◆ **perceuse électrique, tournevis, ciseaux, pince, marteau**

1 Placez le tuteur le plus long sur le sol et centrez le tuteur le plus court (ou bien le râteau ou la bêche) dessus, à 30 cm (1 pi) de son sommet. Au niveau du point de jonction, percez un trou où vous logerez une vis afin d'unir les tuteurs.

2 Mettez le sac par-dessus le long tuteur ; découpez-le de façon à ne conserver que la longueur de jute nécessaire pour former la tête de l'épouvantail. Bourrez le sac de paille ; fermez-le au niveau du cou avec du fil de fer.

3 Créez les éléments de la figure de l'épouvantail avec du feutre, des boutons et des morceaux de plastique. Collez de la paille sur la tête pour les cheveux et attachez le chapeau.

4 Enfilez une chemise sur le cadre et bourrez-la de paille. Nouez le bas de la chemise.

5 Percez un trou dans la salopette ; faites-y passer le tuteur. Fixez la salopette au cadre, puis bourrez-la de paille.

6 Plantez l'épouvantail au centre du jardin.

Un épouvantail à l'ancienne mettra une touche
originale dans votre jardin — tout en tenant peut-être
les oiseaux à bonne distance !

◆ Lampes de jardin ◆

L'éclairage du jardin peut contribuer à créer une atmosphère magique au cours d'une réception en plein air.
Point n'est besoin de matériel coûteux ni d'installations complexes. Avec un peu d'imagination, vous
obtiendrez une douce lumière grâce à des lampes fabriquées à partir de matériaux simples et courants.

Lampes à bougie

Voici trois suspensions destinées à recevoir des lampes à bougie. Les spécifications visent les pots illustrés. Lisez la section sur le travail du fil de fer (p. 223) avant de commencer.

- **pots de verre**
- **fil de cuivre ou de laiton**
- **fil de fer de calibres 20 et 22**
- **étau, pince, gros tournevis**
- **perceuse et crochet à tasse**
- **ruban à mesurer**
- **chandelles, sable**
- **peinture pour verre, pinceau**

Suspension simple

1 Débitez un fil de cuivre à une longueur égale à la circonférence du col du pot majorée de 7,5 cm (3 po). Cintrez le fil autour du col pour obtenir un cercle non ajusté ; pliez les bouts du fil avec une pince de façon à former deux crochets enlacés. À l'aide d'un tournevis, torsadez le fil pour former une boucle ronde de chaque côté du col.

boucle d'accrochage

boucle ronde

2 Débitez un tronçon de fil de 90 cm (3 pi) de longueur ; avec une pince, façonnez en son centre la boucle qui servira à l'accrochage.

3 Faites passer les bouts du fil dans les boucles rondes sur 2,5 cm (1 po), puis torsadez-les sur eux-mêmes.

Suspension torsadée

1 Formez une boucle avec un tronçon de fil de calibre 20 d'environ 2 m (6 ½ pi) de long.

Pliez les bouts avec une pince pour former deux crochets enlacés. Enroulez le fil juste sous le rebord du col pour avoir deux boucles de 90 cm (3 pi) de long de chaque côté du pot.

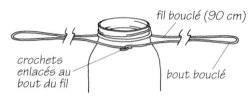

fil bouclé (90 cm)

crochets enlacés au bout du fil

bout bouclé

2 À l'aide d'une pince, torsadez la boucle de gauche contre le col. Calez un crochet à tasse dans le mandrin de la perceuse ; glissez l'extrémité de la boucle de droite dans le crochet.

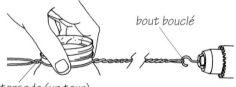

bout bouclé

torsade (un tour)

3 Tenez bien le fil de chaque côté du col ; faites tourner le mandrin de la perceuse au plus lent pour torsader le fil complètement.
4 Retranchez les boucles aux deux bouts du fil torsadé. Ramenez les deux torsades au-dessus du pot. Unissez-les avec du fil de calibre 22 à 10 cm (4 po) de leur extrémité. À l'aide d'une pince, formez des volutes de 2,5 cm (1 po) de diamètre aux deux extrémités.

Suspension à cage

1 Débitez deux tronçons de fil de calibre 20 à une longueur de 90 cm (3 pi). Croisez-les en leur centre ; unissez-les à cet endroit avec du fil de calibre 22.
2 Centrez la base du pot sur la ligature ; rabattez le fil sur les côtés du pot en tenant celui-ci solidement. Unissez les quatre portions de fil à la verticale avec du fil de calibre 22, à 15 cm (6 po) de leur extrémité. À l'aide d'une pince, formez une volute à chacune des extrémités.
3 Débitez un tronçon de fil de calibre 20 à une longueur égale à la circonférence du pot majorée de 2,5 cm (1 po). Bouclez-le autour des quatre fils de suspension juste sous le rebord du col. Ligaturez chaque intersection avec du fil de calibre 22.

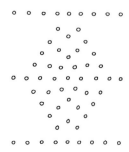

boucle

croisillon

Finition

1 Peignez les pots au besoin.
2 Mettez 5 cm (2 po) de sable dans chaque pot. Fichez ensuite les chandelles dans le sable ; leur stabilité sera ainsi assurée.

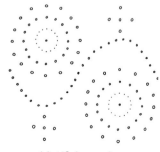

Motif de cercles

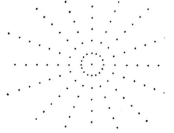

Motif de soleil radieux

Motif de losange

Lanternes à bougie

La lumière scintille par les trous de ces lanternes. Reportez les motifs sur les boîtes avec un pochoir de papier et faites les trous avec une perceuse.

- **boîtes de conserve**
- **papier, crayon et compas**
- **règle et ruban à mesurer**
- **ruban adhésif**
- **goujon de grand diamètre**
- **étau, pince, marteau, perceuse**
- **fil de fer de calibres 20 et 22**
- **peinture et pinceau**

1 Agrandissez un des motifs de la page 258 à l'aide d'un photocopieur, puis enroulez la reproduction autour de la boîte. Vous pouvez aussi reproduire le motif à main levée sur un morceau de papier ayant la dimension utile.

2 Reproduisez les motifs circulaires avec un compas et un crayon. Tracez des cercles concentriques et faites des marques équidistantes coïncidant avec leur circonférence. Tracez des lignes à partir du centre jusqu'à ces marques pour diviser le cercle en sections égales. Marquez toutes les intersections d'un point pour l'emplacement de chaque trou.

3 Pour reproduire le motif de losange, tracez un petit losange constitué de deux triangles équilatéraux, que vous inclurez dans deux triangles proportionnellement plus grands. Faites des points à intervalles égaux sur les lignes pour repérer l'emplacement des trous.

4 Fixez le pochoir sur la boîte de conserve avec du ruban adhésif.

5 Calez un bout du goujon dans l'étau ; placez la boîte par-dessus le bout qui saille.

6 Faites un petit trou dans la boîte au niveau de chaque point avec un gros clou, puis agrandissez le trou à l'aide d'une perceuse. Percez de la même manière les trous qui recevront l'anse.

7 Pour fabriquer l'anse, pliez en son centre un fil de fer de 50 cm (20 po) de long. Formez un crochet aux deux bouts du fil. Cintrez le fil en son centre pour former la boucle d'accrochage. Posez l'anse. Peignez la boîte si vous le désirez.

Des pots de verre, utilisés en guise de lampes, et des boîtes de conserve, converties en lanternes à motifs ajourés, permettent de créer une atmosphère spéciale.

◆ Pots originaux ◆

Vous mettrez une touche d'originalité dans votre jardin en y introduisant des récipients insolites et néanmoins charmants, comme ceux présentés ici. Un peu de préparation et un aménagement végétal adéquat donneront une nouvelle jeunesse à différents objets – pots cassés, vieux seaux ou brouette peu utilisée, par exemple.

Pots recyclés

Un beau pot en terre cuite ne devient pas forcément inutile parce qu'il est fêlé ou cassé. Son imperfection pourrait avoir un certain charme dans votre jardin. N'hésitez donc pas à le recycler !

- ◆ **pot cassé (dont la panse peut tout de même contenir un peu de terreau) et tesson**
- ◆ **petit morceau de moustiquaire en fibre de verre**
- ◆ **terreau**

1 Si vous ne disposez pas d'un pot à fleurs fêlé ou cassé, procurez-vous un pot de second choix dans une pépinière ou un commerce où l'on vend des pots. En général, les pots endommagés sont grandement démarqués. Épointez le tesson à l'aide d'un marteau (soyez prudent).

2 Couvrez le trou de drainage d'un morceau de moustiquaire en fibre de verre. Remplissez le pot de terreau jusqu'au bas de la cassure.

3 Enfoncez le tesson verticalement dans le terreau, à peu près dans le tiers arrière du pot. Tassez le terreau tout autour du tesson.

4 Mettez des plantes dans le pot. Les plantes qui ont besoin d'un bon drainage devraient être placées à l'arrière du pot ; celles qui préfèrent l'humidité, à l'avant. Positionnez les plantes qui possèdent une grosse motte à l'arrière du pot ; leurs racines disposeront ainsi de plus d'espace pour s'étaler. Si vous désirez cultiver des plantes des climats secs ou des cactus, incorporez un peu de sable grossier au terreau pour améliorer le drainage.

VARIANTE Pour patiner un pot de second choix récemment acheté, frottez-le de terre et de mousse ou d'une poignée de mousse de tourbe additionnée de colle blanche.

Utilisez un gros tesson de poterie pour créer une minuscule terrasse et transformer un pot cassé en un récipient utile à deux niveaux (ci-dessus et à gauche). Le tesson contribue aussi à retenir le terreau dans le pot jusqu'à ce que les racines des plantes soient assez bien développées pour jouer ce rôle. Dans la photo du haut, les plantes rampantes qui débordent du récipient rendent ses imperfections attrayantes. Dans la photo de gauche, une pierre d'aquarium érodée par l'eau remplace le tesson manquant et confère au pot l'attrait de la fantaisie en miniature. L'effet est augmenté du fait que le pot est placé sur une marche de grès usée par les saisons.

Pots en simili-pierre

Les auges en pierre comptent parmi les plus beaux récipients de jardin – mais leur prix est élevé. Grâce à la simili-pierre, ou hypertuf, il est possible de fabriquer facilement et à peu de frais des récipients qui ont la texture de la pierre.

- ◆ **mousse de tourbe, mélange de sable et de ciment préparé**
- ◆ **contenants à côtés rigides (boîtes de carton, contenants de plastique ou glacières en styromousse)**
- ◆ **goujon, 2,5 cm (1 po) de diamètre et 12,5 cm (5 po) de long**
- ◆ **petit contreplaqué, briques**
- ◆ **balayette ou brosse métallique**
- ◆ **terreau**
- ◆ **plantes tapissantes ou plantes semblables**

1 Combinez le mélange de sable et de ciment et la mousse de tourbe sèche (1 : 2). Ajoutez un peu d'eau pour obtenir une pâte collante.

2 Pour fabriquer un moule simple, insérez deux bouts de goujon de 5 cm (1 po) de diamètre et de 6,5 cm (2 ½ po) de long à travers le fond d'une boîte pour former les trous de drainage. Étalez 4 cm (1 ½ po) de mélange au fond de la boîte. Pour fabriquer les côtés du moule, découpez quatre morceaux de contreplaqué ayant 4 cm (1 ½ po) de moins sur les côtés que les dimensions extérieures de la boîte. Placez-les debout dans la boîte, en les joignant par les coins, de manière à reproduire la forme de la boîte ; étayez-les de l'intérieur avec un ou deux rangs de briques ou de demi-briques.

3 Comblez le vide entre le contreplaqué et les côtés de la boîte avec le mélange ; tassez le mélange avec un bâton à mesure que vous le coulez pour éliminer les poches d'air.

4 Laissez sécher à l'abri durant 24 heures.

5 Le jour suivant, retirez le contreplaqué, déchirez la boîte et enlevez les goujons.

Utilisez du colorant à ciment pour rehausser l'apparence naturelle que la mousse de tourbe confère à l'hypertuf. Incorporez le colorant au mélange frais, puis remuez le tout une ou deux fois seulement ; vous obtiendrez ainsi des « veines sédimentaires » irrégulières.

6 Frottez les côtés du récipient avec une balayette ou une brosse métallique pour les rendre légèrement rugueux et ainsi leur donner l'apparence de la pierre taillée.

7 Laissez le mélange durcir durant trois à cinq jours (selon le temps qu'il fait) avant de mettre des plantes dans le récipient.

VARIANTE Pour un pot rond, étalez 4 cm (1 ½ po) de mélange autour d'un goujon placé dans un pot en plastique du diamètre et de la hauteur voulus. Centrez un second pot rond, plus petit de 4 cm (1 ½ po) de diamètre, sur le mélange frais de façon à laisser un vide uniforme entre sa paroi et celle du premier pot.

Pots peints

Ces pots décoratifs sont aussi pratiques qu'ils sont beaux. On peut les utiliser pour mettre de la couleur dans un coin du jardin. Ils font aussi de bons cadeaux. Ornés de motifs subtils ou très voyants, ils mettront une touche de gaieté toute personnelle dans un jardin.

- ◆ **seaux métalliques et pots en terre cuite de tailles variées**
- ◆ **papier abrasif**
- ◆ **poinçon pour métal**
- ◆ **cisailles et toile d'émeri (facultatif)**
- ◆ **apprêt à métal (en aérosol ou en boîte)**
- ◆ **peintures d'extérieur semi-lustrées à l'alkyde (en aérosol ou en boîte)**
- ◆ **pinceaux (au besoin)**
- ◆ **essence minérale (nettoyage)**

1 Assurez-vous que tous les récipients sont propres, sans rouille et en bon état ; nettoyez-les et poncez-les au besoin.

2 Certains des récipients métalliques photographiés ici avaient déjà un rebord dentelé lorsqu'on les a achetés. Pour denteler un rebord droit, tracez sur toute sa circonférence un motif semi-circulaire à l'aide d'un crayon bien taillé ; utilisez un couvercle de pot en guise de modèle. Découpez le motif avec des cisailles bien aiguisées ; émoussez les arêtes vives en les frottant avec une toile d'émeri.

3 Si vous voulez cultiver des plantes dans un récipient métallique, percez trois ou quatre trous de drainage au fond avec un poinçon.

4 Appliquez un apprêt à métal à l'intérieur et à l'extérieur des récipients métalliques.

5 Appliquez deux ou trois couches de peinture sur chaque récipient dans un lieu aéré et exempt de poussière. Laissez sécher entre les applications. Le nombre de couches dépend de la couleur. Attendez que la peinture soit bien sèche avant d'utiliser les récipients.

Une couche de peinture permet de donner du style à des récipients en métal ou en terre cuite peu coûteux ou de les intégrer dans un arrangement de couleurs.

Si vous disposez de peu d'espace, plantez des bulbeuses et des annuelles dans des bols, des bacs et des seaux galvanisés, que vous pourrez facilement déplacer. Percez des trous de drainage avant la plantation.

Jardinières de fantaisie

Presque tout récipient susceptible d'être rempli de terreau et drainé peut servir de jardinière de fantaisie. Les seaux et les arrosoirs galvanisés anciens présentent un intérêt certain et on peut patiner les neufs avec de la terre mouillée.

- ◆ **terreau**
- ◆ **engrais à libération lente**
- ◆ **plantes à fleurs**
- ◆ **récipients (seaux et arrosoirs galvanisés, par exemple)**

1 Pour patiner un seau ou un arrosoir galvanisés neufs, étalez une poignée de terre humide sur le métal de façon aléatoire. Laissez sécher la terre, puis enlevez les concrétions qui adhèrent au métal en les frottant avec la main (gantée); ne les mouillez pas, autrement vous éliminerez la couche de terre qui mate le fini argent luisant obtenu par galvanisation.

2 Si un récipient ancien est toujours étanche, percez deux ou trois trous de 6 mm (¼ po) au fond avec un perçoir ou un poinçon pour

Des objets trouvés ou mis au rancart, comme cette vieille brouette, peuvent devenir des jardinières très décoratives. La réunion de récipients de tailles variées dans un coin ou contre un mur crée un bel effet.

métal. Couvrez les trous d'un morceau de moustiquaire en fibre de verre. Si la rouille a détruit le fond, vous pouvez placer un pot de plastique (comportant des trous de drainage) dans le récipient.

3 Remplissez le récipient d'un bon terreau additionné d'une poignée d'engrais granulé à libération lente. Mettez-y ensuite des plantes comme dans tout autre récipient.

VARIANTE Si vous disposez d'un grand récipient, un bac galvanisé par exemple, percez des trous de drainage, puis étalez plusieurs centimètres de gravier au fond. Agrémentez ensuite le récipient de plantes en pots variées qui fleuriront à différents moments – des bulbeuses printanières aux chrysanthèmes d'automne.

SOUS LE SIGNE DE L'ORIGINALITÉ

LES BÛCHES CREUSES, les caisses en bois, les pots à café métalliques et même les vieilles cages à oiseaux peuvent servir de jardinières. Ainsi, il suffit de fixer une chaîne ou une corde imputrescible au sommet d'une cage à oiseaux pour créer un panier suspendu insolite.

Un panier doublé de plastique, au fond duquel vous aurez étalé plusieurs centimètres de gravier, fera joliment ressortir les plantes à fleurs, tout comme des boîtes de conserve décoratives (percez des trous de drainage avant d'y mettre des plantes). Des bottes de pluie de couleur vive pourraient aussi être converties en jardinières!

◆ Sous-pots en fil de fer ◆

Le travail du fil de fer est un art ancien qui se prolonge dans une forme de décoration originale.
Choisissez l'un ou l'autre modèle de sous-pot, à la fois beau et solide, présenté ici, ou bien
adaptez son style et ses proportions au pot que vous désirez mettre en valeur.

Lisez la section sur le travail du fil de fer (p. 223) avant de fabriquer votre sous-pot.

- **fil de fer de calibres 10, 12, 20 et 22**
- **casserole de 25 cm (10 po) de diamètre ou moins**
- **règle ou ruban à mesurer, feutre**
- **étau, pince, tournevis, gants**
- **tuyau de fer galvanisé de 4 cm (1 ½ po) de diamètre**
- **pot de 7,5 cm (3 po) de diamètre**
- **perceuse et crochet à tasse**
- **peinture lustrée en aérosol ou pot de peinture d'extérieur et pinceau**
- **essence minérale (nettoyage)**

Fabrication de la base

1 Pour fabriquer la base cruciforme, débitez du fil de calibre 10 en deux tronçons de 60 cm (2 pi). Faites une marque au centre des tronçons ; faites-en une autre de chaque côté du centre, à 9 cm (3 ½ po) de celui-ci.

2 Pour façonner les quatre anneaux qui supportent le sous-pot, calez le tuyau de fer à l'horizontale dans un étau (étape 1). Appuyez un fil sur le tuyau au niveau d'une marque faite à 9 cm (3 ½ po) du centre ; retenez-le avec le pouce. De l'autre main, pliez le bout long autour du tuyau de façon qu'il chevauche le bout court et forme un anneau de 5 cm (2 po) de diamètre. Vous devez obtenir un anneau bien formé une fois le bout long relâché.

3 Formez le second anneau au niveau de l'autre marque faite à 9 cm (3 ½ po) du centre. Formez les anneaux de l'autre fil de la même manière. Façonnez un creux au centre d'un des fils ; logez-y l'autre fil. Liez-les au niveau du point de jonction avec du fil de calibre 22.

4 Pour fabriquer l'anneau extérieur, utilisez un tronçon de fil de calibre 10 de 80 cm (32 po) de long ; prévoyez 5 cm (2 po) de plus pour former les crochets enlacés qui ferment l'anneau, soit 85 cm (34 po) en tout. Cintrez le fil autour de la casserole (portez des gants). Pliez les extrémités du fil avec une pince de façon à former les crochets.

5 Placez l'anneau sur la base ; raccourcissez les quatre fils de la base de manière que leurs extrémités débordent l'anneau sur 1 cm (½ po). Rabattez les extrémités des fils de la base autour de l'anneau avec une pince.

6 À l'aide d'une pince, façonnez à partir d'un tronçon de fil de calibre 12 de 3 m (10 pi) de long une spirale dont le diamètre extérieur tiendra dans l'anneau du sous-pot. Prévoyez 1 cm (½ po) de surplus à chaque extrémité.

7 Placez la spirale sur la base. Rabattez ses extrémités sur 1 cm (½ po) autour du centre de la base et autour de l'anneau extérieur.

8 Liez la spirale à chaque fil de la base avec un tronçon de fil de calibre 22 de 80 cm (32 po) de long (étape 3). Bouclez le tronçon autour des fils de la base à chaque point de jonction ; liez-le à l'anneau extérieur par les bouts.

Bordure de pétales

1 Torsadez un tronçon de fil de calibre 20 de 90 cm (3 pi) de long à l'aide de la perceuse (p. 258). Débitez la torsade en 16 tronçons de

---

FABRICATION DU SOUS-POT

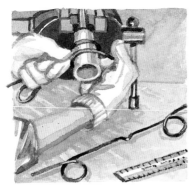

1 *Cintrez deux fils sur un tuyau de façon à former les anneaux de la base. Façonnez un creux au centre d'un des fils ; logez-y l'autre. Ligaturez les deux fils au niveau du point de jonction.*

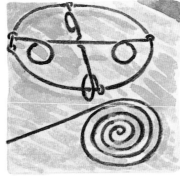

2 *Formez un anneau de 80 cm (32 po) de circonférence ; placez-le sur la base. Rabattez les bouts de la base autour de l'anneau. Façonnez avec du fil de calibre 12 une spirale qui tiendra dans l'anneau.*

3 *Placez la spirale dans l'anneau. Liez-la à la base avec du fil de calibre 22 au niveau de chaque point de jonction. Liez aussi la spirale à chacun des anneaux de la base avec le fil de calibre 22.*

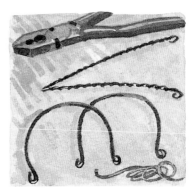

4 *Pour créer une bordure décorative, façonnez 16 pétales en V (haut) avec du fil de calibre 20 torsadé ; cintrez les pétales sur un pot. Vous pouvez aussi plier du fil de calibre 12 en U (bas) sur le tuyau.*

30 cm (12 po) de long. Pliez les extrémités sur
1 cm (½ po) pour former un crochet (étape 4).
2 Donnez à chaque tronçon la forme d'un
pétale en V, puis cintrez le pétale sur un pot.
3 Fixez les pétales sur la base, courbe et crochets vers l'extérieur. Laissez 10 cm (4 po) entre
les crochets ; fermez-les avec une pince. Les
pétales doivent se chevaucher. Ligaturez les
points de jonction avec du fil de calibre 22.

Bordure festonnée
1 Débitez du fil de calibre 12 en 18 tronçons de
25 cm (10 po) de long. Pliez chaque extrémité
sur 1 cm (½ po) pour former un crochet.
2 Cintrez chaque tronçon sur le tuyau de fer
calé dans l'étau de façon à former un anneau
quasi fermé ; vous devez obtenir un demi-
anneau aux extrémités espacées de 10 cm
(4 po) lorsque vous lâchez le fil.

*Utilisez ces sous-pots solides à l'extérieur (véranda,
patio) ou à l'intérieur. Appliquez un apprêt à métal
avant de les peindre de votre couleur préférée.*

3 Fixez les demi-anneaux comme les pétales,
mais crochets vers l'intérieur.
4 Peignez votre sous-pot au besoin (apprêt
à métal et peinture acrylique d'extérieur).

◆ Sur la véranda ◆

Il est facile de remettre à plus tard les travaux de jardinage quotidiens quand on doit aller chercher les outils dont on a besoin au garage ou au sous-sol. Un support permettant de grouper tous vos outils là où vous pouvez y avoir accès rapidement fera de vous un jardinier beaucoup plus efficace!

Support mural

Un support fixé sur un mur de la véranda ou derrière la porte arrière peut servir à accrocher des chapeaux et des sacs ainsi que tous les accessoires qu'on doit avoir sous la main pour le jardinage.

- ◆ **7,50 m (24 pi) de lattes**
- ◆ **1 litre (1 pte) de teinture ou de peinture d'extérieur**
- ◆ **pinceau de 5 cm (2 po) de large**
- ◆ **contreplaqué de 6 mm (¼ po)**
- ◆ **clous à toiture de 2,5 cm (1 po)**
- ◆ **4 crochets à vis**
- ◆ **2 vis de 5 cm (2 po)**
- ◆ **ruban à mesurer**
- ◆ **crayon**
- ◆ **équerre en T**
- ◆ **scie à dossière**
- ◆ **perceuse électrique**
- ◆ **marteau**
- ◆ **bloc d'acier (ou second marteau)**
- ◆ **papier abrasif**

1 Appliquez de la teinture ou deux couches de peinture sur tout le bois.

2 Débitez les lattes aux dimensions utiles (voir ci-dessous). Les lattes horizontales sont de diverses longueurs parce que le sommet du support est un peu moins large que sa base, ce qui ajoute à son élégance ; deux d'entre elles mesurent 58 cm (23 po) de long, les deux autres, 59,5 cm (23 ½ po) et 61 cm (24 po) de long respectivement. Quatre lattes verticales ont 49,5 cm (19 ½ po) de long ; trois, 61 cm (24 po) de long. Les quatre lattes diagonales font 48 cm (19 po) de long.

3 Mettez le contreplaqué sur une surface plane. Placez les lattes horizontales dessus (la plus courte au sommet, la plus longue à la base). Placez les lattes verticales sur les lattes horizontales. Positionnez les lattes à l'œil, d'après le diagramme. Vous araserez plus tard

les bouts qui dépassent. La plupart des lattes ne se croisent pas à 90 degrés en raison de la forme du support. Néanmoins, la latte verticale du centre doit croiser chaque latte horizontale à 90 degrés ; utilisez une équerre en T pour bien la positionner et marquez toutes les jonctions avec un crayon.

4 Percez un trou à l'emplacement de chaque clou (diagramme) avec la perceuse électrique ; utilisez un foret d'un diamètre légèrement inférieur à celui des clous. Enfoncez un clou dans chaque trou ; une petite portion de la pointe du clou doit pénétrer le contreplaqué.

5 Une fois le clouage terminé, retournez le support et détachez le contreplaqué. Placez le bloc d'acier (ou la tête d'un second marteau) sous la tête d'un des clous enfoncés dans le support. Rivez le clou (le bloc d'acier servira de point d'appui). Cette étape est illustrée à droite. Rivez tous les clous ainsi.

latte
horizontale
la plus courte

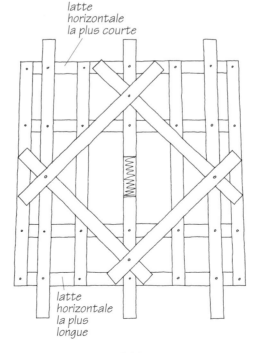

latte
horizontale
la plus
longue

6 Retournez le support, puis posez les lattes diagonales (diagramme). Percez d'abord un trou à l'emplacement de chaque clou avec la perceuse. Enfoncez et rivez les clous.

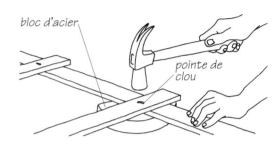

bloc d'acier

pointe de clou

7 Arasez, au besoin, les extrémités des lattes qui dépassent. Éliminez les rugosités avec du papier abrasif.

8 Si vous utilisez une teinture, teignez le bois mis à nu. Si vous utilisez de la peinture, peignez les clous et le bois mis à nu (au niveau des extrémités arasées, par exemple).

9 Pour poser les crochets à vis, percez des trous avec la perceuse au niveau des quatre points d'intersection des lattes diagonales (photographie de la page 267), pas trop près des clous. Installez les crochets.

10 Percez deux trous dans la deuxième latte horizontale du haut, entre les deux premières et les deux dernières lattes verticales. Les vis servant à fixer le support seront insérées dans ces trous. Pour installer le support sur un mur recouvert de stucco, utilisez des vis de 6,5 cm (2 ½ po) de long ; assurez-vous que les vis pénètrent la charpente ou les poteaux. Si vous devez installer le support sur un mur de plâtre, logez les vis dans des chevilles afin d'assurer une prise solide.

Tout sera en ordre sur la véranda ou dans le vestibule grâce à ce support mural auquel vous pourrez accrocher petits outils et objets divers.

Fourre-tout de jardinier

Ce sac en toile verte possède de nombreuses poches d'un côté et un compartiment séparateur central. Il offre beaucoup d'espace où ranger vos outils, vos semences et divers accessoires.

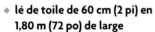

- **lé de toile de 60 cm (2 pi) en 1,80 m (72 po) de large**
- **ciseaux**
- **machine à coudre**
- **aiguille résistante pour machine à coudre**
- **ruban-cache**
- **fil à coudre de gros calibre de la couleur de la toile**
- **gros bouton-pression résistant**

1 Taillez dans le lé: poche, 20 x 52 cm (8 x 20 ½ po); devant, 57 x 52 cm (22 ½ x 20 ½ po); dos, 72 x 52 cm (28 ½ x 20 ½ po); poignées, 90 x 7,5 cm (36 x 3 po).

2 Faites un rang de points à la machine à coudre, à 1 cm (½ po) du bord d'un côté long de la poche. Pliez le tissu au niveau de la cou-

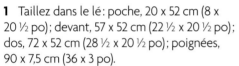

ture, repassez-le et piquez-le près du bord pour créer un ourlet. Ourlez ainsi les bords courts du devant du fourre-tout, en rabattant un bord dessous et le bord opposé dessus.

3 Placez la poche, ourlet dessous, sur le devant du fourre-tout, en laissant 7,5 cm (3 po) entre les bords supérieurs (ourlés), comme dans le diagramme 1. Piquez les deux éléments à points traversants, à 1 cm (½ po) du bord inférieur (vif) de la poche.

4 Pour confectionner les poches du bas, rabattez le devant du fourre-tout sur 18 cm (7 po) (diagramme 1). Piquez le tissu près de chaque bord latéral, de haut en bas, pour fixer les deux rangs de poches. Faites deux rangs de points, de haut en bas, à 15 cm (6 po) de chaque bord latéral, pour confectionner les séparations de la poche.

5 Sur les côtés courts du dos du fourre-tout, faites deux ourlets (voir l'étape 2), en rabattant les deux bords en dessous. Pour confectionner la séparation centrale, rabattez le dos du fourre-tout de 35 cm (14 po) à partir de l'ourlet

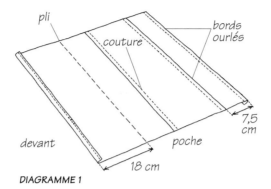

DIAGRAMME 1

du bas, en orientant les bords vifs de l'ourlet vers l'intérieur. Assemblez devant, poches et dos en les piquant à 2 cm (¾ po) d'un bord.

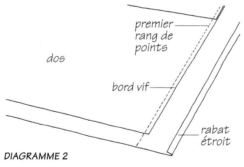

DIAGRAMME 2

6 Taillez le bord du devant du fourre-tout près de la couture et formez un rabat étroit sur le bord du dos (diagramme 2).

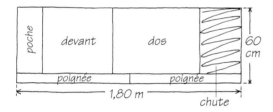

DIAGRAMME 3

7 Rabattez le bord du dos sur la couture (diagramme 3) et piquez les deux éléments près du premier rabat du dos, à points traversants. Assemblez les bords de l'autre côté de la même façon. Piquez le fond du fourre-tout sur son pourtour, près du bord.

8 Faites un rentré étroit sur les bouts courts des poignées, puis pliez les poignées en deux dans la longueur pour leur donner une largeur de 4 cm (1 ½ po). Piquez chaque poignée sur son pourtour, près du bord. Positionnez et piquez chaque poignée à 2,5 cm (1 po) sous le bord supérieur du fourre-tout et juste à côté de la couture des séparations de la poche (diagramme 4); exécutez une couture double.

9 Cousez une partie du bouton-pression sur l'envers du devant du fourre-tout, l'autre sur

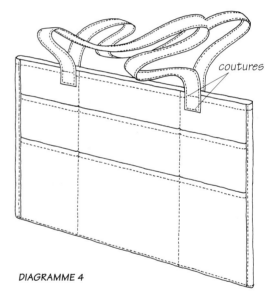

DIAGRAMME 4

l'envers du dos; faites les points à la main et veillez à centrer le bouton-pression près du bord de l'ourlet supérieur. Les deux parties doivent s'emboîter aisément.

VARIANTE Vous pouvez adapter la largeur du fourre-tout et le nombre de poches à vos besoins. Vous pouvez aussi broder ou coudre en application le nom ou les initiales d'un ami sur le devant — au centre, au-dessus des poches — avant l'assemblage. Un fourre-tout ainsi personnalisé ferait un beau cadeau.

◆ Compostage maison ◆

*Le compost que l'on prépare soi-même est le meilleur amendement pour les plates-bandes, et rien
ne vaut un composteur maison bien pensé pour le préparer. Les idées simples présentées ici permettent
d'obtenir un compost riche en éléments nutritifs à partir des déchets du jardin et de la cuisine.*

Composteur

*Une bonne aération permet de bien composter
les déchets du jardin et de la cuisine. Le composteur présenté ici assure la circulation libre et
continue de l'air. Il suffit d'ouvrir la porte pour
retourner son contenu à l'aide d'une fourche.*

- **9 tuteurs en bois (en cèdre si possible) de 1,20 m (4 pi) de long**
- **rouleau de grillage de petit calibre de 3,60 m x 90 cm (12 x 3 pi)**
- **carré de contreplaqué d'extérieur de 1 m (40 po) x 6 mm (¼ po) d'épaisseur (couvercle)**
- **5 tuteurs en bois de 60 cm (2 pi) de long (deux tuteurs en cèdre pour tomates débités à la longueur utile)**
- **gros fil de fer (calibre 14)**
- **petit fil de fer (calibre 18)**
- **6 boulons galvanisés de 6,5 cm (2 ½ po), avec écrous et rondelles**
- **peinture ou teinture d'extérieur**
- **pinceau**
- **ruban à mesurer**
- **longue règle (facultatif)**

Fabrication du composteur

1 Appointez au besoin la base des tuteurs de
1,20 m (4 pi) à l'aide d'un rabot ou d'un couteau.
2 Percez trois trous dans chaque tuteur à l'aide
d'une perceuse électrique : le premier à environ
10 cm (4 po) du sommet, le deuxième 35 cm
(14 po) plus bas, le troisième à 30 cm (12 po) de
la base. Le diamètre des trous doit être légèrement supérieur à celui du gros fil de fer.

*Fabriquez un composteur à côtés droits grillagés assu-
rant la circulation de l'air : vos plantes ne manqueront
jamais de compost, ingrédient essentiel à leur santé.*

3 Creusez des trous de 30 cm (12 po); logez-y les tuteurs. Laissez 45 cm (1 ½ pi) entre les tuteurs pour former un composteur de 90 cm (3 pi) de côté. Jumelez des tuteurs au niveau du coin le plus accessible – un des deux sera le chant d'ouverture de la «porte». Tournez les tuteurs des coins sur 45 degrés (diagramme 1)

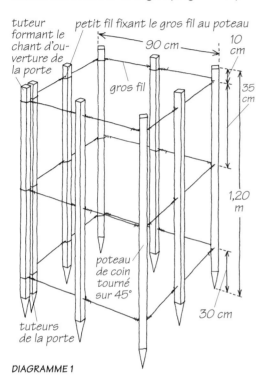

DIAGRAMME 1

pour orienter diagonalement une face plane vers l'intérieur – cela facilitera la pose des fils. Comblez les trous et damez la terre.

4 Faites passer trois tronçons de gros fil dans les trous de tous les tuteurs, en commençant par un des tuteurs de la porte et en finissant par l'autre. Arrêtez le fil au niveau de chaque trou avec du petit fil, de chaque côté du tuteur. Le gros fil inférieur doit se trouver au niveau du sol ou même un peu plus bas; il sera plus facile de l'attacher si vous creusez une petite tranchée sur le pourtour du composteur.

5 Enroulez une extrémité du grillage autour d'un des tuteurs de la porte et attachez-le avec du petit fil aux trois gros fils.

6 Déroulez le grillage autour du carré contre la face interne des tuteurs (diagramme 2). À mesure que vous progressez, attachez le

grillage au fil supérieur avec du petit fil; enroulez solidement le lien sur le gros fil tous les 10 cm (4 po) environ (diagramme 2). Ne déroulez pas le grillage au-delà du second tuteur de la porte, car c'est le chant de la porte.

7 Faites courir un petit fil le long des deux autres gros fils, en prenant soin de l'enrouler sur le grillage et les fils comme l'autre.

8 Attachez le grillage au sommet des tuteurs avec une boucle de gros fil (diagramme 2).

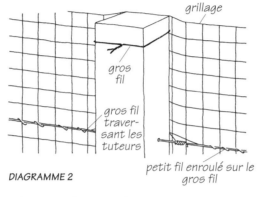

DIAGRAMME 2

Fabrication du couvercle

1 Marquez les trous des six boulons servant à fixer la poignée au couvercle en contreplaqué. À cette fin, faites une marque à 25 cm (10 po) de chaque coin, soit deux marques de chaque côté, à 50 cm (20 po) d'intervalle. Avec une règle, tracez des lignes droites reliant les marques; vous délimiterez ainsi un carré de

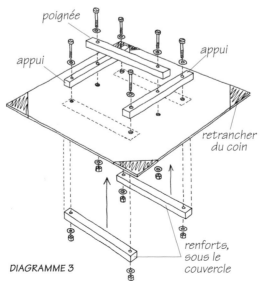

DIAGRAMME 3

50 cm (20 po) au milieu du couvercle. Les points d'intersection coïncident avec l'emplacement de quatre trous; faites-y une marque. Faites deux marques à mi-chemin des précédentes (diagramme 3). Percez les six trous.

2 Repérez les trous de la poignée, des appuis et des renforts (diagramme 3): faites une marque à 5 cm (2 po) de chaque extrémité des tuteurs en cèdre de 60 cm (24 po) de long (ces marques doivent coïncider avec les trous du couvercle). Percez les trous. Repérez et percez aussi un trou au centre des appuis.

3 Placez les appuis sur le couvercle, les renforts dessous, perpendiculairement aux appuis, puis boulonnez le tout (diagramme 3). Placez la poignée sur les appuis et boulonnez-la – posez les boulons dans les trous centraux.

4 Retranchez de petits triangles des coins du couvercle (zones grisées dans le diagramme 3) afin que l'air pénètre dans le composteur.

Finition

1 Appliquez une teinture d'extérieur sur le bois; vous augmenterez ainsi la durée de vie utile du composteur.

2 Amorcez le compostage (voir «Formation d'un tas de compost», p. 271).

TRUCS ET ASTUCES

POUR UN RÉSULTAT OPTIMAL

Formez le tas de compost dans un endroit assez ensoleillé. Le soleil procure un surplus de chaleur qui favorise le processus de décomposition.

Si vous ne pouvez retourner régulièrement le compost, logez un gros tuyau de drainage perforé en plastique de la hauteur du composteur au centre du tas pour favoriser son aération.

Formez le tas de compost loin des arbres: l'ombrage ferait baisser la température du compost et les racines situées sous le tas puiseraient rapidement dans les aliments nutritifs qu'il contient.

Ne compostez pas les produits d'origine animale, à l'exception des coquilles (œufs, coquillages). Songez à composter les bouchons de liège, la gomme à mâcher, les écales et la ouate.

Tas de compost

Le riche humus que procure le compostage est non seulement un élément essentiel d'une bonne terre, mais aussi l'amendement le moins coûteux qui soit et le plus facile à obtenir du fait qu'on le prépare soi-même.

Principe du compostage

Les ingrédients de base d'un tas de compost sont l'azote, le carbone, l'oxygène et l'eau. Les matières riches en azote comprennent la plupart des déchets végétaux verts, comme les pelures, les feuilles vertes et les tontes de gazon. Les matières riches en carbone comprennent les déchets qui ont commencé à se décomposer en séchant : paille, feuilles sèches et écorce. Le papier est aussi riche en carbone. Les déchets verts contiennent un peu de carbone, mais un tas équilibré comporte au moins deux fois plus de déchets secs riches en carbone que de déchets verts riches en azote.

Comme l'oxygène provient de l'air ambiant, on doit retourner les déchets régulièrement ou, s'ils sont placés dans un composteur, assurer un apport d'air suffisant. L'excès et le manque d'eau sont également nuisibles – tout surplus d'eau réduit la quantité d'oxygène disponible. Couvrez le tas pour que les déchets demeurent humides sans être détrempés. Au besoin, arrosez le tas durant quelques minutes avec un tuyau d'arrosage à jet fin.

L'interaction de tous ces éléments, combinée avec la chaleur issue de l'activité bactérienne, provoque la décomposition de la matière organique. Le retournement régulier des déchets contribue au maintien d'une température élevée et assure un apport d'oxygène, dont la réaction en présence d'azote est une autre source de chaleur. Un tas fraîchement formé atteint sa température maximale en deux semaines environ ; en l'entretenant bien, vous obtiendrez un compost prêt à utiliser au bout de deux à trois mois.

À l'air libre ou dans un composteur ?

La technique de compostage classique et la plus répandue consiste à former un tas de déchets à l'air libre. Toutefois, la température d'un tas exposé aux intempéries augmente lentement. Un composteur est plus efficace à cet égard. Pour toujours avoir du compost en réserve, utilisez trois composteurs : un premier où vous pourrez mettre des déchets frais, un second rempli de déchets en voie de décomposition, un troisième contenant du compost prêt à utiliser.

Formation d'un tas de compost

1 Délimitez une surface d'au moins 90 cm (3 pi) de côté dans un endroit ensoleillé. Plus le tas est volumineux, plus vite il chauffe.

2 Étalez des déchets grossiers – branchages,

morceaux d'écorce, etc. – sur le sol pour former la base du tas. Ils laisseront filtrer l'air au centre du tas, sans constituer une barrière étanche entre le sol et les déchets (les vers de terre doivent pouvoir pénétrer dans le tas).

3 Ajoutez de 5 à 10 cm (2-4 po) de matière organique fine – déchets ménagers, tontes de gazon mélangées avec des feuilles sèches, fumier, terre végétale sans mauvaises herbes.

4 Arrosez légèrement chaque couche de déchets. Accumulez les déchets en couches successives de 10 cm (4 po) d'épaisseur. Retournez-les à la fourche toutes les deux semaines.

FORMATION D'UN TAS DE COMPOST

1 *Formez le tas dans un lieu ouvert et ensoleillé, sur une surface de 90 cm (3 pi) au moins de côté. Étendez d'abord une couche de branchages et d'écorce.*

2 *Superposez des couches de matière organique – pelures de légumes, feuilles et gazon. Si le tas commence à sécher, arrosez-le pour le rendre à peine humide.*

3 *Ajoutez une poignée de sang desséché et de poudre d'os ou une bêchée de fumier à chaque couche de 10 cm (4 po) d'épaisseur. Retournez le tas aux 15 jours.*

VARIANTE *Un composteur en plastique du commerce ou une poubelle sans fond sont utiles dans les petits espaces. Alternez les couches de terre et de déchets.*

◆ Santé des plantes ◆

Tous les jardiniers savent qu'une terre riche, un apport régulier d'engrais et une protection contre les ennemis des cultures sont nécessaires pour obtenir de belles fleurs et des légumes en abondance. Voici quelques méthodes ingénieuses qui vous permettront d'y arriver sans produits chimiques toxiques.

Terreau maison

En utilisant un mélange de compost et d'engrais adéquat, vous pourrez quasiment adapter le terreau aux végétaux que vous désirez cultiver. Faites analyser le sol afin de ne rien laisser au hasard.

Analyse de sol

Une analyse de sol complète coûte généralement moins de 20 $, et c'est le meilleur investissement que vous puissiez faire dans votre jardin. Grâce à elle, vous connaîtrez exactement la composition du sol, ce qui vous permettra de doser au mieux l'apport d'engrais, de chaux et d'oligoéléments. Vous pourrez ainsi créer des conditions de culture idéales, sans effort inutile ni perte de temps.

Terreau pour semis

Entièrement naturel : Mélangez de la terre végétale tamisée, de la tourbe de sphaigne et du sable grossier (1:1:1). Pour stériliser le mélange, placez-le dans un plat peu profond allant au four avec une petite pomme de terre. Chauffez-le ensuite à 100 °C (200 °F) jusqu'à ce que la pomme de terre soit cuite.

Terreau léger : Mélangez de la vermiculite, de la tourbe de sphaigne et de la perlite (1:1:1). Humectez le mélange avant usage.

Engrais maison

Quel que soit le lieu où vous habitez, il existe probablement de bonnes sources d'engrais gratuit tout près de chez vous. Y a-t-il une écurie dans les environs ? L'enfant de votre voisin possède-t-il un lapin ? Voyez si quelqu'un peut vous fournir du fumier : il vous servira à enrichir votre compost. D'autres possibilités existent. En voici quelques-unes.

Algues marines

Les algues marines sont plus riches en azote et en potasse que la plupart des fumiers. Pour les dessaler, empilez-les loin du gazon et des plantes, à un endroit où elles seront exposées à la pluie. Après plusieurs pluies, jetez-les sur le tas de compost ou enfouissez-les directement dans les plates-bandes à la fin de l'automne.

Cendres de bois

Les cendres de bois sont aussi une excellente source de potasse. Elles améliorent la rusticité des plantes et la saveur de leurs fruits.

Marc de café

Le marc de café peut servir de paillis léger autour des plantes acidophiles. C'est un engrais léger mais complet. Pour obtenir un engrais équilibré (2-4-2), mélangez du marc de café et des cendres de bois (4:1).

ATTENTION S.V.P.
IRRADIATION SOLAIRE

Les ennemis des cultures présents dans la terre attaquent des plantes de jardin très variées. Les plates-bandes touchées le restent pendant des années, ce qui se traduit par une diminution de la production de fleurs et de légumes. L'irradiation solaire permet de remédier facilement à cette situation.

Éliminez les végétaux de la plate-bande par temps chaud, puis arrosez la terre en profondeur. Étalez ensuite un film de plastique transparent sur la terre. Enfoncez les bords du film dans la terre sur le pourtour de la plate-bande et lestez-les avec des pierres. Si vous devez utiliser plusieurs films, unissez-les avec du ruban adhésif transparent. Laissez le(s) film(s) en place durant six semaines. La chaleur du soleil stérilisera la terre.

PRÉPARATION D'UN PESTICIDE MAISON

1 *Pour obtenir un pesticide efficace contre les pucerons, les aleurodes, etc., réduisez de 8 à 10 gousses d'ail en purée dans 1 c. à soupe d'huile végétale ou minérale au mélangeur.*

2 *Passez la purée au-dessus d'un gros pot à conserve. Incorporez-y 3 tasses d'eau chaude et 1 c. à thé de détergent à vaisselle. Vissez le couvercle ; agitez bien le mélange.*

3 *Transvasez le pesticide dans un vaporisateur. Appliquez-le sur les plantes attaquées, en prenant bien soin de traiter les deux côtés de chaque feuille.*

Engrais pour plantes d'intérieur

Pour obtenir un engrais organique liquide pour les plantes d'intérieur, mettez deux seaux de fumier de cheval ou de vache frais (ou un seau de fumier de volaille) dans un sac de jute. Fermez le sac en l'attachant au bout d'une corde et placez-le dans un tonneau vide. Remplissez le tonneau d'eau et laissez macérer le fumier durant une semaine (agitez le macérat de temps à autre en tirant sur la corde de façon à secouer le sac dans le tonneau). Versez ensuite cet engrais liquide au pied des plantes en pot chaque mois.

Engrais vert

Après avoir retiré les légumes et les annuelles d'une plate-bande à l'automne, semez de la vesce velue ou du seigle d'hiver. Souvent appelées engrais vert, ces plantes poussent bien par temps frais, protégeant ainsi les plates-bandes contre l'érosion et les mauvaises herbes. Au début du printemps, de trois à quatre semaines avant la période de plantation, enfouissez-les dans la plate-bande. En se décomposant, elles enrichiront la terre.

Pesticides maison

Il existe de nombreuses préparations non toxiques qui peuvent servir à lutter contre les ennemis des cultures.

Fourmis

Pour empêcher les fourmis d'atteindre le plat de nourriture de votre animal de compagnie, placez ce plat dans un moule à tarte rempli d'eau savonneuse.

Pour détruire une colonie de fourmis envahisseuses, adoptez une autre stratégie. Mélangez 3 tasses d'eau, 1 tasse de sucre et 4 c. à thé d'acide borique. Remplissez à moitié plusieurs pots de tampons d'ouate gorgés du mélange, sans tasser. Percez deux ou trois petits trous (assez larges pour qu'une fourmi puisse y passer) dans les couvercles que vous visserez sur les pots. Placez les pots dans les endroits où les fourmis sont actives, mais hors de portée des enfants et des animaux de compagnie.

TRUCS ET ASTUCES

IDENTIFIER L'ENNEMI

Pour bien identifier un ennemi des cultures qui attaque vos plantes, étudiez d'abord la scène du crime. Si vous pensez qu'il s'agit d'un animal, voyez s'il a laissé des pistes ou perdu des poils. Vous devez adapter votre riposte à l'ennemi.

Apportez des échantillons de plantes attaquées au jardin botanique ou à la pépinière de votre région. Les spécialistes qui y travaillent poseront un diagnostic (ce service est parfois offert gratuitement) et vous indiqueront le moyen le plus efficace de remédier à la situation.

Pucerons, cochenilles, acariens et thrips

Eau et savon : Diluez 1 c. à soupe de détergent à vaisselle doux dans 4,5 litres (1 gal) d'eau. Testez l'eau savonneuse en la vaporisant sur quelques feuilles de la plante attaquée ; en l'absence d'effet nuisible, traitez en entier.

Eau et ammoniaque : Mélangez de l'ammoniaque pour usage domestique et de l'eau (1 : 7). Vaporisez le mélange sur la plante attaquée.

Huile et savon : Mélangez 1 c. à soupe de détergent à vaisselle et 1 tasse d'huile végétale (arachide, carthame, maïs, soya ou tournesol). Incorporez de 1 à 2 c. à thé du mélange dans 1 tasse d'eau. Vaporisez les plantes attaquées.

Maladies fongiques

Délayez 1 c. à thé de bicarbonate de sodium dans 4 tasses d'eau chaude. Ajoutez 1 c. à thé de détergent à vaisselle. Utilisez ce liquide pour lutter contre l'oïdium et la maladie des taches noires, par exemple. Vaporisez-le sur les feuilles des plantes attaquées ou appliquez-le avec un arrosoir.

Souris

Peu coûteux, les pièges à souris du commerce sont très efficaces si on en utilise un grand nombre. Alignez-les à 60 cm (2 pi) d'intervalle au pied des murs que longent les souris. Procédez en deux étapes : éliminez d'abord les souris adultes ; deux semaines plus tard, remettez les pièges en place pour éliminer les jeunes souris. Utilisez du beurre d'arachide ou un tampon d'ouate en guise d'appât. Les souris tenteront de prendre la ouate pour la construction de leur nid, ce qui déclenchera le piège. Portez des gants quand vous manipulez les pièges pour ne pas y laisser votre odeur.

Taupes

Versez dans la galerie d'une taupe plusieurs pelletées de litière souillée par un chat ; son odeur fera déguerpir la taupe. N'étalez toutefois pas la litière près du potager, car elle peut être source d'infections.

Pour protéger votre potager, ceinturez-le de grillage. Enfouissez la base du grillage dans une tranchée de 30 cm (12 po) de profondeur ou plus sur le pourtour de la plate-bande.

Insectes prédateurs

Pour attirer des insectes prédateurs – ceux qui mangent d'autres insectes –, parsemez votre jardin d'alysses, d'asters, de marguerites, de soucis, de tournesols, de millefeuilles et de plantes apparentées au persil. Le nectar et le pollen de leurs fleurs constituent un supplément alimentaire pour les insectes prédateurs.

Lapins

Œillets d'Inde : Plantez des œillets d'Inde parmi les légumes dont les lapins se nourrissent. Leur forte odeur repousse les lapins.

Poivre noir : Mettez du poivre moulu autour des plantes – renouvelez-le après une pluie.

Limaces

Enfouissez des boîtes de conserve dans le jardin de façon que leur rebord affleure, puis versez-y de la bière. Attirées par la bière, les limaces tomberont dans les boîtes et s'y noieront. Renouvelez la bière après une pluie.

Doigts de fée

*V*oici toute une collection d'idées ingénieuses, accompagnées d'instructions faciles à suivre grâce auxquelles vous réaliserez une belle gamme de jolies choses. Jeu de dames qui voyage, cartes de souhaits élégantes et personnelles, vêtements pour vous et les vôtres, cadeaux pour des amis, décorations pour la maison – autant d'objets élégants et pratiques qui auront du cachet et parleront de vous aux autres.

À votre nièce, offrez une robe de soleil réversible, à votre neveu une salopette. Tricotez-vous un chandail. Décorez vos chapeaux de paille. Confectionnez une courtepointe et des coussins de contour pour bébé, un petit sac en ruban de satin ou des paniers en raphia.

Faites vos propres bouquets de fleurs, séchées par vous. Offrez des piñatas – petits contenants remplis de bonbons que, selon la tradition mexicaine, on brisait le premier dimanche du Carême au cours d'un bal masqué.

Les possibilités sont innombrables : papiers, étiquettes et même boîtes pour présenter vos cadeaux, calendrier de l'Avent plein de petites surprises qui feront prendre patience aux enfants jusqu'à Noël : tant et tant de jolies choses, aussi utiles qu'agréables, qui vous permettront d'exercer votre esprit d'invention et vos capacités esthétiques tout en faisant plaisir à ceux que vous aimez.

AVANT DE COMMENCER...

*Rien ne se compare vraiment à la fierté qu'on ressent quand, devant un article que des amis
admirent, on peut répondre: «C'est moi qui l'ai fait.» Les projets décrits dans ce chapitre demandent
de l'adresse et de l'imagination. Osez les aborder: vous aurez de plus en plus confiance en vous.*

Pour réaliser les projets décrits dans ce chapitre, il ne vous faut que des
fournitures et du matériel de base. Au début de chaque projet se trouve
la liste du matériel nécessaire. Étudiez-la soigneusement avant de vous
mettre au travail. Vous trouverez ce qui vous manque dans les boutiques
de fournitures d'art ou d'artisanat, les quincailleries, les papeteries et les
supermarchés, parfois – mais rarement – dans des boutiques spécialisées.

Dans certains cas, vous devrez étendre sur la surface de travail un drap,
des journaux ou du bois de rebut. Installez-vous dans un endroit bien
aéré si vous devez utiliser des peintures, des vernis et des colles: leurs
vapeurs sont souvent toxiques.

Les instructions de chaque projet donnent les étapes spécifiques par
lesquelles vous devez passer. Certaines techniques de travail sont
décrites en détail ci-dessous et dans les pages qui suivent.

L'art de la couleur

Pour obtenir les effets décrits dans les projets demandant de la peinture,
vous devrez avoir sous la main un ensemble de pinceaux. Un pinceau
raide convient au pochoir; un pinceau mou et rond, aux motifs délicats.
Si l'on vous conseille un pinceau spécial, prenez ce qui y ressemble le
plus: au besoin, demandez conseil au fournisseur. Dans d'autres projets, la
nature du pinceau n'a aucune importance: vous prenez ce que vous avez.
Pratiquez avec des pinceaux ou des objets de la vie quotidienne, comme
une éponge de cuisine. Mais avant d'aborder un travail d'envergure avec
une nouvelle technique, faites des essais sur des chutes de bois.

Le papier – plus intéressant qu'il n'y paraît

C'est sur une feuille de papier que commencent les motifs ou les dessins
utilisés en artisanat. Mais cette matière n'a pas pour unique rôle de servir
de support au crayon, au stylo ou au pinceau. Depuis les artisans de la
Renaissance vénitienne jusqu'aux créateurs japonais d'origami, le papier
a été découpé, plié et moulé aussi bien par de grands artistes que par les
enfants du monde entier qui s'amusent à y créer des formes.

On trouve toutes sortes de papiers dans les papeteries d'art ou les
boutiques de fournitures d'artisanat. Si les quantités ne vous effraient
pas, vous serez bien servi par les fabricants de papier qui les vendent au
minimum en paquets de 10 feuilles. Le papier – ô bonheur – est un
matériau généralement peu cher et facile à trouver; les projets les plus
enchanteurs sont souvent faits avec du papier trouvé ou recyclé. Pensez
au papier industriel recyclé: renseignez-vous auprès de la municipalité.

La grande variété de papiers sur le marché indique à quel point ce
médium est propice à la création artistique. Certaines textures, certaines
épaisseurs conviennent à des travaux d'artisanat précis, mais c'est en
mettant la main à la pâte... que vous apprendrez à faire la cuisine.

La mise en place du motif

Il existe plusieurs façons de reporter une image, un motif ou un dessin
sur le matériel avec lequel vous travaillez. Le pochoir donne généralement une reproduction fidèle, surtout s'il doit être utilisé souvent.
Servez-vous, dans ce cas, d'un pochoir sur acétate, pellicule plastique

AGRANDISSEMENT AU CARREAU

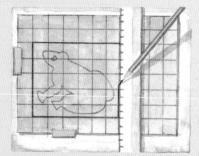

1 *Déterminez les dimensions du motif:
notez sa largeur. Dessinez-le sur du papier; fixez le papier avec du ruban-cache
sur une plaque, quadrillez le motif avec
une règle. Marquez le périmètre avec un
crayon à mine très noire.*

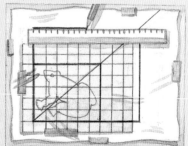

2 *Par-dessus, fixez une autre feuille.
Tracez une ligne en diagonale au-delà du
motif. Agrandissez la base du rectangle
à la largeur désirée. Tracez une verticale
qui, de cette base, va rejoindre la diagonale. Terminez le grand rectangle.*

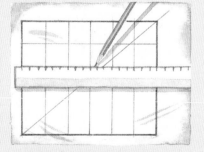

3 *Retirez la feuille portant le dessin.
Sur le grand rectangle, tracez autant de
lignes verticales et horizontales qu'il y en
a sur le dessin initial: la grille sera donc
identique à la première, sauf que les
carreaux seront plus grands.*

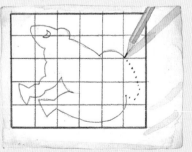

4 *Carreau par carreau, reproduisez sur
les grands carreaux de la nouvelle grille
le dessin inscrit dans les petits carreaux
de la première. Faites d'abord une ligne
pointillée, en appuyant sur les points où
le motif coupe les carreaux de la grille.*

GLOSSAIRE

INCISION : Ligne faite dans un carton sans le traverser et qui permet de le plier aisément. L'incision doit toujours être à l'extérieur quand on plie le carton.

MOLLETON : Une matière non tissée, plus ou moins épaisse, placée sous le tissu de surface dans le patchwork.

RAPHIA : Fibre tirée des feuilles d'un palmier, servant à fabriquer paniers, chapeaux, tapis et nattes.

RUBAN À BRODER : Ruban en soie souple ou en polyester, en 2, 4 et 7 mm de largeur, pour la broderie.

Avec quelques matériaux tout simples et une bonne dose d'imagination, vous pouvez réussir mille et un projets.

transparente qui se vend dans les boutiques de fournitures d'art ou d'artisanat. Mettez le motif dessous et dessinez-le sur l'acétate. Vous pouvez aussi utiliser du papier opaque à pochoir : il est assez rigide et se présente en très grandes feuilles. Mettez le modèle dessus et transposez-le au moyen de l'une des techniques expliquées dans la rubrique qui suit.

La plupart des projets exposés ici vous fournissent des motifs à copier. Inutile de dire que vous êtes invité à en trouver d'autres ou même à en inventer. Vous pouvez agrandir n'importe quel motif à la photocopieuse ou en le mettant au carreau (voir la page précédente).

Il vous faudra un couteau d'artiste bien coupant pour préparer les pochoirs, une plaque de coupe ou un passe-partout qui ne marque pas sur lequel travailler. Dirigez le couteau vers vous ; tournez le pochoir et la plaque de coupe selon vos besoins ou fixez-les avec du ruban-cache.

Pour colorer les motifs au pochoir, utilisez un pinceau presque sec et ne diluez pas la peinture : elle s'infiltrerait sous le pochoir. Plongez le bout du pinceau seulement dans la peinture, tenez-le droit et appliquez la peinture par petites touches circulaires, du centre vers la périphérie.

Reproduire ou décalquer ?

Pour transférer un motif d'une surface à une autre, on peut soit le reproduire, soit le décalquer. La méthode utilisée dépend de la matière sur laquelle vous travaillez.

Pour inscrire un modèle sur du plastique, comme sur des pochoirs en acétate, posez l'acétate sur le dessin et faites-en le contour avec un marqueur permanent à pointe fine. Le marqueur doit être permanent : si certaines lignes demeurent sur l'acétate, l'encre ne se mélangera pas à la peinture. Si vous utilisez un tissu transparent ou semi-transparent, posez-le sur le modèle et faites-en le contour avec un stylo à encre soluble dans l'eau ou à encre qui s'efface en 48 heures. La lumière venue d'en arrière vous facilitera la tâche : posez tissu et modèle sur une visionneuse ou fixez-les à la vitre d'une fenêtre.

Pour reporter un motif sur une surface opaque, comme un carton ou du bois, commencez par le dessiner sur du papier-calque. Avec un morceau de ruban-cache aux quatre coins, fixez ce papier à la surface à décorer. Glissez dessous un papier carbone et, en appuyant légèrement, décalquez le motif avec la pointe d'un stylet ou un stylo-bille sans encre. Vous pouvez, par la suite, effacer les traits qui ne conviennent pas avec une gomme ordinaire. Utilisez la même méthode pour reporter un motif sur un tissu opaque. Faites le contour du dessin sur du papier d'artiste, posez ce papier à l'endroit du tissu et épinglez-le dans les angles. Glissez un papier carbone de couturière, carbone dessous, entre le dessin et le tissu. Refaites le contour du motif avec une roulette à tracer de couturière ou un stylet. Enlevez les marques avec une gomme ordinaire.

L'ABC du tricot

Le tricot est originaire d'Arabie, mais on ignore les circonstances de son invention. Comme ses mailles ressemblent aux nœuds coulants des pièges et qu'il est très simple à exécuter, on pense que chasseurs et nomades ne sont pas étrangers à son avènement. Ce sont eux qui l'auraient fait parvenir jusqu'au Tibet vers l'est et à l'Espagne vers l'ouest. D'Espagne, le tricot remonta dans toute l'Europe. Il aurait été enseigné aux gens des îles Shetland par des matelots rescapés du naufrage de l'Invincible Armada : ainsi du moins le veut la légende.

On tricote avec des fils de laine, de coton, de cachemire, d'alpaca, de lin ou de matières synthétiques et avec des aiguilles en plastique, en métal, en bambou et même en os. L'aiguille circulaire est limitée à certains travaux ; elle oblige à tricoter toujours sur l'endroit du travail.

Les insertions se font d'après un patron ; elles sont intégrées au tricot ou brodées sur le vêtement fini. Dans le premier cas, enroulez une petite quantité des fils nécessaires sur un morceau de carton pour les empêcher de se gripper et pour maintenir leur tension quand vous passez de l'un à l'autre. Pour avoir de meilleurs résultats, ne faites pas courir les fils sous un très grand nombre de mailles et laissez-leur beaucoup de jeu ; autrement, votre tricot aura tendance à bomber.

Le repassage

Le repassage a une importance capitale ; de lui dépend l'élégance du modèle. Posez chaque pièce sur la table à repasser ou sur une couverture, envers dessus. Épinglez-la en lui redonnant les mesures adoptées au début, sans étirer ni déformer le tricot. On recommande d'utiliser peu d'épingles, mais évitez surtout de festonner les lisières.

Vérifiez la composition du fil sur la pelote : certains mélanges et certains synthétiques supportent mal le repassage ou la chaleur. Utilisez dans les autres cas un fer à vapeur. Ne le promenez pas en va-et-vient ; soulevez-le de place en place et appuyez peu. Laissez refroidir et sécher chaque pièce avant d'enlever les épingles.

Instructions

Il existe une langue du tricot. Pour comprendre les instructions, familiarisez-vous avec les abréviations données dans l'encadré, page 298. Un seul et même projet peut correspondre à plusieurs tailles. Les instructions pour la taille la plus petite sont en premier ; les autres tailles suivent entre parenthèses, passant de la plus petite à la plus grande. Ainsi donc « 6 (8, 10) r end » veut dire : tricotez à l'endroit 6 rangs pour une petite taille, 8 pour une taille moyenne et 10 pour une grande taille.

Montage

Le premier rang du modèle s'appelle « montage » : il tient lieu de lisière inférieure ou d'ourlet. Les mailles du montage doivent être de grosseur égale si l'on veut que l'ourlet ait belle apparence.

Il existe plusieurs techniques de montage ; en voici trois dont deux avec deux aiguilles et une avec une seule. Dans tous les cas, la première maille se forme avec un nœud coulant. Faites une boucle de 15 cm (6 po) à l'extrémité du fil ; à travers cette boucle, allez chercher avec une aiguille le fil venant de la pelote et serrez : vous venez de former la première maille.

MONTAGE FAÇON TRICOT

Cette méthode à deux aiguilles donne un ourlet ferme ou souple, à votre guise. Il est souple si vous piquez dans la maille à partir de l'avant, et ferme si vous piquez à partir de l'arrière.

1 *La première maille est sur l'aiguille gauche. Glissez l'aiguille droite dedans, par-devant, et enroulez le fil de la pelote sur cette aiguille.*

2 *Ramenez le fil au travers de la maille pour former une nouvelle boucle et mettez-la sur l'aiguille gauche : c'est la deuxième maille. Continuez ainsi.*

MONTAGE FAÇON CÂBLE

Cette méthode à deux aiguilles ressemble à la précédente sauf que vous piquez l'aiguille entre les deux mailles précédentes plutôt que dans la dernière maille. Vous obtenez ainsi une lisière décorative et extensible.

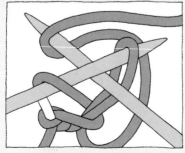

1 *Nouez la première maille. Pour chaque nouvelle maille, piquez l'aiguille entre les deux mailles précédentes.*

2 *Enroulez le fil autour de l'aiguille droite et tirez pour former une nouvelle boucle. Glissez-la sur l'aiguille gauche.*

3 *Continuez ainsi en piquant toujours l'aiguille droite entre les deux mailles précédentes. Quand vous avez le* nombre voulu de mailles, consolidez le montage avec un deuxième rang en piquant dans les mailles par l'arrière.

MONTAGE À UNE AIGUILLE

Contrairement aux techniques précédentes à deux aiguilles, celle-ci se réalise avec une seule aiguille. Elle donne une lisière souple, idéale pour les ourlets, les boutonnières ou les dentelles au tricot. Les mailles se montent facilement, mais le deuxième rang peut être un peu plus compliqué. Le débutant trouvera peut-être que l'une ou l'autre des méthodes précédentes donne une finition plus nette et plus uniforme dans les deux premiers rangs.

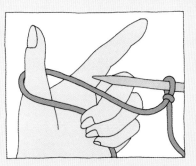

1 Faites un nœud coulant sur l'aiguille droite. Enroulez le fil venu de la pelote autour du pouce de la main gauche, serrez-le entre la paume et le bout des doigts de cette main.

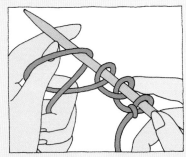

2 Tournez votre main gauche : le dos du pouce est face à vous, comme sur l'illustration. Piquez l'aiguille de l'avant vers l'arrière dans la boucle lâchement formée autour du pouce.

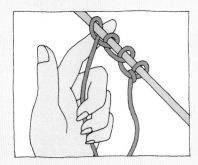

3 Retirez votre pouce de la boucle tout en tirant le fil vers le bas pour serrer la nouvelle maille sur l'aiguille. Continuez ainsi jusqu'à ce que vous ayez obtenu le nombre de mailles désiré.

Points de base

Il existe deux points de base dont tous les autres découlent : le point endroit et le point envers. Tous les modèles sont issus de la combinaison de ces deux points ou de leurs variantes. Le point jersey s'obtient en tricotant alternativement un rang à l'endroit et un rang à l'envers. Nous avons adopté une méthode pour exécuter les points endroit et envers : il en existe d'autres.

ÉCHANTILLON

LES INSTRUCTIONS comportent toujours un échantillon – le nombre de mailles et de rangs qu'il y a dans un carré de 10 cm (4 po), avec les aiguilles, le fil et le patron spécifiés. Il y a intérêt à respecter l'échantillon : le plus petit écart devient important à la longue.

Avant de vous lancer dans un projet, faites un échantillon de 15 cm (6 po) avec le fil et les aiguilles spécifiés. Pour mesurer l'horizontale, piquez deux épingles à 10 cm (4 po) d'écart sur un rang et comptez le nombre de mailles qui s'y trouvent. Dans un modèle au point jersey, comptez les mailles sur l'endroit : une boucle égale un point.

Pour mesurer la verticale, piquez deux épingles à 10 cm (4 po) d'écart et comptez les rangs. Dans un modèle au point jersey, comptez les rangs sur l'envers : deux sillons égalent un rang.

Si votre échantillon comporte plus ou moins de mailles ou de rangs que le modèle, refaites un nouvel échantillon avec des aiguilles un peu plus grosses ou un peu plus petites.

POINT ENDROIT

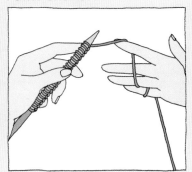

1 Tenez l'aiguille portant les mailles dans la main gauche, la première maille étant à 1 cm (½ po) de la pointe. Passez le fil autour du petit doigt de la main droite, sous les deux doigts suivants et sur l'index : laissez un jeu d'environ 5 cm (2 po) au-delà de la première maille.

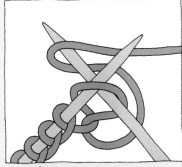

2 Le fil étant derrière le travail, piquez l'aiguille droite de gauche à droite (elle pointe vers l'arrière du travail) dans la première maille du rang (aiguille gauche). Avec l'index de la main droite, passez le fil de bas en haut sur la pointe de l'aiguille (dessous, autour et dessus).

3 Sortez l'aiguille en ramenant le fil au travers de la maille tout en poussant la maille tricotée vers la pointe de l'aiguille gauche. Seul, le temps permet de maîtriser ces mouvements de base ; avec de la pratique, vous arriverez à les enchaîner facilement et à tricoter très vite.

4 Laissez tomber la maille de l'aiguille gauche ; gardez la nouvelle maille sur l'aiguille droite. Répétez les étapes 2 à 4. Poussez les mailles de l'aiguille gauche avec le pouce, l'index et le majeur ; faites-les glisser sur l'aiguille droite avec le pouce.

POINT ENVERS

C'est un point endroit inversé. Le point envers est plus lâche que le point endroit parce que le fil voyage davantage. Avec l'expérience, vous prendrez l'habitude de serrer le fil davantage en gardant l'index près de l'ouvrage.

1 Tenez l'aiguille portant les mailles dans la main gauche, la première maille étant à 1 cm (½ po) de la pointe. Enroulez le fil autour de la main droite comme on vient de l'expliquer pour le point endroit (p. 279, étape 1).

2 Le fil étant devant le travail, piquez l'aiguille droite de droite à gauche (elle pointe vers le haut) dans la maille. Avec l'index de la main droite, passez le fil de haut en bas autour de l'aiguille droite (dessus, vers l'avant et dessous).

3 Sortez l'aiguille en ramenant le fil au travers de la maille tout en poussant la maille tricotée vers la pointe de l'aiguille gauche. Avec de la pratique, vous arriverez à enchaîner ces deux mouvements facilement et à tricoter très vite.

4 Laissez tomber la maille de l'aiguille gauche; gardez la nouvelle sur l'aiguille droite. Répétez les étapes 2 à 4. Poussez les mailles de l'aiguille gauche avec le pouce, l'index et le majeur; faites-les glisser sur l'aiguille droite avec le pouce.

Arrêt des mailles

On dit indifféremment arrêter ou rabattre les mailles. Plusieurs méthodes sont utilisées; elles permettent toutes d'obtenir un bord net qui ne s'enroule pas sur lui-même. La méthode à la française, décrite ici, est la plus simple et la plus populaire.

1 Tricotez normalement deux mailles en respectant le modèle que vous avez suivi au cours du travail.

2 Tenez le fil derrière le travail. Piquez l'aiguille gauche dans la première des deux mailles qui viennent d'être tricotées.

3 Faites passer la première maille sur la seconde avec l'aiguille gauche et laissez-la tomber; l'autre reste sur l'aiguille.

4 Tricotez une nouvelle maille et répétez ensuite l'étape 3. Rabattez ainsi toutes les mailles ou le nombre voulu.

Augmentations

POINT ENDROIT

Amenez le fil devant l'aiguille droite. Piquez l'aiguille de gauche à droite dans la première maille et tricotez un nouveau point endroit. Remettez-le sur l'aiguille gauche et tricotez-le à l'endroit; gardez la nouvelle maille sur l'aiguille droite.

POINT ENVERS

Amenez le fil derrière l'aiguille droite. Piquez l'aiguille de droite à gauche dans la première maille et tricotez un nouveau point envers. Remettez-le sur l'aiguille gauche et tricotez-le à l'envers; gardez la nouvelle maille sur l'aiguille droite.

Diminutions

POINT ENDROIT

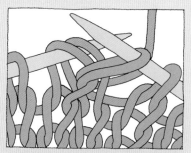

Les diminutions servent à réduire le nombre des mailles pour rendre l'ouvrage plus étroit. Sur des points endroit, piquez deux mailles ensemble et tricotez-les à l'endroit (2 end ens): la maille qui en résulte passe sur l'aiguille droite (voir ci-dessus).

POINT ENVERS

Pour diminuer un travail tricoté à l'envers, faites comme pour un point endroit, mais exécutez un point envers. Tricotez ensemble deux points envers (2 env ens). Faites passer la maille qui en résulte sur l'aiguille droite (voir ci-dessus).

Couture et travaux d'aiguille

Il existe plusieurs points d'aiguille et chacun a son utilité. Ceux dont vous aurez besoin pour exécuter les projets décrits dans ce chapitre sont expliqués sur cette page. Sachez en outre que pour coudre ensemble deux pièces ou plus, vous exécutez plusieurs points devant dans les mêmes trous ; pour faufiler, utilisez le même point en plus large.

POINT PERDU

Il s'emploie pour réunir un bord replié à un morceau à plat. Exécutez-le de droite à gauche (voir l'illustration ci-dessous).

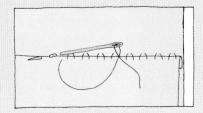

Piquez l'aiguille à travers le bord replié. Faites un petit point dans le morceau à plat en prenant un ou deux fils du tissu. Piquez de nouveau l'aiguille dans le bord replié. Faites-la glisser dans le repli du tissu et ressortir 6 mm (¼ po) plus loin. Continuez ainsi en alternant les points exécutés dans le morceau à plat et ceux dans le bord replié. Faites des points de même longueur et essayez de leur donner la même tension. Évitez de tirer avec excès sur le fil si vous voulez que les points soient invisibles sur l'endroit.

POINT DE FESTON

Il s'emploie pour ourler les bords vifs des tissus épais. Travaillez de gauche à droite en dirigeant vers vous le bord du tissu et la pointe de l'aiguille.

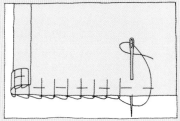

Faufilez l'ourlet. Faites sortir le fil derrière le bord de l'ourlet, vers le bas. Pour former chacun des points, piquez l'aiguille à droite de façon que le fil repasse sous celle-ci en sortant. Cela forme un point le long du bord.

POINT DEVANT

Ces points courts et égaux servent à faire des coutures fines, des pinces, du raccommodage et d'autres travaux délicats. Ils se travaillent de droite à gauche.

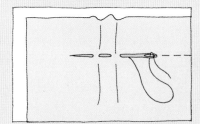

Glissez la pointe de l'aiguille à plusieurs reprises dans le tissu avant de tirer l'aiguillée. Les points et leur espacement doivent demeurer petits et réguliers. Semblable au point de bâti, le point devant, plus petit, est permanent.

POINT DE CHAÎNETTE

Il sert normalement à border un motif, mais on peut l'employer en broderie pour simuler une tige ou donner une ligne pleine.

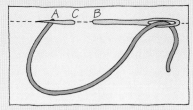

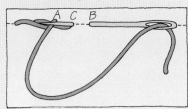

1 *Travaillez de gauche à droite. Sortez l'aiguille en A. Piquez-la en B et sortez-la en C, un demi-point en arrière.*

2 *Répétez cette séquence en gardant le fil en bas de l'aiguille et à sa gauche. Faites des points de même longueur.*

POINT DROIT/PLUMETIS

Ces deux points ont la même structure ; seule leur apparence diffère. Le point droit sert à remplir des motifs verticaux ; il peut être rapproché ou espacé (comme à l'extrême droite de l'illustration). Le point de plumetis (à l'extrême gauche de l'illustration) se compose d'une série de points droits, rapprochés les uns des autres, de longueur et de direction variées, destinés à remplir un motif.

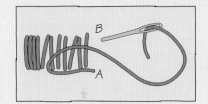

Faites ressortir l'aiguille en A, piquez-la en B et faites-la ressortir en un autre point A pour amorcer un nouveau point. Ce point décoratif a plusieurs usages. Superposez-en deux ou trois et vous créez un très joli bouton floral.

Découpage en lanières

Mettez rapidement en lanières des rectangles ou des carrés de tissus neufs ou usagés pour fabriquer des galons ou confectionner des tapis (pp. 112-115). Les lanières sont enroulées en pelotes et prêtes à servir. Cette technique accepte aussi bien les tissus imprimés que les tissus unis. La lanière est pliée en deux, envers sur envers, et utilisée ainsi dans l'exécution de l'ouvrage.

Préparez d'abord le tissu en le déchirant le long d'un bord vif pour mettre à jour le droit fil. Avant d'aborder la mise en lanières (à droite), reportez sur le droit fil la «mesure A» spécifiée dans les instructions sur le travail à exécuter. Faites sur cette marque une encoche qui reste à l'intérieur de la lisière. Vous êtes maintenant prêt à déchirer le tissu en une lanière continue.

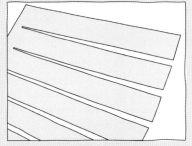

1 *Sur une lisière, déchirez le tissu à des intervalles de «mesure A», depuis la lisière jusqu'à 1 à 3,5 cm (½ -1½ po) de la lisière opposée.*

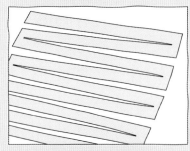

2 *Sur la lisière opposée, décalez les intervalles de «mesure B» de la moitié de la «mesure A». Déchirez jusqu'à 1 à 3,5 cm (½ -1½ po) de la première lisière.*

Tampons de fantaisie

Les enfants auront du plaisir à utiliser ces jolis tampons avec de la peinture acrylique ou de l'encre. Ils auront néanmoins besoin d'aide pour couper les blocs de bois et les formes en mousse. Ils peuvent décorer une grande variété de surfaces — et même des tissus. S'ils travaillent sur du carton, il faudra auparavant l'enduire de scellant tout usage.

Matériel et instructions conviennent à tous les tampons, même aux étoiles en page couverture.

- **morceaux de rebut de bois ou de contreplaqué**
- **scie (facultatif)**
- **mousse de 3 ou 3,5 mm (⅛ - ³⁄₁₆ po), (boutiques de fournitures d'art ou d'artisanat)**
- **papier à dessin**
- **crayon**
- **couteau d'artiste**
- **adhésif en vaporisateur**
- **journaux**
- **peintures acryliques d'artiste**
- **petit rouleau ou pinceau**
- **gros tampon encreur (facultatif)**

1 Taillez quatre petites pièces de bois : elles doivent être un peu plus grandes que les motifs (celui de droite et les trois autres, p. 284). Certains marchands de bois accepteront de les couper pour vous. Vous pouvez même trouver chez ceux-ci comme dans les boutiques de fournitures d'artisanat des morceaux de rebut gratuits.

2 Avec le couteau d'artiste, coupez dans la mousse quatre morceaux un peu plus grands que les motifs proposés.

3 Tracez les motifs sur du papier à dessin.

4 Coupez chaque feuille de papier à dessin aux dimensions de la mousse ; posez-la dessus. Mettez l'ensemble sur le bloc de bois en guise

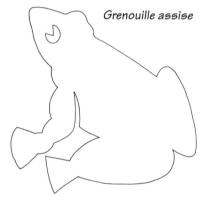

Grenouille assise

de plaque de coupe. Fixez le tout avec du ruban.

5 Avec le couteau d'artiste, découpez chaque motif à travers le papier et la mousse. Ôtez le papier et la mousse en trop. Rectifiez les bords pour qu'ils soient uniformes et lisses.

6 Étalez des journaux. Couchez une découpe en mousse, face contre le papier journal. Vaporisez-la d'adhésif et collez-la sur la pièce de bois qui lui correspond. Appuyez fort pour que l'adhésion soit parfaite. Prenez-vous-y de la même façon avec les trois autres découpes.

7 Les tampons sont maintenant prêts à servir. On peut les appliquer de bien des façons — avec de la peinture ou de l'encre — et sur une foule de surfaces, par exemple sur du papier, des murs et même du tissu. Voir page 284 la description des techniques d'étampage et des effets qu'on peut en tirer.

Avec un crayon, faites le contour de la grenouille sur du papier à dessin. Prévoyez plus de papier qu'il n'en faut : vous aurez moins de difficulté à l'ajuster à la mousse.

TAMPON À GRENOUILLE

1 *Taillez un morceau de contreplaqué ou de bois plein ; faites-le un peu plus grand que le motif. Coupez un morceau de mousse aux dimensions du bois.*

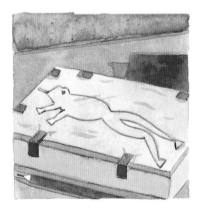

2 *Tracez le motif sur du papier à dessin. Coupez le papier aux dimensions de la mousse, posez-le sur la mousse et fixez-les tous deux sur le bois avec du ruban.*

3 *Avec un couteau d'artiste, découpez le motif à travers le papier et la mousse. Travaillez lentement et d'une main ferme pour obtenir un motif sans bavure.*

4 *Retirez le papier et la mousse en trop et rectifiez le contour du motif. Plus la découpe est nette, plus le tampon sera beau.*

Mouches

Application

Enduisez de peinture les tampons en mousse avec un petit rouleau ou un pinceau. Pour les enduire d'encre, utilisez un gros tampon encreur. Chaque méthode a ses avantages.

Le rouleau produit un motif uniforme, sans excès de peinture en périphérie. Le pinceau donne de bons résultats, surtout si vous mettez plus d'une couleur sur le même tampon ; néanmoins, vous aurez peut-être besoin de l'essuyer sur du papier avant de l'utiliser.

Le tampon encreur accélère le travail. L'étampage à l'encre convient mieux au papier et au carton qu'aux autres surfaces : il donne des motifs nets, colorés uniformément et plus translucides que l'étampage à la peinture.

Les peintures acryliques pour tissus sont un peu plus collantes que les peintures pour artistes ; comme les tissus sont absorbants, ils réclament plus de peinture. Faites d'abord des essais avec différentes peintures et différents applicateurs – rouleaux ou pinceaux. Ne surchargez pas le tampon de peinture : elle coulerait et les contours du motif ne seraient pas nets.

QUELQUES BONNES IDÉES

On peut étamper une grande variété d'articles : paniers à papier, tables et murs. Nous avons décoré un étui à crayons, une boîte en carton enduite d'un scellant tout usage et un ensemble album et calepin en papier de couleur vive.

Sur du tissu, enduisez le tampon de peinture à tissu et suivez les instructions du fabricant.

Pour obtenir un tampon plus épais, collez ensemble deux minces pièces de mousse avec un adhésif en vaporisateur avant de les découper.

Le découpage est plus facile si vous dessinez le motif directement sur la mousse et le découpez avec des ciseaux.

L'ÉTAMPAGE

Pour uniformiser l'étampage si vous travaillez sur une grande surface, comme un mur, enduisez le tampon de peinture au rouleau et remettez-en à chaque motif.

Les tampons encreurs offrent plusieurs coloris. Ils sont moins salissants à utiliser que la peinture et donnent des motifs nets. Faites d'abord des esssais sur du papier.

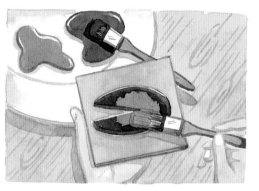

Quand le tampon exige plusieurs coloris, le pinceau est plus utile que le rouleau. Mettez un peu de peinture dans une soucoupe et enduisez le tampon conformément au motif. Changez de pinceau à chaque coloris.

Enduisez le tampon de peinture à tissu avec un pinceau ou un rouleau. Allez-y parcimonieusement, mais avant d'étamper le motif, assurez-vous que toute la surface du tampon est bien enduite.

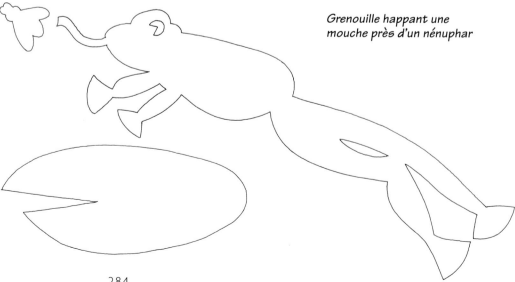

Grenouille happant une mouche près d'un nénuphar

Courtepointe surpiquée pour bébé

Cette courtepointe de style traditionnel est faite de motifs simples et reposants qui conviennent
au petit lit d'un bébé. Par la suite, on peut la transformer en tapisserie murale pour chambre d'enfant.
Les coussins de bordure, également piqués, sont décrits à la page 288.

La courtepointe, exécutée ici en bleu et blanc,
mesure 98 x 120 cm (38 ½ x 47 po).

- **60 cm (24 po) d'imprimé bleu en 110 cm (44 po) de large**
- **1,35 m (1 ½ vg) de coton blanc en 110 cm (44 po) de large**
- **1,35 m (1 ½ vg) de coton imprimé ou blanc en 110 cm (44 po) de large pour la doublure**
- **fil assorti**
- **molleton mince**
- **tambour (à broderie)**
- **aiguilles à surpiquer**
- **fil à surpiquer**
- **roulette à lame**
- **plaque de coupe**
- **règle**
- **petits ciseaux**
- **dé à coudre**
- **papier à dessin**
- **crayon**
- **crayon à surpiqûre**
- **carton**
- **stylo bleu à encre lavable**

Coupe

Taillez dans la largeur du tissu avec une roulette à lame, une règle et une plaque. Les mesures incluent une marge de couture de 6 mm (¼ po).

1 Imprimé bleu. Coupez 11 bandes de 6,5 cm (2 ½ po) de large : quatre serviront de galon et deux seront coupées en deux sur la largeur.

2 Tissu blanc. Coupez 10 bandes de 6,5 cm (2 ½ po) de large : quatre serviront de bordure et deux seront coupées en deux sur la largeur.

Cette courtepointe surpiquée pour un petit lit de bébé
est à la portée d'un débutant. Confectionnez-la pour
un de vos enfants ou de vos petits-enfants : elle fera
bientôt partie du patrimoine familial.

Coupez deux bandes de 16,5 cm (6 ½ po) de large ; découpez-les en 12 carreaux de 16,5 cm (6 ½ po). Coupez une bande de 19 cm (7 ⅜ po) de large ; découpez-la en quatre carrés de 19 cm (7 ⅜ po), coupés deux fois en diagonale pour avoir 16 triangles (il en faut 14). Enfin, coupez deux carrés de 13,5 cm (5 ¼ po) ; coupez-les une fois en diagonale pour avoir quatre triangles.

Couture

1 Montez deux triples bandes A en piquant une bande bleue de chaque côté d'une blanche sur le long. Faites-en une troisième avec les bandes courtes. Couchez les piqûres au fer.

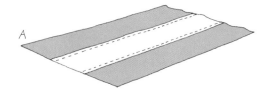

2 Faites une triple bande B en piquant une bande blanche de chaque côté d'une bleue. Faites-en une deuxième avec les bandes courtes.

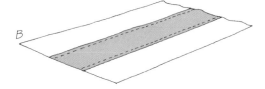

3 Coupez toutes les triples bandes en sections de 6,5 cm (2 ½ po) de long : vous en aurez 40 de type A et 20 de type B.

15 cm
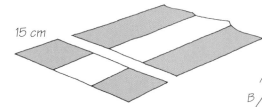

4 Piquez une triple bande A de chaque côté d'une triple bande B pour former un pavé : préparez-en 20.

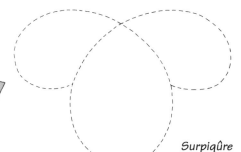
Surpiqûre

Le dessin ci-dessus montre la disposition générale de la courtepointe. Les surpiqûres sont en pointillé. La bordure se pose après que toutes les surpiqûres à la main ont été faites.

Assemblage

1 Mettez côte à côte les pavés du patchwork, les carrés blancs et les triangles blancs. Piquez-les à la machine, rang par rang : vous aurez huit rangs en diagonale (voir ci-dessous). Repassez les coutures. Piquez les rangs en diagonale pour former le patchwork de la courtepointe.

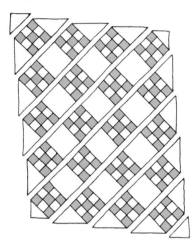

2 Mesurez les deux longs côtés du patchwork pour vous assurer qu'ils sont identiques. Reportez cette mesure sur deux des bordures blanches réservées, alignez le centre de chaque bordure sur le centre du patchwork et coupez. Épinglez et piquez les bordures sur le patchwork. Montez de la même façon les bordures horizontales : elles bordent le patchwork et les bordures verticales (voir le dessin, p. 286).

3 Repassez le patchwork sur l'envers en couchant les piqûres des bordures vers l'extérieur. Sur l'endroit, dessinez les surpiqûres (voir le dessin, page ci-contre).

4 La doublure et le molleton doivent être un peu plus grands que le patchwork. Superposez les trois épaisseurs et faufilez-les plusieurs fois en allant du centre vers les extrémités.

5 Rabattez la doublure en trop sur le dessus et faufilez sur les quatre côtés pour protéger les bords durant le surpiquage.

Surpiquage

On appelle surpiqûre une série de points devant (p. 281) exécutés à travers les trois épaisseurs de l'ouvrage. Utilisez un seul fil et une aiguillée d'environ 50 cm (20 po) de longueur, terminée par un petit nœud. Pour protéger

votre doigt et mieux régler la tension du fil, glissez un dé sur le majeur de la main qui coud.

1 Mettez le tambour au centre de la surpiqûre et travaillez du centre vers la périphérie. Assurez-vous que les trois épaisseurs sont uniformément tendues, qu'il n'y a pas de godets.

2 Piquez l'aiguille dans le tissu de surface seulement, à environ 2,5 cm (1 po) de là où vous voulez mettre le premier point. Tirez le fil jusqu'à ce que le nœud entre dans le molleton. Faites un petit point arrière, puis un petit point devant. Continuez à faire plusieurs petits points devant de même longueur à la fois, en vous assurant que le fil traverse les trois épaisseurs de tissu. Donnez aux points la même longueur sur l'endroit et sur l'envers. Travaillez à l'intérieur du tambour. Quand vous surpiquez les longues bandes verticales et horizontales, vous pouvez laisser pendre le fil pour déplacer le tambour ; vous l'enfilerez de nouveau après.

3 Pour arrêter les surpiqûres, faites un nœud dans le fil près du dernier point, piquez l'aiguille vers l'arrière et tirez le nœud dans le molleton ; piquez l'aiguille dans le molleton en vous écartant du point. Quand vous couperez le fil, il entrera dans le molleton.

Galon

1 Piquez bout à bout les quatre bandes de tissu bleu réservées pour le galon. Pliez en deux sur le long, envers sur envers, et repassez.

2 Coupez la doublure et le molleton en trop : les trois tissus auront les mêmes dimensions.

3 Laissez une marge de couture de 6 mm (¼ po). Épinglez les bords vifs du galon sur le dessus de la courtepointe ; piquez à partir de 15 cm (6 po) d'un coin, en traversant les trois épaisseurs ; arrêtez la piqûre à 6 mm (¼ po) du coin suivant. Faites quelques points de recul, relevez le pied-de-biche et tournez l'ouvrage. Pliez le galon vers l'arrière pour former un angle de 45 degrés puis vers l'avant : vous obtenez un onglet. Abaissez le pied-de-biche et continuez à piquer.

4 Quand vous revenez au point de départ, superposez les galons sur 2,5 cm (1 po) en repliant le premier bord vif dessous.

5 Pliez le galon sur l'envers du travail et fixez-le au point perdu près de la piqûre machine en formant des coins à onglet. Ôtez la faufilure.

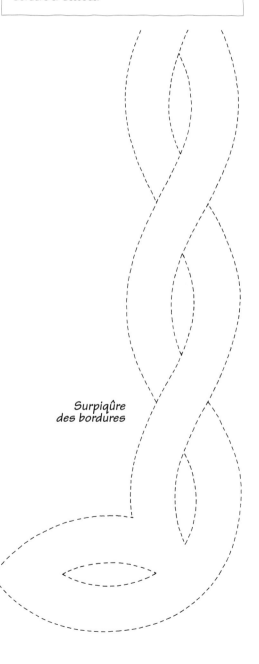

Surpiqûre des bordures

• Confort et sécurité •

Ce jeu de coussins de contour, épais et moelleux, enjolive la chambre de bébé
de motifs colorés et vivants. Associez ces coussins à la courtepointe décrite à la page 285
et vous aurez un ensemble charmant pour le lit de bébé.

Surpiquez le molleton mince ; l'autre sert de rembourrage. Les coussins ont 24 x 70 cm (9 ⅜ x 27 ½ po) dans les bouts, 24 x 150 cm (9 ⅜ x 55 ½ po) sur les côtés, marge de 6 mm (¼ po).

- ◆ **3 m (3 ¼ vg) de tissu imprimé, en 110 cm (44 po) de large**
- ◆ **2,30 m (2 ½ vg) de tissu blanc, en 110 cm (44 po) de large**
- ◆ **1,60 m (1 ¾ vg) de molleton mince (coton ou polyester) en 120 cm (48 po) de large**
- ◆ **90 cm (1 vg) de molleton extra-épais en polyester, en 230 cm (90 po) de large**
- ◆ **4,30 m (4 ¾ vg) de trou-trou blanc déjà froncé, de 3,8 cm (1 ½ po) de large**
- ◆ **roulette à lame ou ciseaux**
- ◆ **plaque de coupe**
- ◆ **règle transparente**
- ◆ **fil assorti aux tissus**
- ◆ **épingles et ciseaux**

Coupe

1 Dans l'imprimé, coupez deux pièces de 18 x 74 cm (7 x 29 po) pour les bouts et quatre pièces de 18 x 147 cm (7 x 58 po) pour les côtés.

2 Toujours dans l'imprimé, coupez deux pièces de 25 x 74 cm (10 x 29 po) et deux pièces de 25 x 147 cm (10 x 58 po) pour le dos des coussins, six pièces de 2,5 x 147 cm (1 x 58 po) pour les attaches et deux carrés de 19 cm (7 ½ po) pour les angles des coussins (voir étape 5, couture). Coupez ces carrés deux fois en diagonale pour obtenir huit triangles. Réservez ces pièces.

Ravissants et fort utiles, ces coussins de contour se font en quatre morceaux. Vous pouvez ainsi les laver séparément au besoin ou les mettre ensemble dans la machine dont la cuve sera ainsi mieux équilibrée.

3 Dans le tissu blanc, coupez une pièce de 18 x 74 cm (7 x 29 po) pour les deux panneaux de bout et deux pièces de 18 x 147 cm (7 x 58 po) pour les deux panneaux latéraux.
4 Toujours dans le tissu blanc, coupez deux pièces de 25 x 74 cm (10 x 29 po) et deux pièces de 25 x 147 cm (10 x 58 po) ; elles iront sous le molleton épais, sur le devant des coussins.

Couture
1 Groupez les bandes blanches et imprimées de même longueur, à raison de deux bandes imprimées pour chaque bande blanche.
2 Endroit sur endroit, piquez une bande blanche entre deux bandes imprimées (ci-dessous) ; couchez la couture au fer vers l'imprimé.

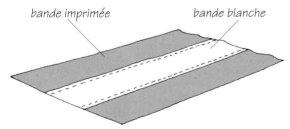

bande imprimée   *bande blanche*

3 Coupez le panneau transversalement (voir ci-dessous) tous les 18 cm (7 po) : vous aurez trois pièces par panneau de bout et six par panneau latéral (un total de 18 pièces).

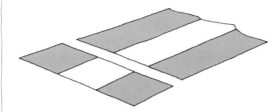

4 Pour chaque panneau, piquez ensemble le nombre de pièces qui lui sont attribuées, de façon que les carrés blancs soient disposés en losange, disposition qui se retrouvera sur les coussins de contour. Le panneau se terminera par des pointes dans le haut (voir le dessin ci-dessous).

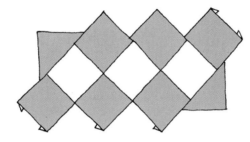

5 Endroit sur endroit, centrez, épinglez et piquez l'hypoténuse d'un triangle sur le côté non piqué des losanges blancs, aux deux bouts des panneaux. Au fer, couchez ces piqûres vers l'intérieur, toutes les autres piqûres étant couchées dans le même sens.
6 Pour rectifier les bords supérieurs et les bords inférieurs, placez une règle transparente sur toute la longueur du panneau, à 6 mm (¼ po) au-delà de chaque pointe blanche, et coupez. Les panneaux de bout mesurent maintenant 24 x 70 cm (9 ⅝ x 28 po) et les panneaux latéraux, 24 x 142 cm (9 ⅝ x 56 po).
7 Servez-vous des rectangles d'entretoilage coupés dans le tissu blanc pour en tailler d'équivalents dans le molleton mince.
8 Posez le molleton sur l'entretoile blanche. Placez un pavé de patchwork, endroit dessus, sur chaque pièce de molleton de dimensions équivalentes. Épinglez. Avec de longs points, faufilez

les trois épaisseurs dans le droit fil en allant du centre des pavés vers la périphérie, dans chaque direction. Faufilez aussi les côtés à 6 mm (¼ po) des bords vifs des pavés.
9 Patchwork dessus, piquez à la machine à 6 mm (¼ po) du bord dans chaque losange blanc. Tirez les fils sur l'envers et nouez-les. Ôtez les faufilures au centre des pavés.
10 Dans le trou-trou, coupez deux bandes de 74 cm (29 po) et deux de 147 cm (58 po). Endroit sur endroit, épinglez le centre d'une bande sur le centre de la faufilure supérieure d'un panneau de même dimension et coupez le morceau de trou-trou à la longueur de ce panneau. Continuez à l'épingler dans le haut. Près des coins, pliez vers l'extérieur les bords vifs du trou-trou pour que la partie brodée coïncide avec le bâti ; dissimulez l'ampleur de la bande dans les fronces. Piquez à la machine.
11 Sur les longs côtés des bandes destinées aux attaches, pliez 6 mm (¼ po) au fer sur l'envers ; recommencez et repassez. Cousez au point d'ourlet. Coupez chaque bande en pièces de 48 cm (19 po) : gardez 16 attaches. Finissez les bords vifs avec un nœud coulant serré.
12 Pliez les attaches en deux sur la longueur et épinglez-les à 1 cm (½ po) du coin, dans le haut et le bas. Attachez les bouts noués avec des épingles pour les écarter des piqûres.
13 Endroit sur endroit, mettez les rectangles de doublure imprimée sur les panneaux à patchwork correspondants et épinglez sur l'entretoilage blanc. En suivant le faufil, piquez toutes les épaisseurs ensemble, en commençant et en arrêtant à 25 cm (10 po) des coins inférieurs. Réduisez les marges du molleton et de l'imprimé à 6 mm (¼ po) et coupez les coins en diagonale. Mettez les panneaux à l'endroit et ôtez les épingles au bout des attaches.
14 Dans le molleton épais, coupez deux morceaux de 43 x 68,5 cm (17 x 27 po) et deux de 43 x 137 cm (17 x 54 po). Pliez-les de façon qu'ils passent de 43 à 21,5 cm (17 à 8 ½ po). Insérez-les par l'ouverture dans les coussins de dimensions appropriées. Fermez au point perdu.
15 Disposez les coussins de contour à l'intérieur des balustres, dans le lit, en mettant le trou-trou dans le haut ; nouez les attaches autour des poteaux d'angle.

◆ Jeux de voyage ◆

Ce jeu de dames à l'américaine – 64 cases et 24 pions – est idéal en voyage. Quand un pion devient une dame,
vous tournez la pièce et révélez ainsi son aspect décoratif. Deux sacs assortis, un pour le damier, un autre pour les pions
pouvant entrer dans le premier, complètent cet ensemble, à la fois beau et pratique.

Comptez des marges de couture de 6 mm (¼ po),
sauf exception. Voir les différents points, page 281.

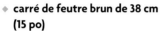

- **carré de feutre brun de 38 cm (15 po)**
- **carré de feutre beige de 38 cm (15 po)**
- **ciseaux**
- **1 m (1 vg) d'écossais en 110 cm (44 po) de large**
- **colle blanche**
- **carré de tissu crème de 25 cm (10 po)**
- **papier à dessin, crayon**
- **marqueur à pointe fine**
- **fil à broder à 6 brins, rouge, jaune et brun**
- **4 boutons bruns de 1 cm (½ po)**
- **1,40 m (1 ½ vg) de ruban de 6 mm (¼ po) assorti à l'écossais**
- **1 m (1 vg) de ruban de 1 cm (½ po) assorti à l'écossais**
- **boutons creux de 2,5 cm (1 po), 24 crème, 24 bruns**
- **boutons plats à insérer dans les précédents, 12 rouges, 12 bruns**

Damier

1 Dans les feutres brun et beige, coupez huit bandes de 4 x 32 cm (1 ½ x 12 ½ po).

2 Dans l'écossais, coupez (voir diagramme 1) : un carré de 35 cm (13 ½ po) pour doubler et border le damier ; une bande de 2 x 60 cm (¾ x 24 po) pour l'attache ; une pièce de 45 x 66 cm (18 x 26 po) pour le grand sac ; une pièce de 20 x 35 cm (8 x 14 po) pour le petit sac ; deux coulisses de 3 x 45 cm (1 ¼ x 18 po) pour le grand sac, deux de 2,5 x 35 cm (1 x 14 po) pour le petit.

L'élégance s'associe à la commodité dans cet ensemble
à jeu de dames dont le petit sac – pour les pions –
entre confortablement dans le grand.

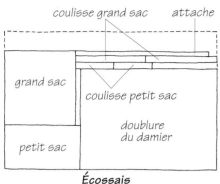

coulisse grand sac   *attache*

grand sac

coulisse petit sac

doublure du damier

petit sac

Écossais

DIAGRAMME 1

JEUX PIONS DU JEU

3 Pliez l'attache en deux sur la longueur, endroit sur endroit, et repassez ; rectifiez les bouts. Cousez le long bord et un des bouts. Tournez sur l'endroit ; repliez vers l'intérieur la marge de couture à l'autre bout et fermez au point d'ourlet. Cousez le milieu de l'attache au centre de la doublure du damier, à 17 cm (6 ¾ po) de l'un des bords.

4 Mettez les bandes de feutre brun côte à côte sur l'envers de la doublure du damier et cousez-les (voir l'étape 2, p. 292). Les petits bouts arrivent à 1 cm (½ po) des bords vifs de la doublure et les côtés, à 2 cm (¾ po). Entrelacez les bandes de feutre beige dans les brunes (voir l'étape 3, p. 292).

5 Repliez les côtés de la doublure sur 6 mm (¼ po) et repassez. Repliez-les de nouveau de 6 mm (¼ po) sur les bandes de feutre et épinglez ; formez les coins en onglet. Cousez les bords : à la main au point perdu, à la machine au point d'ourlet. Vous pouvez également coudre le bord du feutre sur la doublure.

Sacs, étiquettes et pions

1 Dans le tissu crème, coupez un morceau de 11 x 16,5 cm (4 ¼ x 6 ½ po) et un autre de 4,5 x 12,5 cm (1 ¾ x 5 po). (Voir diagramme 2.) Repliez les côtés des deux pièces sur 6 mm (¼ po) et repassez. Copiez et décalquez JEUX sur la grande étiquette, PIONS DU JEU sur la petite.

2 Prenez deux fils à broder de couleur

étiquette petit sac

étiquette grand sac

Tissu crème

DIAGRAMME 2

et brodez les lettres au point devant (voir p. 281). Au-dessus et au-dessous de JEUX, brodez au point d'épine (voir p. 295).

3 Les deux sacs se font de la même façon. Pliez le tissu en deux, envers sur envers. Compte tenu des marges de couture, centrez l'étiquette sur le devant. Cousez-la au point devant (voir p. 281) avec le fil à broder, en ne prenant que le tissu du dessus. Cousez des boutons bruns de 1 cm (½ po) dans les angles de l'étiquette, sur le grand sac seulement.

4 Pliez maintenant le tissu, endroit sur endroit. Cousez les côtés et le bas de chacun des sacs. Dans le haut, pliez et piquez un double ourlet à 6 mm (¼ po) du bord supérieur de chaque sac.

5 Pliez les côtés des coulisses sur 6 mm (¼ po)

et repassez. Épinglez et piquez les coulisses correspondant à chaque sac, en plaçant le bord supérieur de chacune à 5 cm (2 po) sous le bord supérieur du grand sac et à 2,5 cm (1 po) sous le bord supérieur du petit sac. Il y aura un écart de 1 cm (½ po) entre les coulisses et les piqûres de côté.

6 Pour le grand sac, coupez le ruban de 1 cm (½ po) en deux et enfilez-en une moitié dans la coulisse en prenant une épingle de sûreté en guise de passe-lacet. Nouez les deux bouts du ruban ensemble. Répétez avec l'autre demi-ruban, mais en laissant pendre les bouts de chaque côté. Nouez-les.

7 Coupez en deux le ruban de 6 mm (¼ po) et insérez les deux moitiés de la même façon dans la coulisse du petit sac.

8 Mettez les boutons crème l'un sur l'autre en fichant un petit bouton rouge dans le creux, sur le dessus. Introduisez six bouts de fil à broder jaune dans les trous ; nouez-les sur le bouton rouge et coupez les pans. Répétez avec les boutons bruns en utilisant le fil à broder rouge.

DAMIER ET SAC

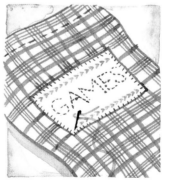

1 Sur l'envers de la doublure du damier, entrelacez les bandes de feutre brun et crème comme on l'explique à l'étape 3, page 292.

2 Avec deux longueurs de fil à broder, inscrivez les mots au point devant (p. 281) sur les étiquettes. Placez-les et cousez-les.

3 Mettez les gros boutons deux par deux ; ajoutez un petit bouton dans les creux et faites passer six longueurs de fil à broder dans les trous.

◆ Petits sacs haute couture ◆

La soie et le satin donnent une grande élégance à ces deux sacs de luxe. Le plus petit
des deux conviendrait à une tenue de mariée. La pochette à lingerie fine, illustrée sur la page
qui suit, est un accessoire majeur dans un trousseau de noces.

Sac à damier

Cette élégante pochette à courroie détachable
peut être portée en bandoulière.

- **25 cm (9 po) de soie tussor en 110 cm (44 po) de large**
- **fil assorti**
- **2,30 m (2 ½ vg) de ruban de 2 cm (¾ po) de large**
- **2,30 m (2 ½ vg) de ruban de 2 cm (¾ po) de large dans un coloris contrastant**
- **20 x 45 cm (8 x 17 ¾ po) d'entre-toile molletonnée**
- **3,85 m (4 ¼ vg) de cordelette de satin**
- **2 boutons-pression incolores**

1 Dans la soie, coupez un carré de 21,5 cm (8 ½ po), un rectangle de 20 x 26 cm (8 x 10 ¼ po) et un autre de 20 x 45 cm (8 x 17 ¾ po).

2 Déposez le carré de 21,5 cm (8 ½ po) à plat. Coupez un ruban en 11 bouts de 20 cm (8 po). Étendez-les côte à côte sur le carré de soie. Les bouts seront à 6 mm (¼ po) des bords du carré. Piquez à 6 mm (¼ po) des bords vifs du ruban (voir ci-dessous).

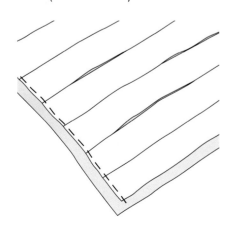

3 Coupez le ruban contrastant en 11 bouts de 20 cm (8 po). Entrelacez-les aux premiers pour créer un effet de damier (voir ci-dessous). Assurez-vous qu'ils sont bien à angle droit avec les premiers. Piquez les bouts de ces seconds rubans dans le carré de soie.

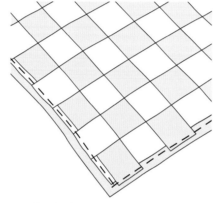

4 Rectifiez les bords vifs du carré de soie au niveau des rubans.
5 Endroit sur endroit, piquez ce carré sur un des côtés de 20 cm (8 po) du rectangle de 20 x 26 cm (8 x 10 ¼ po) . Ouvrez la couture au fer.
6 Piquez l'entretoilage sur l'envers du dernier rectangle de soie. Vous aurez maintenant deux morceaux de 20 x 45 cm (8 x 17 ¾ po).
7 Placez ces deux morceaux endroit sur en-droit et épinglez. Piquez le bout de la pièce en damier et les deux longs côtés; laissez le côté sans ruban ouvert. Coupez les coins en biais. Tournez le sac sur l'endroit; repliez les bords vifs de l'ouverture de 6 mm (¼ po) et fermez au point d'ourlet.
8 Étendez le sac, damier dessous. Ramenez en pochette l'autre extrémité du sac de 12 cm (5 po); cousez les côtés au point perdu.
9 Coupez la cordelette en trois longueurs égales que vous tresserez. Nouez les extrémi-tés. Fixez les bouts à l'intérieur du rabat avec des boutons-pression.

Baluchon grand soir

Des coloris vifs donnent à ce baluchon un air de
tout aller; des teintes pastel en font un article de
grand soir. Marge de 6 mm (¼ po) partout.

- **70 cm (¾ vg) de soie tussor en 110 cm (44 po) de large**
- **fil assorti**
- **2 m (2 ¼ vg) de ruban de 2,5 cm (1 po) de large**
- **2 m (2 ¼ vg) de ruban de 2,5 cm (1 po) de large dans un coloris contrastant**
- **carré de 20 cm (8 po) d'entre-toilage matelassé**
- **1 bouton-pression incolore**

1 Dans la soie, coupez deux carrés (rabat et doublure) de 20 cm (8 po), deux pièces (souf-flet) de 7,5 x 30 cm (3 x 12 po), deux pièces (devant et dos) de 25 x 30 cm (10 x 12 po), deux pièces (courroies) de 7,5 x 70 cm (3 x 28 po), une pièce (lacet) de 2,5 x 100 cm (1 x 40 po) et une pièce (finition) de 3,8 x 19 cm (1 ½ x 7 ½ po).

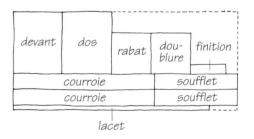

2 Rabat. Mettez à plat un carré de 20 cm (8 po). Coupez un ruban en huit bouts de 20 cm (8 po), placez-les côte à côte sur le carré de soie (voir étape 2 du sac à damier, à gauche).
3 Coupez le ruban contrastant en huit bouts de 20 cm (8 po). Entrelacez-les aux premiers et piquez: voir les instructions données aux étapes 3 et 4 pour le sac à damier. Rectifiez le

carré de soie pour qu'il coïncide avec les bords vifs du damier.

4 Piquez l'entretoilage sur l'envers du second carré de soie de 20 cm (8 po).

5 Placez les deux carrés – celui du damier et celui de l'entretoilage – endroit sur endroit et

épinglez. Arrondissez le bord inférieur du rabat. Piquez à la machine les trois côtés; laissez le haut ouvert. Émoussez les marges de couture et l'entretoilage près des piqûres. Tournez le rabat sur l'endroit; finissez les bords vifs au point d'ourlet dans le haut pour fermer l'ouverture.

De gauche à droite: une ravissante pochette à lingerie fine – un cadeau de noces idéal pour une amie ou une petite douceur pour vous; une pochette du soir en damier dont les couleurs peuvent s'assortir à une tenue spéciale; un baluchon de grand ou de petit soir pour recevoir ce dont vous ne voulez pas vous séparer.

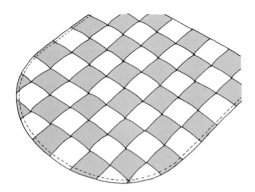

6 Courroies. Pliez en deux chaque pièce de 70 cm (28 po), endroit sur endroit. Piquez trois côtés à la machine ; laissez l'un des bouts ouvert. Tournez le travail sur l'endroit, repassez et surpiquez près de la piqûre et près du pli.

7 Dos. Il mesure 25 cm (10 po) de largeur. Repérez le milieu et mettez un fil de couleur. Faites-le coïncider avec le centre du bord droit du rabat et piquez à 8,5 cm (3 ½ po) du bord supérieur, la face en damier étant à l'extérieur.

8 Placez les courroies sur le bord droit du dessus du rabat, parallèlement à ses côtés et à 5 cm (2 po) de chacun d'eux. Piquez-les ainsi. Faites une petite boutonnière au centre du dos

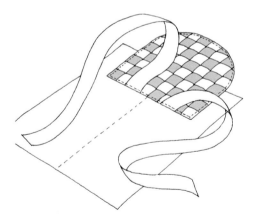

du sac, à 4,5 cm (1 ¾ po) du haut, pour y faire passer les bouts du lacet.

9 Repliez au fer 6 mm (¼ po) sur les quatre côtés du morceau de 3,8 x 19 cm (1 ½ x 7 ½ po). Mettez-le par-dessus le bord supérieur du rabat et les courroies ; piquez au point d'ourlet.

10 Cousez l'autre extrémité des courroies au bord inférieur du dos, à environ 6,5 cm (2 ½ po) de chaque côté du centre.

11 Arrondissez les deux angles inférieurs du dos et du devant du baluchon.

12 Cousez ensemble les bords inférieurs des deux pièces du soufflet pour n'en faire qu'une seule. Ouvrez la couture au fer. Endroit sur endroit, épinglez un bord du soufflet sur le devant du sac et l'autre bord sur le dos du sac. Piquez à la machine en faisant prêter le soufflet dans les angles. Tournez le sac sur l'endroit.

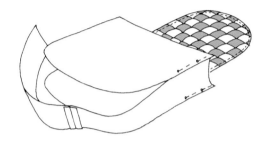

13 Rabattez le bord vif dans le haut du sac pour avoir une coulisse d'environ 3 cm (1 ¼ po) ; piquez sans prendre le rabat.

14 Lacet. Pliez en deux sur la longueur la pièce de 2,5 x 100 cm (1 x 40 po), endroit sur endroit, et piquez en laissant les extrémités ouvertes. Tournez sur l'endroit. Repliez les bouts à l'intérieur et fermez au point d'ourlet. En utilisant une épingle de sûreté comme passe-lacet, introduisez le lacet dans la coulisse.

15 Cousez les boutons-pression du rabat.

Pour cette pochette à sous-vêtements, nous avons choisi un tissu satin crème, un fil couleur or et un délicat motif brodé dont le détail apparaît ci-dessous.

Pochette en satin

Le satin épais – pour robe de mariée – est plus facile à broder que le satin léger et ne demande pas d'entoilage.

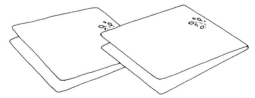

- ◆ **30 cm (12 po) de satin épais en 100 cm (40 po) de large**
- ◆ **2 m (2 ¼ vg) de ruban à broder en soie crème de 7 mm de large**
- ◆ **2 m (2 ¼ vg) de ruban à broder en soie café de 7 mm de large**
- ◆ **1 écheveau de fil à broder DMC de couleur n° 738**
- ◆ **aiguille à gros chas n° 18 ou 20**
- ◆ **aiguille à tapisserie n° 10**
- ◆ **tambour à broder de 10 cm (4 po)**
- ◆ **papier à dessin, crayon**
- ◆ **crayon à décalquer**
- ◆ **1 m (1 vg) de ruban à broder en satin double face café de 2 cm (¾ po) de large, coupé en deux**
- ◆ **2 m (2 ¼ vg) de cordelette de satin crème**
- ◆ **fil assorti**

1 Dans le satin, coupez deux bandes de 60 x 26,5 cm (24 x 10 ½ po) et deux autres de 54,5 x 26,5 cm (21 ½ x 10 ½ po)

2 Pliez les petites bandes en deux sur la largeur, repassez-les et brodez le motif 1 (voir p. 295) sur un seul côté, à 2,5 cm (1 po) du pli.

3 Brodez le motif 2 sur un côté de l'une des grandes bandes, à 2,5 cm (1 po) du bord inférieur (voir ci-dessous).

4 Ce travail terminé, faites disparaître les marques du tambour en repassant les trois bandes brodées sur l'envers, autour des motifs.

5 Sur la grande bande non brodée, endroit dessus, mettez les bandes pliées, broderies au centre. Piquez à la machine en comptant une marge de couture de 1 cm (½ po). Piquez les rubans, endroit dessus (voir ci-dessous).

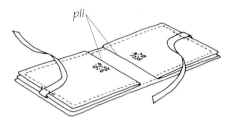

pli

6 Laissez le travail ainsi. Montez le pied à fermeture à glissière sur la machine. Piquez la cordelette de satin sur la piqûre précédente, point sur point. Superposez les extrémités de la cordelette ou mettez-les bout à bout (voir p. 134); encochez-la dans les angles pour que les arrondis soient bien plats (ci-dessous). Prenez soin de ne pas couper la couture.

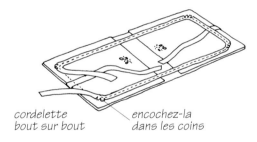

cordelette bout sur bout   encochez-la dans les coins

7 Placez la grande pièce brodée par-dessus les goussets, endroit sur endroit. Avec le pied à fermeture à glissière, piquez sur la piqûre précédente, en laissant une ouverture de 10 cm (4 po) à une extrémité (ci-dessous).

ouverture de 10 cm (4 po)

8 Réduisez les marges à 6 mm (¼ po), tournez le sac sur l'endroit et fermez l'ouverture.

Broderie au ruban

Le motif 1 (grandeur réelle) des goussets comporte trois boutons et huit feuilles (ci-dessous).

MOTIF 1

Le motif 2 (grandeur réelle) du rabat comporte neuf boutons et 12 feuilles (ci-dessous).

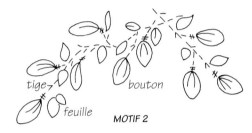

tige   bouton

feuille   MOTIF 2

Brodez les boutons, puis les tiges et enfin les feuilles. Pour les points, voir Couture et travaux d'aiguille, page 281. Tracez les motifs au crayon sur du papier à dessin. Repassez sur les dessins à l'envers du papier avec un crayon à décalquer. Décalquez au fer sur les tissus.

1 Broderie au ruban. Enfilez une aiguillée de 30 cm (12 po) de ruban dans une aiguille à gros chas, piquez celle-ci dans le ruban et tirez énergiquement (ci-dessous).

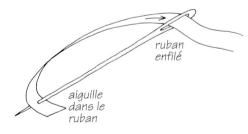

ruban enfilé

aiguille dans le ruban

2 Commencez à la base du premier bouton. Piquez l'aiguille sur l'envers du travail, en laissant pendre sur l'envers 1 cm (½ po) de ruban. Piquez au sommet du bouton et revenez en arrière à travers la base; passez à travers le ruban pour bien le fixer. Faites un ou deux

autres points l'un par-dessus l'autre (ci-dessous). Sans couper le ruban, piquez l'aiguille à la base du bouton suivant et répétez. Quand tous les boutons sont faits, passez l'aiguille à travers le ruban, sur l'envers, pour arrêter les points. Coupez en laissant 1 cm (½ po) de ruban sur l'envers.

3 Avec l'aiguille à tapisserie et une aiguillée simple de fil à broder, faites un point d'épine à la base du bouton, en arrêtant le point sous le bouton (ci-dessous).

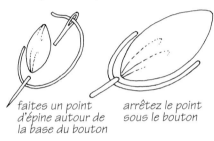

faites un point d'épine autour de la base du bouton

arrêtez le point sous le bouton

4 Dans le ruban, faites deux ou trois points droits verticaux qui convergent vers la base et deux petits points horizontaux (ci-dessous).

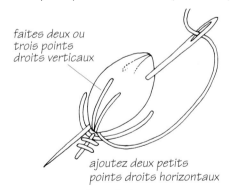

faites deux ou trois points droits verticaux

ajoutez deux petits points droits horizontaux

5 Tiges. Avec l'aiguille à tapisserie et une aiguillée simple de fil à broder, faites des points de chaînette sur les lignes des motifs. Ajoutez de petits points droits en guise d'épines.

6 Feuilles. Brodez-les au point d'épine, comme les boutons, mais avec du ruban café. Ajoutez un seul point droit par feuille : il doit être plus petit que ceux des boutons.

✦ Paille en tête ✦

Pourquoi acheter un nouveau chapeau quand vous pouvez redécorer celui de l'année précédente ?
Transformez-vous en modiste ; achetez un peu de ruban, du raphia, des fleurs artificielles
et en avant la musique ! Votre bibi sera beau, beau.

Paille et étoiles de mer

Pour décorer ce panama aux formes arrondies, utilisez du raphia naturel ou teint et des étoiles de mer. On peut remplacer les étoiles de mer par des coquillages ou des branches de corail.

- ◆ **1 chapeau de paille**
- ◆ **raphia**
- ◆ **3 à 5 étoiles de mer**
- ◆ **grosses aiguilles à tapisserie**
- ◆ **fil**
- ◆ **épingles à chapeau ou longues épingles (facultatif)**

1 Prenez une poignée moyenne de raphia de longueurs inégales. Ne composez pas ce petit fagot avec trop de soins ; il est bon que des tiges pointent ici et là dans la mauvaise direction : cela fait partie du charme.
2 Enroulez le raphia autour de la calotte sans trop serrer. Vous pouvez le tordre un peu à mesure que vous avancez. Fixez-le avec des épingles à chapeau et entrelacez les tiges les unes aux autres aux extrémités. Mettez votre chapeau et regardez-vous dans le miroir.
3 Avec une aiguille à tapisserie et une double aiguillée de fil ou une fine tige de raphia, fixez le fagot de raphia à la calotte ici et là : piquez de l'intérieur du chapeau, prenez quelques brins et repiquez vers l'intérieur : nouez solidement les deux bouts du fil. Ne multipliez pas les points de soutien : ce sera plus joli ainsi.
4 Disposez les étoiles de mer un peu au hasard sur le raphia. Regardez-vous dans le miroir pour juger de l'effet.
5 Quand la mise en place vous paraît à point, faites un petit trou au centre de chaque étoile de mer avec une aiguille, enfilez une fine tige de raphia et faites un double nœud à quelques centimètres du bout — le nœud doit être assez gros pour ne pas glisser dans le trou que vous venez de faire. Piquez l'aiguille au centre de

l'étoile de mer, sortez sur l'intérieur du chapeau et faites quelques points pour bien attacher l'étoile de mer dans la position que vous avez choisi de lui donner. Coupez et effilochez le nœud si vous le désirez.

Paille et fleurs

Des fleurs en soie de couleurs vives, un nœud de raphia et de ruban : il n'en faut pas davantage pour donner du pimpant à ce chapeau de soleil. Essayez divers coloris avant d'arrêter votre choix.

- ◆ **1 chapeau de paille**
- ◆ **50 cm (20 po) de gros-grain de 10 cm (4 po) de large d'une couleur assortie au chapeau**
- ◆ **raphia**
- ◆ **3 fleurs en soie**
- ◆ **fil assorti au gros-grain**
- ◆ **aiguille**
- ◆ **épingles à chapeau ou longues épingles (facultatif)**
- ◆ **colle blanche (facultatif)**

1 Formez le gros-grain en nœud en mettant les deux bouts en boucle au centre. Fixez le nœud en enroulant du fil au centre, là où les extrémités se recoupent. Terminez par quelques points sur l'envers.
2 Enroulez plusieurs tiges de raphia autour des boucles du nœud et fixez-les au centre avec du fil assorti au gros-grain.
3 Enroulez lâchement quelques tiges de raphia autour de la calotte et nouez sur le devant du chapeau ; vous couperez les pans à égalité avec le rebord du chapeau.
4 Épinglez le nœud et les fleurs sur le chapeau de paille avec des épingles à chapeau. Essayez le chapeau et jugez de l'effet dans un miroir. Rectifiez la décoration au besoin avant de la fixer de façon permanente.

5 Quand vous êtes satisfait de votre travail, fixez les éléments sur le chapeau de paille avec une double aiguillée. Piquez à partir de l'envers, attrapez le raphia là où il est à plat sur la paille. Ne multipliez pas les points. Arrêtez-les un à un. Vous pouvez aussi fixer les éléments de décoration avec de la colle blanche, mais cette technique n'est pas aussi efficace que les points de couture et elle a le défaut de laisser des traces, tandis que vous pouvez toujours, au besoin, défaire les points et recommencer.

LA PAILLE À TOUT FAIRE

Le raphia peut décorer un serre-tête et un élastique à queue de cheval aussi bien qu'un chapeau. Il en va de même de tous les accessoires servant à rénover un couvre-chef en paille.

Tressez des tiges de raphia colorées pour en faire un serre-tête original, reborder un chapeau ou décorer un emballage cadeau.

Prenez du ruban un peu rigide pour façonner des nœuds décoratifs ; autrement, ils perdront rapidement leur fraîcheur. Pensez au ruban métallisé ; on en trouve un peu partout.

Rien de mieux qu'une boîte à chapeau pour ranger un chapeau, mais aussi d'autres choses. Dans les petites, placez vos accessoires à cheveux ; dans les moyennes, vos carrés de soie et vos foulards ; réservez les grandes aux chapeaux. Doublez-les de papier de soie et mettez-en aussi dans la calotte du chapeau pour lui garder sa forme.

Deux ravissants chapeaux de paille pour vous protéger du soleil. Décorez-les pour votre propre plaisir ou offrez-les en cadeau à des amies : ce sera apprécié !

◆ Des tricots pour qui en veut ◆

Les gens que vous aimez seront bien au chaud avec ce trio de chandails. Pour avoir les meilleurs résultats, utilisez seulement le fil spécifié. Les quantités recommandées, cependant, sont approximatives ; elles varient selon la façon de tricoter de chacun. Voir l'ABC du tricot, pages 278 à 280.

Unisexe à col matelot

Ce patron vous permet de tricoter un chandail pour les femmes aussi bien que pour les hommes.

- **laine de poids moyen ou fil acrylique en pelotes de 50 g (1 ¾ oz) : 15 (16, 17 ; 17, 18, 19) pelotes**
- **2 aiguilles à tricoter de 3,25 mm et 2 de 4 mm**
- **2 arrête-mailles**
- **aiguille à laine**

Mesures

Poitrine (tailles normalisées) : femmes, 76-80 cm (86-90, 96-101) ; hommes, 90-96 cm (96-101, 106-112). Long. hors tout : 104 cm (115, 124 ; 122, 131, 141,5). Long. col matelot : 66 cm (67, 68 ; 94,5, 95, 96,5). Long. chandail écourté : 45,5 cm (47, 47,5). Longueur des manches : 44 cm (44, 44 ; 49, 49, 49). Ce chandail a une coupe ample : on a accordé 25 cm (10 po) d'aisance.

Échantillon

Point jersey, aiguilles de 4 mm : 23 m et 31 r pour 10 cm (4 po). Pour rectifier, prenez des aiguilles plus petites ou plus grandes.

Dos

Avec les aiguilles de 3,25 mm, montez 118 m (130, 138 ; 138, 146, 158).

1er r : end 2, *env 2, end 2* jusqu'à la fin.
2e r : env 2, *end 2, env 2* jusqu'à la fin.
Rép ces 2 r 9 fois ; augm de 0 m (0, 2 ; 0, 2, 2) bien réparties au dernier r pour 118 m (130, 140 ; 138, 148, 160) et 20 r de côtes en tout.
Passez aux aiguilles de 4 mm.
Cont en jersey jusqu'à ce que le travail mesure 64,5 cm (65,5, 66,5 ; 67, 68,5, 69). Terminez par 1 r env.
Formez l'épaule. Toujours en jersey, rabattez 10 m (11, 12 ; 12, 13, 14) au début des 6 r suiv, puis

CODE DU TRICOT

alt	alterner
augm	augmenter
cont	continuer
dim	diminuer
end	point endroit
env	point envers
m ; p	maille ; point
r	rang, rangs
rép	répéter
suiv	suivant(s), suivante(s)
(...)	Les astérisques encadrent
****(...)****	des directives qui se répètent

10 m (12, 13 ; 12, 13, 15) au début des 2 autres r. Mettez les 38 m (40, 42 ; 42, 44, 46) qui restent sur un arrête-mailles.

Devant

Faites comme pour le dos, mais comptez 22 r (24, 24 ; 24, 24, 26) de moins de l'ourlet au début de l'épaule ; terminez par 1 r env.
Encolure. R suiv : tricotez à l'end 49 m (55, 60 ; 58, 63, 69) ; tournez.
**Cont en jersey avec ces 49 m (55, 60 ; 58, 63, 69). Côté col, dim de 1 m à chaque r jusqu'à 47 m (53, 56 ; 56, 59, 65), puis de 1 m sur 2 r jusqu'à 40 m (45, 49 ; 48, 52, 57).
Tricotez 5 r.
Épaule. Rabattez 10 m (11, 12 ; 12, 13, 14) au début du r suiv, puis 2 fois aux 2 r jusqu'à ce qu'il reste 10 m sur l'aiguille. Tricotez 1 r.
Rabattez ces 10 m (12, 13 ; 12, 13, 15).**
Endroit face à vous, glissez les 20 m (20, 20 ; 22, 22, 22) qui suivent sur un arrête-mailles.
Attachez le fil aux 49 m (55, 60 ; 58, 63, 69) qui restent et continuez jusqu'à la fin.
Rép de ** à **, en tricotant 6 r (et non 5) avant de former l'épaule.

Manches

Avec les aiguilles de 3,25 mm, montez 50 m (50, 54 ; 54, 58, 62).
Tricotez 20 r en côtes comme pour le dos, en augm de 12 m uniformément espacées dans le dernier r : vous aurez 62 m (62, 66 ; 66, 70, 74).
Cont avec les aiguilles de 4 mm au point jersey. Augm de 1 m au début et à la fin du 5e rang, puis aux 4 r jusqu'à ce que vous ayez 74 m (92, 96 ; 70, 74, 78), et enfin aux 6 r jusqu'à ce que vous ayez 98 m (104, 108 ; 104, 108, 112).
Cont en jersey sans dim ni augm jusqu'à ce que la manche mesure 44 cm (44, 44 ; 49, 49, 49) ou la longueur voulue ; terminez par un r env. Rabattez sans serrer.

Col

Cousez l'épaule droite avec de petits points coulés (p. 281). Endroit face à vous, avec les aiguilles de 3,25 mm, relevez 110 m (114, 118 ; 118, 122, 126) autour du cou en reprenant les mailles des arrête-mailles.***
1er r : env 2, *end 2, env 2* jusqu'à la fin.
2e r : end 2, *env 2, end 2* jusqu'à la fin.
Tricotez encore 15 r en côtes. Rabattez sans serrer en respectant les côtes.

Assemblage

Mettez en forme très légèrement chaque pièce sur l'envers avec un linge humide et un fer modérément chaud. Au point coulé, cousez l'épaule gauche et aboutez la bande du col. Posez des fils de couleur à 22 cm (23, 24 ; 24,5, 26, 26,5) depuis le début de l'épaule sur chaque côté du dos et du devant, pour marquer l'emmanchure.
Cousez les manches entre les fils de couleur en mettant le milieu de la manche sur la couture d'épaule. Cousez les côtés des manches et du chandail. Pliez le col en deux sur l'envers et cousez-le au point d'ourlet sur l'encolure. Repassez toutes les coutures au besoin.

Chandail écourté

Ce chandail écourté fait très mode et son col roulé bas affine le cou.

- ◆ **laine de poids moyen ou fil acrylique (pelotes de 50 g / 1 ¾ oz) : 11 (12, 13) pelotes**
- ◆ **2 aiguilles à tricoter de 3,25 mm et 2 de 4 mm**
- ◆ **2 arrête-mailles**
- ◆ **aiguille à laine**

Échantillon et mesures

Même échantillon que pour l'unisexe à col matelot. Mais c'est un modèle pour femmes seulement : suivez les premières mesures.

Dos

Avec les aiguilles de 3,25 mm, montez 118 m (130, 140).

Tricotez 10 r en jersey.

Passez aux aiguilles de 4 mm.

Cont en jersey jusqu'à ce que le tricot mesure 45 cm (47, 47,5). Terminez par 1 r env (les mesures incluent un ourlet roulé de 2 cm).

Formez les épaules. Poursuivez comme pour le dos de l'unisexe à col matelot (tailles pour femmes).

Devant

Comme le dos, moins 22 r (24, 24) de l'ourlet au début de l'épaule. Terminez par 1 r env.

Formez l'encolure. Poursuivez comme pour le devant de l'unisexe à col matelot (tailles pour femmes).

Manches

Avec les aiguilles de 3,25 mm, montez 62 m (64, 68).

Tricotez 10 r en jersey.

Cont avec les aiguilles de 4 mm et en point jersey. Augm de 1 m au début et à la fin du 5e r, puis tous les 6 r (4, 4) jusqu'à ce que vous ayez 70 m (74, 90), et enfin tous les 8 r (6, 6) jusqu'à ce que vous ayez 98 m (104, 108).

Les enfants seront ravis de porter un chandail décoré de cornets de crème glacée, tandis que les adultes se sentiront en beauté dans le modèle écourté.

Suivez le graphique, page 301, pour tricoter le motif des cornets sur le chandail pour enfants. Chaque carré correspond à une maille. Choisissez des coloris vifs.

Cont au p jersey sans dim ni augm jusqu'à ce que la manche mesure 46 cm (ou la longueur voulue). Terminez par un r env (les mesures comprennent un ourlet roulé de 2 cm).
Rabattez sans serrer.

Col

Faites comme pour l'unisexe à col matelot jusqu'à ***. Mesures pour femmes seulement.
Tricotez 17 r en jersey, en commençant par un r env. Rabattez sans serrer.

Assemblage

Mettez en forme très légèrement chaque pièce avec un linge humide et un fer modérément chaud. Au point coulé (p. 281), cousez l'épaule gauche ; aboutez la bande du col en inversant la couture sur la moitié des r en jersey. Posez des fils de couleur à 22 cm (23, 24) du haut de l'épaule, sur le dos et le devant, pour monter les manches. Cousez les manches entre les fils de couleur en mettant le milieu de la manche sur la couture d'épaule. Cousez les côtés des manches et ceux du chandail en inversant la couture dans le bas des manches, du dos et du devant sur 2 cm. Faites rouler tous les ourlets et le col sur l'endroit. Repassez les coutures.

TRUCS ET ASTUCES

QUELQUES BONNES IDÉES

Les chandails unisexes à la page 298 font des cadeaux ravissants pour mari et femme ou frère et sœur. Prenez des coloris qui plaisent à chacun.

Tricotez le chandail écourté en plusieurs coloris. C'est un vêtement dont personne ne peut se passer puisqu'il se porte indifféremment sur une jupe ou sur un pantalon.

Le chandail pour enfants, à manches courtes, est idéal en été. Avec le froid, l'enfant portera dessous un gaminet à manches longues contrastant.

Chandail à cornets

Une laine légère pour bébé fait de ce chandail l'article rêvé en été. Les côtes en points croisés (cr 2), aussi dites au point de croix, lui donnent un petit air coquin. Ici, vous piquez par-devant dans la deuxième maille de l'aiguille gauche, vous la tricotez en passant devant la première maille et vous les laissez tomber ensemble.

- **laine pour bébé à 4 brins en pelotes de 25 g (1 ¾ oz) : 7 (7, 8) de jaune, 1 (1, 1) de rouge et 1 (1, 1) de bleu**
- **2 aiguilles à tricoter de 2,75 mm et 2 de 3 mm**
- **1 aiguille ronde de 40 cm de long et 2,75 mm de diamètre**
- **2 arrête-mailles**
- **bobinettes à fil (facultatif)**

Mesures

Pour tailles : 4 (6, 8) ans. Poitrine : 58 cm (58,5, 59,5). Le chandail mesure 67 cm (71, 77). Longueur : 40,5 cm (45, 50).

Échantillon

Point jersey et aiguilles de 3 mm : 29 m dans un carré de 10 cm (4 po).

Dos

Avec les aiguilles de 2,75 mm et la laine jaune, montez 90 m (98, 106).

1er r : env 2, *end 2, env 2* ; rép jusqu'à la fin.
2e r : end 2, *env 2, end 2* ; rép jusqu'à la fin.
3e r : env 2, *cr 2, env 2* ; rép jusqu'à la fin.
4e r : comme le 2e r.

Ces 4 r forment le motif des côtes ; répétez-les 3 fois.

Rép les 1er et 2e r une fois de plus. Augm de

8 m bien réparties dans le 2ᵉ r : vous aurez 98 m (106, 114) et 18 r de côtes croisées en tout.

Passez aux aiguilles de 3 mm.

Cont en jersey jusqu'à ce que le tricot mesure 40 cm (44, 55). Terminez par 1 r env.

Encolure. 1ᵉʳ r : end 38 m (41, 44) ; tournez.

Cont en jersey sur ces seules 38 m (41, 44).

2ᵉ r : rabattez 3 m ; env jusqu'à la fin.

3ᵉ r et tous les r impairs : end.

4ᵉ r : rabattez 2 m ; env jusqu'à la fin.

6ᵉ r : rabattez 1 m ; env jusqu'à la fin. Coupez le fil.

Laissez ces 32 m (35, 38) sur l'aiguille circulaire.

Endroit face à vous, enfilez les 22 m (24, 26) suiv sur un arrête-mailles. Attachez le fil aux 38 m (41, 44) qui restent et tricotez-les comme l'autre côté, mais symétriquement. Laissez les 32 m (35, 38) qui restent sur l'aiguille circulaire.

Manches

Avec les aiguilles de 2,75 mm et la laine jaune, montez 66 m (70, 74).

Faites 14 r de côtes croisées (voir le dos).

Passez aux aiguilles de 3 mm.

Cont en jersey, augm de 1 m à chaque bout du 3ᵉ r et tous les 4 r (6, 8) jusqu'à ce que vous ayez 78 m (82, 86).

Tricotez 3 r en jersey.

Rabattez sans serrer.

Début du devant

Faites comme pour le dos jusqu'à 16 cm (17, 18,5) du début ; terminez par un r env.

Réalisation du motif

Utilisez le graphique à droite pour insérer le motif dans le devant du chandail. À chaque bout de chaque r, tricotez 16 m (20, 24) en jersey. Reproduisez ensuite le motif du graphique, rang par rang. Chaque carré représente une maille. Lisez les rangs end (l'endroit du chandail) de droite à gauche, les rangs env (l'envers du chandail) de gauche à droite.

Vous pouvez choisir les coloris que vous voulez. Quand vous passez d'un coloris à un autre au milieu d'un rang, croisez les laines (sur l'envers du travail) en faisant passer la nouvelle à la droite de l'ancienne pour qu'il n'y ait pas de trous dans le chandail. Vous avez trois choix :

prendre une nouvelle pelote de laine pour chaque section du coloris, former des pelotons de laine ou enrouler la laine sur des bobinettes. Reproduisez les rangs 1 à 54 du graphique.

Fin du devant

Cont en jersey jaune jusqu'à ce que le travail mesure 35,5 cm (38, 40,5) ; terminez par 1 r env.

Encolure. 1ᵉʳ r : end 42 m (45, 48) ; tournez.

Cont en jersey sur ces 42 m (45, 48).

2ᵉ r : rabattez 4 m, env jusqu'à la fin.

3ᵉ r et tous les r impairs : end.

4ᵉ r : rabattez 3 m ; env jusqu'à la fin.

6ᵉ r : rabattez 2 m ; env jusqu'à la fin.

8ᵉ r : rabattez 1 m ; env jusqu'à la fin.

Cont en jersey sur ces 32 m (35, 38) jusqu'à ce que le devant ait la même longueur que le dos jusqu'aux épaules ; terminez par 1 r env.

Mettez le dos et le devant l'un sur l'autre, endroit sur endroit. Avec une troisième aiguille, rabattez les deux rangs de m en même temps en tricotant ensemble 1 m de chaque aiguille.

Endroit dessus, glissez les 14 m (16, 18) suiv sur un arrête-mailles. Attachez le fil aux 42 m (45, 48) qui restent et tricotez comme l'autre côté, mais symétriquement. Cousez l'épaule avec celle du dos (comme précédemment).

Col

Endroit dessus, avec la laine jaune et l'aiguille circulaire, repiquez également 100 m (108, 116) autour de l'encolure, en incluant les m laissées sur les arrête-mailles.

Faites 8 r en côtes croisées, puis 8 r en jersey (tous les rangs à l'endroit).

Rabattez sans serrer.

Assemblage

Au point coulé (p. 281), mettez le milieu de la manche sur la couture de l'épaule et cousez. Cousez les côtés du chandail et des manches.

Ce patron à trois cornets de crème glacée vous permet de réaliser le motif à même le tricot du chandail.

◆ Tenues soleil pour bouts de chou ◆

Voici une robe soleil réversible et une salopette à jambes courtes, aussi pratiques que jolies et confortables. Pour leur donner un petit je-ne-sais-quoi, on vous propose quatre projets d'appliqués qui conviennent aux gamins et aux gamines. Le modèle décrit habille les tailles 3 et 4 ans.

Appliqués

Dans les instructions données pour la robe soleil et la salopette, vous verrez à quel moment poser les appliqués. Faites-les dans des chutes de tissu. Agrandissez les motifs sur papier quadrillé (p. 276).

- **45 cm (18 po) de filet thermo-collant à envers papier de 56 cm (22 po) de large**
- **petits ciseaux à broder**
- **papier-calque à patrons**
- **aiguille**

TORTUE
- **coupons de coton dans le vert, le rose, le jaune et un imprimé floral ; 15 cm (6 po) de ruban de dentelle de 1 cm (½ po) de large ; fil vert et fil rose**

BALEINE
- **coton imprimé sur fond blanc et coton rose ; fil turquoise ; 1 paquet de gros zigzag blanc**

BATEAU À VOILE
- **tissus bleu, rouge et jaune ; fil noir ; 1 paquet de gros zigzag bleu ; fil bleu**

BALLON DE PLAGE
- **coton jaune, rose foncé et à pois verts ; fil blanc**

1 Agrandissez le motif voulu.
2 Décalquez les pièces qui le composent sur les tissus appropriés (ci-dessous). Découpez-les. Dans le filet thermocollant, découpez des pièces un peu plus grandes que celles du motif et collez-les au fer sur l'envers de ces pièces.

filet thermocollant

tracé du motif sur le tissu

3 Les lignes en pointillé sur les patrons identifient les pièces qui seront recouvertes par une autre pièce quand elles auront toutes été mises en place. Collez d'abord sur le vêtement les pièces sur lesquelles il y a des pointillés.
4 Appliquez les motifs là où ils vont. Avec un point zigzag serré et de largeur moyenne, couvrez les bords de l'appliqué et fixez le mât au bateau. Avec une aiguillée de fil double, brodez les yeux et la bouche de la tortue et de la baleine, le centre de la fleur et de l'étoile de mer.

Robe soleil réversible

Choisissez des tissus bon teint et dont les couleurs s'harmonisent bien.

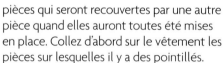

- **papier quadrillé à 2,5 cm (1 po), règle, crayon, ciseaux**
- **70 cm (¾ vg) de tissu uni ou imprimé en 110 cm (44 po) de large**
- **70 cm (¾ vg) d'imprimé assorti en 110 cm (44 po) de large**
- **fil assorti, aiguille**
- **1,40 m (1 ½ vg) de ruban de dentelle de 1 cm (½ po) ou 1 paquet de ruban à ganser**
- **2 boutons de 2,8 cm (1 ⅛ po) de diamètre (facultatif)**
- **4 gros boutons-pression (pour les épaulettes non nouées)**

1 Agrandissez le patron de la robe sur du papier à carreaux de 2,5 cm (1 po). (Voir p. 276.)
2 Choisissez entre les épaulettes nouées et les épaulettes à boutons-pression. Coupez deux pièces dans chacun des tissus, en ajoutant partout une marge de 1 cm (½ po).

Deux modèles de robe soleil réversible, deux modèles de salopette et quatre modèles d'appliqués : des vêtements frais et pratiques pour les bouts de chou.

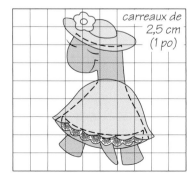

carreaux de 2,5 cm (1 po)

Tortue coquine endimanchée

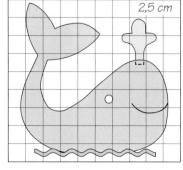

2,5 cm

Baleine admirant son jet d'eau

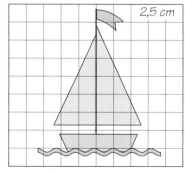

2,5 cm

Bateau à voile sur mer calme

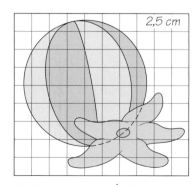

2,5 cm

Ballon de plage et étoile de mer

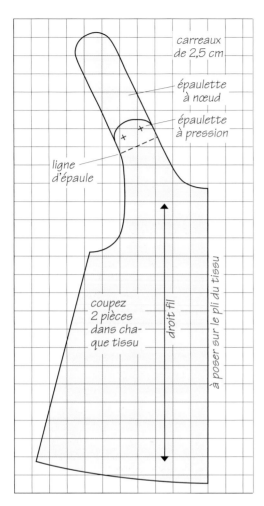

- carreaux de 2,5 cm
- épaulette à nœud
- épaulette à pression
- ligne d'épaule
- coupez 2 pièces dans chaque tissu
- droit fil
- à poser sur le pli du tissu

Ajoutez à ce patron, pour le dos et le devant, une marge de couture de 1 cm (½ po).

3 Posez l'applique sur un devant, à 7,5 cm (3 po) au-dessus de l'ourlet (voir étape 4, p. 302). Pour le bateau ou la baleine, faites un des côtés de la robe avant de poser un seul rang de zigzag sur le devant et sur le dos (voir ci-dessous).

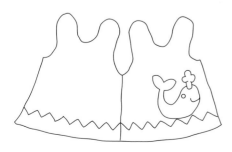

4 Sur chaque jeu de pièces, piquez les côtés et ouvrez les coutures au fer.

5 Choisissez un jeu de pièces. Endroit dessus, épinglez le bord plat de la dentelle ou du cordonnet sur le bord vif de l'ourlet. Piquez ; superposez les bouts de la garniture au point de jonction. Repliez l'autre bord de la garniture sur l'envers du tissu.

6 Endroit sur endroit, épinglez et piquez les deux faces de la robe ensemble dans le haut. Encochez les arrondis ; émoussez les marges de couture (ci-dessous). Tournez sur l'endroit, repassez et surpiquez dans le haut.

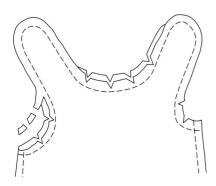

7 Alignez les piqûres latérales et épinglez ensemble les ourlets des deux faces, en repliant sur l'envers 1 cm (½ po) de la face sans garniture ; cousez au point d'ourlet. La garniture sera visible sur les deux faces.

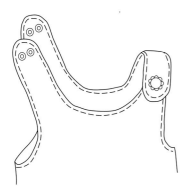

8 Cousez les pressions et mettez des boutons, s'il y a lieu (ci-dessus), sur les épaulettes. Nouez les attaches de l'autre modèle d'épaulette.

Ces petites robes réversibles vous en donnent deux pour le prix d'une seule. Et elles sont ravissantes.

Salopette

Un frais vêtement d'été : épaulettes et entrejambe s'attachent avec des boutons-pression.

- ◆ **1,15 m (1 ¼ vg) de tissu en 110 cm (44 po) de large**
- ◆ **fil assorti**
- ◆ **4 boutons de 1 cm (½ po)**
- ◆ **4 gros boutons-pression**
- ◆ **25 cm (9 po) de ruban à boutons-pression de 2 cm (¾ po)**

1 Agrandissez le patron (voir p. 276). Ajoutez 4 cm (1 ½ po) de marge de couture aux jambes et 1 cm (½ po) aux autres coutures. Pour la doublure, taillez les pièces à la bonne mesure et ajoutez 1 cm (½ po) de marge.

2 Coupez deux dos et deux devants. Coupez une doublure pour le dos et une pour le devant, en les centrant sur le pli du tissu.

3 Posez l'appliqué (voir étape 4, p. 302). Piquez d'abord au milieu du motif pour bien le centrer.

4 Endroit sur endroit, faites la piqûre centrale du devant, puis celle du dos. Endroit sur endroit, piquez ensemble le devant et le dos sur les côtés. Cousez les doublures ensemble sur les côtés. Repliez-en le bas sur 6 mm (¼ po) et cousez. Ouvrez les piqûres au fer.

5 Piquez le haut selon l'étape 6 de la robe, en remplaçant la deuxième face de celle-ci par une doublure. Cousez deux pressions et deux boutons décoratifs sur chaque épaulette.

6 Pliez de 1 cm (½ po) le bord des jambes. Repassez et pliez encore de 2,5 cm (1 po) ; cousez.

7 Repliez le devant et le dos de l'entrejambe de 1 cm (½ po), le premier sur l'envers, le second sur l'endroit ; repassez. Épinglez la moitié du ruban à boutons-pression sur chaque côté de l'entrejambe en faisant accorder les pressions ; repliez les bouts en dessous. Cousez.

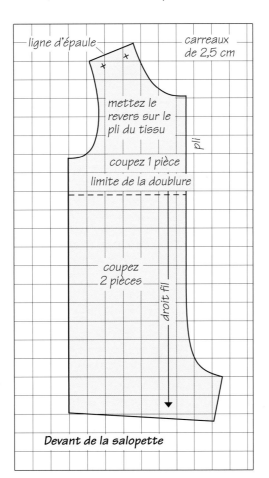

ligne d'épaule — carreaux de 2,5 cm

mettez le revers sur le pli du tissu

pli

coupez 1 pièce

limite de la doublure

coupez 2 pièces

droit fil

Devant de la salopette

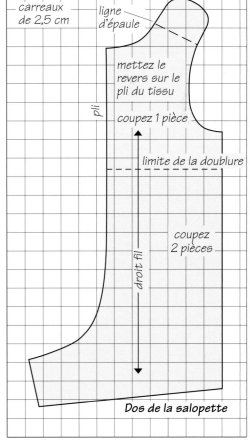

carreaux de 2,5 cm — ligne d'épaule

pli

mettez le revers sur le pli du tissu

coupez 1 pièce

limite de la doublure

coupez 2 pièces

droit fil

Dos de la salopette

❖ Beautés de la table ❖

*Donnez de la personnalité à vos réceptions en décorant votre table
d'une parure et de bols faits de vos propres mains. Nous faisons appel à des motifs reproduits
à la photocopieuse ou découpés dans un imprimé. C'est simple et c'est beau !*

Linge de table

*À garder ou à offrir ! Six napperons de 50 x 38 cm
(20 x 15 po) et six serviettes de 50 x 50 cm (20 x
20 po). La marge de couture est de 1 cm (½ po).*

- **2,75 m (3 vg) de tissu imprimé
  en 110 cm (44 po) de large**
- **2,50 m (2 ¾ vg) de tissu uni en
  110 cm (44 po) de large**
- **1,80 m (2 vg) d'entretoile ther-
  mocollante en 55 cm (22 po)
  de large**
- **fil assorti**

Serviettes

1 Coupez six carrés de 55 cm (22 po) de côté
dans le tissu imprimé.
2 Piquez à 1 cm (½ po) du bord vif ; repliez les
bords sur l'envers le long de la piqûre ; repliez-
les une seconde fois et repassez.
3 Ouvrez chaque coin. Repliez la pointe et
repassez. Repliez les pliures : voici un onglet.
4 Finissez les bords au point d'ourlet.

Napperons

1 Dessus des napperons. Coupez six pièces de
43 x 30 cm (17 x 12 po) dans l'imprimé, les longs
côtés étant en travers du droit fil, et six pièces
d'entretoile de 40,5 x 27,5 cm (16 x 11 po).
2 Collez l'entretoile sur l'envers du tissu selon
les instructions du fabricant.
3 Sur la longueur du tissu uni, coupez 12 bandes de 30 x 7,5 cm (12 x 3 po) et 12 bandes de
43 x 7,5 cm (17 x 3 po). Endroit sur endroit, centrez, épinglez et piquez une bande de 43 cm
(17 po) sur chaque long côté des napperons, en
laissant ouvert 1 cm (½ po) à chaque bout.
Pour former des onglets, repliez le bout de la
bande vers le côté du napperon à un angle
de 45 degrés (diagramme ci-dessus à droite).
4 Piquez de la même façon les bandes de
30 cm (12 po) sur les petits côtés. Piquez les

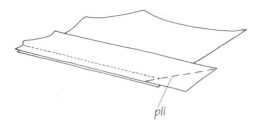

pli

longues bandes dans les angles. Faites un pli.
5 Dans chaque coin, épinglez et piquez ensemble les plis marqués sur chaque bande
(voir ci-dessous). Ouvrez les piqûres au fer
et émoussez les marges de couture.

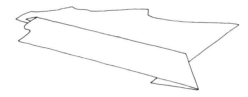

6 Dessous des napperons. Coupez six pièces
de 53,5 x 40,5 cm (21 x 16 po) dans le tissu uni.
Endroit sur endroit, piquez les dessous sur les
dessus, en laissant une ouverture de 10 cm
(4 po) d'un côté. Repassez. Coupez les coins de
biais et tournez sur l'endroit. Repassez les
bords et fermez l'ouverture au point d'ourlet.

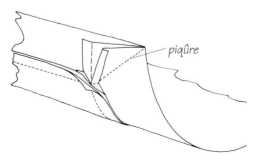

piqûre

7 Endroit dessus, cousez au point d'ourlet la
piqûre intérieure à travers les trois épaisseurs
pour que la marge ne roule pas à l'intérieur.

Bol décoratif

*Vous pouvez assortir ce bol au linge de table en
photocopiant l'imprimé du tissu. Même si le vernis
le protège, il est préférable de ne pas y mettre de
liquides.*

- **2 plats de diamètre différent
  (chope et grande assiette, par
  exemple)**
- **1 grand carton**
- **marqueur**
- **ciseaux**
- **ruban-cache**
- **journal**
- **colle blanche (diluée à raison de
  3 volumes de colle pour 1 d'eau)**
- **papier blanc**
- **photocopies des motifs choisis**
- **peintures acryliques d'artiste**
- **vernis en vaporisateur**

Forme

1 Faites le contour de
l'assiette sur le carton.
Mesurez le diamètre
pour trouver le centre ;
faites une ligne sur le
rayon (ci-contre).
2 Découpez le cercle ;
coupez le rayon.
3 Formez un cône en
superposant les deux côtés du rayon (page suivante, en haut). Quand la forme vous satisfait,
coupez la partie en trop du cône et reliez les
bords avec du ruban.

*Cette table est mise avec élégance grâce à nos ser-
viettes et à nos napperons faits main. Agrémentez-la
d'un plat conique recouvert de papier mâché, peint à
l'acrylique et rehaussé de motifs photocopiés.*

4 Déposez la base du cône dans une chope de façon que le haut du cône soit de niveau (ci-dessous, à gauche). Faites un cercle sur la base du cône en suivant le bord de la chope.

5 Ôtez les rubans, ouvrez le cône, découpez le long du petit cercle, puis refermez le côté du cône.

6 Pour la base, mettez la chope à l'envers sur le carton, faites-en le tour au crayon et découpez le cercle (à gauche).

7 Mettez le cône à l'envers sur la chope en l'attachant lâchement avec du ruban. Installez le carton sur l'ouverture ; fixez-le avec du ruban. Retirez la chope.

Décor

1 Découpez le journal en lanières. Mettez la colle diluée dans un bol, trempez-y chaque lanière et appliquez-en à l'intérieur du cône. Il en faut cinq à huit couches. Laissez chaque couche sécher avant de la recouvrir. Employez un sèche-cheveux pour accélérer le travail.

2 Quand l'intérieur du cône est terminé, recommencez de la même façon à l'extérieur.

3 Découpez le papier blanc en lanières étroi-tes, trempez-les dans la colle diluée et mettez-en deux couches par-dessus le papier journal.

4 Découpez les motifs en papier ou en tissu que vous avez photocopiés. Disposez-les à l'extérieur du bol ; fixez-les au besoin avec du ruban-cache. Quand leur disposition vous plaît, collez-les un à un sur le bol. Laissez sécher.

Finition

1 Pour obtenir un coloris délavé, peignez le bol avec de la peinture acrylique mêlée d'un peu de colle. Comptez deux ou trois couches.

2 Quand la peinture est sèche, appliquez quatre couches de vernis. De cette façon, vous pourrez essuyer le bol avec un linge humide quand ce sera nécessaire.

◆ De jolis napperons à votre service ◆

Voici des napperons de dimensions généreuses, taillés dans un imprimé ravissant puis surpiqués.
Les uns sont réversibles ; tournez-les : votre table prend un accent nouveau. Les autres comportent
une pochette pour les serviettes. Attention : prenez des tissus lavables et bon teint.

Napperons octogonaux

Le métrage ci-dessous vous permet de faire deux
napperons et deux serviettes. Mettez un imprimé
dessus, un tissu uni dessous et taillez les serviettes
et les ronds dans le tissu uni.

- **papier quadrillé de 2,5 cm (1 po)**
- **60 cm (⅝ vg) d'imprimé en 110 cm (44 po) de large**
- **1,50 m (1⅔ vg) de tissu uni en 110 cm (44 po) de large**
- **60 cm (⅝ vg) de molleton thermocollant en 110 cm (44 po) de large**
- **fil assorti et fil retors**
- **45 cm (18 po) de filet thermocollant à envers papier de 56 cm (22 po) de large**
- **règle transparente, crayon**
- **marqueur qui s'efface à l'air**
- **ciseaux, aiguilles, épingles**

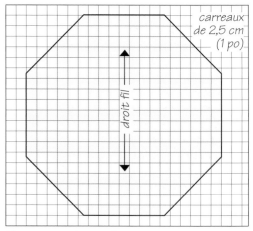

1 Sur le papier quadrillé, agrandissez le patron (voir p. 276). Ajoutez des marges de couture de 1 cm (½ po). Dessinez un carré de 15 cm (6 po) de côté pour les ronds à serviette.
2 Napperon : coupez une pièce dans chacun des tissus et dans le molleton. Rond : coupez une pièce dans le tissu uni et une pièce de 5 x 15 cm (2 x 6 po) dans le molleton.
3 Napperon : éliminez la marge de couture du molleton et collez-le sur l'envers du tissu uni.
4 Rond : pliez le carré de tissu de 15 cm (6 po) de côté en deux, endroit sur endroit. Piquez à 1 cm (½ po) sur le long côté ; ouvrez la piqûre au fer. Tournez la pièce sur l'endroit, la piqûre étant au centre, à l'arrière. Insérez le molleton au milieu et collez-le au fer. Surpiquez sur la longueur, des deux côtés, à 1 cm (½ po) du bord. Pliez la pièce en deux sur la largeur et centrez-la sur l'un des côtés du napperon. Superposez les bords vifs de l'un et de l'autre.

5 Épinglez le napperon endroit sur endroit et piquez en attachant le rond sur un côté et en laissant, sur un autre, une ouverture de 10 cm (4 po). Coupez les coins en biais ; tournez sur l'endroit. Repassez. Fermez au point d'ourlet.
6 Enfilez du fil retors dans l'aiguille et la canette de la machine à coudre pour surpiquer le napperon. Tracez les lignes de surpiqûre sur le tissu avec la règle et le marqueur.
7 En commençant à 2,5 cm (1 po) du bord, dessinez trois octogones concentriques séparés de 2,5 cm (1 po). Piquez sur ces lignes pendant qu'elles sont encore visibles. Si vous surpiquez à la machine, laissez de longs pans de fil à la fin de chaque piqûre. Faites-les sortir entre les épaisseurs de tissu et piquez à la main quelques points arrière pour arrêter les coutures.
8 Coupez et piquez les serviettes assorties selon les instructions données à la page 306.

Ce napperon octogonal, imprimé d'un côté et uni de l'autre, s'accompagne d'un rond à même et d'une serviette, l'un et l'autre en tissu uni assorti à l'imprimé.

carreaux de 2,5 cm (1 po)

droit fil

Napperon octogonal

Napperon à poche-poire

Le métrage ci-dessous vous permet de confectionner deux napperons et deux serviettes.

- **papier quadrillé à 2,5 cm (1 po)**
- **règle transparente, crayon**
- **45 cm (18 po) de tissu jaune en 110 cm (44 po) de large**
- **1,40 m (1 ½ vg) de tissu vert en 110 cm (44 po) de large**
- **45 cm (18 po) de molleton thermocollant en 110 cm (44 po) de large**
- **carré de 18 cm (7 po) d'entretoile**
- **fil assorti**
- **4 m (4 ½ vg) de corde à ganser de 6 mm (¼ po)**
- **marqueur qui s'efface à l'air**
- **ciseaux, aiguille**

1 Sur le papier quadrillé, agrandissez les patrons du napperon et de la poire (voir p. 276). Ajoutez des marges de couture de 1 cm (½ po).

2 Pour chaque napperon, coupez deux pièces de tissu vert et une pièce de molleton. Coupez deux carrés de 56 cm (22 po) dans le tissu vert pour les serviettes. Dans le tissu jaune, coupez assez de biais de 4 cm (1 ⅝ po) pour en avoir autant que de corde, une fois mis bout à bout. Coupez aussi une pièce dans le tissu jaune et une dans le molleton pour chaque poire.

3 Poche-poire. Endroit sur endroit et molleton épinglé sur un envers, piquez le contour de la poire en laissant une ouverture entre les repères inscrits sur le patron. Émoussez le molleton. Crantez les arrondis et réduisez la marge de couture. Tournez la poire sur l'endroit et repassez. Brodez le motif dans le bas de la poire au point plumetis (p. 281) ; faites-le à l'œil ou décalquez le motif sur le tissu.

4 Avec le marqueur, délimitez l'emplacement de la poire sur la pièce choisie pour former le dessus du napperon. Épinglez la poire ; cousez-la au point d'ourlet, entre les repères, en laissant le haut de la poche ouvert.

Dîner intime au jardin ! Égayez la table avec ces napperons jaune et vert et glissez serviette et couvert dans la poche en forme de poire. Une poire au dessert ?

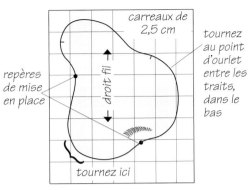

Poche-poire

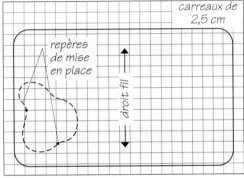

Napperon matelassé

5 Prenez l'une des deux pièces pour le dessous du napperon. Sur l'envers de cette pièce, collez une pièce de molleton après avoir ôté 1 cm (½ po) sur tous les côtés.

6 Pour faire le cordonnet, suivez les instructions données à la page 134. Piquez-le sur l'endroit du dessus du napperon, en superposant les bords vifs. Entaillez les marges de couture dans les arrondis. Pour joindre les deux bouts de la ganse, suivez les instructions, page 134.

7 Endroit sur endroit, piquez ensemble le dessus et le dessous du napperon ; laissez une ouverture de 10 cm (4 po). Émoussez la marge ; encochez les arrondis.

8 Tournez le napperon sur l'endroit et repassez. Fermez l'ouverture au point perdu (p. 281).

9 Répétez les étapes 3 à 8 pour le deuxième napperon.

10 Pour les serviettes, suivez les instructions données à la page 306.

Le patron du napperon et celui de la poire sont tracés sur des grilles dont chaque carreau représente 2,5 cm (1 po). Agrandissez-les sur du papier quadrillé dont les carreaux mesurent réellement 2,5 cm (1 po).

◆ ¡Hola, amigos! ◆

C'est jour de fiesta et nos piñatas, *remplies de bonbons en papillotes et de petits jouets incassables,*
se balancent à un cadre de porte ou à une branche d'arbre. Qui, de vos bambinos,
réussira à les briser avec un bâton pour libérer leurs tesoros ?

Une boîte de gruau vide pour le corps, un ballon
pour la tête et des alvéoles à œufs en carton pour
les pattes et le nez : voilà d'adorables piñatas !

◆ **1 boîte de gruau de 532 ml (18 oz)**
◆ **1,80 m (2 vg) de ligne à pêche, aiguille**
◆ **1 ballon rond moyen**
◆ **ruban-cache**
◆ **papier à carreaux de 2,5 cm (1 po)**
◆ **carré de carton léger de 15 cm (6 po)**
◆ **5 alvéoles d'une boîte à œufs**
◆ **lanières de papier journal de 3,8 x 15 cm (1 ½ x 6 po)**
◆ **lanières de serviettes de papier blanches de 3,8 x 15 cm (1 ½ x 6 po)**
◆ **farine, eau, colle blanche et fouet**
◆ **2 bols plastiques, un avec couvercle**
◆ **petit pinceau**
◆ **plaque à biscuits**
◆ **4 paquets de papier de soie de couleurs différentes**
◆ **ciseaux, couteau d'artiste**
◆ **règle transparente, crayon**
◆ **marqueur permanent à pointe fine**
◆ **carton blanc à babillard de 23 x 30 cm (9 x 12 po)**
◆ **petits morceaux de papier de construction blanc et noir**
◆ **90 cm (1 vg) de ruban métallisé de 4 à 5 cm (1½-2 po) de large**

PETIT COCHON
◆ **2 pompons noirs de 6 mm (¼ po)**
◆ **1 pompon mauve de 2,5 cm (1 po)**
◆ **tige de cure-pipe rose (queue)**
◆ **napperon doré de 25 cm (10 po)**

PETIT OURS
◆ **pompon noir de 2,5 cm (1 po)**
◆ **pompon rouge de 2,5 cm (1 po)**
◆ **papier cadeau imprimé de 23 x 30 cm (9 x 12 po)**

Petit ours et petit cochon sont revêtus de papier
de soie aux couleurs vives. Apprenez à les faire :
vous aurez bientôt petit chien, petit chat et petit
cheval, bref toute la ménagerie que vous voulez.

1 Jetez le couvercle de la boîte. Enfilez la ligne
à pêche dans l'aiguille. Pour le cochon, piquez
l'aiguille dans la boîte, à 4 cm (1 ½ po) du dessus
et faites-la sortir à 2,5 cm (1 po) à droite ou à
gauche. Pour l'ours, piquez l'aiguille à 1 cm
(½ po) du dessus et faites-la sortir de l'autre

Cochon : par le dos

Ours : par la tête

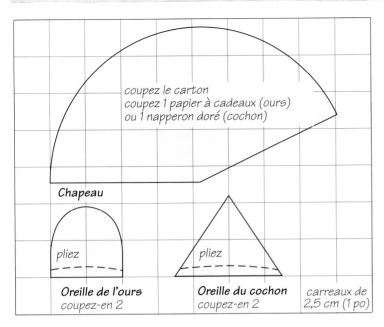

coupez le carton
coupez 1 papier à cadeaux (ours)
ou 1 napperon doré (cochon)

Chapeau

pliez

pliez

Oreille de l'ours
coupez-en 2

Oreille du cochon
coupez-en 2

carreaux de 2,5 cm (1 po)

côté de la boîte. Nouez les bouts pour suspendre la figurine.

2 Gonflez le ballon jusqu'à ce qu'il ait 13 cm (5 po) de diamètre. Insérez le côté nœud dans l'ouverture de la boîte. Fixez avec du ruban.

3 Agrandissez le patron ci-dessus en suivant les instructions page 276. Découpez deux oreilles dans le carton. Pliez-les le long des pointillés. Posez-les au sommet du ballon ; fixez-les avec du ruban.

4 Avec du ruban, fixez deux alvéoles à œufs à l'envers, de chaque côté de la boîte, en guise de pattes ; fixez-en un autre de la même façon sur le ballon en guise de nez.

Papier mâché

1 Dans un bol de plastique, fouettez ensemble ½ tasse de farine et ¾ tasse d'eau. Incorporez 1 à 2 c. à soupe de colle blanche. Gardez le bol fermé quand vous ne vous en servez pas pour empêcher la colle de sécher.

2 Plongez les lanières de papier journal une à une dans la colle. Glissez-les entre deux doigts pour enlever l'excès de colle. Mettez-les à la jonction du ballon et de la boîte ; couvrez ensuite le reste de l'animal, sans faux plis. Dans les petits coins, près des oreilles par exemple, brisez la lanière en morceaux. Laissez sécher.

3 Répétez l'étape 2 avec des lanières de serviettes de papier blanches.

Habillage

1 Coupez le long côté du papier de soie en lanières de 7,5 cm (3 po).

2 Pliez les lanières en deux sur la longueur. Pour franger, coupez du pli jusqu'à 1 cm (½ po) de l'autre bord. Pour gagner du temps, vous pouvez en plier et couper plusieurs ensemble.

3 Mettez un peu de colle blanche dans un bol plastique propre. Encollez une lanière à la fois. Ouvrez le pli et appliquez au pinceau une fine ligne de colle sur un côté du papier de soie.

4 Pliez de nouveau la lanière mais dans l'autre sens, pour que la frange soit frisée et arrondie. Collez l'un sur l'autre les longs bords non frangés.

5 Mettez un cercle de colle sur le fond de la boîte ; fixez-y le côté non coupé de la frange en la rectifiant au besoin. Continuez à coller des franges en les faisant empiéter l'une sur l'autre et en changeant de coloris à votre guise.

6 Collez un rond de papier de soie sur le dessus des alvéoles des pattes et du nez et montez des rangs de frange sur les côtés.

Finition

1 Pour les yeux, collez sur le ballon deux cercles noirs gros comme une pièce de 10 ¢ et deux cercles blancs gros comme une de 25 ¢.

2 Découpez le patron du chapeau dans du carton à babillard. Collez-y du papier à emballage cadeau ou un napperon en papier doré. Enroulez le carton en cône ; collez les côtés l'un sur l'autre. Collez un pompon sur le bout du cône et collez le chapeau sur la tête.

3 Enroulez le ruban autour du cou de la figurine et faites un nœud.

4 Pour remplir la figurine, découpez un rabat de 5 x 2,5 cm (2 x 1 po) derrière la tête. Ouvrez délicatement, insérez bonbons et jouets et refermez le rabat avec un peu de colle.

ATTENTION S.V.P.

QUELQUES CONSEILS

Il y aura des vides entre les alvéoles à œufs et la boîte ou le ballon ; le papier mâché les remplira.

Il est préférable de déchirer les lanières plutôt que de les couper : leurs bords s'incorporent mieux aux autres épaisseurs de papier.

Travaillez sur une plaque à biscuits : le papier mâché ne colle pas au métal. Si la colle épaissit, diluez-la avec un peu d'eau ; si elle est trop liquide, épaississez-la avec un peu de farine.

FIGURINES EN PAPIER MÂCHÉ

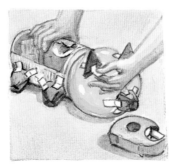

1 *Gonflez le ballon ; quand il a 13 cm (5 po) de diamètre, nouez le bout. Insérez-le dans la boîte. Fixez les alvéoles à œufs sur le ballon et la boîte avec du ruban.*

2 *Collez des lanières de papier journal à la jonction du ballon et de la boîte ainsi que sur tout l'animal. Laissez sécher. Répétez avec des lanières de serviettes de papier.*

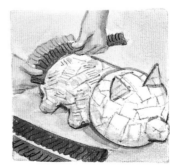

3 *Pliez des lanières de papier de soie sur le long et découpez-les en frange. Inversez la pliure et collez les bords non coupés. Collez des franges sur les figurines ; faites alterner les couleurs.*

◆ Haut dans le ciel ◆

*Le plaisir de faire voler un cerf-volant n'est vraiment complet que si ce cerf-volant
a été fabriqué de vos propres mains. Nos cerfs-volants sont en nylon indéchirable, un tissu souple,
léger et robuste. Pour couper le nylon sans effilochure, utilisez un fer à souder.*

Technique de base

Les fournitures et le matériel ci-dessous sont essentiels à la confection de tout cerf-volant.

- papier à carreaux de 2,5 cm (1 po)
- crayon, craie
- règle métallique, pistolet flexible
- papier carbone et roulette à patron pour transposer un dessin sur du carton
- 4 à 6 morceaux de carton à babillard pour les patrons
- ruban-cache
- couteau d'artiste
- fer à souder à bout plat ou pointu, pour couper le nylon
- ciseaux
- bâtonnet de colle soluble à l'eau
- journaux
- machine à coudre à point zigzag
- fil à coudre en nylon ou dacron (polyester)
- carré de 30 cm (12 po) de nylon 200 deniers ou de dacron à drapeau de 110 g (3,9 oz), pour les manchons
- fuseau de ficelle à cerf-volant, de corde nylon ou dacron, pour la bride et l'écoute

Patrons

1 Agrandissez le motif aux dimensions voulues (voir p. 276). Ajoutez les mesures données pour l'ourlet extérieur de la voilure.
2 Faites un patron pour chaque section du motif : un seul suffit pour les détails répétitifs, comme les papillotes de queue ou les dents du requin. Commencez par les grands patrons : attachez les cartons les uns aux autres avec du ruban pour avoir les dimensions désirées.
3 Déposez le papier carbone, côté carbone dessous, sur le carton à babillard et superposez une partie du motif agrandi. Décalquez-le, sans oublier les lignes en pointillé et les marges de couture de l'ourlet extérieur. Retirez le motif et le papier carbone et découpez le carton avec le

Nos cerfs-volants ont des formes et des motifs populaires : le rhomboïde représente une comète ; le triangle delta, un requin. Succès assuré sur la plage !

couteau d'artiste. Servez-vous de la règle pour les bords droits, du pistolet flexible dans les courbes. Lorsque les pièces sont asymétriques, inscrivez le mot « haut » sur le patron pour reconnaître l'endroit de l'envers.

Comète volante

La voilure, un rhomboïde, mesure 100 cm (40 po) de hauteur et sa queue, 3 m (10 pi).

- nylon indéchirable en 150 cm (60 po) de large : 1,20 m (48 po) en bleu roi ; 70 cm (28 po) en orange ; 60 cm (24 po) en fuchsia, en rouge et en jaune ; 25 cm (9 po) en doré
- 2 goujons en bois de 6 mm (¼ po) : 1 de 1 m (40 po), l'autre de 90 cm (36 po)

1 Mettez l'endroit des patrons sur l'endroit du tissu. Pour la voilure, coupez, selon les coloris du diagramme, une pièce de tissu pour chaque patron, ainsi qu'une grosse étoile. Coupez en outre les pièces suivantes : deux petites étoiles dans le tissu doré, huit demi-papillotes de couleurs variées pour la queue et trois lanières de queue de 5 x 115 cm (2 x 45 po).
2 Voilure. Étendez des journaux sur une table. Sur l'envers de la section orange du haut, appliquez un mince trait de colle dans le haut et le bas. Collez-la sur l'endroit du losange bleu.
3 Collez les autres sections de la comète de la même façon. Chacune doit empiéter de 6 mm (¼ po) sur la précédente. Terminez avec la section orange du bas.
4 Choisissez un point zigzag long et large sur la machine à coudre. Piquez les sections de la comète en allant de l'extérieur vers l'intérieur.
5 Mettez l'envers de la voilure dessus. Avec des ciseaux, coupez le tissu bleu, qui double sur l'envers chacune des sections du motif, en arrêtant à environ 5 mm (³⁄₁₆ po) des piqûres.
6 Tournez la voilure à l'endroit. Collez de la même façon la grande étoile sur le grand X et

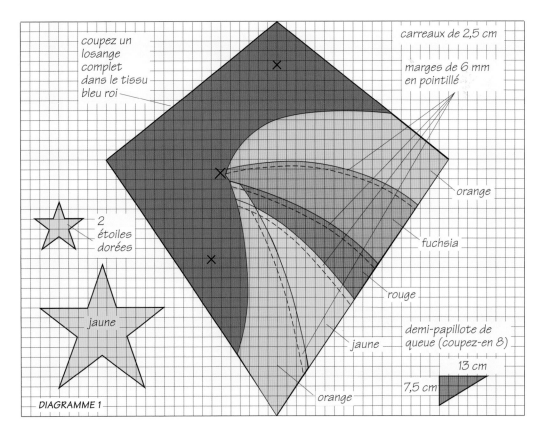

DIAGRAMME 1

les petites étoiles sur les petits X. Piquez au point de zigzag, en passant à un point droit au sommet de chaque pointe.

7 Mettez la voiture à l'envers et coupez le tissu bleu qui se trouve sous les étoiles.

8 Sur chacun des bords extérieurs de la voilure, repliez deux fois un ourlet de 6 mm (¼ po) et piquez au point droit.

9 Dans le tissu à drapeau (voir les fournitures sous Technique de base, p. 313), coupez quatre manchons de 2,5 x 7,5 cm (1 x 3 po) pour tenir les goujons dans les angles de la voilure (diagramme 2). Pliez-les pour que le dessous du manchon ait 6 mm (¼ po) de plus que le dessus et pla-

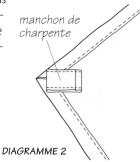

manchon de charpente

cez-les, un à chaque angle, sur l'ourlet. Piquez les côtés au point d'ourlet.

DIAGRAMME 2

10 Queue du cerf-volant. Cousez bout à bout les trois lanières de queue avec une marge de couture de 6 mm (¼ po). À une extrémité, repliez deux fois 4 cm (1 ½ po) sur l'envers et piquez au point d'ourlet. Percez un trou de 1 cm (⅜ po) dans l'ourlet avec le fer à souder.

11 Papillotes de la queue. Choisissez deux demi-papillotes et superposez leurs pointes aiguës sur 5 cm (2 po) environ. Mettez une papillote sur chacune des piqûres de la queue et piquez (diagramme 3). Répartissez les autres papillotes entre les deux premières.

12 Déposez la voilure sur une surface proté-gée. Faites un point à la craie à 22 cm (8 ¾ po) de l'angle supérieur et un autre à 19 cm (7 ½ po) de l'angle inférieur. Avec le bout du fer à souder, faites un trou de 3 mm (⅛ po) sur

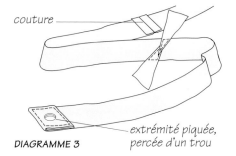

couture

extrémité piquée, percée d'un trou

DIAGRAMME 3

chaque point de craie pour faire passer la ficelle qui servira de bride.

13 Montage. Enfilez un bout du goujon le plus long dans le trou de la queue et dans le manchon du bas, l'autre bout dans le manchon du haut : le goujon doit être légèrement arqué. Insérez les extrémités du goujon le plus court dans les manchons latéraux. Au besoin, raccourcissez les goujons pour que la tension ne soit pas excessive. Nouez la ficelle à l'intersection des goujons.

14 Avec le fer à souder, coupez la bride à 1,50 m (60 po). Enfilez un bout dans chacun des trous déjà percés et nouez autour du goujon vertical. Mettez la voilure sur l'endroit et amenez la portion centrale de la bride sur le devant du cerf-volant. Mesurez 48 cm (19 po) depuis le trou supérieur et faites un nœud coulant en boucle

pour l'écoute du cerf-volant. Ce nœud peut être déplacé selon les caractéristiques du vent.

15 Attachez le fuseau de l'écoute à la boucle de la bride.

Requin volant

Ce cerf-volant à voilure en triangle delta mesure 90 cm (36 po). Lisez attentivement la technique de base et les instructions données pour la comète volante avant d'aborder ce modèle.

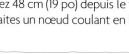

- ◆ **matériel de base (p. 313)**
- ◆ **nylon indéchirable en 150 cm (60 po) de large : 60 cm (24 po) en vert ; 25 cm (9 po) en bleu, en blanc, en orange, en mauve et en noir**
- ◆ **4 goujons en bois de 6 mm (¼ po) de diamètre et de 60 cm (24 po) de longueur**

1 Après avoir agrandi le patron (diagramme 1), ajoutez 1,5 cm (⅝ po) sur toutes les pièces de la voilure avant de couper les pièces du patron.

2 Mettez les pièces du patron, endroit dessus, sur l'endroit du tissu. Coupez une pièce pour chaque patron dans les coloris indiqués, mais 16 dents orange, deux yeux noirs, quatre triangles bleus, deux demi-nageoires latérales et deux ventrales mauves.

3 Suivez les étapes 2 à 4 de la comète. Collez et piquez les pièces dans l'ordre suivant : dents supérieures orange dans la bouche blanche ; bouche et dents inférieures dans le museau vert ; yeux noirs dans le front vert.

4 Envers de la voilure dessus, ôtez le tissu vert qui se trouve sous la bouche blanche.

5 La pièce frontale est mauve au centre, bleue sur les côtés. Mettez le bord de la pièce mauve sur le bord des bleues et piquez au zigzag. Ce morceau va au sommet de la voilure et en prolonge les côtés. Piquez les bords au zigzag.

6 Les nageoires latérales sont mauves dans le bas et bleues dans le haut. Mettez le bord de la partie mauve sur le bord de la partie bleue et piquez au zigzag. Ces nageoires forment les angles inférieurs de la voilure et en prolongent les côtés et le bas ; superposez les bords sur l'envers et piquez-les au point de zigzag.

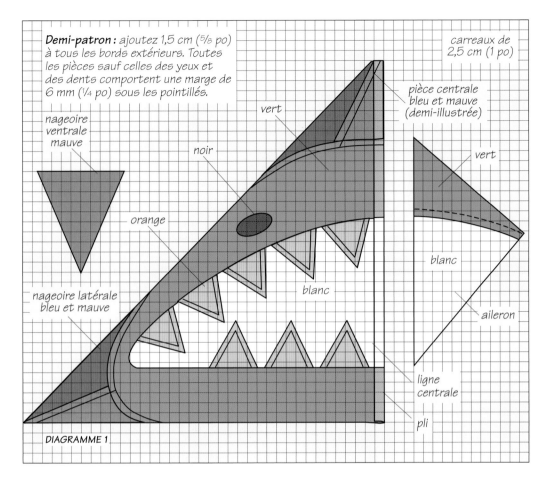

Demi-patron : *ajoutez 1,5 cm (⁵/₈ po) à tous les bords extérieurs. Toutes les pièces sauf celles des yeux et des dents comportent une marge de 6 mm (¼ po) sous les pointillés.*

carreaux de 2,5 cm (1 po)

nageoire ventrale mauve

vert

noir

pièce centrale bleu et mauve (demi-illustrée)

vert

orange

blanc

nageoire latérale bleu et mauve

blanc

aileron

ligne centrale

pli

DIAGRAMME 1

7 Nageoires ventrales. Repliez chaque côté de 6 mm (¼ po); piquez au point d'ourlet. Endroit sur endroit, alignez le haut des nageoires ventrales et le bas de la voilure de façon que, après un repli de 1 cm (½ po), les nageoires latérales et ventrales se joignent dans les coins. Piquez ces dernières à 6 mm (¼ po) du bord.

8 Dans le tissu à drapeau (voir Technique de base), coupez au fer à souder un triangle de

5 cm (2 po) de côté pour renforcer l'aileron et un carré de 7,5 cm (3 po), coupé en deux en diagonale. Pliez l'hypoténuse de chaque triangle en deux et piquez à 2,5 cm (1 po) du pli pour former deux manchons (voir diagramme 2).

9 Les ourlets de côté de la voilure vont servir de coulisse aux goujons latéraux. Pliez les côtés de 1,5 cm (⁵/₈ po) sur l'envers, glissez un manchon dans chaque pli, à 40 cm (16 po) du bas de la voilure en le faisant ouvrir vers le haut (voir diagramme 3). Ordre de couture des coulisses : à par-

tir du bas, piquez sur 5 cm (2 po); laissez une ouverture de 2,5 cm (1 po) pour enfiler le goujon et faites des points arrière de part et d'autre. Piquez jusqu'au haut de la voilure. Prenez bien le manchon dans la piqûre. À 65 cm (26 po) du bas, piquez en travers de la coulisse pour que le goujon n'en sorte pas.

10 Repliez deux fois de 6 mm (¼ po) le bas de la voilure et piquez (les nageoires ventrales pendent). Émoussez les marges de couture dans les angles. Scellez les coins en passant le fer à souder sur les bords.

11 Mettez le bord arrondi de la partie verte de l'aileron sur la partie blanche et piquez au zigzag. Renforcez l'angle avec une petite pièce. Pliez deux fois de 6 mm (¼ po) les côtés par-dessus le renfort (voir diagramme 4) et piquez à travers toutes les épaisseurs.

renfort de l'aileron

DIAGRAMME 4

12 Avec le fer à souder, percez trois trous de 3 mm (⅛ po) dans le triangle de renfort de l'aileron, un au sommet, les deux autres à 1,5 cm (⁵/₈ po) du premier sur les côtés. De la même façon, coupez 20 cm (8 po) de ficelle à bride. Pliez-la en deux et nouez les bouts. Enfilez le nœud dans le trou pratiqué à la pointe de l'aileron, passez le nœud dans la boucle et serrez.

13 Coulisse du goujon central. Mettez l'envers de la voilure dessus. Avec une règle, tracez une ligne verticale au centre de la voilure. Faites-en une autre, parallèle à la première, mais à 1,5 cm (⁵/₈ po) de celle-ci, en position décentrée. Mettez l'endroit de la voilure dessus; alignez le long bord de l'aileron avec la ligne centrale en faisant coïncider les coloris (voir diagramme 1). Fixez l'aileron.

14 Sur l'envers, pliez la voilure sur la ligne centrale. Piquez-la dans le bas entre les lignes à la craie; faites pivoter l'aiguille et piquez sur la deuxième ligne sur 1 cm (½ po). Laissez une ouverture de 2,5 cm (1 po) et piquez jusqu'en haut; finissez en travers de la coulisse.

15 Insérez les goujons dans les coulisses et attachez l'écoute à l'aileron.

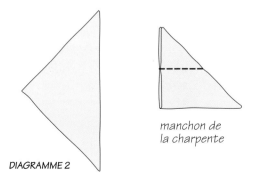

manchon de la charpente

DIAGRAMME 2

manchon de la charpente

DIAGRAMME 3

Corbeille de fleurs séchées

Une jolie corbeille de roses séchées sur un buffet ou une crédence fait toujours bel effet.
Si vous n'avez pas de roses dans votre jardin, prenez-les chez le fleuriste:
une fois séchées, vous pourrez les garder toute une année.

Un bouquet de roses

Les roses, même séchées, donnent immanquablement de l'élégance à une pièce.

- **36 roses à larges pétales**
- **2 à 3 poignées de ramilles de nigelle (ou autres feuilles fines)**
- **2 bottes de fleurs à petits pétales**
- **1 botte de petites fleurs de couleur contrastante**
- **2 bottes de statice blanc**
- **grande corbeille à poignées**
- **2,70 m (3 vg) de ruban de satin rouge de 1 cm (⅜ po)**
- **1,80 m (2 vg) de ruban de satin blanc de 6 mm (¼ po)**
- **1 feuille de mousse du fleuriste**
- **2 ou 3 briques de styromousse**
- **couteau, cisailles, fil de fer, coupe-fil, aiguille à tapisserie**
- **2,70 m (3 vg) de ruban métallique blanc de 5 cm (2 po)**

1 Après avoir supprimé leurs feuilles, séchez les fleurs en suivant les directives ci-dessous.
2 Entourez l'anse de la corbeille de deux rangs de ruban étroit que vous tisserez en directions opposées. Terminez par des boucles.

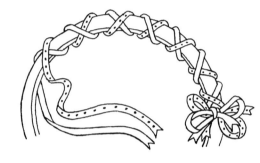

3 Tapissez de mousse le fond et les côtés de la corbeille. Couvrez complètement le fond de styromousse: servez-vous d'un couteau pour découper les briques de façon qu'elles épousent la forme de la corbeille.
4 En vous aidant de l'aiguille à tapisserie, reliez chaque morceau de styromousse à la corbeille avec du fil de fer dans le sens de la largeur et dans celui de la longueur. Recouvrez la styromousse d'une couche de mousse du fleuriste.
5 Répartissez les roses dans la corbeille en mettant les plus longues au centre et les plus courtes tout autour. Ajustez leur taille en les coupant au besoin.
6 Refaites l'étape 5 avec les autres fleurs et terminez avec les feuilles.
7 Enroulez le ruban métallique autour de la corbeille en laissant dépasser 2 cm (1 po) aux deux bouts. Coupez ceux-ci de biais et dissimulez-les dans le tressé de la corbeille.
8 Confectionnez une grosse boucle de ruban métallique et une plus petite de satin rouge. Placez la seconde sur la première et fixez-les ensemble sur la corbeille avec du fil métallique pour boucler le ruban métallique.

VARIANTE Au lieu d'une corbeille, servez-vous d'un contenant original: bassine en cuivre, bol en bois ou chope en étain, par exemple.

Un généreux bouquet de fleurs séchées met de la vie dans n'importe quelle pièce de la maison.

COMMENT FAIRE SÉCHER LES FLEURS

1 *Choisissez des fleurs, des hydrangées par exemple, à pleine maturité ou à la toute veille. Faites varier la taille des têtes, mais tenez-vous-en à des tiges d'au moins 30 cm (12 po). Enlevez toutes les feuilles sans exception.*

2 *En vous servant d'épingles à linge ou de ficelle, suspendez-les tête en bas dans un endroit frais, sombre et sec. Attendez environ sept jours qu'elles soient complètement sèches. Ne tentez pas l'expérience par temps humide.*

3 *Choisissez une corbeille profonde de forme rectangulaire. Au fond, ménagez un solide coussin de fleurs cassées. Piquez-y toutes les fleurs, en disposant en bordure celles qui ont les plus grosses têtes.*

4 *Quand votre arrangement est terminé, vous pouvez y apporter une note de fantaisie en le vaporisant avec de la peinture mauve ou lavande en aérosol; veillez à protéger la corbeille avec du papier journal ou du papier d'aluminium.*

◆ Dinosaures aimantés ◆

Ces petits monstres apportent de la bonne humeur partout où on les installe –
sur la porte du réfrigérateur, sur un babillard magnétique ou sur la paroi métallique d'un classeur. Les
enfants les adorent: avec un peu d'aide, ils seront en mesure de les confectionner eux-mêmes.

Pour manipuler les dinosaures le moins possible,
assemblez-les sur une tôle à biscuits.

- **papier-calque et crayon**
- **carton léger (surface glacée de préférence)**
- **papier carbone**
- **stylet**
- **petits ciseaux**
- **rouleau à pâtisserie**
- **pâte Fimo blanche**
- **couteau d'artisanat**
- **petit goujon**
- **papier de verre ultrafin (n° 600)**
- **tubes d'acrylique**
- **petit pinceau**
- **aimant**
- **colle blanche**

1 Avec un crayon et du papier-calque, reproduisez l'un ou l'autre des modèles de dinosaures qui figurent ci-dessus et sur la page ci-contre. Dessinez chaque partie séparément: les chiffres vous renseignent sur le nombre de parties à dessiner dans chaque cas et les pointillés indiquent les endroits où les dessins vont se chevaucher.

Au moment de constituer votre galerie de dinosaures, laissez courir votre imagination. Il faut leur donner des couleurs vives et des formes fantaisistes.

2 Étendez à plat un morceau de carton léger. Placez-y votre dessin sur un morceau de papier carbone. Avec un stylet, reproduisez les diverses parties de l'animal sur le carton en laissant un peu d'espace entre elles. Découpez-les avec des ciseaux.

3 Au rouleau à pâte, étendez la pâte à modeler sur 3 mm (⅛ po) d'épaisseur.

4 Sur la pâte à modeler, posez le modèle en carton du corps et découpez-en les contours au couteau. Faites la même chose pour les autres parties du dinosaure. Aplatissez les contours avec le doigt.

5 Déposez tous les corps sur la tôle à pâtisserie. Joignez-y les autres parties : les crêtes du dos vont en dessous, les têtes et les pattes par-dessus. Assemblez les monstres en pressant légèrement. Vous pouvez arrondir leur corps en ajoutant un peu de pâte par-dessous. Épurez les contours en vous aidant d'un couteau, puis aplatissez-les légèrement avec le doigt.

6 Avec un petit goujon ou encore le rouleau à pâtisserie, écrasez légèrement les dinosaures pour faire adhérer les membres et la crête au corps.

7 Roulez un petit morceau de pâte à modeler du bout des doigts pour en faire un œil. Mettez-le en place.

8 Faites cuire en suivant les directives du fabricant de pâte à modeler. Lorsque les dinosaures

la pièce 2 se prolonge jusqu'aux pointillés

la pièce 2, qui est la crête, se prolonge en bas jusqu'aux pointillés

ont refroidi, polissez leur surface avec du papier de verre.

9 Référez-vous aux illustrations pour des idées de décoration ou bien laissez courir votre imagination.

10 Ajoutez de la couleur en vous servant de la peinture acrylique. Une fois que vos dinosaures sont secs, il ne reste plus qu'à leur coller un aimant à l'endos avec de la colle blanche.

CONFECTION DES DINOSAURES

1 *Tracez les composantes. Placez à plat un morceau de carton (une surface glacée sera moins collante), couvrez-le d'un papier carbone et déposez-y vos dessins. Avec un stylet, reproduisez les contours sur le carton.*

2 *Découpez les figures de carton avec de bons ciseaux. À l'aide d'un rouleau à pâtisserie, étendez de la pâte à modeler sur 3 mm (⅛ po) d'épaisseur. Travaillez soigneusement pour que la pâte ait une épaisseur uniforme.*

3 *Posez les figures de carton sur la pâte à modeler ; enfoncez-les légèrement. Avec un couteau, découpez-les de façon minutieuse en suivant chaque détail du dessin. Détachez l'excédent de pâte en procédant délicatement.*

4 *Assemblez les dinosaures sur une tôle à biscuits. Avec un petit objet cylindrique, pressez sur l'ensemble pour bien faire adhérer les parties les unes aux autres. Faites cuire en suivant les directives du fabricant de pâte à modeler.*

❖ Petits paniers de Pâques ❖

Les jeunes de corps et d'esprit seront ravis de recevoir un petit panier fait par vos soins. Tricotez ces paniers avec du raphia ou du jute en commençant par le fond et en leur donnant une forme tantôt ronde, tantôt ovale. Remplissez vos petits paniers avec des friandises ou des fleurs printanières en pots.

Petit panier en corde

Les directives sont pour un panier rond de 15 cm (6 po). Pour une forme ovale, utilisez deux rouleaux de corde et montez 90 mailles.

- ❖ 1 rouleau de 120 m (400 pi) de sisal (s'achète en quincaillerie)
- ❖ 1,80 m (2 vg) de fil à broder écru à 6 brins
- ❖ 1 aiguille à tricoter ronde de 5 mm longue de 40 cm (16 po)
- ❖ 1 aiguille à tricoter droite de 6 mm
- ❖ règle ou jauge de 15 cm (6 po)
- ❖ boîte de conserve de 15 cm (6 po) de diamètre
- ❖ cercle de 15 cm (6 po) en contreplaqué de 6 mm (¼ po) d'épaisseur
- ❖ 1 m (1 vg) de ruban à armature de métal large de 2,5 cm (1 po)
- ❖ crochet de 4,50 mm
- ❖ perceuse avec douille de 3 mm (⅛ po)
- ❖ 2 aiguilles à tapisserie
- ❖ 4 petites épingles à ressort
- ❖ fusil à colle et cartouches

Calibrage pour tous les paniers

10 m = 8,8 cm (3 ½ po) au point de jersey. Montez 15 m sur l'aiguille circulaire. Faites 10 cm (4 po) au point de jersey (en tricotant toujours à l'endroit). Faites un échantillon : raphia et jute n'ont pas la tension de la laine. Si l'échantillon est trop grand, servez-vous d'une aiguille plus petite et vice versa. (Voir abréviations, p. 298.)

Tricotés en sisal, vos paniers auront de douces teintes naturelles ; en jute, ils pourront être de couleur pastel. Que vous y mettiez des animaux en peluche, des bonbons ou des plantes, ils font de jolis centres de table.

320

Pour tricoter le tube

1 Montez 55 mailles sans serrer. En prenant garde que les mailles ne tournent pas sur l'aiguille, tricotez à l'endroit sur 12,5 cm (5 po).

2 Tricotez 5 rangs à l'envers pour former la bordure roulée du panier. En vous aidant de l'aiguille droite, rabattez les mailles sans serrer.

Mise en forme

1 Détrempez le tube ; épongez l'excès d'eau avec une serviette jusqu'à ce que le tricot n'ondule plus. Ne le repassez pas.

2 Enfilez le tube sur une boîte à café ou autre de taille appropriée, bordure roulée à l'extérieur. Laissez sécher durant la nuit.

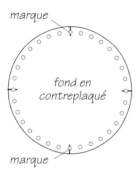

marque

fond en contreplaqué

marque

Assemblage

1 Dans le contre-plaqué, percez des trous de 3 mm (⅛ po) à 1 cm (½ po) d'intervalle, à 6 mm (¼ po) du bord. Divi-sez en quatre parties égales.

2 Sur le tube, indi-quez les marques avec des épingles à ressort. À ces endroits, fixez le tube au contreplaqué avec du fil à broder.

3 Enfilez du fil à broder dans l'aiguille à tapisse-rie et faites un nœud. En commençant à l'inté-rieur, *tirez l'aiguille vers l'extérieur, ramassez une

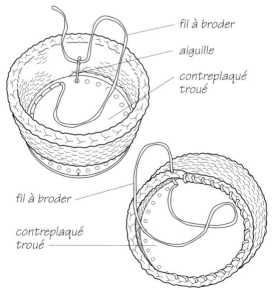

fil à broder

aiguille

contreplaqué troué

fil à broder

contreplaqué troué

---

maille sur la lisière du tube et repiquez au même endroit. Passez au trou suivant.* Répétez de * à * jusqu'à ce que vous ayez fait le tour. Rabat-tez la dernière maille et tissez-la dans le tricot.

4 Au crochet, tissez le ruban dans le tricot environ 2 cm (½ po) sous la bordure, en pre-nant plusieurs mailles à la fois. Terminez par une belle boucle.

5 Poignée. Prenez 18 brins de corde de 90 cm (36 po) et collez-les ensemble à un bout. Tres-sez en mettant six brins par partie et collez-les tous ensemble à l'autre bout.

6 Entourez les deux bouts de la poignée avec de la corde sur 2,5 cm (1 po) et collez.

7 Fixez les poignées à l'intérieur du panier avec des points de colle.

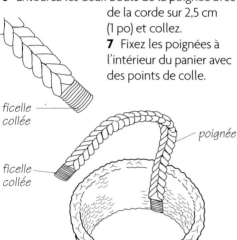

ficelle collée

ficelle collée

poignée

Panier rond de raphia

Mêmes fournitures que pour le panier en corde, sans sisal, ni fil à broder ni ruban. Employez deux brins de raphia de deux écheveaux différents.

- ◆ **4 écheveaux de 22 m (24 vg) de raphia blanc**
- ◆ **2 écheveaux de raphia rose pâle et 2 écheveaux de raphia rose foncé de 22 m (24 vg) chacun**

1 Suivez les directives du panier de corde en réservant 60 cm (24 po) de raphia pour fixer le tube à la base. Montez 58 mailles de raphia blanc. Tric end 3,5 cm (1 ½ po). *Tric end ensemble le rose pâle et le rose foncé sur 3 cm (1 ¼ po) de hauteur.*

---

2 Rép de * à * avec le raphia blanc.

3 Rép de * à * avec les raphias roses.

4 Avec le raphia blanc, tric env pour former la bordure de 3 cm (1 ¼ po).

Panier de raphia ovale

Les fournitures sont celles du panier en corde, sans sisal, ni fil à broder, ni ruban, ni contreplaqué rond. Utilisez une aiguille circulaire de 60 ou 72 cm (24-29 po) et deux brins de raphia de deux écheveaux.

- ◆ **4 écheveaux de 60 cm (24 po) de raphia violet, de raphia mauve et de raphia jaune**
- ◆ **1 écheveau de 60 cm (24 po) de raphia vert mousse**
- ◆ **2 bandes de carton fort de 12 x 45 cm (5 x 18 po) chacune**
- ◆ **ovale de 15 x 30 cm (6 x 12 po) découpé dans du contreplaqué de 6 mm (¼ po)**

1 Suivez les directives du panier de corde en réservant 1,80 m (2 vg) de raphia pour fixer le tricot à la base. Montez 90 mailles de raphia violet. Tric end pour avoir 13,5 cm (5 ¼ po).

2 Avec le raphia jaune, tric end 1 rg, tric env les 5 rangs suivants pour former la bordure.

3 Après avoir fait la mise en forme et fixé le panier sur la base, coupez le raphia vert en lon-gueurs de 25 cm (10 po). Prenez-en deux mor-ceaux, pliez-les en deux et nouez-les au crochet dans le raphia violet sous la bordure.

4 Tressez deux poignées composées chacune de trois groupes de 10 brins.

5 Installez les bandes de carton fort entre les poignées pour consolider les parois du panier.

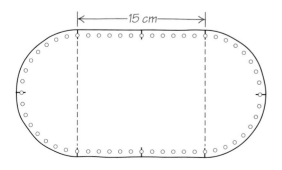

15 cm

Cartes de vœux à fleurs pressées

Personnalisez vos cartes d'anniversaire et transformez-les en objets décoratifs en les confectionnant avec la fleur qui symbolise le mois de l'anniversaire ou le signe du zodiaque du destinataire. Vous prendrez beaucoup de plaisir à presser les fleurs.

Fleurs pressées à la main

Il se vend, dans les boutiques d'artisanat, des accessoires spéciaux pour presser les fleurs. Mais si votre production reste petite, évitez-vous la dépense en suivant la méthode ci-dessous.

- papier journal
- papier buvard
- fleurs et feuilles au choix
- deux annuaires de téléphone ou autres volumes lourds

1 Étendez trois ou quatre feuilles de papier journal sur un plan de travail (davantage si les fleurs sont succulentes). Étendez par-dessus du papier buvard.

2 Disposez délicatement les fleurs sur le papier buvard, en évitant qu'elles se touchent.

3 Couvrez-les avec un autre papier buvard et autant de papier journal que vous avez mis en 1.

4 Déposez les annuaires par-dessus le tout.

5 Placez cet échafaudage dans un endroit frais et sec, une armoire par exemple. La première semaine, il est bon de vérifier quotidiennement l'état des fleurs et des feuilles pour en refaire la disposition si nécessaire. La meilleure façon de vous y prendre consiste, à mesure que vous soulevez le papier buvard, à en décoller les fleurs et les feuilles avec votre ongle ou l'arrondi d'une cuiller. Changez le papier journal tous les jours car il absorbe l'eau des fleurs. Dans les deux ou trois semaines qui suivent, vous pourrez vous contenter de faire cela deux ou trois fois par semaine.

6 Au bout de trois semaines, il est temps de vérifier si les fleurs sont prêtes. Elles devraient tout d'abord paraître parfaitement sèches. Elles seront aussi, non pas molles, mais rigides, et le papier sera sec. Cela se produit généralement au bout de trois semaines, mais il n'est pas mauvais d'attendre une semaine de plus et même davantage par mesure de prudence.

Fleurs pressées au micro-ondes

Le micro-ondes devrait être réglé à moyen ou à faible. Si les fleurs sèchent trop vite, à forte puissance, elles seront friables. Le micro-ondes se réchauffant après usages répétés, les fleurs prendront donc de moins en moins de temps à sécher.

- papier essuie-tout
- papier buvard
- fleurs et feuilles au choix
- récipient plat et lourd allant au micro-ondes

1 Étendez trois ou quatre épaisseurs de papier essuie-tout sur un plan de travail ou directement sur le plateau tournant du four, s'il est amovible. (Employez plus de papier si les fleurs sont particulièrement succulentes.) Étendez une feuille de papier buvard par-dessus.

2 Disposez les fleurs délicatement sur le buvard en évitant qu'elles se touchent.

3 Mettez un papier buvard par-dessus et recouvrez de la même épaisseur de papier qu'à l'étape 1.

4 Mettez les fleurs au four et surmontez-les d'un poids (un plat ou un couvercle feront l'affaire).

5 Réglez le four à moyen (un peu plus bas pour les fleurs de couleur foncée) et laissez sécher les fleurs et les feuilles pendant 3 ou 4 minutes. Vérifiez leur état chaque minute en les redisposant si nécessaire. Vous saurez qu'elles sont prêtes lorsqu'elles paraîtront sèches et qu'elles seront non plus molles mais rigides. Il se peut par ailleurs que le papier soit encore humide. Les temps de séchage varient selon le type de fleur, mais il vaut mieux assécher moins que trop. Pour plus de prudence, terminez en laissant reposer les fleurs et les feuilles dans le four à micro-ondes éteint pendant quelques minutes.

FLEUR DU MOIS

JANVIER	Œillet, perce-neige
FÉVRIER	Violette, primevère
MARS	Jonquille
AVRIL	Marguerite, pois de senteur
MAI	Muguet, aubépine
JUIN	Rose
JUILLET	Pied-d'alouette
AOÛT	Coquelicot, glaïeul
SEPTEMBRE	Aster, liseron
OCTOBRE	Souci
NOVEMBRE	Chrysanthème
DÉCEMBRE	Houx, narcisse

FLEUR DU SIGNE

CAPRICORNE	22 décembre – 19 janvier Lierre, pensée, amarante
VERSEAU	20 janvier – 18 février Hydrangée, orchidée
POISSONS	19 février – 20 mars Orchidée, nénuphar
BÉLIER	21 mars – 19 avril Chèvrefeuille, chardon
TAUREAU	20 avril – 20 mai Rose, pavot, digitale
GÉMEAUX	21 mai – 21 juin Chèvrefeuille, jasmin
CANCER	22 juin – 22 juillet Géranium, nénuphar
LION	23 juillet – 22 août Tournesol, œillet d'Inde
VIERGE	23 août – 22 septembre Bouton-d'or, myosotis
BALANCE	23 septembre – 23 octobre Rose
SCORPION	24 octobre – 21 novembre Géranium, chèvrefeuille
SAGITTAIRE	22 novembre – 21 décembre Pissenlit, bégonia

Confection de la carte

Quand les fleurs sont trop grosses, vous pouvez tout de même les presser et détacher ensuite les pétales pour créer des formes libres.

- ◆ **pince à épiler**
- ◆ **fleurs pressées et feuilles**
- ◆ **carte blanche (en papeterie ou en boutique d'artisanat) ou carton fort plié en deux**
- ◆ **colle blanche et petit pinceau**
- ◆ **paire de ciseaux**
- ◆ **stylo-feutre, pointe en biseau**
- ◆ **papier ciré**
- ◆ **annuaire de téléphone ou autre gros livre lourd**

1 En vous aidant d'une pince à épiler, placez les pétales et les feuilles de diverses manières sur la carte jusqu'à ce que vous trouviez une composition qui vous plaise. Utilisez des spécimens plus petits pour combler les blancs.

2 N'oubliez pas de laisser de la place pour écrire des vœux au haut ou au bas de la carte.

3 Retirez les pétales et les feuilles avec la pince à épiler. Laissez les très petits spécimens en place et contentez-vous de les soulever, un côté à la fois, pour y déposer la colle.

4 En commençant par l'élément principal, ou celui qui sera le plus en contact avec la carte, déposez quelques touches de colle à l'arrière des pétales, de la tige et des feuilles.

5 Mettez-les en place et ajoutez un peu plus de colle au besoin. Écourtez les tiges s'il le faut.

6 Éliminez toute trace apparente de colle. Attendez 5 minutes que la colle sèche. Couvrez avec du papier ciré et déposez l'annuaire par-dessus. Son poids empêchera les pétales et les feuilles de retrousser en séchant.

7 Laissez reposer le tout au frais pendant plusieurs heures ou jusqu'au lendemain.

8 Avec un stylo-feutre, inscrivez le nom de la fleur ou du mois, ou vos bons vœux.

Vous avez reçu des fleurs pour marquer une occasion spéciale ? Un ami vous a donné des fleurs de son jardin ? Pressez-en quelques-unes pour dire merci.

◆ Décorations de Noël ◆

Le temps des Fêtes est l'occasion rêvée pour fabriquer toutes sortes d'objets décoratifs.
Comme un calendrier de l'Avent, par exemple, qui pourra faire désormais partie de vos traditions,
ou des menus personnalisés que l'on s'attendra toujours à retrouver au repas de Noël.

Calendrier de l'Avent

Sur cette jolie murale en tissu, les enfants ajoute-ront une décoration représentant chaque jour de décembre où ils ont été sages. Noël fini, roulez-la pour l'entreposer jusqu'à l'an prochain.

- ◆ **1,15 m (1 ¼ vg) de feutre crème en 180 cm (72 po) de large**
- ◆ **fil à coudre crème**
- ◆ **fil à broder de 6 brins aux couleurs des carrés de feutre**
- ◆ **aiguille à broder**
- ◆ **papier-calque**
- ◆ **rectangle de feutre vert de 30 x 90 cm (12 x 36 po)**
- ◆ **carré de feutre brun de 10 cm (4 po) de côté**
- ◆ **carré de feutre rouge de 12,5 cm (5 po) de côté**
- ◆ **carrés de feutre de 7,5 cm (3 po) de couleurs variées**
- ◆ **billes de verre, paillettes, fil d'or et rubans de toutes sortes pour décorer**
- ◆ **colle blanche**
- ◆ **24 petites épingles dorées**
- ◆ **2 baguettes de bois rondes de 30 cm (11 ½ po) de longueur et de 1 cm (½ po) d'épaisseur**
- ◆ **1 m (39 po) de fin cordon de soie dorée**

1 Taillez deux morceaux de feutre crème de 1 m x 63 cm (40 x 25 po) pour former le fond. Dans les retailles, taillez deux pièces de 60 x 7 cm (24 x 2 ¾ po) pour couvrir les baguettes.
2 À la machine avec le fil crème, fixez les couvre-baguettes en haut et en bas d'une des pièces du fond à 2,5 cm (1 po) du bord en laissant les bouts ouverts.
3 Tracez le patron de l'arbre de la page 326 et agrandissez-le au photocopieur pour que le

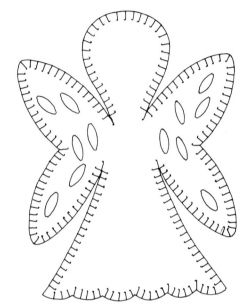

motif mesure 53 cm (21 po) entre la base du pot et le sommet de l'arbre (à défaut de photoco-pieur, voir p. 276). Épinglez le patron des déco-rations sur les divers feutres – l'arbre sur le vert, le tronc sur le brun, la base sur le rouge – et découpez. Mettez en position sur le fond beige, pour que le sommet de l'arbre soit à 14 cm (5 ½ po) du haut et la base à 9 cm (3 ½ po) du bas. Épinglez solidement. Avec un fil de couleur assortie, cousez chaque pièce au point de feston (pour la définition des points, voir p. 281).
4 Calquer les patrons des pièces décoratives (ci-dessus et p. 326). Pour chaque décoration, coupez deux pièces identiques dans chacune des couleurs (50 pièces en tout). Décorez une des deux pièces à votre fantaisie en y collant billes de verre, paillettes, fil d'or et rubans de toutes sortes. Cousez-la sur sa jumelle au point de feston avec deux brins de fil à broderie de même couleur. À l'arrière de chaque décora-tion, faites un point à la main pour fixer la partie ressort d'une épingle dorée.

5 Tracez les contours des 25 décorations sur du papier-calque. Épinglez les patrons sur l'arbre et marquez l'emplacement de chaque pièce en soulignant ses contours au point devant avec deux brins de fil jaune.
6 Épinglez ensemble les deux pièces du fond couleur crème, avec l'arbre à l'endroit et les couvre-baguettes à l'envers. Avec deux brins de fil à broder de couleur assortie, cousez les deux pièces ensemble sur les quatre côtés au point de feston.
7 Mettez les baguettes en place et collez le cordon de soie à chaque bout pour suspendre le calendrier.
8 Épinglez les décorations sur les côtés du calendrier. À partir du 1er décembre, vous en mettrez une chaque jour en place et, le jour de Noël, l'arbre sera entièrement décoré.

Incluez dans votre décor des Fêtes un calendrier de l'Avent qui fera les délices des enfants, une couronne pour accueillir vos invités et une boîte de rouleaux surprise pour mettre du piquant dans vos réceptions.

ROULEAUX SURPRISE

Glissez des paillettes et des étoiles métalliques dans les rouleaux pour augmenter la surprise.

S'il y a de jeunes enfants, pensez à leur sécurité.

Collectionnez à l'avance les rouleaux vides d'essuie-tout et toutes sortes de petites babioles.

Les modèles ci-dessus sont à l'échelle pour décorer le calendrier de l'Avent (p. 324); celui de l'arbre, à droite, doit être agrandi (voir les directives, p. 276). Vous pouvez utiliser ces mêmes modèles pour vos cartes, étiquettes et autres articles de Noël.

Rouleaux surprise

Pour le repas des Fêtes, prévoyez un rouleau par convive. Rien de tel pour mettre de l'ambiance!

- ◆ **papier crêpe pour les chapeaux**
- ◆ **ciseaux droits et à cranter**
- ◆ **8 rouleaux en carton comme ceux des essuie-tout, coupés en longueurs de 12,5 cm (5 po)**
- ◆ **ruban collant ordinaire et à double face**
- ◆ **papier d'emballage**
- ◆ **2,70 m (3 vg) de ruban ou de ficelle de fantaisie**
- ◆ **petits cadeaux**
- ◆ **étoiles collantes, autocollants, rubans fantaisie, petits glands de soie et stylos de couleur**
- ◆ **papier de soie de deux couleurs**
- ◆ **boîte de carton pouvant contenir tous les rouleaux**

1 Taillez six rectangles de papier crêpe de 60 x 15 cm (24 x 6 po). Fabriquez les chapeaux en suivant les directives de la page 328.

2 Dans chaque rouleau, insérez un cadeau, des tas de petites surprises et un chapeau enroulé.

3 Dans le papier d'emballage, taillez six rectangles de 38 x 18 cm (15 x 7 po). Utilisez les ciseaux à cranter sur les côtés étroits. Centrez un rouleau plein sur un bord large d'un de ces rectangles et fixez le papier avec du ruban collant. Enroulez en serrant et terminez l'emballage avec du ruban collant à deux faces.

4 Coupez deux rubans ou deux ficelles de 23 cm (9 po) et entourez le cylindre de chaque

Remplissez vos rouleaux surprise avec toutes sortes de babioles – jouets, bijoux, barrettes, pièces de monnaie, friandises et autres –, des devinettes, des horoscopes, des poèmes ou des messages amusants. Une boîte de rouleaux surprise est un bon cadeau à offrir à l'hôtesse. Harmonisez votre propre boîte au décor de la table.

DÉCORATION DE LA BOÎTE

1 *Étendez deux feuilles de papier de soie sur le plan de travail. Centrez la boîte et dessinez son contour avec un crayon mine. Mettez la boîte de côté. Mesurez sa hauteur et ajoutez 5 cm (2 po).*

2 *Ajoutez cette mesure aux dimensions de la boîte. Indiquez-la à l'aide de quelques points repère, puis tirez des lignes pour dessiner un deuxième rectangle autour du premier.*

3 *Avec des ciseaux, découpez un carré aux quatre coins du papier pour rejoindre l'angle du plus petit rectangle. Ceci va vous permettre d'ajuster le papier à l'intérieur de la boîte sans le froisser.*

4 *Découpez le papier de soie de manière à conserver une bordure de 5 cm (2 po) autour du plus grand rectangle. Découpez cette bordure en zigzag. Déposez la double épaisseur de papier à l'intérieur de la boîte de carton.*

Confection d'un chapeau de papier

Pliez le papier crêpe deux fois en deux. Découpez-le en lui donnant la forme ci-dessus. Dépliez et collez les bouts avec du ruban à l'intérieur en les faisant chevaucher légèrement. Décorez le chapeau avec des étoiles collantes. Au bas, repliez une bordure de 5 cm (2 po) pour l'ajuster aux dimensions du rouleau. Enroulez le chapeau et insérez-le dans le rouleau.

côté de façon symétrique. Répétez pour les cinq autres rouleaux.

5 Décorez les rouleaux avec des étoiles collantes, divers autocollants, du ruban, des glands de soie, des dessins au crayon feutre.

6 Pour décorer la boîte de présentation, étendez deux feuilles de papier de soie sur l'espace de travail. Centrez la boîte de carton et dessinez ses contours au crayon. Mettez la boîte de côté, mesurez sa hauteur et ajoutez 5 cm (2 po). Additionnez cette mesure aux dimensions de l'esquisse. Dessinez un second rectangle autour du premier.

7 Découpez un carré aux quatre coins (voir p. 327) du papier pour que ses côtés s'ajustent à ceux de la boîte. Découpez en zigzag une bordure de 5 cm (2 po). Déposez les deux feuilles de papier de soie à l'intérieur de la boîte et placez les rouleaux surprise sur ce lit décoratif.

Les branches de pin avec leur arôme caractéristique sont celles qui conviennent le mieux à la confection de la couronne de Noël décrite ici.

Couronne de Noël

La couronne est l'un des plus célèbres emblèmes de Noël. Suspendez-en une à votre porte d'entrée ou à l'intérieur de la maison. À vous de choisir entre l'arôme du conifère naturel et les avantages pratiques du feuillage artificiel.

- ◆ **4 rubans de 50 cm (20 po) de n'importe quelle largeur et de n'importe quelle couleur**
- ◆ **base de couronne en sarments de vigne entrelacés**
- ◆ **branches de pin naturel ou artificiel**
- ◆ **fruits artificiels**
- ◆ **pistolet encolleur**

1 Faites quatre nœuds de ruban.
2 Disposez les branches, fruits et nœuds de ruban sur la couronne en déplaçant les divers éléments jusqu'à votre complète satisfaction.
3 Coupez les branches pour qu'elles s'ajustent à la disposition désirée. Fixez-en les bouts à la couronne avec de la colle chaude.
4 Répétez avec les fruits et les rubans.
5 Inutile de fabriquer une boucle en fil de fer puisque les branches entrelacées permettent de suspendre la couronne à un clou ou à un crochet. Ceux-ci ne devraient pas être visibles.

COURONNE DE HOUX Au lieu de branches de pin, vous pouvez utiliser du houx, non moins traditionnel. Coupez quelques petites branches de houx bien frais. Laissez tremper leurs extrémités dans l'eau jusqu'au moment de l'assemblage. Détachez des bouquets de feuilles et dénudez la tige qui les soutient. Fixez-la à la couronne de la même façon que les branches de conifères. Dans le cas du houx, il est plus facile de manipuler des bouts de branche qu'une branche entière. La décoration se fait cependant de la même façon.

Oranges et pommes séchées, associées à des feuilles de citronnier traitées et à des bourgeons de fleurs séchés, composent une élégante couronne d'intérieur.

Couronne de fruits séchés

Pour tresser votre propre couronne de vigne, il n'y a pas de bonne ou de mauvaise méthode; et son diamètre est affaire de goût. Pour la décorer, faites sécher plusieurs types d'orange et de pomme pour avoir de la variété dans la couleur et la texture. Faites sécher vos propres fruits en suivant les étapes dans l'encadré de la page 330.

- ◆ **sarments de vigne ou de glycine**
- ◆ **8 branches feuillues de citronnier préservées à la glycérine**
- ◆ **fil de fer de fleuriste; cisailles**
- ◆ **un fil de fer n° 20 de 20 cm (8 po)**
- ◆ **ciseaux de fleuriste**
- ◆ **24 tranches de pomme séchées**
- ◆ **24 tranches d'orange séchées**
- ◆ **3 ramilles portant des bourgeons verts et 3 des bourgeons roses (8 à 10 bourgeons par bouquet)**
- ◆ **1,80 m (2 vg) de ruban métallique en organdi chatoyant de 1,5 cm (½ po) de large**
- ◆ **cartouches de colle et pistolet**

CONFECTION D'UNE COURONNE DE FRUITS SÉCHÉS

1 Arquez les sarments de vigne pour obtenir le diamètre souhaité. Enroulez du fil de fer en plusieurs endroits pour assurer la forme. Entrelacez d'autres sarments pour l'étoffer. Insérez les bouts dans le tressage.

2 Faites un arrangement de fruits séchés et, lorsque leur disposition sur la couronne est résolue à votre satisfaction, collez les tranches une à une à la colle chaude. Tordez le fil n° 20 sur lui-même et sur la couronne pour la suspendre.

3 Détachez les feuilles de citronnier et collez-les sous les fruits séchés pour les encercler. Collez des bourgeons de fleurs contre les fruits en alternant les côtés et les couleurs. Faites entrer les bouts de leurs tiges dans le tressage.

4 Pour le chou de ruban, faites plusieurs boucles de 15 cm (6 po) les unes par-dessus les autres dans un sens et dans l'autre. Entourez-les au centre avec du fil de fleuriste en gardant des bouts assez longs pour attacher le chou à la couronne.

Sous les climats chauds, composez de toutes petites couronnes de Noël avec des boutons de roses, rehaussées d'une guirlande de genévrier. Vous pouvez décorer ainsi les pièces de la maison ou une galerie couverte.

Minicouronnes de roses

Voici comment garnir deux couronnes de sarments de vigne d'un diamètre de 23 cm (9 po).

- **72 boutons de roses rouges séchés**
- **2 bottes de chacune des fleurs séchées suivantes : patience, statice, célosie, riz et blé**
- **cartouches de colle et pistolet**
- **cisailles de fleuriste**

1 Rabattez les tiges des roses à 2,5 cm (1 po) ou moins. Répartissez les boutons de rose pour que les deux couronnes soient joliment colorées. Collez les roses une à une aux sarments.

2 Répétez la même opération avec les autres fleurs, en allant des plus grandes aux plus petites, jusqu'à ce que les couronnes soient entièrement couvertes sur une face.

TRUCS ET ASTUCES

PRÉPAREZ VOTRE MATÉRIEL

SARMENTS : Plongez-les dans une chaudière d'eau et laissez-les tremper 24 heures pour les assouplir.

FRUITS SÉCHÉS : Les tranches d'orange devraient avoir 6 mm (¼ po) d'épaisseur, les pommes 3 mm (⅛ po). (Gardez les pépins.) Enfournez-les à 45 °C (110 °F). Au bout de 12 à 24 heures, elles seront sèches comme du papier. Vérifiez après 5 à 8 heures.

PRÉSERVATION DES FEUILLES : Plongez les branches fraîchement coupées dans un mélange à parts égales de glycérine et d'eau et rangez-les dans un endroit sombre : elles prendront une teinte acajou et resteront souples.

SÉCHAGE DES BOURGEONS : Reliez 8 à 10 tiges semblables à environ 5 cm (2 po) sous la base des bourgeons. Dénudez les tiges. Suspendez les bottes à l'envers dans un endroit frais, sombre et aéré.

Guirlande verte

Une guirlande comme celle-ci peut décorer une cheminée, un escalier ou la barrière d'une clôture. Au lieu de genévrier, vous pouvez utiliser du pin.

- **corde de jute ou de chanvre**
- **branches de genévrier**
- **ciseaux de fleuriste**
- **fil de fer de fleuriste et cisailles**

1 Coupez la corde de la longueur que vous désirez donner à la guirlande.

2 Défaites les grosses branches de genévrier en ramilles individuelles.

3 En commençant à l'un des bouts, placez plusieurs ramilles autour de la corde et liez le tout avec du fil de fer. Sans couper le fil de fer, entortillez un autre groupe de ramilles de façon qu'elles masquent le fil de fer du tour précédent. Pour travailler avec le fil de fer, tenez l'écheveau fermement dans une main pendant que vous entortillez de l'autre les

ramilles sur la corde. Pendant que vous préparez le rang suivant, enroulez le fil de fer non utilisé en boule ou en huit et entourez-le d'un élastique. Plus les groupes de ramilles sont rapprochés, plus la guirlande est fournie.

4 À 3 ou 4 cm (1-2 po) de l'autre extrémité, attachez plusieurs rangs de ramilles à la corde en travaillant en sens inverse pour masquer le fil comme vous l'avez fait au début.

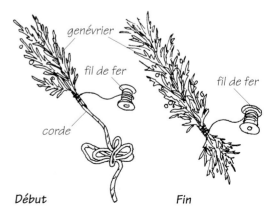

genévrier

fil de fer

corde

fil de fer

Début　　　　**Fin**

Cartes et cartons d'emballage

Pour fabriquer des cartes de vœux et des étiquettes pour vos emballages, vous avez le choix entre plusieurs méthodes : le pochoir, l'estampage, le découpage et le collage, plus deux suggestions originales ci-dessous qui pourront vous inspirer aussi pour l'emballage de vos cadeaux.

Cartes de bons vœux

Tout sert pour réaliser ces jolies cartes : pages de revues, bouts de tissus, papier de couleur.

Carte en papier tissé

Le secret de ce type de carte réside dans l'harmonie des tons... comme s'il s'agissait d'un tapis.

- **Papier fort de 15 x 25 cm (6 x 10 po)**
- papier de couleur
- bâton de colle
- reproductions en couleurs tirées d'une revue
- couteau d'artiste
- règle quadrillée
- carton
- épingles droites

1 Pliez le papier fort en deux pour confectionner une carte de 15 x 12,5 cm (5 x 6 po).
2 Dans le papier de couleur, coupez deux rectangles de 12 x 14,5 cm (4 ¾ x 5 ¾ po). Collez-en un sur le devant de la carte.
3 À l'aide du couteau et de la règle, découpez dans les reproductions huit bandes de 1,5 x 12,5 cm (½ x 5 po). Déposez-les l'une sous l'autre à l'envers sur le carton. Épinglez-les aux deux bouts.
4 Découpez 10 autres bandes de la grandeur des précédentes. Une à une, tissez-les dans les bandes épinglées au carton en commençant tout près des épingles à une extrémité.
5 Encollez le deuxième rectangle de papier de couleur, sur une seule face. Appliquez cette face sur le tissage et pressez bien. Retirez les épingles.
6 Tournez le tissage à l'endroit. Avec le couteau et la règle, retranchez tout ce qui n'est pas collé. Centrez le tissage sur le devant de la carte et collez-le.

Carte en tissu tissé

Découpez des fleurs dans le motif du tissu.

- **carton fort**
- **tissu et papier de couleur**
- **ruban**
- **couteau d'artiste**
- **règle**
- **ciseaux**
- **colle blanche d'artisanat**
- **perçoir ou alène**

1 Avec le couteau d'artiste, découpez deux rectangles de carton fort de 12,5 x 19 cm (5 x 7 ½ po).
2 Dans l'un des rectangles, dessinez une fenêtre carrée de 7,5 cm (3 po) de côté à 3,8 cm (1 ½ po) du haut et à 2,5 cm (1 po) des côtés. Découpez-la avec le couteau et la règle.
3 Avec les ciseaux, découpez une pièce de tissu de 18 x 23 cm (7 x 9 po). Appliquez de la colle sur la face externe du rectangle à fenêtre et collez-y l'envers du tissu.
4 Taillez les coins du tissu en diagonale. Repliez les côtés pour les coller derrière le carton.
5 Découpez en X le tissu qui recouvre la fenêtre. Repoussez les quatre triangles de tissu en arrière du carton, taillez-les si nécessaire et collez-les.
6 Découpez dans le tissu une pièce de 12 x 18,5 cm (4 ¾ x 7 ¼ po). Étendez de la colle à l'arrière du carton à fenêtre en allant bien jusqu'au bord et appliquez-y l'envers de la pièce. Pressez fermement et laissez sécher.
7 Tournez le carton à fenêtre à l'endroit. Avec le couteau, découpez le tissu de renfort dans la fenêtre.

Les fleurs de tissu (fleurs bleues en bas, à droite) exigent plus de temps et d'habileté que les tissages en papier créés à partir de reproductions (carte orange au-dessus) ou autrement découpés.

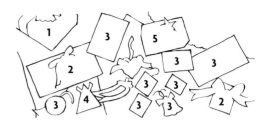
8 Recouvrez le deuxième rectangle de carton des deux côtés (à l'avant et à l'arrière) avec du papier de couleur.

9 Sur le côté des deux rectangles de la carte, marquez le milieu et percez un trou de chaque côté de cette marque, à 1,3 cm (½ po) du bord.

10 Faites passer un bout de ruban dans les deux trous et nouez une boucle. Ne serrez pas trop fort car il faut pouvoir ouvrir la carte. Faites l'exercice pour trouver la bonne longueur.

11 Collez une image, une photo, un découpage ou un collage dans la fenêtre. Écrivez vos vœux à l'intérieur de la carte.

Vous pouvez créer toute une variété de cartes, d'étiquettes, de boîtes et de papier d'emballage en vous inspirant des projets décrits ici. **1** *Papier étampé à la pomme de terre* **2** *Étiquette et carte dessinées au pochoir* **3** *Cartes et étiquettes de fabrication variée* **4** *Arbre de Noël confectionné au ruban* **5** *Emballage de carton ondulé.*

Papiers d'emballage

Vous pouvez vous servir de n'importe quel papier ordinaire pour en faire un papier d'emballage pour une occasion spéciale.

Estampage à la pomme de terre

Simple mais efficace, cette méthode est idéale pour mettre les enfants à l'ouvrage.

- **feuille de papier-calque**
- **pomme de terre**
- **couteau d'artiste**
- **feuilles de papier de dimension appropriée à l'emballage**
- **tubes d'acrylique**
- **pinceau d'artiste**

1 Calquez les contours d'une étoile, page 132. Choisissez une pomme de terre qui pourra, une fois tranchée en deux, recouvrir le motif en entier. Placez le dessin sur le plat de la demi-pomme de terre. Avec le couteau, incisez la chair de 1 cm (½ po) en suivant les contours de l'étoile. Mettez la pomme de terre sur le côté et découpez au couteau, d'une pointe de l'étoile à l'autre, une tranche de 1 cm (½ po) de manière à éliminer toute la chair qui se trouve à l'extérieur de l'étoile.

2 Placez le papier d'emballage à plat. Au pinceau, enduisez l'étoile de peinture. Tenez fermement le papier d'une main pendant que vous l'estampez de l'autre avec la demi-pomme de terre. Estampez ainsi tout le papier.

Papier griffonné

Les griffonnages en cire de bougie sont faciles à faire et permettent toutes sortes de fantaisies.

- **feuilles de papier (assez épais pour être mouillé à l'éponge)**
- **bougie blanche**
- **tubes d'acrylique**
- **éponge**

1 Cette technique occasionne facilement des dégâts. Il faut donc, avant de commencer, étendre du papier journal sur la surface de travail. Posez le papier à griffonner par-dessus.

2 Avec la bougie, tracez sur le papier toutes sortes de formes en cire.

3 Diluez la peinture acrylique avec de l'eau pour la rendre liquide. Il vous en faut suffisamment pour couvrir tout le papier. Trempez l'éponge dans la peinture et passez-la sur le papier pour mouiller toute la surface. Laissez sécher les feuilles individuellement.

4 Pour une couleur foncée, il faudra peut-être trois couches de peinture ; laissez sécher à fond entre les applications. Pour obtenir un effet différent mais subtil, refaites des griffonnages de cire sur chaque couche de peinture.

Emballage de carton ondulé

La texture du carton ondulé confère de la tenue à un emballage et même le plus petit cadeau y gagne en importance. Ce genre d'emballage convient surtout à une boîte rectangulaire, mais il s'adapte de façon surprenante à d'autres formes.

- **feuille de papier de couleur**
- **feuille de carton ondulé mince, de couleur ou peint à l'acrylique**
- **feuille de papier-calque**
- **couteau d'artiste**
- **alène**
- **ruban et 12,5 cm (5 po) de ganse**

1 Emballez le cadeau avec le papier de couleur. Placez-le ensuite sur la feuille de carton ondulé et découpez dans le carton une quantité suffisante pour faire un second emballage.

2 Tracez l'étoile de la page 132 sur le papier-calque et placez celui-ci sur la portion du carton ondulé qui couvrira le dessus du cadeau. Découpez l'étoile soigneusement avec un couteau. Découpez une seconde étoile semblable qui apparaîtra également sur le dessus.

3 Enveloppez le cadeau dans le carton ondulé de façon à bien voir les étoiles sur le dessus et entourez-le avec du ruban et un chou.

4 Avec l'alène, percez un trou au centre des deux étoiles. Enfilez la ganse dans l'un des trous et faites un nœud au bout. Enfilez l'autre bout dans le second trou et faites un autre nœud. Poussez sur les étoiles pour faire saillir les nœuds. Reliez la ganse au chou de ruban.

Préparez, en vue de Noël, tout un assortiment de cartes et de papiers d'emballage qui se démarqueront par leur originalité : vous ferez ainsi de belles économies.

Papier éclaboussé

Un papier sombre et des peintures dorées ou argent donnent un riche effet.

- ◆ **papier de couleur pouvant servir à l'emballage**
- ◆ **peinture acrylique**
- ◆ **pinceau large**

1 Pour limiter les dégâts, étendez d'abord du papier journal sur la surface de travail. Posez le papier à décorer par-dessus.

2 Trempez généreusement le pinceau dans la peinture. Avec un mouvement de va-et-vient, éclaboussez toute la surface du papier. L'importance des éclaboussures dépend de la taille du pinceau, de la viscosité de la peinture et de votre mouvement. Il est conseillé de vous faire la main sur du papier brouillon.

3 Laissez sécher le papier à fond.

TRUCS ET ASTUCES

SIMPLIFIEZ-VOUS LA TÂCHE

Personnalisez vos emballages en utilisant des photocopies sur papier couleur. Vous pouvez leur ajouter des touches de peinture acrylique.

Un perçoir est un instrument utile à avoir sous la main si vous avez l'intention de fabriquer beaucoup d'étiquettes pour emballages.

Un poinçon de couturière ou une alène permettent de percer des trous dans du carton fort ou du carton recouvert de tissu. À défaut, vous pouvez vous servir d'un clou que vous y enfoncerez avec un marteau. N'oubliez pas, dans ce cas, de protéger votre table de travail avec un bout de bois ou une bonne épaisseur de carton.

Le ruban au mètre ou en rouleau qu'on achète dans les magasins de tissu ou d'artisanat est nettement moins cher que celui de la papeterie.

Étiquettes pour cadeaux

Utilisez un bout du papier d'emballage pour faire l'étiquette ou prenez vos modèles parmi ceux des cartes de vœux. Voici encore d'autres idées.

Étiquettes en collage

Une étiquette se fabrique avec tout ce qui vous tombe sous la main : photocopies, retailles de tissu ou de papier de couleur, reproductions tirées de revues, rubans et colifichet.

- ◆ **papier pour faire des cartes**
- ◆ **bâton de colle**
- ◆ **colle blanche d'artisanat**
- ◆ **ruban ou ficelle**
- ◆ **couteau d'artiste**
- ◆ **ciseaux**
- ◆ **règle**

1 Découpez le papier selon la forme désirée. Si celle-ci est calquée sur un objet (une cloche de Noël, par exemple, comme celle de la page 326), faites le collage d'abord et vous découperez ensuite.

2 Posez les éléments à coller sur le carton et déplacez-les pour trouver la disposition idéale.

3 Collez le papier avec le bâton de colle, les paillettes, perles de verre et autres articles ayant un certain poids avec la colle blanche.

4 Percez un trou en haut ou à gauche de l'étiquette et enfilez-y le ruban ou la ficelle (voir page ci-contre la façon de les nouer).

Étiquettes au pochoir

La peinture au pochoir est la méthode la plus simple pour fabriquer des étiquettes. Servez-vous de pochoirs achetés ou fabriquez-les vous-même.

- ◆ **papier fort, pochoir**
- ◆ **tubes d'acrylique**
- ◆ **pinceau à pochoir**
- ◆ **ruban ou ficelle**
- ◆ **couteau d'artiste**
- ◆ **règle**

1 Découpez le papier selon la forme désirée et mettez le pochoir en place.

2 Déposez un peu de peinture sur le pinceau et remplissez les vides du pochoir. Soyez avare de peinture pour ne pas créer des pâtés aux contours et veillez à ce que la peinture ne s'infiltre pas sous le pochoir. Tenez le papier d'une main pendant que vous soulevez délicatement le pochoir pour le retirer. Laissez sécher.

3 Percez un trou en haut de l'étiquette ou dans le coin et faites passer un ruban ou une ficelle pour l'attacher.

Arbre de Noël en ruban

Le ruban peut être de couleurs variées : bleu et argent, vert et or ou, plus classiquement, vert et rouge. Vous pouvez aussi l'assortir au papier d'emballage.

- ◆ **carton de couleur 2-plis**
- ◆ **couteau d'artiste**
- ◆ **règle**
- ◆ **ciseaux**
- ◆ **par arbre, 1,20 m (1⅓ vg) de ruban de 3 mm (⅛ po)**
- ◆ **par arbre, 30 cm (12 po) de ruban de 6 mm (¼ po)**
- ◆ **aiguille à tapisserie**

1 Dans l'affiche, découpez des triangles ayant une base de 10 cm (4 po) et des côtés de 12,5 cm (5 po).
2 En bordure d'une retaille de carton, marquez 11 points à intervalles de 1 cm (⅜ po). Ce sera votre gabarit pour pratiquer les encoches qui retiendront le ruban.
3 Alignez le gabarit sur le côté d'un triangle. À partir de 1,3 cm (½ po) de la base, pratiquez des encoches de 3 mm (⅛ po) vis-à-vis des marques du gabarit. Répétez sur l'autre côté du triangle. Avec l'aiguille de tapisserie, percez un petit trou entre les deux encoches du haut.
4 Pliez le ruban étroit en deux pour situer le milieu et alignez celui-ci sur le milieu de la base du triangle, au niveau des deux premières coches. Entrelacez les deux bouts du ruban autour de l'arbre en les croisant devant et derrière comme si vous serriez un lacet. Tirez sur les bouts du ruban à mesure que vous lacez.
5 Après avoir fait passer les bouts du ruban dans les deux coches du haut, insérez-les dans

l'aiguille à tapisserie pour les faire passer dans le trou que vous avez préparé. Tirez.
6 Pliez le ruban large en deux pour situer le milieu. Bouclez le ruban à cet endroit sans trop serrer. Faites passer dans le nœud de la boucle les deux bouts du ruban étroit enfilés dans l'aiguille à tapisserie. Piquez le ruban étroit de nouveau à travers le trou et tirez jusqu'à ce que le nœud de ruban soit plaqué contre le sommet du triangle.
7 Désenfilez les deux bouts du petit ruban et attachez-les en faisant un nœud derrière le trou. Écourtez les pans au besoin pour qu'ils mesurent environ 15 cm (6 po). Attachez-les ensemble à leur extrémité pour former une boucle et suspendre votre arbre en ruban.

Cordons de papier

Servez-vous de ces simili-cordons de soie pour entourer les serviettes de table au repas de Noël, ou pour garnir l'arbre de Noël.

- ◆ **carton épais**
- ◆ **couteau d'artiste**
- ◆ **alène**
- ◆ **feuille de papier blanc de la longueur désirée pour le cordon**
- ◆ **colle blanche d'artisanat**
- ◆ **tubes d'acrylique**
- ◆ **pinceau**

1 Dans le carton épais, découpez deux glands. Pratiquez un trou au sommet de chacun.
2 Entortillez le papier blanc pour lui donner l'allure d'un cordon torsadé. (Vous pouvez raccorder plusieurs longueurs de papier avec du ruban collant caché à l'intérieur.)
3 Faites passer les deux bouts de ce cordon de papier à travers le trou dans les deux glands et maintenez-les en place en les fixant à l'arrière du gland avec de la colle blanche.
4 Donnez un tour aux deux bouts du cordon pour que les deux glands reposent à plat aux deux bouts. Maintenez-les dans cette position avec un point de colle. Laissez sécher la colle avant de colorer le cordon et les glands avec la peinture acrylique. Soulignez la vraisemblance avec des traits noirs comme sur l'illustration de la page ci-contre.

NŒUDS DÉCORATIFS

UN JOLI NŒUD de ruban ou de ficelle complète bien une carte ou une étiquette. Il existe des rubans de toutes les couleurs, largeurs et textures. Apportez un échantillon de vos cartes au magasin pour choisir celui qui convient le mieux. Cela dit, quelques brins de raphia font beaucoup d'effet autour d'un emballage en papier kraft ou en papier blanc du boucher.

Boucle de ruban sur une étiquette

1ʳᵉ méthode : un ruban large, un ruban étroit
Pliez le ruban large en deux pour situer le milieu. Faites une boucle à cet endroit, sans serrer. À travers le trou de l'étiquette, faites passer un bout du ruban étroit de l'arrière à l'avant et enfilez-le dans le nœud du ruban large. Ramenez ce même bout de ruban étroit derrière l'étiquette en passant par le trou et faites un nœud serré pour plaquer la boucle contre l'étiquette.

2ᵉ méthode : deux rubans de même largeur
Faites deux trous dans le haut de l'étiquette à 1,3 cm (½ po) l'un de l'autre. Enfilez les deux rubans dans une aiguille à grand chas. Entrez l'aiguille dans un des trous et faites passer une bonne partie des rubans à l'arrière. Sortez l'aiguille par l'autre trou et tirez. Enlevez l'aiguille et ajustez les rubans pour que les pans soient égaux devant les deux trous. Faites votre boucle.

Nœuds de suspension

Nouez ensemble solidement les deux bouts d'un ruban. Enfilez le centre du ruban dans le trou de la carte ou de l'étiquette. Tirez suffisamment sur la boucle ainsi formée pour pouvoir y faire passer les extrémités nouées. Lâchez la boucle et tirez sur le nœud jusqu'au bout du ruban. Ou bien contentez-vous d'enfiler la moitié du ruban dans le trou pour la boucler avec l'autre moitié.

La touche de finition

Le ruban une fois bouclé, n'oubliez pas de donner un coup de ciseau au bout des pans, en diagonale ou en pointe. Le but visé est non seulement esthétique mais pratique puisque le ruban aura ainsi moins tendance à s'effilocher.

Boîtes décoratives

L'emballage contribue en bonne partie au plaisir de recevoir un cadeau... ou de le donner.

Boîtes recyclées

Au besoin, procurez-vous des boîtes bon marché à la papeterie ou à la boutique d'artisanat.

BOÎTE PEINTE
◆ **tubes d'acrylique**
◆ **pinceau**
◆ **colle blanche d'artisanat**

BOÎTE RECOUVERTE DE TISSU
◆ **pièce de tissu**
◆ **colle blanche d'artisanat**
◆ **ruban**

BOÎTE RECOUVERTE DE PAPIER
◆ **papier pour recouvrir la boîte**
◆ **bâton de colle**
◆ **tubes d'acrylique**
◆ **pochoir**
◆ **pinceau à pochoir**

Boîte peinte

1 Peignez la boîte d'une couleur qui plaira au destinataire. Prévoyez jusqu'à trois couches pour bien la recouvrir.
2 Une fois la peinture sèche, collez une belle image sur le couvercle. Vous pouvez l'acheter toute faite ou la fabriquer vous-même, en papier mâché par exemple (voir p. 311).

Boîtes recouvertes

1 Recouvrez vos boîtes de tissu ou de papier. Soignez particulièrement les coins, en expérimentant au besoin avant de les coller en place.
2 Décorez au pochoir une boîte recouverte de papier et laissez bien sécher la peinture. Sur une boîte en tissu, collez un ruban décoratif. Épinglez-le pour le tenir en place jusqu'à ce que la colle soit sèche. Faites une boucle avec un bout du même ruban et collez-la en place. Pour créer du contraste vous pouvez, comme nous, peindre une partie du tissu avec un mélange de peinture acrylique et de colle.

NOTE: Renverser le tissu ici et là est une autre façon de créer un effet contrastant.

Boîte surprise

Cette colonne dorique mystifie à tout coup le destinataire qui ne sait pas trop par quel bout l'ouvrir (il faut tirer par en bas). Enfermez-y des bougies, des crayons ou des papiers enroulés.

◆ **carton ondulé**
◆ **carton fort**
◆ **couteau d'artiste**
◆ **règle**
◆ **crayon**
◆ **peinture acrylique dorée**
◆ **colle blanche d'artisanat**
◆ **pinceau**
◆ **2 petits trombones**
◆ **sèche-cheveux (facultatif)**

1 Dans le carton ondulé, découpez, en respectant le sens des ondulations, une pièce A de 19 x 31,8 cm (7 ½ x 12 ½ po); une pièce B de 19 x 4,5 cm (7 ½ x 1 ¾ po); deux pièces C de 5,4 x 14 cm (2 ⅛ x 5 ½ po). Dans le carton fort, découpez deux carrés (D) ayant 7 cm (2 ¾ po) de côté. Peignez en doré une face des pièces A et B et les deux faces des pièces C et D.
2 Sur la face ondulée des pièces A et B, tracez une ligne à 1 cm (⅜ po) du bord avec le côté non tranchant du couteau. Le long de cette ligne, découpez des triangles jusqu'à 2 cm (¾ po) du bout (qui chevauchera).

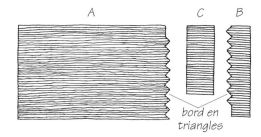

bord en triangles

3 Faites chevaucher les deux bords larges de la pièce A sur 2 cm (¾ po) et collez pour former un tube. Maintenez-les ensemble avec des trombones pendant qu'ils sèchent et utilisez un sèche-cheveux si vous voulez hâter le processus. Procédez de la même façon avec la pièce B mais formez un tube légèrement plus petit qui s'insérera parfaitement dans le tube A.
4 Au bout des deux tubes, repliez les triangles et enduisez-les de colle pour fixer chaque cylindre debout au centre d'une pièce D.

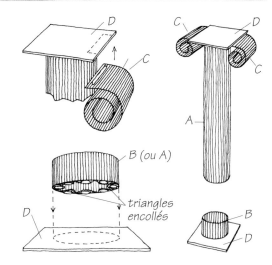

B (ou A)

triangles encollés

5 Roulez serré et relâchez plusieurs fois les deux pièces C pour leur donner la forme d'une spirale. Lorsqu'elles adoptent le diamètre voulu, collez-les au bord du sommet de la colonne comme illustré ci-dessus. Ici aussi, trombones et sèche-cheveux vous aideront.

Boîte simple

Il s'agit d'un simple cube dont la taille peut varier.

◆ **carton**
◆ **couteau d'artiste**
◆ **règle et crayon**
◆ **colle blanche d'artisanat**

1 Décorez un côté du carton au pochoir ou avec une estampe en pomme de terre (p. 333) ou couvrez-le d'un joli papier. Cela sera considéré comme « l'endroit » du carton.
2 En vous servant du gabarit de la page ci-contre, marquez l'envers du carton aux dimensions voulues à l'aide de la règle et du crayon.
3 En vous aidant de la règle, découpez les contours de la boîte avec le couteau d'artiste. Sur l'endroit du carton, indiquez les pliures au couteau, avec le côté non tranchant si le carton est léger, le côté tranchant s'il est épais.
4 Mettez la boîte en forme en suivant les marques et en rabattant toujours vers l'intérieur. Collez les deux rabats du haut contre les rabats du côté, qui n'exigent pas d'être collés. Maintenez les rabats en place avec des trombones pendant que la colle sèche.

Toutes ces boîtes de tailles variées sont à la portée des bricoleurs même les moins expérimentés. Revêtues de tissu ou de papier ou décorées au pochoir, entourées d'un ruban et d'une boucle, elles sont assez chic pour se présenter avantageusement dans toutes les occasions.

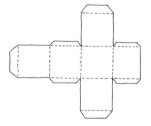

Diagramme complet

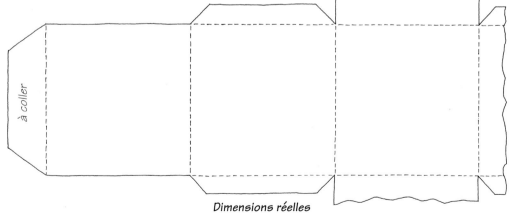

Dimensions réelles

TRUCS ET ASTUCES

LA TOUCHE DE FINITION

Si vous collez des matériaux épais, fixez-les en place avec des trombones pendant qu'ils sèchent.

Pour plier une carte proprement, marquez la pliure au préalable sur le côté à plier. Servez-vous du côté non tranchant de votre couteau pour marquer la pliure sans entamer la carte.

Pour plier du carton fort, marquez la pliure au préalable sur le côté à plier. Servez-vous cette fois du tranchant de la lame de votre couteau. Il s'agit de faire une légère incision dans le carton pour faciliter la pliure.

Pour faire une boîte simple, ajoutez à ce gabarit les volets qui manquent en vous référant au diagramme à échelle réduite. Il y a sept rabats. Les trois qu'il faut coller sont légèrement plus grands que les quatre autres.

◆ Emballages spéciaux ◆

Grâce à nos suggestions originales, l'emballage peut constituer une partie du cadeau.
Prenez le temps de réfléchir sur l'agencement contenant-contenu : un tissu à motif floral pour recouvrir
un livre sur l'horticulture, ou une serviette de table bourgogne pour draper une bouteille de vin.

Un cadeau pour la cuisine

Voici un emballage tant décoratif que pratique pour une amie très proche.

- **joli linge à vaisselle neuf**
- **aiguille à coudre**
- **fil à coudre de couleur assortie au linge à vaisselle**
- **ficelle assez longue pour entourer deux fois le cadeau avec des pans de 6 cm (2 ½ po)**
- **2 emporte-pièce à biscuits**
- **2 cuillers de bois à long manche**

1 Enveloppez le cadeau dans le linge à vaisselle comme vous le feriez dans du papier. Repliez les bouts proprement et fixez-les avec quelques points de couture, pas trop serrés.
2 Faites un nœud à chaque bout de la ficelle. Entourez le cadeau en attachant les emporte-pièce et les cuillers de bois au dernier tour. Terminez par un nœud au lieu d'une boucle.

Emballage à la japonaise

Choisissez des tissus vaporeux ou des écharpes de soie. Un agencement de deux textures et deux couleurs différentes ajoutent de l'intérêt.

- **2 carrés de tissu ou 2 écharpes**
- **aiguille et fil ou machine à coudre**

1 Ourlez tous les bords des tissus à la main ou à la machine, si cela n'est pas déjà fait.
2 Étendez les deux morceaux de tissu l'un sur l'autre, l'envers vers vous. Placez l'objet à emballer en diagonale. Ramenez les deux pointes opposées des tissus l'une sur l'autre. Ramenez les deux autres pointes par-dessus et attachez le tout. Faites entrer tous les bords qui dépassent pour donner une apparence soignée.

Emballage d'un livre

Fabriquez un couvre-livre à la fois robuste et approprié au sujet. Pour un livre sur les roses, par exemple, le motif du tissu est déjà trouvé ! Pour un livre de cuisine, il pourra être à carreaux.

- **pièce rectangulaire de tissu pour l'enveloppe (voir étape 1)**
- **tissu de couleur contrastante pour le rabat (voir étape 2)**
- **ciseaux à tailler**
- **fil et aiguille ou machine à coudre**
- **2 boutons d'environ 2,5 cm (1 po)**
- **cordon de soie de 30 cm (12 po)**

1 Mesurez la hauteur, la largeur et l'épaisseur du livre. Pour tailler le rectangle de tissu, calculez en longueur deux fois la hauteur du livre plus une ressource de 1,5 cm (environ ½ po) de chaque côté ; en largeur, celle du livre plus son épaisseur et 2,5 cm (1 po) de ressource. L'un des côtés étroits devrait correspondre à la lisière du tissu.
2 Dans le tissu contrastant, taillez un carré dont le côté égale la largeur du rectangle. Endroit contre endroit, piquez un bord du carré contre le bord du rectangle opposé à la lisière. Sur le bord vif, repliez 1,5 cm (½ po) au fer.
3 Pliez le rectangle endroit contre endroit pour que les côtés étroits se rencontrent vis-à-vis la piqûre (ci-dessous). Épinglez, puis piquez

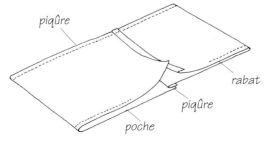

piqûre

rabat

piqûre

poche

les côtés avec une marge de 1,3 cm (½ po). Tournez la poche et le rabat à l'endroit. Cousez à la main le bord du rabat plié au fer.
4 Insérez le livre dans le couvre-livre et marquez l'emplacement des deux boutons, un sur le rabat et l'autre sur la poche, en vis-à-vis. Cousez les boutons. Fixez un bout du cordon de soie sur le bouton du rabat et faites un nœud à l'autre bout.
5 Emballez le livre et fermez le rabat en entortillant le cordon d'un bouton à l'autre.

Emballage d'un pot de fleurs

La solution facile à un emballage problématique.

- **2 grands foulards neufs de couleurs vives ou 2 serviettes de table**
- **ruban collant pour tissus**

1 Pliez un des foulards en deux, pointe contre pointe et nouez-le simplement autour du pot (le pli du foulard entoure le pot, les pointes retombent). Enroulez les pointes sur elles-mêmes de façon à pouvoir fixer le foulard en dessous du pot avec le ruban collant.
2 Répétez avec l'autre foulard en le nouant du côté opposé autour du pot.

Emballage d'un cadeau pour bébé

Voilà un emballage qui se révélera au moins aussi utile que le cadeau lui-même.

- **couche en tissu**
- **3 épingles à couche**
- **petit ourson pour décorer**
- **ruban pour faire une boucle**

1 Étendez la couche à plat avec une pointe devant vous. Placez le cadeau (de préférence

carré ou rectangulaire) au centre de la couche de façon à former un angle de 45 degrés avec les côtés. (Si le cadeau est trop grand, utilisez une serviette de bain pour bébé.)

2 Rabattez sur le cadeau la pointe de la couche opposée à vous. Rabattez ensuite les deux pointes latérales. Couvrez le tout avec la pointe devant vous. Attachez ensemble les quatre épaisseurs avec deux épingles à couche en évitant de piquer dans l'ourlet.

3 Faites passer le ruban dans la boucle de la dernière épingle à couche et nouez-le autour du cou de l'ourson. Épinglez l'ourson au cadeau.

Emballage d'une bouteille

Une bouteille de vin, de cidre, d'huile ou de vinaigre devient un cadeau extrêmement attrayant quand vous l'enveloppez de cette manière.

- ◆ **serviette de table de couleurs vives**
- ◆ **ruban collant en toile de couleur assortie**
- ◆ **ruban de couleur contrastante pour la boucle**

1 Étendez la serviette à plat. Placez la bouteille à un bout, à environ 4 cm (1½ po) du bas.

Un emballage bien pensé réjouira son destinataire. À partir du cadeau pour bébé à gauche, en arrière, dans le sens des aiguilles d'une montre, une bouteille, un emballage à la japonaise, un cadeau pour la cuisine, un couvre-livre et un pot de fleurs.

Fixez la serviette sur la bouteille avec du ruban collant à mi-hauteur. Rabattez le haut de la serviette par-dessus le goulot.

2 Enroulez la bouteille en serrant et fixez l'emballage en place avec du ruban collant.

3 Fixez le bas de la serviette sous le cul de la bouteille. Nouez un ruban autour du goulot.

Index

Crédits

Pages 107-109
Design : Zuelia Ann Hurt. Création : Gallery Y, New York, État de New York.

Pages 112-115
Design : Zuelia Ann Hurt. Création : tapis tricoté, Sigrid Etter ; tapis tressé, Marie LaFevre.

Pages 118-119
Design : Zuelia Ann Hurt. Création : Plaid Enterprises, Inc., Norcross, Géorgie, avec la peinture pour verre et le liquide imitation plomb de la marque Gallery Glass.

Pages 120-121, 122-123, 134-137
Design : Zuelia Ann Hurt. Création : Barbara Fimbel, avec les tissus Waverly « Candlelight Chintz », « Caprice », « Melissa », « Folly », et « Mortimer ».

Pages 138-139
Design : Zuelia Ann Hurt. Création : The Pink Flamingo, Staten Island, État de New York, avec les tissus Waverly « Polka » et « Market Place ».

Pages 158-159
Design : Zuelia Ann Hurt.
Création : Plaid Enterprises, Inc., Norcross, Géorgie, avec la peinture acrylique Folk Art.

Pages 202-203
Design et création : Mark D. Feirer.

Pages 204-205
Design et création : Catherine Alston.

Pages 206-207
Design et création : plate-forme de fenêtre pour chat, Mark D. Feirer ; hamac pour chat, Catherine Alston.

Pages 208-210
Design et création des colliers pour animaux : Catherine Alston.

Pages 211-219
Design et création : Mark D. Feirer.

Pages 292-293
Design : Virginia Wells Blaker. Création : Judith Sandstrom, avec le molleton de la corporation Fairfield Processing, Wilton, Connecticut.

Pages 302-305
Design : Zuelia Ann Hurt. Création : Ginger Kean Berk.

Pages 308-309
Design : Zuelia Ann Hurt. Création : Maureen Klein.

Pages 310-311
Design : Zuelia Ann Hurt. Création : Connie Matricardi.

Pages 312-315
Design : Virginia Wells Blaker. Création : T. C. Powers, TC Ultra Co. chez Sails & Rails, Savannah, Géorgie.

Pages 316-317, 326-327, 338-339
Design : Zuelia Ann Hurt. Création : Zabel Meshigian.

Pages 320-321
Design : Zuelia Ann Hurt. Création : Beth MacDonald, Brain Storms, Sioux Falls, Dakota du Sud.

Bibliographie

Animaux de compagnie et animaux sauvages

Attracting Backyard Birds, Inviting Projects to Entice Your Feathered Friends, Sandy Cortright and Will Pokriots, Sterling Publishing Co., Inc.

The Backyard Bird Watcher, George H. Harrison, Simon and Schuster.

Beastly Abodes, Homes for Birds, Bats, Butterflies & Other Backyard Wildlife, Bobbe Needham, Sterling Publishing Co., Inc.

Birdfeeders, Shelters, and Baths, Edward A. Baldwin, Storey Communications, Inc.

Birdhouses, 20 Unique Woodworking Projects for Houses and Feeders, Mark Ramuz et Frank Delicata, Storey Communications, Inc.

Birdwatching, Dr. Janann V. Jenner, Friedman/Fairfax Publishers.

Feed the Birds, Helen Witty et Dick Witty, Workman Publishing.

How to Attract Birds, Ortho Books.

An Illustrated Guide to Attracting Birds, Sunset Publishing Corporation.

The Joy of Birding, A Guide to Better Birdwatching, Chuck Bernstein, Capra Press.

The National Audubon Society North American Birdfeeder Handbook, Robert Burton, DK.

Natural Health for Dogs & Cats, Richard H. Pitcairn, D.V.M., Ph.D., et Susan Hubble Pitcairn, Rodale Press, Inc.

Artisanat

Art School: an Introduction to Acrylics, Ray Smith, DK.

Art School: an Introduction to Pastels, Michael Wright, DK.

Art School: an Introduction to Perspective, Ray Smith, DK.

The Book of Candles, Miranda Innes, DK.

Decorative Frames & Labels, Carol Belanger-Grafton, ed., Dover.

Decorative Paint Effects—A Practical Guide, Annie Sloan, Putnam.

Decorative Papercrafts Workstation, Susan Niner Janes, Grosset & Dunlap.

Découpage, Nerida Singleton, Sterling Publishing Co., Inc.

55 Country Dough Craft Designs, Linda Rogers, Sterling Publishing Co., Inc.

Guide des travaux d'artisanat, Sélection du Reader's Digest.

Noël en fête, Jane Newdick, Sélection du Reader's Digest.

Papercraft School, Clive Stevens, Reader's Digest.

Practical Craft Ideas from Your Garden, Janet Taylor, Seven Hills.

Practical Guide to Decorative Antique Effects, Annie Sloan, Reader's Digest.

The Rag Doll Kit, Alicia Merrett, Running Press.

Singer Creative Gifts & Projects, Cy DeCosse, Cowles Creative.

Stencil Book, Louise Drayton et Jane Thomson, DK.

3,800 Early Advertising Cuts, Carol Belanger Grafton, Dover.

Tonia Todman's Paper-Making Book, Tonia Todman, Sterling Publishing Co., Inc.

Tricia Guild on Colour, Tricia Guild, Rizzoli International.

25 Kites That Fly, Leslie L. Hunt, Dover.

Victorian Crafts Revived, Caroline Green, Reader's Digest.

Victorian Splendour, Suzanne Forge, Oxford University Press.

Wirework, Mary Maguire, Lorenz Books.

Woodcraft of the World, Thunder Bay Press.

A World of Beads, Barbara Case, Sterling Publishing Co., Inc.

Wreaths and Garlands, Malcolm Hillier, DK.

Couture et travaux d'aiguille

Butterick Fabric Handbook, Irene Cumming Kleeberg, ed., Butterick.

Celtic Cross Stitch, Gail Lawther, Reader's Digest.

Country Quilts, Linda Seward, Grove Press.

Cross Stitch Country Christmas, Brenda Keyes, Sterling Publishing Co., Inc.

Decorating with Traditional Fabrics, Miranda Innes, Reader's Digest.

Decorative Needlepoint: Tapestry and Beadwork, Julia Hickman, Reader's Digest.

Design and Make Curtains, Heather Luke, Storey Communications.

The Ehrman Needlepoint Book, Hugh Ehrman, Reader's Digest.

The Essential Quilter, Barbara Chainey, David & Charles.

Fabrics: The Decorative Art of Textiles, Caroline Lebeau, Thames and Hudson.

Guide complet des travaux à l'aiguille, Sélection du Reader's Digest.

Guide de la couture pratique et créative, Sélection du Reader's Digest.

Guide pratique de la broderie, Melinda Coss, Sélection du Reader's Digest.

The Patchwork Planner, Birte Hilberg, David & Charles.

Patchwork, Quilting, & Appliqué, The Complete Guide to All the Essential Techniques, Jenni Dobson, Reader's Digest.

Quilting School, Ann Poe, Reader's Digest.

Ribbon Embroidery, Daphne J. Ashby et Jackie Woolsey, Sterling Publishing Co., Inc.

The Sampler Motif Book, Brenda Keyes, Putnam.

The Sasha Kagan Sweater Book, Sasha Kagan, DK.

Singer Sewing Step-by-Step, Cy DeCosse, Cowles Creative.

Cuisine et nettoyage

Ball Blue Book Guide to Home Canning, Freezing & Dehydration, Alltrista Corporation.

Better Than Store-Bought, A Cookbook, Helen Witty et Elizabeth Schneider Colchie, Harper & Row.

Bread Dough Creations, Susan Roach, Sally Milner Publishing.

The Cook's Bible, The Best of American Home Cooking, Christopher Kimball, Little Brown and Company.

How to Clean Absolutely Everything, Barty Phillips, Avon Books.

Made for Giving: Gifts from the Kitchen, Pamela Westland, Reader's Digest.

Maison et jardin

Complete Home Decorating Book, Nicholas Barnard, DK.

Home Accessories with Style, Cowles Creative.

House Style Book, Deyan Sudjic, Gallery Books.

1001 Trucs et astuces pour le jardin, Sélection du Reader's Digest.

Singer Home Decorating Projects, Cy DeCosse, Cowles Creative.

The Stenciled House, Lyn LeGrace, DK.

Terence Conran's DIY by Design, Terence Conran, Conran Octopus.

Treasures in Your Home, David Battie, Reader's Digest.

Upholstery Techniques and Projects, David James, Sterling Publishing Co., Inc.

Santé et beauté

Encyclopédie des plantes médicinales, Andrew Chevallier, Sélection du Reader's Digest.

Home Herbal, Penelope Ody, DK.

Les Plantes médicinales, Penelope Ody, Sélection du Reader's Digest.

Secrets et vertus des plantes médicinales, Sélection du Reader's Digest.